간호조무사의 합격 파트너   PRACTICAL NURSES

PRACTICAL NURSES

파워 간호조무사
국가시험 예상문제집

NEW
2022
개정판

스마트에듀K 아카데미

☑ 단기간 전 과목 마스터!
☑ 최근 3개년 출제된 600문항 완전 분석
☑ 실전 모의고사 2회 수록

 1교시·4과목
기초간호학 개요 | 보건간호학 개요 | 공중보건학개론 | 실기

군자출판사

파워 간호조무사
국가시험 예상문제집

제1판 1쇄 인쇄 | 2022년 01월 02일
제1판 1쇄 발행 | 2022년 01월 15일

지 은 이 스마트에듀K 아카데미
발 행 인 장주연
출 판 기 획 한인수
책 임 편 집 임유리
편집디자인 유현숙
표지디자인 양란희
발 행 처 군자출판사
등록 제 4-139호(1991. 6. 24)
(10881) 파주출판단지 경기도 파주시 회동길 338(서패동 474-1)
전화 (031) 943-1888 팩스 (031) 955-9545
www.koonja.co.kr

ISBN 979-11-5955-819-1

정 가 35,000원

머리말

최근 고령으로 인하여 늘어나는 의료기관에서 간호조무사의 수준 높은 전문성을 요구하고 있습니다. 간호조무사 국가시험의 최근 출제경향을 살펴보면, 기존의 기출문제 풀이만 열심히 하면 시험에 합격할 수 있었던 예전과는 달리 기출문제와 동일한 문제는 출제되지 않고, 간호 관련 전문지식을 넓고 깊게 포괄적으로 평가하는 방향으로 출제경향이 변화되고 있습니다.

본서 [2022 간호조무사 국가시험 예상문제집]은 수험생 여러분이 그동안 이론교육과 현장실 습을 통해서 배운 지식들을 다양한 유형의 실전 문제풀이를 통하여 체계적으로 정리하고 요약 하여 쉽게 학습할 수 있도록 하였으며, 저자가 오랜 기간 일선 간호교육 현장에서 소망하였던 실질적인 국가시험 지침서가 될 수 있도록 각고의 노력을 기울였습니다. 본 문제집의 특징은

첫째, 국가시험 전 과목을 최근 3개년간 출제된 기출문제의 유형을 파악하여 핵심내용과 관 련된 예시문제 및 정답을 알기 쉽게 요약, 해설하여 짧은 시간에 최상의 학습 효과를 얻을 수 있도록 하였습니다.
둘째, 중복된 문제는 가급적 삭제하고 출제 가능성이 높은 문제를 선정하고 최근 출제되는 경향에 맞추어 해설형 문제로 추가 구성하였습니다.
셋째, 기존 문제집의 해설과 달리 차별화된 전문성을 가지고 수험생의 눈높이에 맞추어서 알 기 쉽게 설명하였습니다.

모르는 길도 네비게이션의 도움을 받으면 쉽게 찾아 갈 수 있듯이, 본 요약집과 문제집이 수 험생 여러분을 합격으로 인도하는 좋은 길라잡이가 될 수 있기를 희망합니다. 미흡하고 불충한 부분은 앞으로 독자들의 아낌없는 조언(助言)과 연구를 통하여 계속 보완할 것을 다짐합니다.

본서가 나오기까지 많은 배려와 도움을 주신 (주)군자출판사 장주연 대표님을 비롯한 임직원 여러분께 깊은 감사를 드립니다.

2022년 1월
대표저자 **곽이화** 드림

contents

PART 04 | 기본간호 실기

PART 05 | 실전 모의고사

PRACTICAL NURSES

파워
간호조무사
국가시험 예상문제집

시험 안내

간호조무사의 합격 파트너   PRACTICAL NURSES

1 시험일정

구분	응시원서 접수기간	응시수수료	시험일	합격자 발표 예정일시	시험장소 공고일 (국시원 홈페이지 공고)
상반기	인터넷: 2022.1.4.(화)~1.11.(화) 방 문: 2022.1.12.(수)	37,000원	2022.3.19.(토)	2022.4.5.(화) 10:00	2022.2.16.(수)
하반기	인터넷: 2022.7.5.(화)~7.12.(화) 방 문: 2022.7.13.(수)	37,000원	2022.9.24.(토)	2022.10.11.(화) 10:00	2022.8.24.(수)

2 접수방법 및 제출서류 등

구분	인터넷 접수	방문 접수
응시원서 접수 및 응시수수료 결제시간	• 응시원서 접수 시작일 09:00부터 접수 마감일 18:00까지 • 접수 마감일 18:00까지 응시수수료를 결제해야 접수가 완료됨.	• 응시원서 접수 기간 중 09:30부터 18:00까지
접수장소	• www.kuksiwon.or.kr	• 서울 광진구 자양로 126 성지하이츠 2층 한국보건의료인국가시험원 별관
제출서류	• 사진파일 : 276 × 픽셀 이상 크기 ※ 3.5 × 4.5cm, 200dpi 이상 크기 ※ 증명사진을 스캔하실 때는 해상도 최소 200dpi설정(600dpi 이상 권장)	• 응시원서 : 1매 (사진 3.5 × 4.5 2매 부착) • 개인정보 수집·이용·제3자 제공 동의서 1매

3 시험시간표

교시	시험과목[문제수]	응시자 입실시간	시험시간	배점	시험방법
1교시	1. 기초간호학 개요 [35] (치의학기초개론 및 한의학기초개론을 포함한다.) 2. 보건간호학 개요 [15] 3. 공중보건학개론 [20] 4. 실기 [30]	09:30	10:00~11:40 (100분)	1점 /1문제	객관식 (5지 선다형)

4 합격자 결정방법

매 과목 만점의 40퍼센트 이상, 전 과목 총점의 60퍼센트 이상 득점한 자를 합격자로 합니다.

시험과목	분야	영역
1. 기초간호학 개요	1. 간호관리	1. 직업윤리 및 자기계발
		2. 병원환경관리
		3. 행정업무수행
	2. 기초해부생리	1. 인체의 개요
		2. 인체체계 분류
	3. 기초약리	1. 약물기전
		2. 약물의 관리
	4. 기초영양	1. 영양과 대사
		2. 식이
	5. 기초치과	1. 기본개념
		2. 치과 기본업무
	6. 기초한방	1. 기본개념
		2. 한방 기본업무
	7. 성인관련 간호의 기초	1. 계통별 간호보조
	8. 모성관련 간호의 기초	1. 임신
		2. 분만
		3. 산욕
	9. 아동관련 간호의 기초	1. 아동 발달단계별 간호보조
		2. 환아의 간호보조
	10. 노인관련 간호의 기초	1. 노인의 건강관리
	11. 응급관련 간호의 기초	1. 응급처치의 개요

시험과목	분야	영역
2. 보건간호학 개요	1. 보건교육	1. 보건교육의 이해
		2. 보건교육의 실시
	2. 보건행정	1. 보건조직
		2. 보건의료체계
		3. 의료보장의 이해
	3. 환경보건	1. 환경의 이해
		2. 환경의 요소
	4. 산업보건	1. 산업장 건강문제
3. 공중보건학 개론	1. 질병관리사업	1. 역학
		2. 감염성 질환
		3. 만성 질환
	2. 인구와 출산	1. 인구의 이해
		2. 인구정책
	3. 모자보건	1. 모자보건의 이해
		2. 모성보건
		3. 영유아 보건
	4. 지역사회보건	1. 정신보건
		2. 노인보건
		3. 방문보건
	5. 의료관계법규	1. 의료법
		2. 정신건강증진 및 정신질환자 복지서비스 지원에 관한 법률
		3. 결핵예방법
		4. 구강보건법
		5. 혈액관리법
		6. 감염병의 예방 및 관리에 관한 법률

시험과목	분야	영역
실기 (기본간호학)	1. 활력징후	1. 체온
		2. 맥박
		3. 호흡
		4. 혈압
	2. 영양과배설	1. 식사돕기
		2. 섭취량과 배설량 측정
		3. 배변돕기
		4. 배뇨돕기
	3. 감염과 상처	1. 소독과 멸균
		2. 감염관리
		3. 상처관리
	4. 개인위생	1. 목욕돕기
		2. 부위별 개인위생돕기
	5. 활동관리	1. 운동
		2. 이동과 보행
		3. 체위
		4. 안전
	6. 체온 유지	1. 냉·온요법
	7. 수술과 진단검사 돕기	1. 수술
		2. 진단검사
	8. 응급상황 대처	1. 심폐소생술
		2. 응급처치
		3. 산소요법
	9. 환자와 보호자 관리	1. 입원, 퇴원, 전동
		2. 의사소통

PART

01

기초간호학

파워 간호조무사 국가시험 예상문제집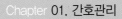

01

고대에서 현대 간호에 이르기까지 간호의 발전 과정
으로 옳은 것은?

① 가족간호 - 종교간호 - 자기간호 - 직업간호
② 자기간호 - 종교간호 - 직업간호 - 가족간호
③ 종교간호 - 직업간호 - 가족간호 - 자기간호
④ 자기간호 - 가족간호 - 종교간호 - 직업간호
⑤ 가족간호 - 자기간호 - 종교간호 - 직업간호

02

요즘 현대간호가 지향하는 방향으로 옳은 것은?

① 질병 중심의 간호
② 과학적이고 기술적 간호
③ 빠른 치료를 위한 최신간호
④ 환자의 특성에 맞는 전인간호
⑤ 환자요구를 무조건 들어주는 간호

03

간호조무사의 직업적 윤리와 태도로 옳은 것은?

① 다른 직원의 대리 근무를 선다.
② 환자의 비밀을 동료에게 말해준다.
③ 환자의 요구사항을 모두 들어준다.
④ 직무의 범위를 정확히 알고 일한다.
⑤ 환자의 정보문의가 왔을 시 정보를 말해준다.

04

간호조무사가 직업윤리를 준수한 경우는?

① 기록 오류를 확인하고 정정하지 않는다.
② 유명인의 입원 사실을 가족에게 이야기한다.
③ 혈압계가 파손되었음을 관리자에게 보고한다.
④ 유효기간을 확인하지 않고 소독물품을 준비한다.
⑤ 환자의 요청으로 환자가 복용하는 약을 버려준다.

05 기출

간호조무사가 동료의 업무상 실수를 발견했을 때 직업윤리에 따른 행동으로 옳은 것은?

① 환자에게 위해가 있는지 확인한다.
② 동료를 보호하기 위해 비밀로 한다.
③ 보호자가 알고 있는지 먼저 확인한다.
④ 다음 근무자에게 문제 해결을 미룬다.
⑤ 자신의 직무와 관련이 없으면 무시한다.

06

간호조무사의 업무 내용으로 옳은 것은?

> 가. 검사물을 검사실로 가져간다.
> 나. 입원실 및 진찰실의 환경 정리를 한다.
> 다. 수술에 필요한 기구를 소독하고 사용 후 손질한다.
> 라. 투약한다.
> 마. 환부에 드레싱을 한다.

① 가, 다
② 가, 나, 다
③ 나, 라, 마
④ 가, 나, 다, 라
⑤ 가, 나, 다, 라, 마

07

간호업무 수행 중 알게 된 환자의 비밀에 대한 간호조무사의 태도로 옳은 것은?

① 담당 간호사에게 보고한다.
② 병원 공용게시판에 내용을 게재한다.
③ 환자의 가족들에게 알려주어 도움이 되게 한다.
④ 어떠한 경우라도 다른 사람에게 발설하지 않는다.
⑤ 같이 근무하는 동료에게 이야기하여 조언을 구한다.

08 기출

간호조무사의 건강관리 행위 중 옳은 경우는?

① 다른 직원의 근무를 대신 서준다.
② 교차감염을 막기 위해 손을 자주 씻는다.
③ 손끝을 보호하기 위해 손톱을 길게 기른다.
④ 서서 하는 일이 많으므로 굽이 높은 구두를 신는다.
⑤ 밤 근무가 연속되는 경우에는 주간에 아르바이트를 한다.

09 기출

다음 중 간호조무사의 대인관계로 옳은 것은?

① 환자와 터놓고 친하게 지낸다.
② 환자의 요구는 무조건 들어준다.
③ 품위유지를 위해 엄격한 태도로 대한다.
④ 노인환자에게 할머니, 할아버지라고 부른다.
⑤ 환자에게 상냥하고 품위 있는 태도로 대한다.

10

본인의 진단명을 알지 못하는 상태의 말기환자 간호 시 간호조무사의 태도로 옳은 것은?

① 가족과 상의한 후 환자에게 알려준다.
② 더욱 친절하고 명랑한 태도로 대한다.
③ 환자에게 알려주어 임종준비를 하도록 돕는다.
④ 간호사의 계획된 지시에 따라 업무를 수행한다.
⑤ 되도록 환자와의 의사소통을 줄이고 편히 쉬게 한다.

11

간호조무사가 급한 업무로 바쁜 가운데 환자가 침요를 갈아 달라고 한다. 이때 적절한 태도로 옳은 것은?

① 다른 사람에게 말해보라고 한다.
② 일처리가 끝난 후에 확인하고 결정한다.
③ 환자에게 지금은 바쁘다고 기다리라고 말한다.
④ 먼저 다른 업무를 먼저 처리하고 나중에 해준다.
⑤ 업무의 상황을 설명한 후 나중에 갈아주겠다고 말한다.

12 [기출]

환자의 보호자가 감사하는 마음으로 금전적 사례를 하려고 할 때 간호조무사의 태도로 옳은 것은?

① 정색을 하고 거절하도록 한다.
② 일단 사양한 후 그래도 권하면 받는다.
③ 간호사실 데스크에 갖다 놓으라고 한다.
④ 병원의 규칙을 설명하고 정중히 거절한다.
⑤ 너무 거절해도 무례하기 때문에 감사히 받는다.

13

간호조무사가 투약 시 약을 잘못 주었을 경우 우선적으로 할 일로 옳은 것은?

① 가족에게 잘 이해시키며 사과한다.
② 발견되는 즉시 의사를 찾아 보고한다.
③ 자신의 실수를 환자에게 사실대로 설명한다.
④ 위험한 증상이 나타나지 않으면 그대로 둔다.
⑤ 발견되는 즉시 수간호사나 담당간호사에게 보고한다.

14 [기출]

간호조무사가 부득이한 사정으로 근무시간을 변경하고자 할 때 태도로 옳은 것은?

① 개인적인 볼일을 본 후에 보고한다.
② 담당의사에게 미리 서류를 제출한다.
③ 동료 간호조무사에게 대리근무를 부탁한다.
④ 간호조무사는 절대로 근무시간을 변경하면 안 된다.
⑤ 가능한 빨리 간호사에게 사유를 설명하고 근무시간을 변경한다.

15

간호조무사가 병실에서 환자가 병원약이 아닌 약물을 복용한 것을 발견하였다. 이때 간호조무사의 태도로 옳은 것은?

① 환자가 원하는 대로 한다.
② 별문제가 없는 약물이면 복용하도록 한다.
③ 투여한 약물과 중복되지 않으면 복용시킨다.
④ 정해진 투약시간과 간격을 두고 복용하도록 한다.
⑤ 즉시 약물복용을 중단시키고 간호사에게 보고한다.

16

의사 부재 시 응급환자가 왔을 때 간호조무사의 태도로 옳은 것은?

① 의사가 올 때까지 기다리라고 한다.
② 응급상태이므로 환자를 치료해도 된다.
③ 환자가 위급하더라도 치료해서는 안 된다.
④ 의사의 처방이 없으므로 치료하면 안 된다.
⑤ 응급처치를 하면서 의사나 간호사에게 연락한다.

17

화재 경보소리가 울리고 있을 때 간호조무사의 대처 방법으로 옳은 것은?

① 간호과장님께 즉시 보고한다.
② 병원 업무과에 알리도록 한다.
③ 환자와 보호자에게 알리고 대피한다.
④ 즉시 간호사에게 보고하고 병원규칙에 따라 행동한다.
⑤ 자신의 업무 밖의 일이므로 지시가 있을 때까지 기다린다.

18 기출

화재 시 대피방법으로 옳은 것은?

① 지하로 이동한다.
② 자세를 낮추고 이동한다.
③ 엘리베이터를 타고 이동한다.
④ 중증환자부터 먼저 이동시킨다.
⑤ 화재가 난 근처 비상구로 이동한다.

19

병원에서 화재가 발생했을 때, 입원해 있는 환자를 대피시키는 방법으로 옳은 것은?

① 엘리베이터를 이용하여 이동하게 한다.
② 비상구에 인원이 밀집되도록 유도한다.
③ 자기 힘으로 움직일 수 있는 환자를 신속히 대피시킨다.
④ 출입문의 손잡이가 뜨거우면 천으로 감싸 쥐고 문을 연다.
⑤ 밖으로 나온 후 환자를 구조하기 위해 다시 건물로 재진입한다.

20

병원에 화재가 발생하였을 때 가장 먼저 대피시켜야 할 대상자로 옳은 것은?

① 의식이 없는 환자
② 움직일 수 없는 환자
③ 움직일 때 불편해 하는 환자
④ 의식은 있으나 움직일 수 없는 환자
⑤ 움직일 수 있으나 보조기구를 하고 있는 환자

제3장 | 병원환경관리

21

편안한 물리적 환경을 조성하기 위한 간호로 옳지 않은 것은?

① 실내습도는 30~60%를 유지한다.
② 실내온도는 20~22℃를 유지한다.
③ 정신적 피로를 돕기 위해 소음을 줄여준다.
④ 불쾌한 냄새를 제거하기 위해 자주 환기시킨다.
⑤ 야간에는 수면을 돕기 위해 병실 내 조명을 소등한다.

22 기출

병원의 물리적 환경조성으로 옳은 것은?

① 직접 환기를 시킨다.
② 처치 보조 시 조명의 조도를 낮춘다.
③ 소음의 기준은 60 dB 이상으로 한다.
④ 다인실 침상 사이는 커튼을 사용한다.
⑤ 직사광선은 환자에게 직접 닿게 한다.

23 기출

병실의 환경관리로 옳은 것은?

① 환자에게 바람이 직접 닿지 않게 한다.
② 창문의 크기는 방 넓이의 1/10로 한다.
③ 창문은 낮은 곳에서 높은 곳으로 닦는다.
④ 빗자루를 사용하여 바닥의 먼지를 제거한다.
⑤ 햇빛이 병실로 직접 들어오게 커튼을 걷는다.

24 기출

안전한 환경을 위한 병실관리방법으로 옳은 것은?

① 바닥의 물기는 마를 때까지 둔다.
② 야간에는 바닥에 간접조명을 켜둔다.
③ 불안정한 환자의 침대난간은 내려놓는다.
④ 손상된 전선은 반창고로 감아서 사용한다.
⑤ 사용하지 않는 휠체어의 바퀴 잠금장치는 풀어놓는다.

25

병실을 관리하는 방법으로 옳은 것은?

① 파손되거나 고장난 가구는 버린다.
② 바닥 청소 시 비질을 피하도록 한다.
③ 혈액이 묻은 기구는 뜨거운 물로 씻는다.
④ 사망한 환자 방은 12시간 정도 비워둔다.
⑤ 시든 꽃은 환자의 허락 없이 버려도 된다.

26

병실에서 사용하고 난 기구들을 관리하는 방법으로 옳지 <u>않은</u> 것은?

① 도뇨관은 씻으면서 뚫린 곳이 없는지 확인한다.
② 혈관섭자는 겹쳐지는 부위에 오염된 물질을 확인 후 잘 씻는다.
③ 고무관은 관내에 오염된 물질이 없도록 물로 한 번 통과시킨다.
④ 고무장갑은 안과 밖을 잘 씻고 말린 후 파우더를 묻혀 소독한다.
⑤ 피고름이 묻어 있는 기구는 먼저 뜨거운 물에 헹구고 차가운 물에 씻는다.

27 기출

물품관리의 원칙으로 옳은 것은?

① 정기적으로 물품의 재고를 조사한다.
② 물품은 근무자 개인의 편의를 고려하여 배치한다.
③ 멸균 포장 상태로 바닥에 떨어진 물품도 멸균된 것으로 간주한다.
④ 물품은 언제든 사용할 수 있게 기준량을 초과하여 재고량을 확보한다.
⑤ 유효기간이 길게 남은 물품을 보관장 앞쪽에 배치하여 먼저 사용한다.

28 기출

환자에게 사용한 주삿바늘을 처리하는 방법으로 옳은 것은?

① 비닐봉지에 모아둔다.
② 바늘을 구부려서 버린다.
③ 지정된 트레이에 모아둔다.
④ 손상성 의료폐기물 전용용기에 버린다.
⑤ 양손을 이용하여 바늘에 뚜껑을 씌운다.

29 기출

병원의 물품관리방법으로 옳은 것은?

① 유효기간이 짧은 것일수록 맨 뒤에 정리한다.
② 개인 변기는 환자 개인 사물함에 넣어 보관한다.
③ 소독한 날짜가 최근 것일수록 맨 앞에 정리한다.
④ 유효기간이 지난 물품은 새로 포장하여 사용한다.
⑤ 포장이 찢어진 물품은 다시 포장하여 소독·멸균한다.

30 기출

병동 물품관리에 관한 설명으로 옳은 것은?

① 고무제품은 자비소독을 한다.
② 파손된 유리 앰플은 일반 쓰레기통에 버린다.
③ 유효기간이 짧은 물품을 보관장 앞쪽에 보관한다.
④ 혈액이 묻은 유리제품은 먼저 뜨거운 물로 헹구고 찬물로 씻는다.
⑤ 유리제품이나 종이, 거즈, 예리한 기구는 고압증기멸균법을 적용한다.

31 기출

격리 의료폐기물에 해당하는 것은?

① 분만 시 나온 태반
② 위궤양 환자의 토혈
③ 골절 환자에게 사용한 붕대
④ 당뇨병 환자에게 사용한 주삿바늘
⑤ 활동성 폐결핵 환자의 객담이 묻은 거즈

32 기출

외과 병동에서 배출된 혈액, 분비물로 오염된 거즈의 폐기물 분류는?

① 손상성 폐기물
② 병리계 폐기물
③ 생·화학 폐기물
④ 혈액오염 폐기물
⑤ 일반 의료폐기물

제4장 | 간호행정 및 간호기록

33

병원 간호행정의 중심이 되는 대상자로 옳은 것은?

① 의사
② 간호사
③ 병원장
④ 보호자
⑤ 간호대상자

34

의료법상 간호기록부의 기록 내용에서 옳지 않은 것은?

① 투약에 관한 사항
② 처치와 간호에 관한 사항
③ 섭취 및 배설물에 관한 사항
④ 체온, 맥박, 호흡, 혈압에 관한 사항
⑤ 주된 증상과 진단 결과에 관한 사항

35

다음 중 처방전의 기재사항으로 옳은 것은?

① 치료기간
② 식사 가능 여부
③ 입원 필요 여부
④ 향후 치료에 대한 소견
⑤ 의료기관의 명칭 및 전화번호

36 기출

간호 기록에 대한 설명으로 옳은 것은?

① 임의적으로 약어를 쓴다.
② 연필을 사용해도 무방하다.
③ 작성자의 성과 이름을 다 쓴다.
④ 투약 전에 미리 기록 가능하다.
⑤ 틀리면 수정펜으로 지우고 다시 쓴다.

37

간호기록에 대한 내용으로 옳은 것은?

가. 완전하고 간결하게 기록한다.
나. 객관적인 관찰이어야 한다.
다. 기록 시에는 표준용어를 사용한다.
라. 기록을 잘못했을 경우 깨끗이 지우고 다시 쓴다.
마. 투약에 대한 내용은 투약 전에 기록한다.

① 가, 다
② 가, 나, 다
③ 나, 라, 마
④ 가, 나, 다, 라
⑤ 가, 나, 다, 라, 마

CHAPTER 02 기초해부생리

제1장 | 인체의 개요

01

인체를 가로지르는 단면 중 인체를 상·하로 나누는 면을 무엇이라 하는가?

① 정중면
② 시상면
③ 관상면
④ 횡단면
⑤ 전두면

02

인체를 구성하고 있는 세가지 성분으로 옳은 것은?

① 세포, 조직, 골격
② 조직, 호르몬, 기관
③ 호르몬, 기관, 세포
④ 세포, 세포간질, 체액
⑤ 체액, 세포사이 물질, 호르몬

제2장 | 인체체계 분류

03

다음은 뼈의 기능으로 옳지 <u>않은</u> 것은?

① 신체지지
② 운동기능
③ 세포 환경 조절
④ 내부 장기 보호
⑤ 무기질을 축적 공급

04

뼈의 골절 시 재생에 중요한 역할을 하는 것은?

① 골수
② 골막
③ 연골
④ 해면골
⑤ 치밀골

05

뼈의 성장 및 대사와 관련 <u>없는</u> 것은?

① 칼슘
② 비타민
③ 글루카곤
④ 칼시토닌
⑤ 부갑상선 호르몬

06

다음 중 악관절을 구성하고 있는 뼈로 옳은 것은?

① 전두골, 후두골
② 치조골, 하악골
③ 상악골, 측두골
④ 구개골, 두정골
⑤ 측두골, 하악골

07

다음 중 과립 백혈구로 옳은 것은?

① 단핵구
② 임파구
③ 대식세포
④ 산호성 백혈구
⑤ 알칼리성 백혈구

08 기출

산소(O_2)와 이산화탄소(CO_2)를 운반하는 혈액으로 옳은 것은?

① 백혈구
② 적혈구
③ 림프구
④ 혈소판
⑤ 혈색소

09

산소를 전신으로 운반하는 혈액성분으로 옳은 것은?

① 혈장
② 헤파린
③ 혈소판
④ 섬유소원
⑤ 헤모글로빈

10 기출

혈액응고에 관여하는 성분은?

① 물
② 백혈구
③ 적혈구
④ 혈소판
⑤ 알부민

11 기출

90% 이상의 물, 알부민, 글로불린, 피브리노겐 등으로 구성되어 있는 혈액의 액체 성분은?

① 혈장
② 혈청
③ 백혈구
④ 적혈구
⑤ 혈소판

12

혈액의 기능에 관한 설명으로 옳지 <u>않은</u> 것은?

① 산-염기 균형을 조절한다.
② 골수에서 혈구를 생성한다.
③ 병원균으로부터 신체를 방어한다.
④ 체온을 일정하게 조절, 유지시켜 준다.
⑤ 영양분, 노폐물, O_2, CO_2 등을 운반하는 역할을 한다.

13 기출

복강과 하지에 있는 정맥혈을 모아 우심방으로 들어오는 혈관은?

① 상대정맥
② 하대정맥
③ 폐동맥
④ 폐정맥
⑤ 대정맥

14

다음 중 관상동맥을 통하여 혈액을 공급받는 기관으로 옳은 것은?

① 위 ② 간
③ 폐 ④ 심장
⑤ 뇌

15

승모판의 위치로 옳은 것은?

① 폐동맥
② 대동맥
③ 대퇴정맥
④ 좌심방과 좌심실 사이
⑤ 우심방과 우심실 사이

16

다음 중 간의 기능으로 옳지 <u>않은</u> 것은?

① 철분저장
② 지방대사
③ 해독작용
④ 혈장단백 합성
⑤ 신체활동 통제

17

대장에 해당되는 것은?

① 공장, 직장, 결장 ② 공장, 회장, 직장
③ 공장, 맹장, 직장 ④ 맹장, 결장, 직장
⑤ 회장, 맹장, 결장

18 기출

소화기관과 기능을 올바르게 연결한 것은?

① 간 – 담즙 저장
② 대장 – 지방 흡수
③ 위 – 단백질 분해
④ 식도 – 음식물 저장
⑤ 소장 – 내인자 분비

19

다음과 같이 연결된 소화기 기능으로 옳은 것은?

가. 소장 – 영양분 분해 흡수
나. 위 – 음식물 저장, 위산 분비
다. 간 – 담즙 생산
라. 식도 – 음식물, 수분 이동 통로
마. 대장 – 수분을 흡수하여 대변을 만듦

① 가, 다 ② 가, 나, 다
③ 나, 라, 마 ④ 가, 나, 다, 라
⑤ 이상 모두

20

다음 중 십이지장(소장)에서 소화된 영양분이나 음식물을 흡수하는 곳으로 옳은 것은?

① 장선 ② 장막
③ 근막 ④ 위벽
⑤ 융모

21

췌장에서 분비되는 지방 소화효소로 옳은 것은?

① 펩신
② 트립신
③ 에렙신
④ 리파아제
⑤ 아밀라아제

22 기출

지방을 소화하는 효소는?

① 펩신
② 트립신
③ 락타아제
④ 리파아제
⑤ 아밀라아제

23

다음 중 타액에 들어 있는 소화효소로 옳은 것은?

① 펩신
② 에렙신
③ 락타아제
④ 프티알린
⑤ 아밀라아제

24

다음 중 위에서 분비되는 소화효소로 옳은 것은?

① 펩신
② 에렙신
③ 락타아제
④ 프티알린
⑤ 아밀라아제

25 기출

폐호흡에서 산소와 이산화탄소의 교환이 이루어지는 곳은?

① 후두
② 인두
③ 기관
④ 폐포
⑤ 흉막

26

외호흡에 대한 설명으로 옳은 것은?

① 피부를 통한 호흡을 말한다.
② 모세혈관 사이에 이루어지는 산소 교환을 말한다.
③ 폐의 폐포와 순환 혈액 사이의 산소와 탄산가스의 교환을 말한다.
④ 혈액과 조직 세포 사이에서 이루어지는 탄산가스와 산소의 교환을 말한다.
⑤ 2차 호흡을 말하며 산소가 폐로 이동되고 호기 동안 기도를 통해 탄산가스의 교환을 말한다.

27 기출

정상 호흡에서 흡기 시 사용되는 주호흡근은?

① 광배근
② 대흉근
③ 승모근
④ 소흉근
⑤ 외늑간근

28

다음 중 안정 시 주로 사용되는 호흡근육으로 옳은
것은?

① 가로막(횡격막)
② 작은가슴근(소흉근)
③ 큰가슴근(대흉근)
④ 등세모근(승모근)
⑤ 넓은등근(광배근)

29

내분비기관에서 발생하는 것으로 생식에 영향을
미치고 생체의 내부 환경을 조성하는 것으로 옳은 것은?

① 림프액   ② 척수액   ③ 호르몬
④ 신경원   ⑤ 송과체

30

내분비선과 분비되는 호르몬의 연결로 옳은 것은?

① 갑상선 - 칼시토닌
② 부신수질 - 안드로겐
③ 부신피질 - 에피네프린
④ 뇌하수체 후엽 - 성장호르몬
⑤ 뇌하수체 전엽 - 항이뇨호르몬

31

연골접합이 일어난 후 성장호르몬의 과잉분비로 인
해 발생하는 질환으로 옳은 것은?

① 거인증
② 당뇨병
③ 왜소증
④ 요붕증
⑤ 말단비대증

32

다음 중 성장이 지연되는 크레틴병은 어떤 호르몬의
부족으로 나타나는지 옳은 것은?

① 옥시토신
② 췌장호르몬
③ 성장호르몬
④ 갑상샘호르몬
⑤ 부갑상샘호르몬

33

다음 중 성장이 지연되는 크레틴병의 원인이 되는 호
르몬으로 옳은 것은?

① 성장호르몬
② 갑상샘호르몬
③ 항이뇨호르몬
④ 황체형성호르몬
⑤ 부신피질자극호르몬

34

내분비선과 분비되는 호르몬이 옳게 연결된 것은?

① 갑상선 - 에피네프린
② 난소 - 프로게스테론
③ 뇌하수체 전엽 - 항이뇨호르몬
④ 부신피질 - 부신피질자극호르몬
⑤ 뇌하수체 후엽 - 갑상선자극호르몬

35

췌장에서 분비되어 혈당량을 감소하고 부족하면 당
뇨를 일으키는 호르몬으로 옳은 것은?

① 인슐린   ② 안드로겐
③ 프로락틴   ④ 옥시토신
⑤ 테스토스테론

36 기출

췌장의 랑게르한스섬 알파 세포에서 혈당을 높이는 호르몬은?

① 인슐린
② 글루카곤
③ 코르티졸
④ 성장호르몬
⑤ 항이뇨호르몬

37

다음 중 혈당농도를 증가시키는 호르몬으로 옳은 것은?

가. 성장호르몬	나. 코르티졸
다. 글루카곤	라. 에피네프린
마. 갑상샘호르몬	

① 가, 다
② 가, 나, 다
③ 나, 라, 마
④ 가, 나, 다, 라
⑤ 가, 나, 다, 라, 마

38

비뇨기계의 배설과정의 순서이다 옳게 나열된 것은?

① 요관, 요도, 신장, 방광
② 신장, 요관, 방광, 요도
③ 신장, 요도, 방광, 요관
④ 신장, 방광, 요관, 요도
⑤ 신장, 요관, 요도, 방광

39

다음 중 정상 소변의 성분으로 옳은 것은?

① 당
② 요소
③ 백혈구
④ 적혈구
⑤ 단백질

40

신장의 기능으로 옳지 않은 것은?

① 호르몬 생성
② 산-염기 균형 유지
③ 질소성 노폐물 제거
④ 수분과 전해질 균형 유지
⑤ 소변을 저장했다가 요도를 통해 배설

41

다음 중 남성의 제2차 성징을 나타나게 하는 호르몬으로 옳은 것은?

① 프로락틴
② 안드로겐
③ 옥시토신
④ 에스트로겐
⑤ 테스토스테론

42

정자가 완전히 성숙되는 곳으로 옳은 것은?

① 정관
② 정낭
③ 고환
④ 부고환
⑤ 전립선

43 기출

체온조절중추와 관계 있는 것은?

① 대뇌   ② 소뇌
③ 중뇌   ④ 시상하부
⑤ 간뇌

44 기출

교뇌와 척수 사이에 위치하며, 생명 유지와 직결되는 호흡중추가 있는 곳은?

① 시상
② 중뇌
③ 소뇌
④ 연수
⑤ 뇌하수체

45

뇌의 체온조절중추의 위치로 옳은 것은?

① 중뇌
② 소뇌
③ 연수
④ 뇌교
⑤ 시상하부

46 기출

다음 중 뇌척수액이 흐르는 부위로 옳은 것은?

① 연
② 경막
③ 연막
④ 지주막
⑤ 지주막하강

47

교감신경을 자극했을 때 일어나는 생리현상으로 옳은 것은?

가. 동공확장	나. 소화기 운동억제
다. 혈관수축	라. 눈물샘 분비감소
마. 기관지 축소	

① 가, 다
② 가, 나, 다
③ 나, 라, 마
④ 가, 나, 다, 라
⑤ 가, 나, 다, 라, 마

48

다음은 피부를 피부 표면에서 안쪽으로 순서대로 열거한 것은?

① 피하 – 진피 – 표피
② 표피 – 피하 – 진피
③ 표피 – 진피 – 피하
④ 피하 – 표피 – 진피
⑤ 진피 – 표피 – 피하

49

중이와 비인두를 연결하며 어린이 감기 시 중이염이 잘 발생되는 부위로 옳은 것은?

① 고실
② 이관
③ 이개
④ 이소골
⑤ 외이도

CHAPTER
03 기초약리

제1장 | 약물의 이해

01

약물제조 시 설탕에 녹여 섭취하기 쉬운 형태로 만든 약물로 옳은 것은?

① 산제
② 시럽
③ 팅크제
④ 엑기스제
⑤ 함당정제

02

약물의 조제 시 납작하거나 둥글게 만드는 약물로 옳은 것은?

① 환제
② 연고
③ 좌약
④ 정제
⑤ 교갑제

03 기출

마른 약재를 균등하게 세말하여 체로 쳐서 고르게 혼합한 약물의 제형은?

① 고제   ② 탕제
③ 산제   ④ 주제
⑤ 좌제

04 기출

약제를 달여서 반유동 상태로 만든 제형으로 옳은 것은?

① 탕제   ② 산제
③ 고제   ④ 주제
⑤ 시럽제

05

약물이 위에서 용해되는 것을 막기 위해서 정제의 표면에 당분을 씌워서 장에서 흡수되도록 만든 약물로 옳은 것은?

① 환제   ② 시럽
③ 교갑제   ④ 장용제
⑤ 함당정제

06

실제 질병 증상과 무관한 약물로 심리적 효과를 이용하여 증상을 완화시키기 위해 투여하는 약물로 옳은 것은?

① 주약　　　　　　② 위약
③ 부형약　　　　　④ 보조약
⑤ 교정약

07

극약의 표시는 (　　)색으로 백지 바탕에 테두리와 약품명을 기재한다. (　　) 안에 적당한 것은?

① 보라　　　　　　② 청
③ 백　　　　　　　④ 흑
⑤ 적

08 [기출]

협심증 환자의 니트로글리세린 투여방법으로 옳은 것은?

① 근육주사
② 피내주사
③ 피하주사
④ 설하투여
⑤ 직장투여

09

불쾌한 맛의 약물 투여 전 불쾌감을 감소시키기 위한 방법으로 옳은 것은?

① 사탕
② 레몬주스
③ 얼음 조각
④ 뜨거운 차
⑤ 마른빵 조각

10 [기출]

두 가지 이상의 약물을 병용했을 때 약효가 감소되거나 상쇄되는 작용으로 옳은 것은?

① 내성　　　　　　② 길항작용
③ 축적작용　　　　④ 부작용
⑤ 협동작용

11

치료나 진단 목적 외에 원하지 <u>않는</u> 효과가 나타나는 약물의 작용으로 옳은 것은?

① 내성
② 부작용
③ 금단작용
④ 상가작용
⑤ 길항작용

12 [기출]

약물이 혈액을 통해 기관에 도달하여 발현되는 작용을 의미하는 용어로 옳은 것은?

① 치료작용　　　　② 국소작용
③ 선택작용　　　　④ 전신작용
⑤ 직접작용

13

약물을 오랫동안 사용하다가 투약을 중지할 때 그 약물에 대한 갈망과 신체적·정신적 반응이 나타나는 것은?

① 저항현상
② 금단현상
③ 전신증상
④ 상승현상
⑤ 내성현상

14

다음 중 약물작용에 영향을 일으키는 요소로 옳은 것은?

가. 연령	나. 체중
다. 용량	라. 투약경로
마. 체질	

① 가, 다
② 가, 나, 다
③ 나, 라, 마
④ 가, 나, 다, 라
⑤ 가, 나, 다, 라, 마

15 기출

위장출혈 가능성이 높은 당뇨병 환자에게 투여를 금지해야 하는 약물은?

① 코데인
② 아스피린
③ 니페디핀
④ 겐타마이신
⑤ 알류미늄 하이드록사이드

16

아스피린의 가장 큰 부작용으로 옳은 것은?

① 경련
② 고열
③ 위장출혈
④ 일관성 구토
⑤ 오심과 구토

17

등장성 생리식염수 옳은 것은?

① 0.2% 식염수
② 0.45% 식염수
③ 0.9% 식염수
④ 10% 식염수
⑤ 50% 식염수

제2장 | 약물 기전

18

항생제를 투약할 때 일정한 시간 간격으로 투여하는 이유로 옳은 것은?

① 약효 증대
② 흡수 촉진
③ 부작용 경감
④ 혈중농도 유지
⑤ 위장자극 감소

19 기출

다음 중 항생제 해당하는 것은?

① 디곡신
② 코데인
③ 페니실린
④ 아스피린
⑤ 옥시토신

20

결핵약 투약시 2가지 이상의 약물을 병용 투여하는 이유로 옳은 것은?

① 위 보호
② 위산 중화
③ 빠른 흡수
④ 내성 지연
⑤ 약의 독성 중화

21

1차 항결핵제가 <u>아닌</u> 것은?

① 에탐부톨(EMB)
② 리팜피신(RMP)
③ 가나마이신(KM)
④ 스트렙토마이신(SM)
⑤ 이소나이아지드(INAH)

22 기출

혈압강하제로 옳은 것은?

① 헤파린
② 에탐부톨
③ 리도카인
④ 캡토프릴
⑤ 에피네프린

23 기출

빈혈이 심한 환자가 철분제 복용 중 검은색 변이 나왔다고 한다. 간호조무사의 답변으로 옳은 것은?

① "금식하면 안정됩니다."
② "대변검사를 해야 합니다."
③ "대장검사를 해야 합니다."
④ "철분제를 조금 줄이셔야 합니다."
⑤ "철분제를 섭취해서 그런거니 괜찮습니다."

24

강심제인 디기탈리스 투여 전 반드시 측정해야 할 것으로 옳은 것은?

① 체중   ② 맥박
③ 호흡   ④ 체온
⑤ 혈압

25

제산제의 작용에 대한 설명으로 옳은 것은?

① 소화를 돕는다.
② 식욕을 촉진한다.
③ 장액분비를 억제한다.
④ 위액분비를 촉진한다.
⑤ 위액의 pH를 중화한다.

26 기출

혈당을 낮추기 위해 사용하는 약물은?

① 인슐린(insulin)
② 코데인(codeine)
③ 헤파린(heparin)
④ 디곡신(digoxin)
⑤ 리도카인(lidocaine)

27

자궁을 수축시키는 약물은?

① 쿠마딘(coumadin)
② 모르핀(morphine)
③ 옥시토신(oxytocin)
④ 페니실린(penicillin)
⑤ 푸로세미드(furosemide)

28 기출

모르핀 투약 전, 후에 반드시 확인해야 하는 것은?

① 체온
② 혈압
③ 맥압
④ 호흡수
⑤ 맥박수

29

다음 약물 중 마약성 진통제로 옳은 것은?

① 폰탈
② 모르핀
③ 부스코판
④ 아스피린
⑤ 타이레놀

30

진해제로 더 많이 사용되는 마약성 진통제에 해당되는 것은?

① 데메롤
② 디곡신
③ 라식스
④ 코데인
⑤ 드라마민

31

페니실린 부작용 시 에피네프린 주사용량과 주사 방법으로 옳은 것은?

① 에피네프린을 0.2~0.5 mL 근육 주사
② 에피네프린 1 mL를 재빨리 정맥 투여
③ 에피네프린 1 앰플을 흡입기에 넣어 흡입
④ 에피네프린을 0.2~0.5 mL 피하 또는 근육 투여
⑤ 에피네프린을 생리식염수에 섞어 천천히 정맥투여

32

국소마취를 위해 사용되는 약물로 옳은 것은?

① 노발긴   ② 미란타
③ 아트로핀   ④ 캡토프릴
⑤ 리도케인

33 기출

호흡곤란을 호소하는 중증 아낙필락시스일 경우 투여해야 하는 약물은?

① 모르핀
② 헤파린
③ 디곡신
④ 에피네프린
⑤ 니트로글리세린

34

다음 중 응급약품에 속하지 <u>않는</u> 것은?

① 아트로핀
② 리도케인
③ 에피네프린
④ 클로르헥시딘
⑤ 소디움 바이카보네이트

제3장 | 약물의 관리

35

다음 중 냉장고에 보관해야 되는 약물로 옳지 <u>않은</u> 것은?

① 인슐린
② 혈청
③ 백신
④ 좌약
⑤ BCG

36 기출

약물에 관한 관리 방법으로 옳은 것은?

① 혈청은 실온 보관한다.
② 생균백신은 냉동 보관한다.
③ 마약류는 의사가 직접 보관한다.
④ 항정신성 약물은 일반 약물과 함께 보관한다.
⑤ 니트로글리세린은 햇빛이 잘 드는 곳에 보관한다.

37

예방접종약의 사용방법으로 옳은 것은?

① 2~5℃의 냉암소에 보관한다.
② 투약하고 남은 약물은 폐기처분한다.
③ 약물의 종류에 따라 보관온도를 달리 한다.
④ 자주 사용하지 않는 약물은 냉동 보관한다.
⑤ 유효기한이 지난 약물은 최소 한 달까지 사용할 수 있다.

38

다음 중 약물보관법에 대한 설명으로 옳은 것은?

> 가. 액체로 된 약물은 증발을 방지하기 위해 뚜껑을 덮어 보관한다
> 나. 일반적으로 대부분의 약물은 서늘하고 통풍이 잘 되는 곳에 보관한다.
> 다. 연고제나 소독제는 각각 보관한다.
> 라. 혈청, 예방접종약은 2~5℃의 냉장 보관한다.
> 마. 기름 종류의 약물은 20℃ 내외로 보관한다.

① 가, 다
② 가, 나, 다
③ 나, 라, 마
④ 가, 나, 다, 라
⑤ 가, 나, 다, 라, 마

39

약장 관리 시 이중잠금장치를 하고 별도의 칸막이에 보관해야 할 약품으로 옳은 것은?

① 극약
② 독약
③ 혈청
④ 생균백신
⑤ 항정신성 의약품

CHAPTER 04 기초영양

제1장 | 영양과 대사

01 기출

기초대사량에 영향을 주는 요인에 관한 설명이다. 설명으로 옳은 것은?

① 수면 시 증가한다.
② 체온증가 시 감소한다.
③ 스트레스 받을 경우 증가한다.
④ 면역력이 떨어져 감염될 경우 감소한다.
⑤ 지방이 많은 비만형이나 영양 상태가 불량하면 증가한다.

02 기출

간과 근육에 글리코겐으로 저장되며 뇌 기능을 유지하기 위해 필수적인 영양소는?

① 지방
② 단백질
③ 무기질
④ 비타민E
⑤ 탄수화물

03 기출

파괴된 조직을 수선하고 새로운 조직을 형성하고 질병과 감염에 저항하도록 도움을 주는 영양소는?

① 지방
② 무기질
③ 비타민
④ 단백질
⑤ 탄수화물

04

소장에서 소화 흡수되는 탄수화물의 최종 분해산물로 옳은 것은?

① 락토오스
② 말토오스
③ 글루코스
④ 셀룰로오스
⑤ 수크로오스

05

분해 시 노폐물인 암모니아가 요소로 전환되어 배출하게 되는 영양소로 옳은 것은?

① 지방
② 단백질
③ 무기질
④ 비타민
⑤ 탄수화물

06

열량은 제공하지 않으나 신체구성 및 생리적 기능조
절 영양소로 옳은 것은?

① 지방, 탄수화물
② 지방, 무기질
③ 비타민, 무기질
④ 단백질, 탄수화물
⑤ 비타민, 탄수화물

07 기출

갑상샘 호르몬을 구성하는 무기질은?

① 철   ② 칼슘
③ 염소   ④ 요오드
⑤ 마그네슘

08

몸에서 재생되지 않기 때문에 식품으로 섭취해야 하
며 부족 시 빈혈을 일으키는 영양소로 옳은 것은?

① 인
② 칼슘
③ 철분
④ 요오드
⑤ 비타민

09

결핍 시 출혈성 질병을 유발하는 비타민으로 옳은 것
은?

① 비타민 E
② 비타민 A
③ 비타민 B₆
④ 비타민 K
⑤ 나이아신

10

지용성 비타민으로만 연결된 것은?

① 비타민 A, C
② 비타민 B, D
③ 비타민 E, K
④ 비타민 B, K
⑤ 비타민 B, C

11 기출

비타민(가) 부족 시 나타나는 결핍증(나)이 바르게 연
결된 것은?

	(가)	(나)
①	비타민 A	구각염
②	비타민 B₁	야맹증
③	비타민 C	혈액응고시간의 연장
④	비타민 D	구루병
⑤	비타민 E	펠라그라

12 기출

비타민B₁₂가 부족할 때 발생되는 빈혈은?

① 악성 빈혈
② 용혈성 빈혈
③ 지중해 빈혈
④ 철분 결핍성 빈혈
⑤ 재생 불량성 빈혈

13

비타민 B₁₂ 결핍과 관련된 내용으로 옳은 것은?

① 구각염   ② 각기병
③ 괴혈병   ④ 구루병
⑤ 악성빈혈

14 기출

노인환자의 철분 흡수율을 높이기 위해 철분제제와 함께 복용하게 하면 좋은 것은?

① 비타민 A
② 비타민 B
③ 비타민 C
④ 비타민 D
⑤ 비타민 E

제2장 | 식이

15

특별한 영양소의 제한이 없고 음식의 질감과 상관이 없는 식이는?

① 일반식
② 경식
③ 연식
④ 유동식
⑤ 맑은 국물

16 기출

다음에 해당하는 식이로 옳은 것은?

> 녹두죽, 곱게 다진 고기, 스크램블 에그, 두부

① 경식
② 유동식
③ 연식
④ 일반식
⑤ 맑은 유동식

17

비만으로 인한 다이어트 환자에게 피해야 할 적절한 식이요법으로 옳은 것은?

① 지방, 단백질
② 단백질, 수분
③ 지방, 탄수화물
④ 단백질, 비타민
⑤ 비타민, 탄수화물

18

고혈압 환자에게 적절한 식이요법으로 옳은 것은?

① 저지방, 저염식
② 고단백, 고염식
③ 고염식, 저탄수화물
④ 고지방, 저탄수화물
⑤ 저단백, 고탄수화물

19

신장염 환자에게 저염식이를 권장하는 이유로 옳은 것은?

① 요소의 합성을 돕기 위해
② 혈청 지질의 증가를 위해
③ 질소평형을 유지하기 위해
④ 사구체 여과율을 감소시키기 위해
⑤ 신장의 부담과 부종을 감소하기 위해

20 기출

간성혼수 환자의 암모니아 수치를 낮추기 위한 식이로 옳은 것은?

① 고염식이   ② 저단백식이
③ 저열량식이   ④ 저비타민식이
⑤ 저탄수화물식이

21 기출

부종이 심한 환자가 섭취를 제한해야 하는 성분은?

① 인   ② 철
③ 칼슘   ④ 나트륨
⑤ 마그네슘

22

수유부, 결핵환자, 회복기 환자에게 적절한 식이요법으로 옳은 것은?

① 저단백식이
② 저지방식이
③ 고단백식이
④ 저염식이
⑤ 염분제한

23 기출

신부전증 환자의 간호로 옳은 것은?

① 인의 섭취를 늘린다.
② 지방의 섭취를 늘린다.
③ 수분의 섭취를 격려한다.
④ 칼륨의 섭취를 권장한다.
⑤ 나트륨의 섭취를 줄인다.

24

울혈성 신부전 환자의 식사요법으로 옳지 <u>않은</u> 것은?

① 염분 제한
② 수분과 열량 제한
③ 지방의 공급 증가
④ 양질의 단백질 공급
⑤ 식사량을 줄이고 횟수를 늘림

25 기출

요독증이 있는 신부전 환자에게 권장되는 식이는?

① 저열량식이   ② 저단백식이
③ 저칼슘식이   ④ 고칼륨식이
⑤ 고염분식이

26

회복기 간염 환자에게 적절한 식이요법으로 옳은 것은?

① 고열량, 고단백, 고지방
② 저열량, 고단백, 저지방
③ 저열량, 고단백, 고지방
④ 고열량, 고단백, 중등지방
⑤ 고열량, 저단백, 중등지방

27

편도선절제수술 후 환자에게 적절한 식이요법으로 옳은 것은?

① 경식
② 염이식
③ 유동식
④ 일반식
⑤ 찬 유동식 또는 연식

28 기출

유행성 이하선염 환아의 식사 간호로 옳은 것은?

① 견과류를 준다.
② 유동식을 제공한다.
③ 수분섭취를 제한한다.
④ 씹을 수 있는 껌을 준다.
⑤ 신맛이 강한 음료를 준다.

29

다음 중 환자별 식이요법이 적절하게 연결된 것은?

① 고혈압 환자-고지방식이
② 신부전 환자-고칼륨식이
③ 당뇨병 환자-고열량식이
④ 위장관수술 환자-저염식이
⑤ 급성위염 환자-저잔사식이

30

설사가 심한 환자에게 우선적으로 공급해 주어야 할 식이로 옳은 것은?

① 수분과 지방
② 수분과 전해질
③ 수분과 단백질
④ 수분과 비타민
⑤ 수분과 무기질

CHAPTER 05 기초치과

제1장 | 기본 개념

01

가장 바깥층에 해당되는 치아조직으로 옳은 것은?

① 치수　　② 상아질　　③ 법랑질
④ 백악질　　⑤ 시멘트질

02

치관에 해당하고 치아의 맨 바깥층이며, 인체 조직 중 제일 단단한 조직은?

① 치수　　② 근첨　　③ 법랑질
④ 상아질　　⑤ 백악질

03 기출

6세 전후로 맹출되어 유치로 혼동할 수 있는 영구치는?

① 절치　　② 견치　　③ 소구치
④ 제1대구치　　⑤ 제3대구치

04

다음 중 유치열에서 영구치열로 대치되는 시기로 옳은 것은?

① 1~3세
② 3~6세
③ 6~7세
④ 7~9세
⑤ 9~11세

05

다음 중 치아에 대한 설명으로 옳지 <u>않은</u> 것은?

① 유치의 수는 20개이다.
② 구치의 기능은 음식물을 자르거나 끊는 역할을 한다.
③ 칫솔질은 식후 3분 이내에 하는 것이 치아위생에 좋다.
④ 맹출은 생리적 현상으로 보통 아무 이상 없이 진행된다.
⑤ 영구치는 15~16세경에 사랑니를 제외하고 모두 석회화된다.

06 기출

견치의 특징에 대한 설명으로 옳은 것은?

① 교합면이 넓다.
② 가장 늦게 나온다.
③ 치아 앞면에 있다.
④ 총 4개로 구성되어 있다.
⑤ 24개월 이후에 맹출된다.

07

다음 중 치아의 기능으로 가장 옳은 것은?

① 연하 작용
② 소화 작용
③ 심미적 기능
④ 아동의 두개안면 발육 촉진
⑤ 주요 기능은 저작과 발음기능

08

다음 중 유아의 구강관리 방법으로 옳은 것은?

가. 칫솔을 생후 36개월이 지나야 이용할 수 있다.
나. 유치가 완성되는 2.5~3세부터는 규칙적인 치아검사를 해주는 것이 좋다.
다. 혼자 칫솔을 사용하는 시기는 7세 부터이다.
라. 이가 나는 초기에는 젖은 헝겊에 물을 묻혀 이랑 잇몸을 닦아준다.
마 6~12세 사이는 불소도포법이 충치를 예방하는 가장 기본적이고 효과적인 방법이다.

① 가, 다
② 가, 나, 다
③ 나, 라, 마
④ 가, 나, 다, 라
⑤ 가, 나, 다, 라, 마

제2장 | 치과 기본업무

09

치과진료실의 장비 및 시설에 관한 설명으로 옳은 것은?

가. 기구교환시는 기구의 사용부위가 구강 바깥쪽을 향하도록 잡아 전달한다.
나. 세면대의 설치는 필수적이며 환자에게 보이지 않게 설치한다.
다. 필요한 기구는 순서에 따라 우측에서 좌측으로 배열한다.
라. 진료대에 부착된 기구나 기계들은 항상 점검하고 청결을 유지하여야 한다.
마. 간호조무사의 의자는 진료자의 의자보다 다소 높은 것이 좋다.

① 가, 다
② 가, 나, 다
③ 나, 라, 마
④ 가, 나, 다, 라
⑤ 가, 나, 나, 라, 마

10 기출

구강 내에서 치아를 삭제할 때 사용하는 기구는?

① 타구
② 브래킷
③ 흡입기
④ 핸드피스
⑤ 센트럴 버큠

11

치과진료기구에 대한 설명으로 옳은 것은?

① 커튼 플라이어-광범위한 우식병소의 제거, 치석 제거 기구
② 탐침-보존치료시 구강내 소형재료의 삽입 또는 제거용 기구
③ 치경-진료시 빛을 반사하여 구강을 직접 관찰하기 위한 기구
④ 스푼익스카베이터-접근하기 어려운 구강의 손상 부위 감지기구
⑤ 진공흡입기-치아와 치아 사이의 이물질 제거를 위해 물과 공기를 분사하는 기구

12 기출

치과진료실에서 사용하는 진공흡입기에 관한 설명으로 옳은 것은?

① 진공흡입기 팁은 1일 1회 교체한다.
② 치료 중에는 진공흡입기 사용을 중단한다.
③ 진공흡입기 팁이 치경을 가리지 않게 한다.
④ 진공흡입기로 시술 부위의 혀와 뺨을 견인할 수 없다.
⑤ 진공흡입기 내로 연조직이 빨려 들어가면 흡인력을 높여 준다.

13

치과에 근무하는 간호조무사의 가장 기본적인 임무로 옳은 것은?

① 기구의 소독
② 진료실의 청소
③ 진공 흡입기의 사용
④ 치료의자의 높이 조절
⑤ 환자의 점막 및 피부의 소독

14

치과진료 시 기구전달 및 교환의 설명으로 옳지 않은 것은?

① 이동기구함은 손이 닿을 수 있는 거리 내에 둔다.
② 기구를 교환할 때는 사용부위가 구강내를 향하도록 한다.
③ 진료의사가 오른손으로 진료할 때는 진공흡입기를 오른손으로 조정한다.
④ 치경에 물기가 있을 때에는 사출기를 조정하여 공기를 뿜어 물기를 제거한다.
⑤ 간호조무사는 진료의사가 진료의 방해를 받지 않도록 의사와 적당한 간격을 유지해야 한다.

15

치과진료 시 간호조무사의 기구전달 원칙으로 옳은 것은?

① 이동 기구함을 손이 닿지 않는 곳에 둔다.
② 환자에게 사용되는 석션팁은 갈아주지 않는다.
③ 기구 교환시 환자가 불편하더라도 참아야 한다.
④ 기구의 손잡이가 환자의 구강 내를 향하도록 한다.
⑤ 간단한 보조기구는 사전준비된 운반접시에 미리 준비하여 사용한다.

16

치과진료시 방습의 효과로 옳지 않은 것은?

① 통증을 감소시키기 위함
② 무균적으로 시술하기 위함
③ 시술을 용이하게 하기 위함
④ 고형물이 잘 부착되기 위함
⑤ 치아와 입안으로 물이 들어가는 것을 방지하기 위함

17 기출

치과진료에 대한 내용으로 옳은 것은?

① 세면대가 보이게 한다.
② 조명등은 입과 눈을 비추게 한다.
③ 의사의 의자가 간호사의 의자보다 높게 위치한다.
④ 진공흡입기 사용은 의사가 하는 역할 중 가장 기본적인 임무이다.
⑤ 기구는 고압증기멸균법으로 소독하고 사용하기 전까지 자외선 살균기에 보관한다.

18

오븐을 이용하는 것으로 치과 기구소독에 가장 많이 이용되는 멸균 · 소독 방법으로 옳은 것은?

① 약품소독
② 증기소독
③ 불꽃소독
④ 여과소독
⑤ 자비소독

19 기출

다음 설명 중 멸균법으로 옳은 것은?

- 핀셋, 미러 발치기구 등의 멸균에 주로 사용한다.
- 침투력이 좋다.
- 멸균 후에 증기가 남는다.

① 건열멸균법
② 자외선멸균법
③ 자비소독법
④ 화학적멸균법
⑤ 고압증기멸균법

20 기출

치주수술 받은 환자에게 교육해야 할 내용으로 옳은 것은?

① 2~3일 온찜질을 한다.
② 수술 당일 칫솔질이 가능하다.
③ 2~3일 동안은 따뜻한 죽을 먹인다.
④ 수술 당일 사우나는 회복에 도움이 된다.
⑤ 지속적으로 지혈이 되지 않으면 바로 병원에 간다.

21 기출

치아우식증에 관한 설명으로 옳은 것은?

① 매끄러운 치아면에서 자주 발생한다.
② 치아 뿌리에 무기질이 침착되는 과정이다.
③ 법랑질보다 상아질에서 더 빠른 속도로 확산된다.
④ 치은퇴축이 심해지면 치아우식증의 발생률이 감소한다.
⑤ 치아우식증으로 치아조직이 파괴되어도 재생될 수 있다.

22 기출

치아 교합면에 발생하는 치아우식증을 예방하기 위한 방법은?

① 발치
② 임플란트
③ 치은소파술
④ 치주판막술
⑤ 치면열구 · 소와전색법

23

다음 중 치아우식증의 예방 방법으로 옳지 <u>않은</u> 것은?

① 불소화법
② 당분섭취 제한
③ 구강청결 유지
④ 불소치약의 사용
⑤ 철분과 칼슘의 섭취

24

가장 기본이 되는 구강질병예방을 위한 관리방법으로 옳은 것은?

① 개인위생
② 올바른 칫솔질
③ 상수도의 불소투입
④ 6세 이전 치아 불소도포
⑤ 구강질환 조기발견, 조기치료

25 기출

구강간호방법으로 옳은 것은?

① 구치는 좌우로 세게 닦는다.
② 안쪽을 먼저 닦고 바깥쪽을 닦는다.
③ 이쑤시개를 사용하여 이물질을 제거한다.
④ 칫솔을 잇몸에 45도 각도로 해서 닦는다.
⑤ 치아에서 잇몸 쪽으로 쓸어내리듯 닦는다.

26

의치를 가진 환자의 간호에 대한 설명으로 옳은 것은?

① 의치를 세면대에서 씻는다.
② 물이 들어 있는 그릇에 보관한다.
③ 제거한 의치는 흐르는 따뜻한 물에 씻는다.
④ 의치제거 후 휴지나 거즈에 싸서 서랍에 보관한다.
⑤ 무의식 혹은 경련환자는 언제나 의치를 빼 놓도록 한다.

27 기출

의치를 유지 · 관리하는 방법으로 옳은 것은?

① 차가운 물로 세척한다.
② 알코올을 사용해 닦는다.
③ 취침 시 의치를 착용한다.
④ 입 안을 건조시킨 후 착용한다.
⑤ 냉장고에 넣어서 관리·보관한다.

28 기출

입원환자의 의치관리방법으로 옳은 것은?

① 칫솔보다는 탈지면을 이용하여 닦는다.
② 마모제가 많이 함유된 치약을 사용한다.
③ 세면대에 수건을 깔아놓고 의치를 닦는다.
④ 물기가 없는 건조한 상태에서 의치를 끼운다.
⑤ 깨끗한 컵에 뜨거운 물을 부어 의치를 보관한다.

29 기출

후천성 부정교합을 예방하는 방법으로 옳은 것은?

① 유치의 조기상실을 예방한다.
② 유치는 최대한 나중에 발치한다.
③ 입을 가능한 크게 벌리고 호흡한다.
④ 볼펜 입에 물고 발음하는 연습을 한다.
⑤ 손가락 빨기를 스스로 멈출 때까지 기다린다.

30 기출

발치 환자의 주의사항으로 옳은 것은?

① 온찜질을 적용한다.
② 죽과 같은 유동식을 준다.
③ 빨대를 사용하여 음료를 섭취한다.
④ 발치 당일 칫솔질을 더 꼼꼼하게 한다.
⑤ 발치 후 거즈를 물고 있으면서 침이나 혈액이 입 안에 고이면 뱉도록 한다.

31

상수의 불소량이 많을 경우 나타나는 증상으로 옳은 것은?

① 치석　　　　　② 우치
③ 치주염　　　　④ 반상치
⑤ 구순염

32

간호조무사의 치과진료 시 감염관리 방법으로 옳은 것은?

> 가. 기구 세척시 앞치마, 두꺼운 고무장갑을 착용한다.
> 나. 가능하면 B형 예방접종을 한다.
> 다. 전염성 질환 환자에게 사용한 기구는 세척, 멸균한다.
> 라. 한번 사용한 오염된 기구는 재사용하지 않는다.
> 마. 손을 씻을 때 고형비누를 사용한다.

① 가, 다
② 가, 나, 다
③ 나, 라, 마
④ 가, 나, 다, 라
⑤ 가, 나, 다, 라, 마

CHAPTER 06 기초한방

제1장 | 기초 한방

01 기출

형태나 색깔, 모양 등을 관찰하는 방법으로 설전이 포함되는 것은?

① 절진(切診)
② 문진(聞診)
③ 문진(問診)
④ 맥진(脈診)
⑤ 망진(望診)

02 기출

사상체질의 분류 중 손과 발에 열이 많고 하체가 약한 체질로 옳은 것은?

① 히스테리, 불면증이 생긴다.
② 호흡기계, 순환기계가 약하다.
③ 피부에 습진, 두드러기가 난다.
④ 소화기계와 정신계 질환이 나타난다.
⑤ 성기능 쇠약 등 비뇨생식기계가 약하다.

03

다음 중 오장육부의 표리관계가 옳게 연결된 것은?

① 폐(肺)-방광(膀)
② 신(腎)-위(胃)
③ 심(心)-소장(小腸)
④ 비(脾)-담(膽)
⑤ 간(肝)-대장(大腸)

04

다음 중 어혈에 관한 설명으로 옳지 <u>않은</u> 것은?

① 한열이 치우쳐 왕성해도 어혈이 형성된다.
② 전신의 혈액운행이 순조롭지 못한 것을 말한다.
③ 외상 어혈은 상한 부위에 청자색 혈종이 보인다.
④ 어혈이 경맥을 막아 통하지 못하면 통증이 생긴다.
⑤ 어혈의 징후는 어혈이 생긴 부위에 따라 동일하게 나타난다.

05

다음 중 양생법의 내용으로 옳지 <u>않은</u> 것은?

① 자연에 순응
② 심신의 안정
③ 음식의 절제
④ 질병의 치료
⑤ 규칙적인 생활

08 기출

자침 시술 후 메스꺼움, 어지럼증, 가슴 두근거림을 호소하는 환자에게 해당되는 부작용은?

① 체침   ② 훈침
③ 절침   ④ 혈종
⑤ 만침

제2장 | 한방 기본 업무

06

침 시술을 받고 있는 환자가 가슴이 답답하다고 호소할 경우 적당한 간호로 옳은 것은?

① 의사에게 보고한다.
② 인중을 가볍게 눌러준다.
③ 침을 뺀 후 알코올 솜으로 닦는다.
④ 침 부위에 출혈이 있는지 확인한다.
⑤ 환자의 체위를 일정하게 유지시킨다.

09

환자가 훈침 후 현훈감을 호소할 때 적당한 간호로 옳은 것은?

> 가. 응급처치 후에도 30분~1시간 정도 휴식을 취하는 것이 좋다.
> 나. 베개 없이 반듯이 눕히고 조이는 옷은 느슨하게 풀어준다
> 다. 증상이 가벼운 경우에는 곧 회복이 되고 심한 경우 구급혈을 따준다.
> 라. 즉시 침놓는 것을 중단하고 이미 꽂은 것은 발침한다.
> 마. 차가운 물을 마시게 하면 곧 회복이 된다.

① 가, 다
② 가, 나, 다
③ 나, 라, 마
④ 가, 나, 다, 라
⑤ 가, 나, 다, 라, 마

07

침 치료 후 간호 보조 활동으로 옳은 것은?

① 침 치료 시 체위를 변경시킨다.
② 발침 후 남은 침은 살펴 볼 필요가 없다.
③ 발침 후 침공 부위를 알코올 스폰지로 문지른다.
④ 일회용으로 사용한 침은 일반 의료용 폐기물통에 버린다.
⑤ 침 침료시 체온이 올라갈수 있으므로 방안을 서늘하게 유지한다.

10 기출

침요법을 적용할 수 있는 경우는?

① 갈증이 심한 경우
② 편두통이 심한 경우
③ 피로감이 심한 경우
④ 식후에 배가 부른 경우
⑤ 산후 출혈이 많은 경우

11

침요법을 실시할 수 있는 대상자로 옳은 것은?

① 임산부
② 화상환자
③ 출혈환자
④ 약물남용환자
⑤ 급성 심장질환자

12

다음 중 침요법 금기 대상자로 옳은 것은?

① 내출혈　　　　② 뇌졸중
③ 음주상태　　　④ 통증환자
⑤ 위장관 질환

13 기출

뜸(구법)에 대한 간호로 옳은 것은?

① 임신부는 복부에 뜸을 놓지 않는다.
② 큰 수포는 터트리지 않고 그대로 둔다.
③ 복부에서 등 쪽의 순서로 뜸을 놓는다.
④ 마비 환자는 절대 뜸 요법을 시행해서는 안 된다.
⑤ 뜸의 약효를 위해 연기가 나더라도 환기를 제한한다.

14 기출

병원균이나 독소가 몸 안에 들어왔을 때 항체를 만들어 저항력을 갖게 하는 뜸의 작용은?

① 면역 증진 작용
② 진통 억제 작용
③ 혈색소 증가 작용
④ 혈액순환 증가 작용
⑤ 운동신경 항분 작용

15

구법(뜸)의 작용에 해당되지 않는 것은?

① 흥분작용
② 오한작용
③ 반사작용
④ 유도작용
⑤ 면역작용

16 기출

구법(뜸)에 관한 설명으로 옳은 것은?

① 발열환자에게 효과가 좋다.
② 임신부는 복부에 뜸을 뜬다.
③ 서증, 한증 질환자에게 주로 사용한다.
④ 서혜부 부위에 직접구법으로 뜸을 뜬다.
⑤ 사지에 먼저 뜸을 뜨고 나서 얼굴에 뜬다.

17 기출

관속의 공기를 빼내어 음압 펌프질로 경혈상 피부표면에 부착시켜 치료하는 방법으로 옳은 것은?

① 구법
② 수기요법
③ 부항요법
④ 기공요법
⑤ 지압요법

18

다음 중 부항요법을 적용할 수 있는 경우로 옳지 않은 것은?

① 요통　　　　　② 근육통
③ 신경통　　　　④ 월경통
⑤ 정맥류

19 기출

부항요법의 주의사항으로 옳은 것은?

① 산성식품 섭취를 권장한다.
② 첫 시술은 20분 정도 흡착한다.
③ 저리고 아픈 부위에 부항을 붙인다.
④ 치료 후 피로감이 회복하기 전에 재시행하면 좋다.
⑤ 빈혈증상이 있는 정맥류 환자에게 효과적인 치료
　법이다.

20

다음 중 부항요법을 금지해야 할 대상자로 옳은 것은?

① 중풍환자
② 불임증인 부인
③ 정신이 예민한 사람
④ 출혈증상이 심한 환자
⑤ 알러지성 체질인 사람

21

수욕요법의 작용으로 옳지 않은 것은?

① 해독작용
② 지혈작용
③ 순환촉진작용
④ 혈액 정화작용
⑤ 자극과 진정작용

22

다음 중 수기요법에 관한 내용으로 옳지 않은 것은?

① 관절 주위 조직을 수축시키는 효과를 갖는다.
② 관절기능 이상시 관절의 운동 범위를 개선한다.
③ 관절의 염증성 질환이 있거나 골절시에는 금기
　이다.
④ 근육의 균형을 회복함으로써 근경련 상태를 개선
　한다.
⑤ 수기요법은 추나와 지압이라는 용어로 보편화 되
　어 있다.

CHAPTER 07 성인간호

제1장 | 성인간호 총론

01

염증의 국소적 4대 증상으로 옳은 것은?

① 발열, 종창, 통증, 괴저
② 발적, 발열, 종창, 통증
③ 종창, 발진, 발열, 통증
④ 두통, 발열, 발적, 종창
⑤ 기능장애, 발열, 발적, 종창

02

외과환자를 위한 재활계획을 수립하기에 적절한 시기로 옳은 것은?

① 수술 직전
② 입원하기 전
③ 퇴원하기 전
④ 입원과 동시에
⑤ 수술결과를 본 후

제2장 | 개별적 간호 보조

03

다음 중 절대안정 환자의 간호 시 옳은 것은?

① 간단한 샤워는 허용한다.
② 화장실의 출입은 허용한다.
③ 방문객의 면회를 제한한다.
④ 대사 소모를 최대한 억제하도록 한다.
⑤ 식사는 환자 스스로 하도록 권장한다.

04

다음 중 발열이 있는 대상자의 간호로 옳지 <u>않은</u> 것은?

① 침상안정
② 구강간호
③ 온 요법 적용
④ 수분섭취 권장
⑤ 서늘한 환경유지

05 기출

급성 통증에 반응에 해당하는 것은?

① 동공 확대
② 호흡수 감소
③ 근긴장도 감소
④ 집중력 향상
⑤ 면역기능 향상

06

탈수 시 나타나는 증상으로 옳지 <u>않은</u> 것은?

> 가. 체온상승
> 나. 적은 소변량
> 다. 갈증
> 라. 피부 긴장도 감소
> 마. 체중증가

① 가, 다
② 가, 나, 다
③ 나, 라, 마
④ 가, 나, 다, 라
⑤ 가, 나, 다, 라, 마

07 기출

수근관 증후군의 자가진단법으로 옳은 것은?

① 린네검사
② 알렌검사
③ 이경검사
④ 안저검사
⑤ 팔렌검사

08

손목터널증후군으로 수술하여 입원 중인 30대 여성의 간호로 옳은 것은?

① 수술 부위에 더운물 찜질을 한다.
② 수술 부위의 혈액 순환을 확인한다.
③ 팔에 부목을 대어 주고 수술한 팔을 하강시킨다.
④ 수술 후 한 달이 지나고 나서 손가락 운동을 한다.
⑤ 수술 후 1주일이 지나면 다소 무거운 짐을 들어도 된다.

09 기출

골관절염 환자에게 추천할 수 있는 운동은?

① 등산
② 수영
③ 달리기
④ 테니스
⑤ 계단 오르내리기

10 기출

골관절염을 앓고 있는 환자에 대한 간호 방법으로 옳은 것은?

① 수영이나 체조 등을 제한한다.
② 계단을 오르내리기 운동을 시킨다.
③ 냉요법 사용을 당분간 금지하게 한다.
④ 쪼그려 앉거나 무릎을 꿇지 않게 한다.
⑤ 관절에 강도를 높여주기 위해 표준체중이상의 체중을 유지하도록 한다.

11

급성기에 류마티스성 관절염 환자에게 절대안정을 취하게 하는 이유로 옳은 것은?

① 열량의 요구량을 감소시키기 위해서
② 고관절의 굴곡, 경축을 예방하기 위해서
③ 진행 중인 관절의 염증과정을 완화하기 위해서
④ 항체나 면역 글로블린 생성을 촉진하기 위해서
⑤ 근육과 신경의 신진대사 활동을 줄이기 위해서

12 기출

폐경기 이후에 골다공증 위험이 높아지는 이유는?

① 비타민D 복용
② 에스트로겐 결핍
③ 금연 상태의 유지
④ 체중부하운동 실천
⑤ 칼슘이 풍부한 식품 섭취

13 기출

골다공증 대상자에 대한 간호로 옳은 것은?

① 골밀도가 높으면 골절 위험도가 높다.
② 골절을 막기 위해 체중 부하 운동을 피한다.
③ 여성 호르몬이 감소하면 골다공증 위험도가 낮다.
④ 부신피질호르몬을 복용하면 골다공증을 예방할 수 있다.
⑤ 칼슘과 비타민 D를 섭취하면 골다공증의 악화를 감소시킬 수 있다.

14 기출

골다공증을 예방할 수 있는 체중부하운동으로 옳은 것은?

① 수영   ② 걷기
③ 근력운동   ④ 카페인 섭취
⑤ 맨손 체조

15

빈혈의 증상으로 옳지 않은 것은?

① 피부 및 점막의 청색증
② 호흡곤란 및 두통의 호소
③ 적혈구가 정상치보다 감소
④ 혈색소가 정상치보다 감소
⑤ 헤마토크릿치가 정상보다 증가

16 기출

니트로글리세린을 투여하면 효과가 나타나는 질환으로 옳은 것은?

① 협심증   ② 당뇨병
③ 저혈압   ④ 부정맥
⑤ 심근경색증

17

혈관확장제로 협심증 발생 시 설하로 투여하는 약물로 옳은 것은?

① 노발긴
② 아스피린
③ 에피네프린
④ 니트로글리세린
⑤ 아세트아미노펜

18

다음 중 심장질환이 있는 환자가 부종이 있을 때 식이에서 염분을 제한하는 이유로 옳은 것은?

① 염분섭취는 갈증을 초래하기 때문
② 소변으로 염분이 많이 배출되기 때문
③ 염분은 심장기능에 장애를 주기 때문
④ 염분을 많이 섭취하면 혈압이 증가하기 때문
⑤ 염분은 조직 속에 수분을 축적하는 성질이 있기 때문

19

관상동맥의 폐색으로 심근에 혈액공급이 차단되어 흉통이 있는 급성심근경색증 환자 간호로 옳지 <u>않은</u> 것은?

① 산소공급　　　　② 절대안정
③ 변 완화제　　　　④ EKG 모니터
⑤ 모르핀 근육주사

20

일상생활에서 고혈압을 조절하기 위하여 고려해야 할 사항으로 옳지 <u>않은</u> 것은?

① 체중조절　　　　② 운동요법
③ 식이요법　　　　④ 활동과 휴식
⑤ 교대(냉온)요법

21 기출

본태성 고혈압 환자에 대한 간호로 옳은 것은?

① 염분 섭취 권장
② 규칙적인 운동권장
③ 포화지방이 많은 음식 권장
④ 비만인 경우 체중 증가 권장
⑤ 정상혈압인 경우 임의로 약물 중단 권장

22 기출

좌측 동정맥루가 있는 환자의 다음과 같은 상황 중에서 간호사에게 보고 해야 하는 경우는?

① 우측 손으로 식사를 한다.
② 좌측 팔로 팔베개를 하고 누워 있다.
③ 양쪽 다리를 올린 채 잠을 자고 있다.
④ 우측 팔에 자동 혈압측정을 하고 있다.
⑤ 좌측 팔에 따뜻한 물수건을 올려놓고 있다.

23 기출

역류성 식도염 환자의 식사에 대한 간호로 옳은 것은?

① 식사 후 곧바로 눕지 않게 한다.
② 기름진 음식, 초콜릿을 제공한다.
③ 섬유질이 풍부한 식품을 제한한다.
④ 매끼 식사를 많이 하도록 격려한다.
⑤ 식사 중 물을 자주 마시도록 격려한다.

24

구토하는 환자 간호 시 주의사항으로 옳은 것은?

① 등을 두드려 준다.
② 진통제를 투여한다.
③ 안정시키고 물을 먹인다.
④ 고개를 반듯이 하여 기도를 유지한다.
⑤ 기도가 막히지 않도록 옆으로 눕혀 분비물이 잘 흘러 나오게 한다.

25

소화성 궤양을 앓고 있는 환자의 간호로 옳은 것은?

① 우유를 마신다.
② 아스피린을 복용한다.
③ 맵고 짠 음식을 준다.
④ 자기 전에 음식을 준다.
⑤ 헬리코박터균을 박멸한다.

26 기출

위절제술을 받은 환자가 식후 30분 내에 덤핑신드롬이 일어나는 경우 간호 시 주의사항으로 옳은 것은?

① 수분을 제공한다.
② 고지방식이를 제공한다.
③ 고탄수화물식이를 제공한다.
④ 식후에 똑바로 앉아있게 한다.
⑤ 국물과 함께 밥을 말아먹도록 한다.

27 기출

위 절제술 후 덤핑증후군(dumping syndrome)을 예방하기 위한 식사보조방법은?

① 수시로 염분을 제공한다.
② 빠르게 식사하도록 권장한다.
③ 식사 중 다량의 물 섭취를 권장한다.
④ 소량으로 자주 고기와 달걀을 제공한다.
⑤ 끼니마다 많은 양의 음식을 섭취하도록 권장한다.

28

위 천공을 나타내는 가장 중요한 증상으로 옳은 것은?

① 토혈
② 발한
③ 저혈압
④ 빠른 맥박
⑤ 갑자기 일어나는 상복부 통증

29 기출

A형간염 환아의 간호로 옳은 것은?

① 수분 섭취를 늘린다.
② 단백질 섭취를 늘린다.
③ 집단 활동에 참여시킨다.
④ A형간염 백신을 투여한다.
⑤ 식기를 개별적으로 사용하게 한다.

30

B형간염 예방 방법으로 옳은 것은?

> 가. 칫솔과 면도기는 다른 사람과 공동으로 사용하지 않는다
> 나. 면역을 위해 예방접종을 실시한다.
> 다. 간염환자의 혈액이 묻은 주사기는 분리해서 버린다.
> 라. 사용한 주사바늘을 뚜껑을 닫지 않고 손상성 폐기물 용기에 버린다.
> 마. 성교 시 콘돔을 사용한다.

① 가, 다
② 가, 나, 다
③ 나, 라, 마
④ 가, 나, 다, 라
⑤ 가, 나, 다, 라, 마

31

다음 중 B형 감염의 전염경로로 옳은 것은?

① 혈액
② 타액
③ 대소변
④ 오염된 손
⑤ 오염된 식기

32 기출

급성기 B형 간염 환자에 대한 간호보조활동으로 옳은 것은?

① 수분 섭취를 제한한다.
② 신체 활동을 격려한다.
③ 고칼로리 식이를 제공한다.
④ 분변이 묻은 환의는 소각한다.
⑤ 면도기는 공동으로 사용해도 된다고 말한다.

33 기출

손떨림을 동반한 간경화증 환자가 소양감을 호소할 때 돕는 방법으로 옳은 것은?

① 조이는 옷을 입게 한다.
② 무거운 침구를 제공한다.
③ 카페인 음료를 마시게 한다.
④ 뜨거운 물로 통목욕을 하게 한다.
⑤ 방 안의 온도를 서늘하게 유지한다.

34

다음은 급성 충수염 환자이다. 간호조무사가 할 수 있는 간호로 옳은 것은?

① 관장을 시킨다.
② 진통제를 투여한다.
③ 더운물 주머니를 대준다.
④ 처방받은 하제의 복용을 확인한다.
⑤ 얼음주머니를 대주고 수술할 때까지 관찰한다.

35

다음 중 충수돌기염 환자의 간호로 올바른 것은?

① 걷는 운동을 권장한다.
② 장의 휴식을 위해 금식시킨다.
③ 갈증 해소를 위해 보리차물을 준다.
④ 수술준비를 위해 청결관장을 해준다.
⑤ 복부에 더운물주머니를 대주어 동통을 완화시킨다.

36

기관지경 검사 직후 우선적인 간호로 옳은 것은?

① 침상에서 절대 안정한다.
② 출혈 시 기관을 절개한다.
③ 충분한 수분섭취를 권장한다.
④ 호흡곤란이 나타나는지 관찰한다.
⑤ 체위배액으로 객담 배출을 용이하게 한다.

37

기관지 천식 환자의 간호로 옳지 <u>않은</u> 것은?

① 안정
② 반좌위
③ 적절한 수분 섭취
④ 충분한 습도 제공
⑤ 차고 건조한 공기

38 기출

수분이나 우유가 기도 내에 들어갔을 때 발생할 수 있는 질환으로 옳은 것은?

① 폐렴   ② 천식
③ 폐결핵   ④ 세기관지염
⑤ 흡인성 폐렴

39 기출

만성 폐쇄성 폐질환(COPD) 환자의 간호로 옳은 것은?

① 복식호흡을 제한한다.
② 고탄수화물 식이를 준다.
③ 고농도의 산소를 주입한다.
④ 발치를 15~30° 정도 올려준다.
⑤ 1년에 1번 독감예방접종을 한다.

40 기출

농흉 환자의 체위변경 시 간호보조 활동으로 옳은 것은?

① 다리를 상승시킨다.
② 체중을 감소시키라고 격려한다.
③ 이환된 쪽이 아래로 가게 눕는다.
④ 두 팔을 올리고 복위 자세로 있는다.
⑤ 피부가려움증을 막기 위해 복위를 취한다.

41 기출

객담이 많은 폐렴 환자의 객담 배출을 위한 간호보조 활동으로 옳은 것은?

① 식사 직후에 등을 두드린다.
② 손을 컵처럼 쥐고 등을 두드린다.
③ 통증이 느껴질 때까지 등을 두드린다.
④ 가슴에서 철썩 소리가 나도록 두드린다.
⑤ 출혈 경향이 있으면 가슴과 등을 함께 두드린다.

42 기출

객혈을 하는 환자의 간호로 옳은 것은?

① 기도폐쇄를 관찰한다.
② 크게 기침을 하게 한다.
③ 병실 문을 모두 개방한다.
④ 흉부에 더운물 찜질을 한다.
⑤ 영양식으로 식사를 제공한다.

43

다음 중 당뇨병 환자 간호로 옳은 것은?

① 탄수화물 음식은 절대로 주면 안 된다.
② 혈당을 낮추기 위해 인슐린 치료가 필수적이다.
③ 1일 총 열량은 환자의 현재 체중을 기준으로 결정한다.
④ 합병증이 없는 제2형의 당뇨환자는 고열량식이를 주어도 된다.
⑤ 캔디, 초콜렛과 같이 위에서 곧바로 흡수되는 당분은 평상시 금지한다.

44 기출

인슐린 투여 중인 환자에게 발한, 떨림, 불안정 증상이 나타날 때의 간호로 옳은 것은?

① 산책을 격려한다.
② 측위를 취하게 한다.
③ 바로 수분을 공급한다.
④ 오렌지 주스를 마시게 한다.
⑤ 섭취량과 배설량을 측정한다.

45

다음 중 당뇨병 환자가 저혈당 증상이 있을 때 섭취해야 할 음식으로 옳은 것은?

① 물   ② 녹차
③ 커피   ④ 사탕
⑤ 고기국물

46

인슐린 투여 후 나타날 수 있는 저혈당 증상이 <u>아닌</u> 것은?

① 발한   ② 혼돈
③ 두통   ④ 갈증
⑤ 빈맥

47 기출

당뇨환자의 발 관리에 대한 간호 보조활동으로 옳은 것은?

① 발에 상처가 있는지 매일 확인한다.
② 티눈은 발견즉시 손톱깎이로 제거한다.
③ 상처 난 발가락 사이에 보습로션을 발라준다.
④ 발을 보온하기 위해 뜨거운 열 패드를 제공한다.
⑤ 새 신발은 딱 맞는 신발로 오전에 구입하게 한다.

48 기출

당뇨병 환자의 발 관리로 옳은 것은?

① 뜨거운 물로 씻어 준다.
② 꼭 조이는 양말을 신는다.
③ 상처난 곳에 요오드를 바른다.
④ 발가락이 노출된 신발을 신는다.
⑤ 발을 씻은 후 발가락 사이를 마른 수건으로 톡톡 두드려 닦아 준다.

49

다음 중 갑상선절제술 후 대상자에게 말을 시키는 이유로 옳은 것은?

① 출혈을 사정하기 위함
② 의식수준을 사정하기 위함
③ 연하곤란을 사정하기 위함
④ 후두신경 손상을 사정하기 위함
⑤ 호흡기계 폐쇄를 사정하기 위함

50

요로감염 환자에게 다량의 수분 섭취와 소변을 자주 보도록 권장하는 이유로 옳지 <u>않은</u> 것은?

① 소변정체로 인한 세균증식을 예방한다.
② 방광에 있는 소변을 외부로 배설시킨다.
③ 혈뇨나 단백뇨를 조기 발견하기 위함이다.
④ 방광의 압력을 낮추어 소변의 역류를 방지한다.
⑤ 방광의 과도 신장으로 인한 조직의 국소빈혈을 예방한다.

51 기출

전립선절제술 직후 지속적 방광세척을 하는 환자의 간호 중, 간호사에게 보고해야 하는 경우는?

① 침상안정을 유지하고 있다.
② 유치도뇨관이 혈괴로 막혀 있다.
③ 섭취량과 배설량이 기록되고 있다.
④ 소변수집주머니의 소변이 맑고 분홍색이다.
⑤ 세척액으로 멸균생리식염수를 사용하고 있다.

52

전립선절단수술 후 방광세척 용액으로 옳은 것은?

① 5%포도당 용액
② 멸균 증류수
③ 생리식염수
④ 과산화수소수
⑤ 하트만 용액

53

유방절제술 후 재활운동으로 해당되지 않은 것은?

① 줄 올리기
② 머리 빗기
③ 브래지어 잠그기
④ 모래주머니 들기
⑤ 손으로 벽 기어오르기

54

유방절제술 후 환측 팔의 부종이 잘 생기는 이유로 옳은 것은?

① 혈전증
② 종양재발
③ 수술후 부종
④ 임파성 종창
⑤ 드레싱 압박

55

뇌의 손상으로 출혈의 위험이 있는 환자의 간호로 옳은 것은?

> 가. 머리를 움직이지 않는다.
> 나. 동공의 크기를 자주 관찰한다
> 다. 활력징후를 자주 측정한다.
> 라. 머리를 낮추어 준다.
> 마. 수분섭취를 증가시킨다

① 가, 다
② 가, 나, 다
③ 나, 라, 마
④ 가, 나, 다, 라
⑤ 가, 나, 다, 라, 마

56 기출

두개강 내압 상승 시 간호로 옳은 것은?

① 복위 자세로 눕힌다.
② 어느 정도 자극을 준다.
③ 4시간마다 체위를 변경한다.
④ 트렌델렌버그 체위를 취한다.
⑤ 15~30° 정도 머리를 상승시킨다.

57

두개수술 환자의 머리 부분을 올리는 중요한 이유로 옳은 것은?

① 산소공급
② 뇌압상승예방
③ 원활한 호흡유지
④ 분비물 배출 촉진
⑤ 경부근육의 긴장완화

58

척수액의 흐름에 장애가 있을 때 뇌실의 압력으로 인해 생기는 증상으로 옳은 것은?

① 뇌졸중
② 뇌수종
③ 뇌경색
④ 뇌출혈
⑤ 뇌종양

59 기출

왼쪽 편마비로 감각 이상이 있는 뇌졸중 환자의 간호로 옳은 것은?

① 왼쪽으로 음식을 준다.
② 오른손에 호출벨을 쥐어 준다.
③ 8시간 마다 체위변경을 해준다.
④ 마비된 왼쪽에 온찜질을 해준다.
⑤ 오른쪽 둔부에 대전자 두루마리를 대어 준다.

60 기출

뇌졸중으로 우측 시야장애가 있는 환자를 위한 간호 보조활동으로 옳은 것은?

① 좌측 침상난간을 내려놓는다.
② 음식을 환자의 좌측에 놓는다.
③ 달력을 환자의 우측에 놓는다.
④ 텔레비전을 환자의 우측에 놓고 보게 한다.
⑤ 휴대폰을 환자의 우측에 놓고 사용하게 한다.

61 기출

녹내장의 증상으로 옳은 것은?

① 종창
② 소양감
③ 안압 상승
④ 시야가 넓어짐
⑤ 수정체의 혼탁

62

백내장 수술을 받은 환자의 다음 상황 중, 간호사에게 보고해야 하는 경우는?

① 앙와위로 누워 있다.
② 침대난간을 올리고 있다.
③ 발작성 기침을 하고 있다.
④ 머리를 천천히 움직이고 있다.
⑤ 수술받은 눈에 안대를 착용하고 있다.

63 기출

백내장 수술 후의 간호로 옳지 <u>않은</u> 것은?

① 수술 직후는 절대안정을 요한다.
② 무거운 물건을 들 때는 허리를 굽힌다.
③ 수술 부위가 위로 가게 하여 눕도록 한다.
④ 코풀기, 기침, 오심, 구토가 있으면 보고한다.
⑤ 수술 부위에 통증이나 출혈이 있는지 확인한다.

64 기출

중이염 수술 직후의 환자에 대한 간호보조활동으로 옳은 것은?

① 조기이상을 하도록 격려한다.
② 고개를 숙여 머리를 감게 한다.
③ 이명은 정상반응이라고 말한다.
④ 기침이 나오면 입을 벌리게 한다.
⑤ 빨대를 사용하여 물을 마시게 한다.

65 기출

중이염으로 수술을 받은 환자가 수술 후 지켜야 할 사항으로 옳은 것은?

① 코를 세게 푼다.
② 수분 섭취를 제한한다.
③ 입을 다물고 재채기를 한다.
④ 고개를 숙이고 머리를 감는다.
⑤ 감기에 걸리지 않도록 주의한다.

66

항암제 투여를 받고 있는 암 환자를 돌볼 때 가장 중요한 간호로 옳은 것은?

① 감염예방
② 수분제한
③ 운동의 증가
④ 칼로리 섭취 증가
⑤ 환경자극을 최소화

67

다음 중 암의 예방과 조기발견을 위한 간호중재로 옳은 것은?

가. 저지방식이를 권장한다.
나. 매월 생리직전 유방 자가검진을 실시한다.
다. 일광욕을 피한다.
라. 저섬유성식이를 권장한다.
마. 고단백식이를 권장한다.

① 가, 다
② 가, 나, 다
③ 나, 라, 마
④ 가, 나, 다, 라
⑤ 가, 나, 다, 라, 마

CHAPTER 08 모성간호

제1장 | 임신

01

다음 중 내생식기에 포함되지 <u>않는</u> 것은?

① 질   ② 자궁
③ 난관   ④ 난소
⑤ 바톨린선

02

여성생식기의 해부생리에 관한 설명으로 옳은 것은?

> 가. 질강 내에서는 상주 균이 존재하여 질이 산성으로 유지된다.
> 나. 난소는 좌우 한 개씩 있고 배란과 내분비 작용의 기능을 한다.
> 다. 성숙된 난자는 인체 구성 세포 중 가장 크다.
> 라. 자궁은 태아가 발육하는 장소이다.
> 마. 난관은 난자만 지나가는 통로이다.

① 가, 다   ② 가, 나, 다
③ 나, 라, 마   ④ 가, 나, 다, 라
⑤ 가, 나, 다, 라, 마

03

난관에 대한 설명으로 옳은 것은?

① 매달 배란을 한다.
② 태아가 발육하는 장소이다.
③ 주기적으로 내막이 떨어진다.
④ 호르몬을 분비하여 임신이 유지되게 한다.
⑤ 난자와 정자가 만나 수정이 되는 장소이다.

04

여성생식기 검진 시 대상자 준비로 옳은 것은?

> 가. 질경 삽입 시 이완하도록 돕는다
> 나. 쇄석위를 취하도록 돕는다.
> 다. 질경, 면봉, 압설자, 슬라이드, 윤활제, 장갑을 준비한다.
> 라. 배뇨하기 전에 검사받도록 한다
> 마. 검사 전날 저녁부터 금식한다.

① 가, 다   ② 가, 나, 다
③ 나, 라, 마   ④ 가, 나, 다, 라
⑤ 가, 나, 다, 라, 마

05

자궁경부암 진단을 위한 파파니콜라우스 도말검사를 위한 준비로 옳은 것은?

① 회음부를 물로 씻어 준다.
② 검사 전 2~3일부터 금욕한다.
③ 월경주기 중 어느 시기에나 가능하다.
④ 최소한 검사 2시간 전부터 배뇨하지 않도록 한다.
⑤ 검사받기 전 적어도 12시간 동안은 질 세척을 하지 않는다.

06

빈칸을 채우시오. '배란 시기는 다음 월경 예정일로부터 (   ) 역으로 환산한다' 옳은 것은?

① 제8일부터 11일째
② 제12일부터 16일째
③ 제17일부터 20일째
④ 제21일부터 24일째
⑤ 제25일부터 28일째

07

최종월경일이 2022년 5월 20일이다. 앞으로 분만예정일은 언제인가?

① 2023년 1월 27일
② 2023년 2월 27일
③ 2023년 3월 27일
④ 2023년 4월 29일
⑤ 2023년 5월 29일

08

임신 시 생리적 변화로 옳은 것은?

① 심장의 부담은 적다.
② 임신 초기에는 빈뇨현상이 없다.
③ 호르몬의 증가로 설사를 자주 한다.
④ 자궁의 압박으로 호흡을 길게 한다.
⑤ 혈량이 약 30% 증가하므로 생리적 빈혈을 초래한다.

09

임신 후반기에 허리 요통을 호소하는 이유로 옳은 것은?

① 요추 만곡   ② 산후 감염
③ 자궁의 압박   ④ 장내 세균작용
⑤ 산욕기의 정상반응

10

임신 중 임산부가 호소하는 불편감으로 옳지 <u>않은</u> 것은?

① 요통   ② 빈뇨
③ 변비   ④ 정맥류
⑤ 질 배설물 감소

11

임산부가 산전 진찰 중 변비가 심하다고 호소하였다. 교육내용으로 옳지 <u>않은</u> 것은?

① 이완요법과 심호흡을 한다.
② 하루 6잔 이상의 물을 마신다.
③ 규칙적인 배변습관을 유지한다.
④ 섬유소가 많은 음식을 섭취한다.
⑤ 변연화제나 미네랄오일을 복용하게 한다.

12

임신 중 변비를 예방하기 위해 주의할 사항으로 옳지 않은 것은?

① 운동을 자주 한다.
② 자주 물을 마신다.
③ 변 완하제를 사용한다.
④ 규칙적인 배변을 한다.
⑤ 신선한 야채와 과일을 섭취한다.

13

다음 중 입덧을 완화시키는 방법으로 옳은 것은?

① 금식한다.
② 탄산음료를 자주 마신다.
③ 아침식사 전 우유를 마신다.
④ 아침식사 전에 물을 마신다.
⑤ 아침식사 전 약간의 크래커와 토스트를 먹는다.

14

태아의 운동이 가능하도록 하고 일정한 온도유지와 분만 시 산도를 깨끗하고 윤활하게 하는 것으로 옳은 것은?

① 난막   ② 태반
③ 제대   ④ 양수
⑤ 융모막

15 기출

임신반응검사에 사용되는 호르몬으로 옳은 것은?

① 에스트로겐
② 프로게스테론
③ 안드로겐
④ 프로락틴
⑤ 융모성선자극호르몬

16

임신 중 가장 흔한 태아 위치로 옳은 것은?

① 횡위
② 족위
③ 두정위
④ 골반위
⑤ 안면위

17 기출

임산부의 산전관리 목적으로 옳은 것은?

① 안전 분만
② 태아 성감별
③ 폐경기 여성 관리
④ 올바른 성문화 정립
⑤ 유아 안전사고 예방

18 기출

임신합병증을 예방하고 조기에 발견하여 관리함으로써 모성사망을 줄일 수 있어, 가능한 한 빨리 시작하는 것이 바람직한 모성보건관리는?

① 산전관리   ② 분만관리
③ 산후관리   ④ 산욕기관리
⑤ 신생아 관리

19 기출

정기적인 관찰과 교육이 필요한 고위험 모성보건 대상자는?

① 30세 초산모
② 고혈압 환자
③ 풍진 항체 보유자
④ 2년간 피임 후 임신한 여자
⑤ 신체질량지수 22.0 kg/m²인 여자

20 기출

임신 27주인 임산부의 정기진단 횟수로 옳은 것은?

① 2개월마다 1회
② 4주마다 1회
③ 2주마다 1회
④ 1주마다 1회
⑤ 1주마다 2회

21 기출

세계보건기구에서 임신 8개월된 건강한 임부에게 권고하는 정규 산전진찰 횟수는?

① 월 1회   ② 월 2회
③ 월 3회   ④ 월 4회
⑤ 수시로

22

세계보건기구의 정의에 의하면 임신 몇 주 이후 태아 사망을 사산이라고 하는가?

① 10주 이후
② 18주 이후
③ 24주 이후
④ 28주 이후
⑤ 32주 이후

23

임신초기 반복시행하면 임부와 태아에게 해로운 검사는?

① 대변검사
② 소변검사
③ 혈액검사
④ 혈압측정
⑤ 흉부X선 검사

24 기출

임신중독증 진단 검사로 옳은 것은?

① 체온, 맥박, 혈당
② 체온, 맥박, 혈압
③ 체온, 혈압, 호흡
④ 체중, 혈압, 소변검사
⑤ 체중, 혈당, 심전도 검사

25 기출

26세된 임산부의 산전관리에서 정기적으로 혈압을 측정하는 이유로 옳은 것은?

① 유전 질환 확인
② 태아 위치 확인
③ 우울증 조기발견
④ 임신중독증 조기발견
⑤ 모유수유 가능성 확인

26 기출

임산부의 얼굴과 손발에 부종이 있고 혈압이 160/110 mmHG이며, 단백뇨가 있을 때 의심되는 질환으로 옳은 것은?

① 임신중독증   ② 신우신염
③ 전치태반   ④ 태반조기박리
⑤ 포상기태

27

산전관리 시 임산부에게 체중과 혈압측정에 궁극적인 목적으로 옳은 것은?

① 모체의 정맥류 예방
② 양수의 양 측정 위함
③ 모체의 영양상태 파악
④ 태아의 발육상태 파악
⑤ 모체의 임신성 고혈압 유무의 파악

28

다음중 임신성 고혈압이 의심되는 증상으로 옳은 것은?

가. 단백뇨	나. 빈뇨
다. 전신부종	라. 요통
마. 체위성 저혈압	

① 가, 다
② 가, 나, 다
③ 나, 라, 마
④ 가, 나, 다, 라
⑤ 가, 나, 다, 라, 마

29

산전진찰 시마다 규칙적으로 측정하는 것으로 옳은 것은?

① 혈압측정
② 골반측정
③ 신장측정
④ 소변량 측정
⑤ 융모성선자극호르몬 검사

30

자간증 임산부의 입원실에 갖추어야 할 조건으로 옳은 것은?

① 습도가 높은 방
② 밝고 조용한 방
③ 어둡고 조용한 방
④ 밝고 온도가 높은 방
⑤ 어둡고 온도가 높은 방

31

임신성 고혈압이 있는 임부의 식이요법으로 옳은 것은?

① 저염 식이
② 저탄수화물
③ 고지방 식이
④ 저단백 식이
⑤ 수분 증가 식이

32

임부가 매독 치료를 조기에 실시해야 하는 이유로 옳은 것은?

① 소양감의 완화
② 태아 감염 방지
③ 소화성궤양 방지
④ 자궁경부암 예방
⑤ 원활한 성생활을 위함

33 기출

VDRL 검사 후 양성일 때 진단할 수 있는 질병으로 옳은 것은?

① 임질
② 매독
③ 연하성감
④ 자궁경부암
⑤ 후천성 면역결핍증

34

다음 중 유산이나 사산을 초래하는 질병으로 옳은 것은?

① 임질 ② 결핵 ③ 매독
④ 신장병 ⑤ 당뇨병

35

임신 중 선천적 기형을 초래하는 질환으로 옳은 것은?

① 풍진
② 수두
③ 홍역
④ 성홍열
⑤ 백일해

36

임신 중 임부가 지켜야 할 사항으로 옳지 <u>않은</u> 것은?

① 충분히 숙면을 취한다.
② 장거리 여행은 피한다.
③ 가벼운 걷기와 산책을 한다.
④ 임신말기 통 목욕은 가능하다.
⑤ 임신 중 휴식은 충분한 수면 말고도 오전과 오후에 30분씩 낮잠을 자거나 쉬는 것이 좋다.

37

정맥류로 인한 불편감을 호소하는 9개월된 임부에게 교육내용으로 옳은 것은?

> 가. 다리를 규칙적으로 상승시킨다.
> 나. 대퇴부를 조이는 고무 밴드는 삼간다
> 다. 복대를 사용하여 배를 지지한다.
> 라. 장시간 오래 서 있지 않게 한다.
> 마. 발에 꼭 맞는 신발을 신는다.

① 가, 다
② 가, 나, 다
③ 나, 라, 마
④ 가, 나, 다, 라
⑤ 가, 나, 다, 라, 마

38

임신초기에 정상적으로 나타날 수 있는 증상이 <u>아닌</u> 것은?

① 빈뇨
② 속쓰림
③ 유방통
④ 질출혈
⑤ 심계항진

39 기출

포상기태로 소파수술을 한 산모의 간호로 옳은 것은?

① 화학 요법을 실시
② 자궁 내 장치를 권유
③ 전이가 의심될 경우 흉부 X-선 검사를 실시
④ 6개월 이후 융모성선자극호르몬 검사 후 임신을 권장
⑤ 6개월 정도까지는 매달 융모성선자극호르몬 검사를 실시

40 기출

임신 후반기 질출혈의 원인으로 옳은 것은?

① 전치태반
② 자연유산
③ 포상기태
④ 자궁외 임신
⑤ 자궁경관무력증

제2장 | 분만

41

조기 파수가 된 임산부를 응급실로 이동시 적절한 방법으로 옳은 것은?

① 천천히 걸어간다.
② 부축해서 걷게 한다.
③ 휠체어에 태워 이동한다.
④ 이동차에 눕혀서 이동한다.
⑤ 어떤 방법으로 이동하던지 최대한 빨리 움직인다.

42

38주된 임산부가 파막된지 24시간 이상 지연될 경우 위험 증상으로 옳은 것은?

① 빈뇨
② 태동 감소
③ 체중 감소
④ 자궁내 감염
⑤ 태아 하강감

43 기출

분만 전에 분비되는 것으로 자궁경부를 막고 있던 점액마개가 혈액과 섞여서 나오는 물질은?

① 태반 ② 오로 ③ 이슬 ④ 난막 ⑤ 혈뇨

44

다음 중 분만의 전구 증상들로 옳은 것은?

① 하강감, 이슬, 배림
② 하강감, 가진통, 이슬
③ 자궁경부개대, 이슬, 파수
④ 자궁경부개대, 배림, 파수
⑤ 자궁경부소실, 자궁수축, 자궁출혈

45

다음 중 분만 1기 간호로 옳지 <u>않은</u> 것은?

① 관장하여 배변하도록 한다.
② 배뇨를 충분히 하도록 한다.
③ 진통이 있을 때 복압을 주도록 격려한다.
④ 활력징후을 측정하고 필요하면 구강간호를 실시한다.
⑤ 소화가 잘 되고 영양 있는 유동식을 섭취하도록 한다.

46 기출

초산부의 분만1기 분만 과정을 돕는 간호 방법으로 옳은 것은?

① 배뇨는 가능한 참게 한다.
② 환의가 젖었어도 갈아입히지 않는다.
③ 자궁수축을 위해 자궁저부를 마사지한다.
④ 불편감을 완화하기 위해 호흡을 참게 한다.
⑤ 자궁태반 관류를 촉진하기 위해 측위를 취하게 한다.

47 기출

분만 중 산모가 대변을 볼 경우 즉시 처리해야 하는 이유는?

① 난산 예방
② 산도 오염 방지
③ 분만 통증 완화
④ 자궁근육 이완 촉진
⑤ 모체 혈액순환 증진

48 기출

진진통에 대한 설명으로 옳은 것은?

① 자궁경관이 개대되지 않는다.
② 통증의 강도에 변화가 없다.
③ 통증의 간격이 불규칙하다.
④ 걸어다니면 통증이 완화된다.
⑤ 진통이 허리에서 복부로 진행된다.

49

자궁경관이 2센티 개대되고 자궁수축이 5분 간격으로 30초 정도 진통을 한 임산부에 대한 간호내용으로 옳은 것은?

> 가. 산모의 체위를 측위로 해준다.
> 나. 활동기에 사용될 호흡법을 가르친다.
> 다. 산모에게 태아심음을 듣도록 해준다.
> 라. 자궁수축시 산모의 용기를 북돋워준다.
> 마. 수축과 수축 사이에 태아심음을 측정한다.

① 가, 다
② 가, 나, 다
③ 나, 라, 마
④ 가, 나, 다, 라
⑤ 가, 나, 다, 라, 마

50 기출

자궁경관이 완전 개대되고, 회음절개술이 시행되는 분만의 단계로 옳은 것은?

① 분만 1기
② 분만 2기
③ 분만 3기
④ 분만 4기
⑤ 산욕기

51

분만 제2기의 설명으로 옳은 것은?

① 태아 만출부터 태반 만출까지
② 경관 완전 개대부터 태아 만출까지
③ 경관 개대 시작부터 경관 완전 개대까지
④ 태반 만출부터 태반 만출 후 1~2시간까지
⑤ 규칙적인 자궁수축 시작부터 경관 개대 시작까지

52 기출

질식 분만한 산모의 회음부 간호의 목적은?

① 감염 예방   ② 소화 촉진
③ 배변 돕기   ④ 수면 증진
⑤ 근육 강화

53

다음 중 분만 시 회음절개술을 시행하는 목적으로 옳지 <u>않은</u> 것은?

① 분만 1기 단축
② 분만 2기 단축
③ 아두손상 방지
④ 회음열상 방지
⑤ 회음부 치유촉진

54

경산모를 분만실로 이동해야 하는 시기로 옳은 것은?

① 양막이 터졌을 때
② 자궁경관이 완전개대 시
③ 아두가 만출되기 시작할 때
④ 자궁경관이 7~8 cm 개대 시
⑤ 산모가 배변욕구를 호소할 때

55

다음 중 초임부의 분만 중 간호로 옳지 <u>않은</u> 것은?

① 태아심음을 청취한다.
② 방광을 비우고 관장한다.
③ 계속적으로 자궁 경부 개대를 관찰한다.
④ 분만 2기 진통이 시작되면 복압을 주도록 격려한다.
⑤ 자궁경관이 7~8 cm 개대되었을 때 분만실로 옮긴다.

56 기출

태반이 만출되는 시기로 옳은 것은?

① 분만 1기
② 분만 2기
③ 분만 3기
④ 분만 4기
⑤ 산욕기

57

분만 제3기에 주의 깊게 관찰할 사항으로 옳은 것은?

① 감염   ② 부종
③ 출혈   ④ 요정체
⑤ 호흡장애

58

정상 분만 1시간 후 산모 간호로 옳지 <u>않은</u> 것은?

① 혈압, 맥박측정
② 회음절개부위 관찰
③ 유즙분비 상태확인
④ 자궁수축정도 사정
⑤ 오로의 양과 색깔 파악

59

다음 중 회음 절개한 산모에게 좌욕하는 방법으로 옳지 <u>않은</u> 것은?

① 소독된 대야를 사용한다.
② 하루에 한 번씩 질 세척을 한다.
③ 물을 끓여 38~41℃로 식힌 후 사용한다.
④ 프라이버시를 고려하여 좌욕장소를 설정한다.
⑤ 좌욕 후 회음 절개 부위에 소독패드를 대준다.

60

분만직후 산모를 간호하기 위해 관찰해야 할 내용으로 옳은 것은?

① 단백뇨 유무
② 다리의 부종
③ 자궁의 이완
④ 맥박, 혈압 측정
⑤ 진추통에 대한 투야

61

질식 분만 2시간 후 산모얼굴이 창백해지고 질 출혈과다 시 우선 해야 할 간호로 옳은 것은?

① 하지를 올려준다.
② 침상을 갈아준다.
③ 수혈을 준비한다.
④ 자궁마사지를 한다.
⑤ 구강으로 물을 먹인다.

제3장 | 산욕

62

산욕기 산모에 대한 주의 사항으로 옳지 않은 것은?

① 성교는 6주까지 금하도록 한다.
② 질 세척을 자주 하도록 격려한다.
③ 기름지지 않고 균형된 식사를 제공한다.
④ 다량의 출혈 시 즉시 간호사에게 보고한다.
⑤ 활동량을 서서히 증가시켜 피로하지 않도록 한다.

63

산욕기의 변화와 간호에 해당되는 것은?

① 자궁은 경산부가 더 빨리 복구된다.
② 비수유부는 수유부보다 산욕기간이 짧다.
③ 산후통은 경산부보다 초산부가 더 심하다.
④ 분만 후 5~6일이면 백색 오로가 배출된다.
⑤ 좌욕은 상처치유와 염증을 감소시킬 목적으로 시행한다.

64

산욕기 간호에 대한 설명으로 옳지 않은 것은?

① 산후에 조기이상을 실시한다.
② 적색 오로는 산욕기간 내내 분비된다.
③ 회음절개 후 치유를 위해 좌욕을 한다.
④ 오로의 냄새가 심하면 감염을 의미한다.
⑤ 산후통은 아기를 많이 낳은 사람이 심하다.

65

다음 중 산후에 알맞은 자세로 옳은 것은?

① 측위
② 절석위
③ 슬흉위
④ 앙와위
⑤ 배횡와위

66.

모유수유 시 유방간호 내용으로 옳은 것은?

① 유두는 비누 사용을 금지한다.
② 가슴 마사지 후 냉찜질을 한다.
③ 유두균열이 있어도 통증 없으면 수유를 계속한다.
④ 3~4분 정도씩 유방에 더운물 찜질 후 찬물 찜질을 한다.
⑤ 유두균열이 있으면 상처 치유될 때까지 수유를 금지한다.

67

다음 중 유즙분비를 촉진시키기 위한 산모교육으로 옳은 것은?

> 가. 규칙적으로 수유하도록 한다.
> 나. 수유 후 남아있는 모유는 완전히 짜낸다.
> 다. 수분을 충분히 섭취하도록 한다.
> 라. 적당한 수면과 휴식을 취하도록 한다.
> 마. 수유기간 동안 전혀 월경이 복귀되지 않는다.

① 가, 다
② 가, 나, 다
③ 나, 라, 마
④ 가, 나, 다, 라
⑤ 가, 나, 다, 라, 마

68 기출

모유수유 중인 산모의 유방울혈을 완화하기 위한 간호보조 활동으로 옳은 것은?

① 유즙을 짜내지 않는다.
② 유두를 비누로 씻어준다.
③ 유방을 탄력붕대로 단단하게 감아준다.
④ 더 이상 모유수유를 지속할 수 없다고 말한다.
⑤ 유관을 따라 손가락으로 돌려가며 유방을 마사지 해준다.

69 기출

분만 후 모유수유를 준비하는 산모에게 유방울혈이 있을 때 간호로 옳은 것은?

① 유두를 비누로 닦아 준다.
② 2~4시간마다 유즙을 손으로 짜준다.
③ 산모용 브레지어를 착용시키지 않는다.
④ 따뜻한 물로 마사지하고 찬물로 마사지한다.
⑤ 찬 물수건으로 찜질한 후 젖은 그대로 눈다.

70

유방울혈을 보이는 산모의 불편감을 감소시킬 수 있는 방법으로 옳지 않은 것은?

① 수유를 일시적으로 중단한다.
② 유방마사지 후 유즙을 짜낸다.
③ 아이에게 자주 젖을 물려 빨게 한다.
④ 수유 시 온찜질과 유방 마사지를 한다.
⑤ 유방대 혹은 브래지어로 적절하게 지지해준다.

71

유방간호 시 유두균열이 있을 때 간호로 옳은 것은?

가. 하루나 이틀 수유를 금한다.
나. 매일 하루에 한 번씩 유두를 소독수로 소독한다.
다. 바셀린이 섞인 비타민A 연고를 발라준다.
라. 상처가 나을 때까지 젖은 짜내지 않는다.
마. 비누로 자주 씻어 청결을 유지한다.

① 가, 다
② 가, 나, 다
③ 나, 라, 마
④ 가, 나, 다, 라
⑤ 가, 나, 다, 라, 마

72

분만 후 자궁출혈이 심한 환자에게 제일 먼저 해야 하는 간호로 옳은 것은?

① 자궁수축제를 준다.
② 의사에게 연락한다.
③ 유도분만 준비를 한다.
④ 더운물 주머니를 대준다.
⑤ 트렌델렌버그씨 체위를 취해준다.

73 기출

질식 분만 2시간 후 출혈이 있을 때 가장 먼저 해야 할 적합한 간호 관리로 옳은 것은?

① 복위를 취해준다.
② 자궁마사지를 해준다.
③ 일어나 걸어 다니도록 한다.
④ 더운 물수건을 복부에 대어 준다.
⑤ 물이나 음료수를 주어 탈수를 예방한다.

74

다음 중 산후출혈에 관한 설명으로 옳은 것은?

> 가. 출혈 시 자궁저부에 얼음주머니를 대준다.
> 나. 자궁이완 시 자궁저부마사지를 한다.
> 다. 자궁무력 태반조각 잔류가 원인이다.
> 라. 보통 500 cc 이상을 산후 출혈로 본다.
> 마. 후기산후출혈의 주된 원인은 태반조직의 잔류이다.

① 가, 다
② 가, 나, 다
③ 나, 라, 마
④ 가, 나, 다, 라
⑤ 가, 나, 다, 라, 마

75

분만 3일째된 산모에 대한 간호를 시행할 때 의사에게 보고해야 할 사항으로 옳은 것은?

① 산후통
② 유방종창
③ 38℃ 고열
④ 산욕기 오로
⑤ 산후 우울감

76 기출

분만 후 4일이 지난 산모가 38.5℃의 열과 오로에서 악취가 나고 복부 통증이 심할 때 취할 수 있는 체위로 옳은 것은?

① 앙와위
② 쇄석위
③ 심스 체위
④ 파울러스씨 체위
⑤ 트렌델렌버그 체위

77

분만 3일째 산모의 혈압이 120/80 mmHg, 호흡이 28회/분, 맥박이 92회/분, 체온이 38.2℃일 때 의심할 수 있는 증상으로 옳은 것은?

① 쇼크
② 탈수
③ 출혈
④ 감염증상
⑤ 정상적인 산욕기 반응

78

다음 중 임신과 분만으로 인한 모성사망의 원인으로 옳은 것은?

① 결핵, 출혈, 감염
② 유방종창, 고혈압, 정맥류
③ 산후출혈, 태반조기박리, 당뇨병
④ 생리적 빈혈, 전치태반, 조기파수
⑤ 산후출혈, 감염에 의한 산욕열, 자궁 외 임신

CHAPTER

09 아동간호

제1장 | 아동 발달단계별 간호보조

01

영유아의 성장과 발달에 대한 내용으로 옳은 것은?

> 가. 운동은 머리에서 다리를 향해 발달한다.
> 나. 유형은 계속적이고 순차적이다.
> 다. 일정한 방향으로 질서있게 발달한다.
> 라. 정확한 순서에 따라 일정한 속도로 발달한다.
> 마. 팔 전체 근육보다 손가락 근육이 먼저 발달한다.

① 가, 다
② 가, 나, 다
③ 나, 라, 마
④ 가, 나, 다, 라
⑤ 가, 나, 다, 라, 마

02

영아의 성장과 발달에 대한 내용들이다. 옳은 것은?

① 생후 6개월경부터 혼자 앉을 수 있다.
② 가슴 전후경이 좌우경보다 커질 것이다.
③ 3~5개월이 되면 체중이 출생시 3배가 된다.
④ 생후 6개월 후에는 밤에 깨지 않고 16시간 정도 잔다.
⑤ 생후 4~5개월부터 다른 사람의 발음을 모방해서 표현한다.

03 기출

아기의 발달 과정 순서로 옳은 것은?

① 목 가누기 — 뒤집기 — 기기 — 앉기 — 걷기
② 목 가누기 — 뒤집기 — 앉기 — 기기 — 걷기
③ 목 가누기 — 기기 — 뒤집기 — 앉기 — 걷기
④ 목 가누기 — 기기 — 앉기 — 뒤집기 — 걷기
⑤ 목 가누기 — 앉기 — 기기 — 뒤집기 — 걷기

04

아동의 대천문이 닫히는 시기로 옳은 것은?

① 2~3개월
② 8~10개월
③ 12~18개월
④ 24~36개월
⑤ 37~40개월

05

목을 가눌 수 있는 시기로 옳은 것은?

① 4주
② 6주
③ 8주
④ 10주
⑤ 12주

06 기출

유아의 배변 훈련으로 옳은 것은?

① 주기적으로 배변 교육을 시킨다.
② 배변 시기는 모든 아이가 똑같다.
③ 일정한 시간에 배변을 보게 한다.
④ 배변하도록 오랜 시간 기다려준다.
⑤ 배변할 때까지 계속 변기에 앉혀 둔다.

07

아동의 대소변 가리기 훈련에 관한 설명으로 옳은 것은?

> 가. 발달과 관계없이 일정한 연령에 이루어진다.
> 나. 아동은 2세가 되어서야 대소변을 가릴 수 있게 된다.
> 다. 밤에 소변을 못 가리는 것은 신체적 이상이다.
> 라. 소변보다 대변가리기 훈련을 먼저 실시한다.
> 마. 훈련과정은 아동의 성격형성에 영향을 끼친다.

① 가, 다
② 가, 나, 다
③ 나, 라, 마
④ 가, 나, 다, 라
⑤ 가, 나, 다, 라, 마

08 기출

에릭슨의 심리사회적 발달단계 중 청소년기의 주요 발달과업과 갈등은?

① 근면성 대 열등감
② 주도성 대 죄책감
③ 친밀감 대 고립감
④ 생산성 대 침체성
⑤ 자아정체감 대 역할 혼돈

09 기출

에릭슨의 심리·사회적 발달 단계 중 자율성이 형성되는 시기는?

① 영아기
② 유아기
③ 학령전기
④ 학령기
⑤ 청소년기

10 기출

에릭슨의 성장 발달 과업 중 노년기의 과업으로 옳은 것은?

① 자율성
② 신뢰감
③ 통합감
④ 주도성
⑤ 근면성

11

에릭슨의 심리사회적 발달 단계로 잘못 연결된 것은?

① 유아기-자신감
② 영아기-신뢰감
③ 학령기-근면감
④ 학령 전기-솔선감
⑤ 청소년기-자아정체감

12

성장과 발달이 단계 중 영아기에 해당되는 것은?

① 출생~생후 2 내지 4주
② 생후 2주 내지 4주~1년
③ 생후 4주에서 3세까지
④ 생후 3세~6세
⑤ 출생 6세~12세

13 기출

4세 아동의 놀이의 특성으로 옳은 것은?

① 짝궁놀이를 즐겨한다.
② 동성 친구하고만 논다.
③ 엄격한 규칙을 정하여 논다.
④ 또래 아이들 옆에서 혼자 논다.
⑤ 상상력을 발휘하는 놀이를 즐겨한다.

14 기출

정상발달단계상 18개월된 유아에서 특징적으로 나타나는 현상은?

① 한발로 뛴다.
② 신발끈을 스스로 맨다.
③ 가위로 도형 모양을 자른다.
④ 머리 위로 공을 던져 잡는다.
⑤ 친구 옆에서 장난감을 가지고 혼자서 논다.

15 기출

태어난지 3일된 아이의 체중이 10% 감소된 경우 판단할 수 있는 것은?

① 생리적 체중감소로 지켜본다.
② 감염 증상이기 때문에 격리시킨다.
③ 선천적인 체중 감소로 산모에게 말한다.
④ 인공 수유로 아기의 체중을 보충하게 한다.
⑤ 유전적인 체중 감소로 간호사에게 보고한다.

16 기출

아기를 반듯이 눕히고 머리를 한쪽으로 돌리면, 놀리는 쪽의 팔과 다리는 펴고 반대쪽 팔과 다리를 구부리는 신생아의 정상적인 반사는?

① 모로반사
② 빨기반사
③ 움켜잡기반사
④ 바빈스키반사
⑤ 긴장목반사

17

분만 후 신생아의 상태를 파악하기 위해 Apgar 점수를 기록하려고 한다. 관찰사항에서 제외되는 것은?

① 피부색
② 심박동
③ 근긴장도
④ 활력징후
⑤ 호흡능력

18

분만 직후 가장 먼저 해야 할 신생아 간호로 옳은 것은?

① 몸을 닦아준다.
② 산소를 공급한다.
③ 담요로 싸서 보온해준다.
④ 기도유지 및 이물질 제거한다.
⑤ 머리를 낮추고 고개를 옆으로 돌린다.

19

다음 중 신생아 뇌 손상을 의심할 수 있는 내용으로 옳지 <u>않은</u> 것은?

① 주먹을 꼭 쥐고 있다.
② 모로반사가 소실된다.
③ 쇠약해 보이고 잘 먹지 못한다.
④ 고음의 날카로운 울음소리를 낸다.
⑤ 경련을 일으키고 청색증을 나타낸다.

20 기출

태변에 대한 설명으로 옳은 것은?

① 고약한 냄새가 난다.
② 끈적이지 않고 묽다.
③ 점액을 포함한 녹황색이다.
④ 출생 후 처음 보는 변이다.
⑤ 태변을 보지 않을 경우 심혈관계 기형을 의심한다.

21

수정체 후부 섬유증식증의 원인으로 옳은 것은?

① 보육기내의 감염이 있을 때
② 보육기내의 청결상태가 좋지 않을 때
③ 보육기내의 습도조절이 적절하지 않을 때
④ 보육기내의 온도조절이 적절하지 않을 때
⑤ 보육기내의 고농도 산소를 장기간 흡입하였을 때

22 기출

출생 후 신생아에게 1% 테트라사이클린을 점안하는 이유로 옳은 것은?

① 난시 예방
② 녹내장 예방
③ 백내장 예방
④ 망막증 예방
⑤ 임균성 안염 예방

23

신생아 질환에 대한 설명으로 옳은 것은?

① 아구창시 1% 질산은으로 치료한다.
② 소두증은 선천성 기형에서 제외된다.
③ 모로반사는 쇄골골절 시에만 소실된다.
④ 정상분만 시 두개출혈을 많이 볼 수 있다.
⑤ 아구창은 칸디다 알비칸스에 의해 발생한다.

24

태아적아구증이 될 수 있는 경우로 옳은 것은?

① 부 RH(+), 태아 RH(−)
② 부 RH(+), 모 RH(−)
③ 부 RH(−), 모 RH(+)
④ 부 RH(−), 모 RH(−)
⑤ 부 RH(+), 모 RH(+)

25

ABO 부적합에 의한 용혈성 빈혈이 나타나는 경우로 옳은 것은?

① 어머니 AB형, 아기 B형
② 어머니 A형, 아기 O형
③ 어머니 O형, 아기 A형
④ 어머니 B형, 아기 O형
⑤ 어머니 AB형, 아기 O형

26

신생아 간호 시 의사에게 즉시 보고해야 할 내용으로 옳은 것은?

> 가. 24시간 이내에 황달이 생겼다.
> 나. 3일 후에 체중이 약간 감소되었다.
> 다. 24시간 이내에 제대출혈이 있다.
> 라. 기저귀에 약간의 붉은색 침착이 있다.
> 마. 8~24시간에 태변이 배출되었다

① 가, 다
② 가, 나, 다
③ 나, 라, 마
④ 가, 나, 다, 라
⑤ 가, 나, 다, 라, 마

27 기출

황달 환아에 대한 간호로 옳은 것은?

① 수분을 제한한다.
② 생식기를 노출시킨다.
③ 모유수유를 제한한다.
④ 자주 체위를 변경해준다.
⑤ 눈가리개가 필요하지 않는다.

28

생리적 황달에 대한 내용으로 옳지 않은 것은?

① 간기능의 미숙으로 나타난다.
② 신생아의 55~70%에서 나타난다.
③ 생리적 황달은 형광요법으로 치료한다.
④ 원인은 출생 후 적혈구가 파괴되기 때문이다.
⑤ 생후 2~3일경에 나타났다가 약7일 후에 없어진다.

29

신생아 황달 치료로 광선요법을 실시할 때 간호로 옳은 것은?

> 가. 탈수, 건조 증상을 관찰한다.
> 나. 옷을 벗기고 체위변경을 자주 해준다.
> 다. 수유 동안에 안대를 벗겨서 시각적·감각적 자극을 제공한다.
> 라. 안구의 손상을 예방하기 위해 안대를 착용한다.
> 마. 윤활용 기름이나 로션을 바르고 실시한다.

① 가, 다
② 가, 나, 다
③ 나, 라, 마
④ 가, 나, 다, 라
⑤ 가, 나, 다, 라, 마

30 기출

신생아 목욕 간호에 대한 내용으로 옳은 것은?

① 상체부터 담근다.
② 산성 비누로 얼굴을 씻는다.
③ 미숙아도 통목욕이 가능하다.
④ 빠른 시간 내에 목욕을 끝낸다.
⑤ 신생아 목욕물의 온도는 체온과 동일한 온도가 적당하다.

31

신생아 목욕에 관한 내용으로 옳은 것은?

① 목욕 전 수유를 시키는 것이 좋다.
② 출생 후 1~2일간 태지를 제거한다.
③ 목욕물 온도는 손으로 담궈서 확인한다.
④ 목욕 순서는 발에서 머리 방향으로 한다.
⑤ 생식기, 엉덩이, 항문 주위를 기울이며 씻는다.

32

신생아 제대 간호로 옳은 것은?

① 붕산을 바르고 노출시킨다.
② 오염에 주의하면서 그대로 둔다.
③ 제대 박동이 멈춘 후에 결찰한다.
④ 항생제를 바르고 소독거즈로 덮어둔다.
⑤ 70% 알코올로 매일 닦고 건조하게 유지시킨다.

33 `기출`

초유(colostrum)에 관한 설명으로 옳은 것은?

① 묽고 흰색이다.
② 성숙유보다 지방 함량이 많다.
③ 성숙유보다 단백질 함량이 적다.
④ 수유 시 태변의 배출을 촉진한다.
⑤ 분만한 지 2시간 이내에 분비가 완료된다.

34

모유와 우유의 성분을 비교한 것으로 옳지 <u>않은</u> 것은?

① 열량은 같다.
② 수분양은 같다.
③ 당분은 모유가 많다.
④ 소화속도는 우유가 느리다.
⑤ 모유에 더 많은 단백질이 포함되어 있다.

35

모유에 대한 장점을 설명한 내용으로 옳은 것은?

> 가. 우유에 비해 당질의 함량이 많다.
> 나. 우유에 비해 비타민 함량이 많다.
> 다. 우유에 비해 소화가 잘 된다.
> 라. 우유에 비해 단백질 함량이 많다.
> 마. 우유에 비해 무기질 함량이 많다.

① 가, 다
② 가, 나, 다
③ 나, 라, 마
④ 가, 나, 다, 라
⑤ 가, 나, 다, 라, 마

36

다음 중 모유수유의 금기대상으로 옳지 <u>않은</u> 것은?

① 만성 빈혈이 있을 경우
② 신생아가 구개파열인 경우
③ 산모가 폐결핵을 앓고 있을 경우
④ 신생아 생리적 황달이 있는 경우
⑤ 정신질환을 가지고 있거나 심하게 불안한 경우

37

신생아실의 방 온도로 가장 적절한 것은?

① 10~17℃
② 18~20℃
③ 20~22℃
④ 23~25℃
⑤ 28~30℃

38 기출

재태기간 30주로 태어난 조산아의 신체적 특징에 관한 설명으로 옳은 것은?

① 피하지방이 많다.
② 솜털이 거의 없다.
③ 손바닥과 발바닥에 주름이 많다.
④ 적분홍색 피부 밑으로 핏줄이 비쳐 보인다.
⑤ 남아의 경우 음낭 속으로 고환이 내려와 있다.

39

미숙아 체중 측정 방법으로 옳은 것은?

① 보육기 내에서 잰다.
② 간호사에 따라 다르다.
③ 보육기에서 꺼내어 잰다.
④ 옷 많이 입힌 후 측정한다.
⑤ 상관 없다.

40 기출

미숙아에 대한 간호로 옳은 것은?

① 고농도의 조제유를 먹인다.
② 광선요법 시 옷을 입히고 실시한다.
③ 빨기 반사가 없으면 위관 영양을 실시한다.
④ 보육기 내 고농도 산소를 장기간 투여한다.
⑤ 보육기와 신생아 집중치료실의 실내 온도를 동일하게 유지한다.

41 기출

미숙아에게 보육기를 적용할 때 유의할 사항으로 옳은 것은?

① 보육기 밖에서 체중을 측정한다.
② 보육기 안의 습도는 20%가 적당하다.
③ 보육기를 사용하기 전에 미리 보온해 둔다.
④ 복위를 취한 경우 체온 감지기를 복부에 부착한다.
⑤ 1시간에 1회 정도 보육기의 모든 문을 열어 환기한다.

42

간호조무사가 신생아실에서 얼굴이 창백하고 우유를 토하는 신생아를 발견하였다. 이 때 취해야 할 행동으로 가장 바람직한 것은?

① 산소를 공급해준다.
② 손가락으로 혀 뒷부분을 자극한다.
③ 활력징후 측정한 후 주의깊게 관찰한다.
④ 엎드린 자세로 머리를 낮추어 등을 두드린다.
⑤ 아기를 즉시 세워 안고 등을 가볍게 두드린다.

43 기출

영아에게 이유식을 제공할 때 주의사항으로 옳은 것은?

① 고형식이는 생후 3개월부터 시작한다.
② 젖꼭지 구멍이 큰 젖병에 담아서 먹인다.
③ 우유를 먹이고 난 뒤에 이유식을 먹인다.
④ 새로운 음식은 일정한 간격을 두고 추가한다.
⑤ 3개 이상의 재료를 혼합한 이유식으로 시작한다.

44

영아에게 이유식을 주는 방법으로 옳지 <u>않은</u> 것은?

① 한 번에 한가지 음식만 준다.
② 젖이나 우유 먹이기 전에 준다.
③ 새로운 음식은 젖병에 혼합해서 준다.
④ 영아에게 음식을 만질 수 있도록 허용한다.
⑤ 새로운 음식 추가 시 4~5일 간격으로 준다.

45

다음 중 영아에게 일어나는 흔한 사고로 옳은 것은?

① 골절   ② 익사
③ 파열상   ④ 교통사고
⑤ 이물질 흡인

46

4주된 신생아가 BCG를 예방접종하러 왔다. 이때 이미 접종했었어야 할 예방접종으로 옳은 것은?

① B형 간염   ② MMR
③ DTaP   ④ 수두
⑤ 폴리오

제2장 | 환아의 간호보조

47

38℃ 이상의 고열 환아 간호로 옳지 <u>않은</u> 것은?

① 75% 알코올 솜으로 마사지한다.
② 미온수로 스폰지 목욕을 실시한다.
③ 옷을 벗기고 통풍과 환기를 시킨다.
④ 얼음베게를 대주고 발을 따뜻하게 한다.
⑤ 탈수증상을 확인하고 수분섭취를 증가시킨다.

48

아동이 기관지 천식으로 입원하였다. 적절한 간호로 옳지 <u>않은</u> 것은?

① 호흡횟수와 특성을 자주 사정한다.
② 호흡곤란시 앙와위로 눕도록 한다.
③ 호흡곤란 시에는 휴식을 취하도록 한다.
④ 알레르기를 유발시키는 음식과 환경을 피한다.
⑤ 불안하고 두려워하지 않도록 정서적 지지를 한다.

49

영아의 기저귀발진 관리방법 중 옳은 것은?

> 가. 영아의 둔부는 비누를 사용하여 청결히 한다.
> 나. 기저귀를 자주 확인하여 젖어 있지 않도록 한다.
> 다. 기저귀 발진부위에 항생제를 도포한다.
> 라. 피부와 겹치는 부위를 깨끗이 하고 건조시킨다.
> 마. 습기, 대변 등의 자극 물질을 제거한다.

① 가, 다
② 가, 나, 다
③ 나, 라, 마
④ 가, 나, 다, 라
⑤ 가, 나, 다, 라, 마

50

백혈병 환아 간호로 가장 중요한 것은?

① 감염 예방
② 부모와의 상담
③ 적절한 영양공급
④ 정상적인 성장과 발달
⑤ 항암제 치료의 부작용

51

분노발작에 대한 설명으로 옳지 <u>않은</u> 것은?

① 1~3세된 어린아이에게 잘 온다.
② 증상은 울다가 갑자기 숨을 멈춘다.
③ 놀이요법으로 긴장을 해소시켜 준다.
④ 치료를 필요로 하며 뇌파검사 소견이 비정상이다.
⑤ 청색증을 나타내며 잠시 의식을 잃는 경우도 있다.

52

발작을 일으킨 아동의 간호로 옳지 <u>않은</u> 것은?

① 주변에 날카로운 물건이나 기구를 치운다.
② 아동이 의자에 앉아 있다면 즉시 바닥에 눕힌다.
③ 치아 사이에 억지로라도 딱딱한 물체를 올려준다.
④ 발작하는 아동을 옮기거나 강제로 억제하지 않는다.
⑤ 가능하면 문을 닫거나 스크린을 쳐서 다른 사람
　이 볼 수 없게 한다.

53 기출

주 양육자와 잠시도 떨어지지 않으려는 유아의 정서
상태는?

① 퇴행
② 거부증
③ 주의산만
④ 분리불안
⑤ 분노발작

54

입원으로 인해 초래되는 것 중 발달 특성상 3세 유아
에게 가장 문제가 되는 것으로 옳은 것은?

① 부모로부터의 격리
② 죽음에 대한 두려움
③ 가정의 경제적 빈곤
④ 낯선 사람에 대한 공포
⑤ 친구들과의 놀이에 대한 불안

55 기출

설사로 탈수가 심한 유아에게 나타날 수 있어서 유의
해야 하는 증상이나 징후는?

① 저체온　　　　　② 체중 감소
③ 느린 호흡　　　　④ 피부긴장감 증가
⑤ 느리고 강한 맥박

56

심한 설사로 탈수된 영아에게 보충해야 하는 것으로
옳은 것은?

① 수분, 지방　　　② 수분, 비타민
③ 수분, 단백질　　④ 수분, 전해질
⑤ 수분, 탄수화물

57 기출

하지에 부종이 있는 사구체신염 환아의 간호로 옳은
것은?

① 금식시킨다.
② 염분섭취를 권장한다.
③ 단백질섭취를 권장한다.
④ 하지는 심장보다 낮게 한다.
⑤ 상기도 감염 환자와 접촉을 금지한다.

58

5세된 아동의 급성사구체신염 간호로 옳지 <u>않은</u> 것은?

① 수분 섭취를 증가시킨다.
② 상기도 감염환자와의 접촉을 금한다.
③ 매 2~4시간마다 소변비중을 측정한다.
④ 배설량과 섭취량, 활력징후 등을 체크한다.
⑤ 염분, 칼륨, 수분을 제한하는 식이를 제공한다.

59

신경성 식욕부진 아동에 대한 간호로 옳은 것은?

① 식욕 촉진제를 투여한다.
② 간호의 치료과정에 가족의 참여를 제한한다.
③ 자존심 강화를 위한 교육활동 계획을 세운다.
④ 증상의 개선을 위하여 완고한 태도로 교육한다.
⑤ 아동이 표현하는 부정적 감정을 억누르는 교육을 시킨다.

60 기출

영아의 열경련 간호로 옳은 것은?

① 관장을 해준다.
② 얼음물 목욕을 시킨다.
③ 고개를 옆으로 돌려준다.
④ 90% 알콜로 마사지해준다.
⑤ 경련 시 안전을 확보하기 위해 조명을 밝게 해둔다.

61

아동이 중이염에 잘 걸리는 요인으로 유스타키오관이 성인보다 어떠한 구조 때문인지 해당되는 것은?

① 짧고, 넓기
② 길고, 좁기
③ 길고, 넓기
④ 굽어져 있고, 넓기
⑤ 굽어져 있고, 좁기

62

파상풍 환아의 간호내용으로 옳은 것은?

① 광선요법을 시행한다.
② 매 2시간마다 체위변경을 한다.
③ 방안을 밝게 하여 자극을 준다.
④ 경련 시 골절예방을 위해 팔, 다리를 압박한다.
⑤ 방안을 어둡게 하고 호흡근의 마비를 방지한다.

63

풍진에 관련된 내용으로 옳지 <u>않은</u> 것은?

① 원인은 바이러스의 일종이다.
② 환아와 임산부의 접촉을 제한한다.
③ 정기 예방접종은 생후 4개월부터 시작한다.
④ 발진은 얼굴부터 시작하여 전신으로 퍼진다.
⑤ 환자의 비인두 분비물, 혈액, 대소변에 의해 전파된다.

64 기출

얼굴과 가슴에 2도 내지 3도 화상을 입고 응급실에 도착한 아동을 위한 간호보조활동으로 옳은 것은?

① 수포를 터뜨린다.
② 화상 부위를 담요로 덮어 준다.
③ 화상 부위에 연고나 오일을 발라 준다.
④ 호흡곤란의 징후를 보이면 즉시 보고한다.
⑤ 화상 부위의 불에 탄 의복을 떼어내고 얼음을 대어 열의 전도를 막는다.

65 기출

구강 점막에 코플릭 반점이 생기는 전염성 질환으로 옳은 것은?

① 홍역
② 수두
③ 백일해
④ 풍진
⑤ 디프테리아

66 기출

전구기(카타르기)에 구강점막에 코플릭반점(Koplik's spot) 징후가 나타나는 감염병에 해당하는 질환은?

① 홍역
② 성홍열
③ 폴리오
④ 디프테리아
⑤ 유행성이하선염

67

홍역관리에 관한 설명으로 옳은 것은?

가. 발진 순서는 가슴, 배, 몸통→얼굴→사지 순이다.
나. 비말감염에 의해 전파되므로 환자접촉에 주의한다.
다. 발진 전에는 전염되지 않는다.
라. 유행 시 발생하는 환자는 1주일간 학교, 직장으로부터 격리한다.
마. 코플릭 반점이 나타나고 48~72시간 후 발진이 나타난다.

① 가, 다
② 가, 나, 다
③ 나, 라, 마
④ 가, 나, 다, 라
⑤ 가, 나, 다, 라, 마

68

아동의 경구투약 방법으로 옳지 않은 것은?

① 칫차을 한다.
② 점적기를 사용한다.
③ 상체를 올리고 먹인다.
④ 거부 시 주사기로 먹인다.
⑤ 쓴 약을 달다고 속이지 않는다.

69 기출

다음 아동학대 중 신체적 학대에 해당하는 것은?

① 아동을 시설에 버리는 행위
② 아동을 성적으로 추행하는 행위
③ 아동에게 언어폭력을 가하는 행위
④ 아동의 복부를 발로 걷어차는 행위
⑤ 아동을 불결한 환경에 방치하는 행위

CHAPTER

10 노인간호

제1장 | 노인문제

01

우리나라 노인인구의 특성을 설명한 내용으로 옳지 <u>않는</u> 것은?

① 도시지역에 노인이 많다.
② 독신 가구인 노인이 많다.
③ 여성노인의 무배우자율이 높다.
④ 남자노인이 여자노인보다 많다.
⑤ 여자노인이 남자노인에 비해 평균연령이 높다.

02

고령화 사회에 대한 설명이다. (UN의 정의) 옳은 것은?

① 65세 이상의 인구가 총인구의 5%를 넘는 사회
② 65세 이상의 인구가 총인구의 7%를 넘는 사회
③ 65세 이상의 인구가 총인구의 10%를 넘는 사회
④ 65세 이상의 인구가 총인구의 14%를 넘는 사회
⑤ 65세 이상의 인구가 총인구의 20%를 넘는 사회

03

고령화 지수가 증가한다는 것은 무엇을 의미하는지 옳은 것은?

① 부양비 감소
② 노년인구 감소
③ 생산인구 증가
④ 유년인구의 증가
⑤ 노년인구의 증가

04

노인인구 증가에 따른 부양비에 관한 설명으로 옳은 것은?

가. 총부양비가 높을수록 경제발전이 좋아진다.
나. 노년부양비가 증가하면 노인인구가 증가한다.
다. 노년부양비를 계산할 때 분자는 15~64세의 인구 수이다.
라. 생산가능인구 대비 부양을 받아야 하는 인구의 비율이다
마. 총부양비, 유년부양비, 노년부양비로 구분한다.

① 가, 다　　　　　② 가, 나, 다
③ 나, 라, 마　　　④ 가, 나, 다, 라
⑤ 가, 나, 다, 라, 마

05

다음 중 고령화지수 공식으로 옳은 것은?

① $\dfrac{65세\ 이상\ 인구수}{15\sim64세\ 인구수} \times 100$

② $\dfrac{65세\ 이상\ 인구수}{0\sim14세\ 인구수} \times 100$

③ $\dfrac{0\sim14세\ 인구수}{15\sim64세\ 인구수} \times 100$

④ $\dfrac{경제활동\ 인구수}{15\sim64세\ 인구수} \times 100$

⑤ $\dfrac{(0\sim14세\ 인구수 + 65세\ 이상\ 인구수)}{15\sim64세\ 인구수} \times 100$

06

다음 중 노년부양비 공식으로 옳은 것은?

① $\dfrac{65세\ 이상\ 인구수}{15\sim64세\ 인구수} \times 100$

② $\dfrac{65세\ 이상\ 인구수}{0\sim14세\ 인구수} \times 100$

③ $\dfrac{0\sim14세\ 인구수}{15\sim64세\ 인구수} \times 100$

④ $\dfrac{경제활동\ 인구수}{15\sim64세\ 인구수} \times 100$

⑤ $\dfrac{(0\sim14세\ 인구수 + 65세\ 이상\ 인구수)}{15\sim64세\ 인구수} \times 100$

07 기출

노인성 질환에 대한 특성으로 옳은 것은?

① 원인이 명확하다.
② 단기간 치료가 가능하다.
③ 만성질환으로 갈 확률이 높다.
④ 노인성 질환은 전형적으로 나타난다.
⑤ 예방이나 재활보다 완치가 목표이다.

08

우리나라 노인문제의 특징으로 옳지 <u>않은</u> 것은?

① 노인의 질병이나 장애는 만성적이다.
② 노인의 건강문제는 장기간의 관리가 필요하다.
③ 보건의료 요구는 다른 연령층에 비해 높지 않다.
④ 노인의 의료비 부담능력은 일반적으로 높지 않다.
⑤ 노인의 유병률은 다른 연령층에 비해 2배 정도 높다.

제2장 | 노인 복지

09

고령화 현상에 따른 노인복지정책의 추진방향으로 옳지 <u>않은</u> 것은?

① 노인의료비 증가에 따른 효율성을 고려한다.
② 노인의 삶의 질을 향상시키는 정책을 추진한다.
③ 급성질환 증가에 따른 치료와 합병증을 예방한다.
④ 고령화에 따른 산업 및 지역경제를 활성화시킨다.
⑤ 노인뿐만 아니라 가족의 신체적·경제적 부담을 감소시킨다.

10

노인보건의 중요성이 대두하게 된 배경으로 옳지 <u>않은</u> 것은?

① 만성질환의 증가
② 노인의 소득보장
③ 의료비의 현저한 증가
④ 노인인구의 현저한 증가
⑤ 질병의 유병률과 발병률의 증가

11

재가노인복지서비스와 관계 <u>없는</u> 것은?

① 방문요양서비스
② 방문목욕서비스
③ 주·야간보호서비스
④ 재가노인지원서비스
⑤ 공동노인요양보호서비스

12

노인주거복지시설로 옳은 것은?

① 양로시설
② 노인요양시설
③ 노인전문병원
④ 소규모요양시설
⑤ 노인요양공동생활가정

제3장 | 노인환자 간호

13

노인의 환경간호에 대한 설명으로 옳은 것은?

① 푹신한 쿠션 의자를 사용한다.
② 병실내부는 무채색을 사용한다.
③ 실내 온도는 20~21℃로 유지한다.
④ 숙면을 돕기 위해 야간에는 소등한다.
⑤ 욕조바닥에 미끄럼 방지용 깔판을 깐다.

14

노년기 눈의 변화로 옳은 것은?

가. 안구의 건조
나. 수정체 탄력 감소
다. 동공의 축소
라. 안압의 증가
마. 시야 감소

① 가, 다
② 가, 나, 다
③ 나, 라, 마
④ 가, 나, 다, 라
⑤ 가, 나, 다, 라, 마

15 기출

노인의 신체적 변화로 옳은 것은?

① 골밀도 증가
② 폐활량 증가
③ 심박출량 증가
④ 혈관저항 증가
⑤ 기초대사량 증가

16 기출

노인의 일반적인 신체적 특징으로 옳은 것은?

① 호흡수 증가
② 폐활량 감소
③ 골밀도 증가
④ 혈관저항 감소
⑤ 심박출량 증가

17

노화로 인한 신체적 기능의 변화로 옳은 것은?

> 가. 회음근육의 약화로 요실금 증가
> 나. 피부건조 및 주름 증가
> 다. 폐환기 능력감소로 감염 증가
> 라. 감각기능 감소로 사고발생 증가
> 마. 맛봉우리 증가로 식욕 증가

① 가, 다
② 가, 나, 다
③ 나, 라, 마
④ 가, 나, 다, 라
⑤ 가, 나, 다, 라, 마

18 기출

노인 영양 관련 문제에서 변비가 있는 노인환자의 간호로 옳은 것은?

① 식사량을 줄인다.
② 활동을 제한한다.
③ 금식을 하게 한다.
④ 수분 섭취를 제한한다.
⑤ 식이 섬유가 많은 음식을 먹게 한다.

19

노인에 대한 피부간호로 옳지 않은 것은?

① 지방이 많은 중성비누를 사용한다.
② 목욕은 일주일에 한 번 정도가 적당하다.
③ 목욕 후에는 크림 로션 등의 습윤제를 발라준다.
④ 적절한 습도를 유지하기 위해 가습기를 사용한다.
⑤ 목욕 시에는 피로 회복을 위해 뜨거운 목욕물을 사용한다.

20

노인환자 간호에 대한 내용으로 옳지 않은 것은?

① 피부가 건조하므로 습윤제를 바른다.
② 매일 목욕을 실시하여 청결을 유지한다.
③ 공기유통을 위해 간접적으로 환기시킨다.
④ 피로를 유발하므로 주위의 소음을 줄인다.
⑤ 충분한 칼슘이 함유된 식사를 섭취하도록 한다.

21

장기간 누워 있는 노인환자에게서 천골부위에 발적이 발생할 시 가장 적절한 간호로 옳은 것은?

① 천골부위를 마사지해준다.
② 자세를 2시간마다 자주 변경시켜준다.
③ 불편감 감소을 위해 압박 드레싱을 해준다.
④ 천골부위에 압력감소를 위해 고무링을 대준다.
⑤ 편안함을 위해 침대 머리 부분을 45° 높여준다.

22

여성노인에게 흔히 오는 질염의 원인으로 옳은 것은?

① 성교의 감소로 온다.
② 개인위생의 불량으로 온다.
③ 칼슘의 흡수가 감소되어 온다.
④ 운동 및 활동량의 부족으로 온다.
⑤ 폐경으로 인한 에스트로겐 분비저하로 온다.

23 기출

노인환자에게 등 마사지하는 방법으로 옳은 것은?

① 측위를 취해 준다.
② 30분 정도 해준다.
③ 지압법으로만 마사지한다.
④ 염증 부위는 부드럽게 해준다.
⑤ 뼈가 돌출된 부위는 경타법으로 한다.

24 기출

등 마사지 방법으로 옳은 것은?

① 자세는 복위를 취하게 한다.
② 윤활제는 차가운 상태로 사용한다.
③ 피부가 건조하면 알코올로 마사지한다.
④ 혈전성 정맥염 환자는 15분 이내로 마사지한다.
⑤ 피부에 발적이 있는 뼈 돌출 부위는 반복하여 마
　사지한다.

25 기출

낙상 위험이 가장 높은 노인은?

① 시·청각이 정상인 노인
② 낙상 경험이 있는 노인
③ 규칙적으로 운동하는 노인
④ 굽이 낮은 신발을 신은 노인
⑤ 보조 장비 없이 균형 감각 있게 걷는 노인

26

노인에게 올 수 있는 낙상위험 요인으로 옳은 것은?

> 가. 항우울제 복용
> 나. 시력감소
> 다. 배뇨장애
> 라. 현기증
> 마. 과거의 낙상경험

① 가, 다
② 가, 나, 다
③ 나, 라, 마
④ 가, 나, 다, 라
⑤ 가, 나, 다, 라, 마

27 기출

침상안정 시 낙상 예방 간호로 옳은 것은?

① 침상 난간을 내려놓기
② 낙상주의 팻말 표시 붙이기
③ 이동바퀴를 언제나 풀어두기
④ 침상을 허리 위치보다 높여주기
⑤ 환자의 손이 닿지 않는 곳에 탁상 두기

28 기출

노인의 낙상을 예방하기 위한 간호보조활동으로 옳은 것은?

① 옷을 입을 때 서서 입게 한다.
② 뒷굽이 높은 신발을 신고 걷게 한다.
③ 앉고 일어날 때 신속히 움직이게 한다.
④ 이동할 때 보행기나 지팡이를 사용하게 한다.
⑤ 직접적인 조명은 눈부심 현상을 일으키므로 실내
　조명을 어둡게 한다.

29 기출

입원환자의 낙상을 예방하기 위한 방법으로 옳은 것은?

① 침대 난간을 내려둔다.
② 병실 바닥의 전선을 정리한다.
③ 침대 높이를 최대한 높게 한다.
④ 침대 바퀴의 잠금장치를 풀어둔다.
⑤ 야간에는 병실 내 전체 조명을 소등한다

30

병실에서 일어나는 낙상사고에 대한 예방방법으로 옳지 <u>않은</u> 것은?

① 환자이동시 침상난간을 설치한다.
② 근력강화를 위해 규칙적으로 운동한다.
③ 욕실바닥에 미끄럼방지 매트를 깔아준다.
④ 병실바닥에 물이나 용액이 있는지 확인한다.
⑤ 침대에서 휠체어로 환자를 이동할 때 바퀴잠금 장치를 푼다.

31

노인의 신경계 변화에 따른 수면의 변화로 옳은 것은?

① 낮 수면이 증가한다.
② 깊은 수면은 증가한다.
③ REM 수면은 짧아진다.
④ NREM 수면이 증가한다.
⑤ 한 번 잠들면 잠을 깨기가 어렵다.

32 기출

노인에 대한 수면 교육으로 옳은 것은?

① 취침 전에 소변을 보게 한다.
② 취침 전에 녹차를 섭취하게 한다.
③ 부족한 수면은 낮잠으로 보충한다.
④ 취침 전 고강도의 운동을 하게 한다.
⑤ 배가 고파 공복감이 있어도 음식을 제한한다.

33 기출

수면 장애가 있는 알츠하이머 노인에 대한 간호 방법으로 옳은 것은?

① 낮잠을 충분히 재운다.
② 침실을 밝게 해 놓는다.
③ 잠자는 동안 음악을 틀어 놓는다.
④ 잠자기 전 따뜻한 차를 마시게 한다.
⑤ 아침마다 일정한 시간에 일어나게 한다.

34

노인환자의 수면을 돕기 위한 방법으로 옳은 것은?

> 가. 수면을 돕는 편안한 환경을 조성해준다
> 나. 근육의 긴장을 완화시켜 수면을 돕는다.
> 다. 불면증 예방을 위해 취침 시간이 너무 길지 않게 한다.
> 라. 매일 적절한 양의 운동을 규칙적으로 하게 한다.
> 마. 배가 고파 잠자기 힘들 때에는 간단한 군것질거리를 제공한다.

① 가, 다
② 가, 나, 다
③ 나, 라, 마
④ 가, 나, 다, 라
⑤ 가, 나, 다, 라, 마

35 기출

자살징후를 보이는 노인환자에 대한 간호로 옳은 것은?

① 가족에게 비밀로 한다.
② 조용한 방에 혼자 둔다.
③ 잘못된 생각이라고 설득한다.
④ 의미있는 물건의 정리를 도와준다.
⑤ 자살의도에 대해 구체적으로 질문한다.

36 기출

노인 우울증에 관한 설명으로 옳은 것은?

① 진단과 치료가 쉽다.
② 여자보다 남자에게 흔하다.
③ 치매와 유사한 증상이 있다.
④ 심신의 건강 상태와 관련이 없다.
⑤ 정상 노화 현상과 뚜렷하게 구분된다.

37 기출

우울증이 있는 대상자의 다음 이야기 중 특히 주의를 기울여야 할 말은?

① "속이 안 좋아 식사를 못 하겠어요."
② "제가 사라져도 아무도 찾지 않을 거예요."
③ "부모님 생각하면 죄송한 마음에 울게 돼요."
④ "직장 동료들과 잘 지낼 수 있을지 걱정돼요."
⑤ "재활 프로그램에 참석할지 결정을 못 했어요."

38 기출

치매환자의 이상행동 시 간호로 옳은 것은?

① 잘못한 행동을 했을 때 왜 그랬냐고 다그친다.
② 집안에서 배회할 경우 배회코스를 만들어 준다.
③ 석양증후군으로 힘들어 할 경우 혼자 쉬게 한다.
④ 한 가지만 반복 활동을 할 경우 복잡한 일거리를 제공한다.
⑤ 다른 사람이 물건을 훔쳐 갔다고 할 경우 아니라고 설득시킨다.

39 기출

치매후기단계에 있는 노인이 같은 질문을 반복할 때 대처법으로 옳은 것은?

① 질문하는 이유에 대해 물어본다.
② 가볍게 웃어넘기며 대답을 피한다.
③ 더 이상 질문하지 말라고 이야기 한다.
④ 대상자가 좋아하는 노래를 함께 부른다.
⑤ 질문할 때마다 방금 한 질문임을 지적한다.

40

인지장애가 있는 노인환자의 약물투여 시 옳은 것은?

① 수분섭취를 제한하도록 한다.
② 취침 전에 이뇨제를 투여한다.
③ 옆집 사는 주민에게 투여방법을 알려준다.
④ 간호자나 가족에게 투여방법을 설명해 준다.
⑤ 투약시간에 약을 주지 않은 경우 한꺼번에 먹인다.

41 기출

파킨슨 질환을 앓고 있는 노인에 대한 간호로 옳은 것은?

① 하루의 일과계획을 세운다.
② 과일, 야채 섭취를 제한한다.
③ 단추가 많은 옷을 입게 한다.
④ 발 사이즈보다 큰 신발을 신게 한다.
⑤ 손잡이가 짧고 작은 숟가락을 사용하게 한다.

PART

02

보건간호학

파워 간호조무사 국가시험 예상문제집

CHAPTER 01 보건교육

제1장 | 보건교육의 이해

01 기출

보건교육의 일반적 특성에 관한 설명으로 옳은 것은?

① 교육내용은 교육자의 요구에 따라 선정해야 한다.
② 보건교육을 실시할 수 있는 장소는 한정되어 있다.
③ 교육내용은 어려운 것에서 쉬운 것으로 실시해야 한다.
④ 보건교육은 지역사회에서 포괄적이고 중요한 업무이다.
⑤ 교육내용은 추상적인 것에서 구체적인 것으로 실시해야 한다.

02 기출

보건계획 시 가장 중요한 것은?

① 지역주민과 함께 계획할 것
② 전문가들의 협조를 구할 것
③ 교육하기 전에 충분히 연습할 것
④ 우선순위에 따라 예산을 책정할 것
⑤ 지역에서 이용될 수 있는 인력과 자원을 조사할 것

03 기출

보건교육 내용선정 시 우선 고려할 요소는?

① 교육 날짜
② 피교육자의 수
③ 교육자의 연령
④ 교육 장소와 시설
⑤ 피교육자의 흥미와 관심

04

보건소가 실시하는 보건교육의 대상자로 옳은 것은?

① 임산부
② 학교아동
③ 가난한 사람
④ 지역사회주민 전체
⑤ 지역주민 중 건강관리에 대한 지식이 부족한 사람

05

보건교육을 통한 바람직한 변화로 옳은 것은?

① 지식 → 행동 → 태도
② 행동 → 태도 → 지식
③ 지식 → 태도 → 행동
④ 행동 → 지식 → 태도
⑤ 태도 → 행동 → 지식

06 기출

흡연학생에게 금연교육을 하는 궁극적인 목적으로 옳은 것은?

① 금연을 실천한다.
② 금연의 중요성을 설명한다.
③ 흡연의 부정적인 태도를 지닌다.
④ 흡연이 인체에 미치는 영향을 설명한다.
⑤ 흡연을 통해 건강과의 관련성을 설명한다.

07

보건교육준비 시 반드시 고려해야 할 사항으로 옳은 것은?

> 가. 대상자 선정, 분위기 조성, 시행 후의 평가
> 나. 대상자 선정, 교육내용 결정, 시행 후의 평가
> 다. 교육내용 결정, 장소결정, 방법선택, 시행 후의 평가
> 라. 장소 및 대상자 선정, 교육내용 결정, 방법선택, 시행 후의 평가
> 마. 대상자 선정, 방법 및 매체의 선택

① 가, 다
② 가, 나, 다
③ 나, 라, 마
④ 가, 나, 다, 라
⑤ 가, 나, 다, 라, 마

08 기출

보건교육 시 내용의 진행 순서로 옳은 것은?

① 쉬운 것에서 어려운 것으로.
② 복잡한 것에서 단순한 것으로.
③ 추상적인 것에서 구체적인 것으로.
④ 간접적인 것에서 직접적인 것으로
⑤ 익숙치 않은 것에서 익숙한 것으로

09 기출

보건교육 실시 단계 중 전개에 대한 설명으로 옳은 것은?

① 교육의 성과를 평가하는 단계
② 교육이 본격적으로 진행되는 단계
③ 교육이 본격적으로 들어가기 전 단계
④ 교육 환경을 조성하고 교육을 요약하는 단계
⑤ 교육에 들어가기 전 관계 형성과 주의를 집중시키는 단계

10 기출

보건교육 과정에서 실질적인 교육활동이 이루어지는 단계는?

① 도입   ② 전개
③ 점검   ④ 종결
⑤ 평가

11 기출

보건교육 시 교육자와 대상자들 간의 관계를 형성하고, 대상자의 학습동기를 높여 주어야 하는 단계는?

① 도입   ② 전개
③ 정리   ④ 종결
⑤ 성과 평가

12 기출

보건교육 실시 절차와 그에 대한 설명으로 옳은 것은?

① 도입 - 보건교육의 중심이 되는 단계이다.
② 전개 - 교육내용을 정리하고 결론을 내린다.
③ 전개 - 교육대상자와의 관계 형성을 우선해야 한다.
④ 종결 - 교육의 주요개념을 요약해 준다.
⑤ 종결 - 본격적인 교육활동이 이루어진다.

13 기출

초등학생에게 '건강한 치아관리'에 대한 보건교육을 할 때 옳은 것은?

① 교육자의 흥미를 고려한다.
② 한 번에 여러 가지 질문을 한다.
③ 교육은 낯선 내용부터 친숙한 내용으로 진행한다.
④ 교육은 복잡한 내용부터 간단한 내용으로 진행한다.
⑤ 교육대상자들이 능동적으로 참여할 수 있는 방법을 적용한다.

14

효과적인 보건교육을 위해 유의할 내용으로 옳은 것은?

가. 실생활에 유용한 방법
나. 흥미유발
다. 학생수
라. 학습동기 유발
마. 자신감 획득

① 가, 다　　　　② 가, 나, 다
③ 나, 라, 마　　　④ 가, 나, 다, 라
⑤ 가, 나, 다, 라, 마

15

교육보조자료 선정 시 주의할 점으로 옳은 것은?

가. 보조자료의 활용 시간을 확인해 시간을 배정한다.
나. 조작이 간편해야 한다.
다. 경제성이 있는지 확인한다.
라. 구하기 쉬워야 한다.
마. 교육의 주제와 맞는 자료를 선정한다.

① 가, 다
② 가, 나, 다
③ 나, 라, 마
④ 가, 나, 다, 라
⑤ 가, 나, 다, 라, 마

16

보건교육에 영향을 주는 환경요인으로 옳지 않은 것은?

① 조명
② 환기
③ 의자배열
④ 교육장의 분위기
⑤ 대상자의 학력수준

17

보건교육사업을 위한 보건소 요원의 역할로 옳지 않은 것은?

① 지역사회를 직접 알 필요는 없다.
② 각종 사업에 보건교육을 결합시킨다.
③ 주민들의 생활방식, 습관 등을 파악해야 한다.
④ 보건교육을 실시할 의무와 책임을 가지고 있다.
⑤ 건강이나 질병에 대한 특수한 금기 사항을 파악해야 한다.

18

흡연, 절주, 약물 중독에 대한 보건교육 시 가장 적절한 연령층으로 옳은 것은?

① 유아　　　　　② 노인
③ 청소년　　　　④ 40대 남자
⑤ 40대 여자

19 기출

금연교육을 식시하고 효과평가를 위해 한달 후 대상자에게 현재 흡연 여부에 대한 설문조사를 하였다. 이 설문조사의 목적으로 옳은 것은?

① 평가기준 설정
② 평가자료 수집
③ 평가자료 분석
④ 추후 교육 계획 반영
⑤ 목표달성에 대한 원인 분석

20 기출

금연에 대한 보건 교육을 한 후 평가의 최종 단계로 옳은 것은?

① 금연 목표 달성 여부를 확인한다.
② 최종적으로 결과를 결정한다.
③ 평가 대상과 관련된 자료를 수집한다.
④ 설정한 목표치와 달성된 목표치를 비교한다.
⑤ 평가에 대해 재계획을 수립한다.

21 기출

다음과 같은 평가의 유형은?

① 절대평가　　　② 진단평가
③ 구조평가　　　④ 상대평가
⑤ 효율성 평가

22 기출

보건교육 실시 전 대상자의 특성을 확인하여 이에 맞는 수업전략을 마련하기 위해 하는 평가유형은?

① 상대평가
② 절대평가
③ 진단평가
④ 총괄평가
⑤ 형성평가

23 기출

보건교육 시 학습자들의 이해정도와 참여정도 파악 및 학습자들의 수업능력 · 태도 · 학습방법 등을 확인함으로써 교육 과정이나 수업 방법을 개선하고 교재의 적절성을 확인할 수 있는 평가로 옳은 것은?

① 형성평가
② 상대평가
③ 총괄평가
④ 진단평가
⑤ 절대평가

24 기출

변비 예방 교육 전 배변 습관의 평가 방법으로 옳은 것은?

① 절대평가
② 상대평가
③ 진단평가
④ 총괄평가
⑤ 형성평가

25 기출

지역사회 노인에게 칫솔질 교육 후 평가방법으로 옳은 것은?

① 관찰법
② 구두질문법
③ 자기보고서법
④ 설문지
⑤ 시범

26 기출

노인 환자에게 인슐린 주사방법을 교육한 후, 환자 스스로가 안전하고 정확하게 인슐린 주사를 수행하는지 평가하기 위한 방법은?

① 관찰법
② 평정법
③ 질문지법
④ 지필검사
⑤ 구두질문법

제2장 | 보건교육의 실시

27

어르신께서 보건교육을 하는데 결석을 자주한다. 이때 가장 적절한 조치로 옳은 것은?

① 결석하지 않도록 이야기 한다.
② 결석 시에는 벌칙이 주어진다고 말씀드린다.
③ 다음 교육 시에 참석할 수 있도록 유도한다.
④ 개인상담을 통해서 해결 방안을 함께 모색한다.
⑤ 지루하지 않도록 교육 시간을 빨리 끝내도록 한다.

28

보건교육의 방법 중 상담에서 간호조무사가 취해야 할 가장 바람직한 태도로 옳은 것은?

① 해결방안을 소개한다.
② 잘못 알고 있는 점을 비판한다.
③ 잘 청취하여 신뢰감을 형성한다.
④ 질문에 대한 대답의 암시를 준다.
⑤ 상담의 마무리는 간호조무사가 한다.

29 기출

상담 시 효율적인 대화 방법으로 옳은 것은?

① 잘못했을 때 훈계시킨다.
② 대답을 반드시 얻어 내도록 한다.
③ 대상자의 모든 이야기에 칭찬한다.
④ 잘못했을 때는 즉시 옳고 그름을 판단한다.
⑤ 대상자 수준에 맞는 어휘를 사용하여 대답한다.

30 기출

후천면역결핍증후군(AIDS) 감염이 의심되어 보건소를 방문한 대상자에게 적합한 보건교육방법은?

① 강의   ② 시범
③ 개별상담   ④ 현장견학
⑤ 분단토의

31

금연하지 못하는 40대 남성의 문제를 해결하기 위한 가장 효과적인 보건교육 방법으로 옳은 것은?

① 상담
② 약물
③ 집단교육
④ 단호한 처벌
⑤ 금전적 보상

32

다음 중 보건교육 방법에 대한 설명으로 옳은 것은?

> • 교육의 참여자 수가 많을 경우 몇 개의 소분단으로 나누어 토의한 후 다시 전체 회의에서 종합하는 방법이다.

① 배심토의
② 심포지움
③ 분단토의
④ 그룹토의
⑤ 브레인스토밍

33

보건교육의 방법 중 강의의 장점으로 옳은 것은?

① 학습자의 의견이 반영된다.
② 학습자를 능동적으로 만든다.
③ 학습자의 자율성이 최대로 보장된다.
④ 학습자의 개인별 성향을 고려할 수 있다.
⑤ 짧은 시간 내에 많은 양의 지식을 학습자에게 전달될 수 있다.

34　기출

학생들에게 성폭력 예방 교육을 하기 위한 다음 보기의 보건교육방법으로 옳은 것은?

> • 아이디어의 자유로운 흐름으로 창의성 발휘 가능
> • 특정한 주제에 대해 다방면으로 해결 방법을 찾기 위해 토의함
> • 12~15명이 한 그룹이 되어 짧게 토의

① 배심토의
② 분단토의
③ 심포지엄
④ 시범교육
⑤ 브레인스토밍

35　기출

실물을 직접 관찰하여 다양한 경험을 습득하고 실생활 적용능력을 향상시킬 수 있는 보건교육방법으로 옳은 것은?

① 집단토의
② 패널토의
③ 현장학습
④ 심포지엄
⑤ 브레인스토밍

36

역할극에 대한 설명으로 옳지 <u>않은</u> 것은?

① 준비 시간이 짧다.
② 역할자 선정이 쉽지 않을 수 있다.
③ 실제 활용 가능한 기술습득이 쉽다.
④ 직접 참여로 흥미와 동기유발이 쉽다.
⑤ 현장 견학과 동일한 효과를 기대할 수 있다.

37

실물이나 실제 상황을 교육매체로 활용할 때의 장점으로 옳은 것은?

① 비용이 적게 든다.
② 반복사용이 가능하다.
③ 실생활에 적용이 쉽다.
④ 교사의 준비시간이 필요 없다.
⑤ 많은 대상자를 상대로 적용이 가능하다.

38　기출

감염병이 급속도록 확산하여하여 긴급 대책이 필요한 경우 대중에게 효과적인 교육방법으로 옳은 것은?

① 강연회
② 가정방문
③ 방송매체
④ 개인면접
⑤ 집단 토론회

39

대중매체의 장점으로 옳은 것은?

① 비용이 적게 든다.
② 개인차를 고려할 수 있다.
③ 집단 결정 도달이 어렵다.
④ 보건교육의 종류 중 가장 효과적이다.
⑤ 짧은 시간에 많은 사람에게 정보를 전달할 수 있다.

40

보건교육의 대상 중 가장 능률적이며 효과가 크고 중요한 대상으로 옳은 것은?

① 가정
② 학교
③ 산업장
④ 보건소
⑤ 건강관리클리닉

41

초등학교 보건교육 수행시 가장 중요한 역할을 수행하는 사람으로 옳은 것은?

① 교장
② 교감
③ 학년주임
④ 담임교사
⑤ 보건교사

42

학교보건사업의 중요성으로 옳지 <u>않은</u> 것은?

① 대상인구가 많다.
② 보건지식의 파급효과가 크다.
③ 학교는 지역사회의 중심 역할을 한다.
④ 대상인구가 보건교육의 대상으로 적합하다.
⑤ 학생을 통해 지역사회나 가족에게 직접적인 보건교육을 실천할 수 있다.

CHAPTER 02 보건행정

제1장 | 보건조직

01 기출

보건행정관리 요소 중 다음의 내용에 해당하는 것은?

- 조직의 목표를 설정
- 목표에 도달하기 위한 단계를 구성

① 기획   ② 조정
③ 지휘   ④ 통제
⑤ 보고

02 기출

지역보건조직의 인사와 예산을 지원하는 중앙행정기관으로 옳은 것은?

① 보건복지부
② 행정안전부
③ 여성가족부
④ 고용노동부
⑤ 보건소

03 기출

보건소의 인력과 예산에 대한 감독을 관할하는 중앙행정기관은?

① 행정안전부
② 보건복지부
③ 기획재정부
④ 질병관리본부
⑤ 건강보험공단

04 기출

지방보건행정조직에 대한 보건복지부의 업무에 해당하는 것은?

① 조직의 인사를 지도·감독한다.
② 인력의 근로조건 기준을 감독한다.
③ 보건에 관한 기술을 지도·감독한다.
④ 조직의 일반행정 예산에 관한 사무를 지도·감독한다.
⑤ 시·도와 시·군·구를 연결하는 중간조직 역할을 한다.

05

우리나라 보건사업 업무를 담당하고 있는 최말단 보건행정기관으로 옳은 것은?

① 국립의료원
② 도·시립병원
③ 국립대학병원
④ 국립보건연구원
⑤ 보건소, 보건지소, 보건진료소

06 기출

보건소의 설치 기준은?

① 시·도
② 시·군·구
③ 읍·면
④ 도시영세지역
⑤ 의료취약지역

07 기출

보건소에 대한 설명으로 옳은 것은?

① 읍, 면마다 1개소씩 설치한다.
② 지방보건행정조직에 해당한다.
③ 근로자의 업무상 재해보상업무를 수행한다.
④ 중앙정부조직의 일원화된 지도 감독을 받는다.
⑤ 농어촌 등 보건의료를 위한 특별조치법에 따라 설치한다.

08

우리나라의 농어촌보건의료 문제를 해결하기 위해 1981년부터 설치된 일차보건의료 사업기관으로 옳은 것은?

① 보건소
② 종합병원
③ 한방병원
④ 보건진료소
⑤ 대학부속병원

09 기출

우리나라에서 보건의료가 취약한 농어촌 지역의 보건의료 서비스를 제공하기 위해 설치한 보건의료시설은?

① 의원
② 보건소
③ 보건의료원
④ 보건진료소
⑤ 건강생활지원센터

10 기출

1980년에 공포되었으며 우리나라에서 일차보건의료를 위한 보건진료소 설치의 근거가 제시된 법으로 옳은 것은?

① 의료법
② 공중보건법
③ 의료보험법
④ 국민건강보험법
⑤ 농어촌 등 보건의료를 위한 특별조치법

11

우리나라에서 보건진료소 설치 근거가 된 법으로 옳은 것은?

① 의료법
② 지역보건법
③ 국민건강증진법
④ 국민건강보험법
⑤ 농어촌 보건의료를 위한 특별조치법

12

WHO의 명칭으로 옳은 것은?

① 세계보건기구
② 세계의료인단체
③ 세계의료학술단체
④ 세계의료봉사단체
⑤ 세계의료인 협력기구

13

우리나라가 속해 있는 세계보건기구 지역사무소가 위치한 곳으로 옳은 것은?

① 미국 지역사무소 - 뉴욕
② 유럽 지역사무소 - 코펜하겐
③ 동남아 지역사무소 - 뉴델리
④ 서태평양 지역사무소 - 마닐라
⑤ 중동 지역사무소 - 알렉산드리아

14 기출

WHO에서 제시하는 건강의 정의로 옳은 것은?

① 정신적으로 문제가 없는 상태
② 질병이 있는 상태
③ 개인이 가족과 사회에 기여하는 상태
④ 정신적으로는 문제가 없으나 신체에 문제가 있는 상태
⑤ 질병이 없거나 허약하지 않다는 것만을 말하는 것이 아니라 신체적, 정신적, 사회적 안녕의 완전한 상태

15

세계보건기구(WHO)에서 정의한 건강개념으로 옳지 <u>않은</u> 것은?

① 영적 안녕
② 정신적 안녕
③ 사회적 안녕
④ 신체적 안녕
⑤ 육체적 안녕

제2장 | 보건의료체계

16

보건의료전달체계의 필요성이 대두된 배경이 <u>아닌</u> 것은?

① 의료비의 급증
② 개인중심의 의료
③ 노인 인구의 증가
④ 의료인력의 전문화
⑤ 의료자원의 불균형 분포

17 기출

보건의료체계 구성요소 중 인력, 시설, 장비, 지식 및 기술의 범주로 분류되는 것은?

① 경제적 지원
② 자원의 조직화
③ 보건의료자원의 개발
④ 보건의료정책 및 관리
⑤ 보건의료서비스의 제공

18 기출

보건의료전달체계의 구성요소 중 지도력, 의사결정, 규제를 포함하는 것은?

① 경제적 지원   ② 자원의 조직화
③ 보건의료자원의 개발   ④ 보건의료정책 및 관리
⑤ 보건의료서비스의 제공

19 기출

우리나라 보건의료체계의 현황으로 옳은 것은?

① 국민의료비의 감소
② 의료기관 선택의 감소
③ 전문직 의료인의 증가
④ 공공의료 중심의 의료체계
⑤ 의료자원의 지역 균등분포

20

일차보건의료의 개념으로 옳지 않은 것은?

① 사업의 내용이 계속성을 가진다.
② 기본적인 건강욕구를 충족시킨다.
③ 세분화된 전문의의 관리를 받는다.
④ 지역사회의 보편적 건강문제를 관리한다.
⑤ 주민의 적극적 참여가 사업 성공의 열쇠이다.

21

일차보건의료에 대한 설명으로 옳지 않은 것은?

① 정부가 중심이 되어 진행해야 한다.
② 지역사회 주민들이 쉽게 이용할 수 있어야 한다.
③ 지역주민의 기본적인 건강 요구에 기본을 두어야
   한다.
④ 주민들의 지불능력에 맞는 의료수가로 제공되어
   야 한다.
⑤ 지역사회주민의 건강을 위하여 제공되는 최초의
   보건의료서비스이다.

22 기출

일차보건의료사업의 특성으로 옳은 것은?

① 치료중심
② 특정계층대상
③ 희귀질병 중점 치료
④ 포괄적 건강문제 관리
⑤ 최상 보건의료 욕구충족

23

일차보건의료가 성공하기 위해 갖추어야 할 가장 중
요한 요건으로 옳은 것은?

① 충분한 재정
② 정부의 관심
③ 첨단시설과 기구
④ 보건의료인의 자질
⑤ 주민의 적극적인 참여

24

세계 모든 인류의 건강을 하나의 기본권으로 일차보
건의료에 대해 규정한 알마아타회담 개최 연도로 옳
은 것은?

① 1977년
② 1978년
③ 1979년
④ 1982년
⑤ 1984년

25

일차보건의료에 포함되어야 할 내용으로 옳은 것은?

> 가. 모자보건과 가족계획
> 나. 안전한 식수의 공급
> 다. 지역의 풍토병 예방 및 관리
> 라. 기본 의약품 제공
> 마. 정신보건의 증진

① 가, 다
② 가, 나, 다
③ 나, 라, 마
④ 가, 나, 다, 라
⑤ 가, 나, 다, 라, 마

26 기출

세계보건기구에서 제시한 일차보건의료 요소 중 다음에 해당하는 것은?

> • 보건진료소에 운영협의회를 설치함
> • 마을건강원 모집 및 운영

① 접근성
② 형평성
③ 수용가능성
④ 주민의 참여
⑤ 지불부담능력

27

일차보건의료의 조건으로 옳지 <u>않은</u> 것은?

① 지역사회 개발사업의 일환으로 추진되어야 한다.
② 주민의 지불능력에 맞는 보건의료수가여야 한다.
③ 주민이 쉽게 받아들일 수 있는 방법이여야 한다.
④ 거리와 상관없이 계속적인 건강관리를 해야 한다.
⑤ 지역사회 간호사와 주민 사이의 교량자가 필요하다.

28 기출

세계보건기구에서 제시한 일차보건의료 요소 중 다음에 해당하는 것은?

> • 지역적 불리함, 경제적 상황, 사회적 지위 등의 이유로 차별이 있어서는 안 된다.

① 접근성
② 효율성
③ 수용가능성
④ 주민의 참여
⑤ 지불부담능력

29

일차보건의료 사업추진 시 지켜야 할 기본원칙으로 옳은 것은?

> 가. 수용가능성
> 나. 지불부담 능력
> 다. 지리적 근접성
> 라. 지역주민의 참여
> 마. 사업의 지속성

① 가, 다
② 가, 나, 다
③ 나, 라, 마
④ 가, 나, 다, 라
⑤ 가, 나, 다, 라, 마

제3장 | 의료보장의 이해

30

의료보장의 목표의 대한 설명으로 옳지 않은 것은?

① 의료서비스는 형평성을 고려하여 제공한다.
② 모든 국민에게 최고급의 입원 시설을 제공한다.
③ 급작스런 질병 발생 시 의료비 부담을 감소시켜 준다.
④ 의료가 필요한 사람에게 적절한 의료 서비스를 제공한다.
⑤ 의료보장의 종류에는 국민건강보험, 의료보호, 산재보험이 있다.

31

우리나라의 국민의료비 증가 원인이 아닌 것은?

① 급성질환 증가
② 급여범위 확대
③ 소득수준 향상
④ 인구의 노령화
⑤ 의료기술의 발달

32 기출

공공부조와 의료보장에 해당되는 것은?

① 고용보험
② 의료급여
③ 산재보험
④ 기초생활보장
⑤ 국민건강보험

33 기출

우리나라 의료급여에 대한 설명으로 옳은 것은?

① 공공부조 제도에 속한다.
② 전 국민을 가입 대상으로 한다.
③ 노인성 질병을 가진 자를 대상으로 한다.
④ 근로자에 대하여 신속하고 공정한 재해보상을 한다.
⑤ 소득능력 상실 시에 최저 생활을 할 수 있도록 소득을 보장한다.

34

질병, 장애, 노령, 실업, 사망 등의 사회적 위험으로부터 모든 국민을 보호하기 위한 제도로 옳은 것은?

① 재해보험
② 사회보장
③ 의료보장
④ 연금보험
⑤ 건강보험

35 기출

우리나라의 사회보장에 관한 설명으로 옳은 것은?

① 국민연금은 의료보장에 속한다.
② 고용보험은 의료보장에 속한다.
③ 기초생활보장은 의료보장에 속한다.
④ 노인장기요양보험은 소득보장에 속한다.
⑤ 산재보험은 소득보장과 의료보장 모두에 속한다.

36 기출

업무상 재해를 입은 근로자를 치료해주고 근로자와 가족의 생활을 보장해주는 기관으로 옳은 것은?

① 국민연금보험공단
② 근로복지공단
③ 국민건강보험공단
④ 의료심사평가원
⑤ 산업인력공단

37

우리나라 4대 사회보험사업의 종류에 해당되지 <u>않는</u> 것은?

① 고용보험　　　　② 생명보험
③ 국민건강보험　　④ 국민연금보험
⑤ 산업재해보상보험

38 기출

우리나라 국민건강보험의 특성으로 옳은 것은?

① 보험료는 임의적이다.
② 개인적으로 보험 가입이 자유롭다.
③ 보험료는 소득에 따라 차등하게 부과한다.
④ 납부한 보험료에 따라 차등하게 혜택을 받는다.
⑤ 질환 및 다친 것에 한해 의료 혜택을 부과한다.

39 기출

우리나라 건강보험제도의 설명으로 옳은 것은?

① 공공부조가 해당된다.
② 의료급여가 해당된다.
③ 시, 도에서 의료급여기금이 나온다.
④ 건강보험은 1종, 2종, 3종으로 나뉜다.
⑤ 개인 의사에 관계없이 강제 징수할 수 있다.

40 기출

우리나라 국민건강보험 제도의 특성에 관한 설명으로 옳은 것은?

① 보험자는 국민건강보험공단이다.
② 본인의 선택에 따라 임의가입할 수 있다.
③ 보험가입 금액 한도 내에서 보장받을 수 있다.
④ 모든 보건의료서비스에 보험 급여가 적용된다.
⑤ 개인의 위험 정도, 계약 내용에 따라 보험료가 부과된다.

41

우리나라 국민건강보험에서 제공하는 혜택이 <u>아닌</u> 것은?

① 건강진단 급여
② 사망 시 받는 장례비
③ 간병인을 고용하면 받을 수 있는 간병비
④ 분만 시 병원을 이용할 수 있는 분만 급여
⑤ 아플 때 병원에서 치료받을 수 있는 요양 급여

42 기출

우리나라의 국민건강보험제도의 기능을 옳은 것은?

① 위험 집중　　　　② 소득 재분배
③ 의료기술 향상　　④ 경제 연대성 강화
⑤ 개인별 의료비용 부담

43 기출

우리나라 건강보험제도에 관한 설명으로 옳은 것은?

① 현금급여가 원칙이다.
② 보험자는 전 국민이다.
③ 균등한 보험급여를 보장한다.
④ 직장가입자의 보험료는 전액을 본인이 부담한다.
⑤ 국민건강보험공단이 의료비 심사업무를 담당한다.

44 기출

노인장기요양서비스에 대한 설명으로 옳은 것은?

① 방문요양은 시설급여에 해당된다.
② 판정 등급에 관계 없이 균등하다.
③ 방문간호는 요양보호사가 관리한다.
④ 재정은 국민건강보험 방식으로 통합 운영한다.
⑤ 재원은 장기요양보험료, 국가 지원 및 본인일부부담금으로 한다.

45 기출

노인장기요양보험에 대한 설명으로 옳은 것은?

① 장기요양 인정대상자는 60세 이상이다.
② 장기요양 인정기간은 최대 6개월 이하이다.
③ 장기요양인정 등급은 3등급으로 분류되어 있다.
④ 장기요양인정 신청은 치료받는 의료기관에서 신청한다.
⑤ 노인장기요양보험 가입자는 국민건강보험 가입자와 동일하다.

46 기출

노인장기요양보험제도에 대한 설명으로 옳은 것은?

① 격리가 필요한 노숙인을 대상으로 한다.
② 재가급여를 우선 적용하는 것을 원칙으로 한다.
③ 장기요양보험사업의 보험자는 국민연금관리공단이다.
④ 장기요양급여에는 재가급여, 시설급여, 개인급여가 있다.
⑤ 시설급여는 개인이 직접 운영하는 노인의료복지시설이다.

47

노인장기요양보험제도에 대한 설명으로 옳지 않은 것은?

① 국민의 삶의 질 향상을 기대한다.
② 사회연대에 의한 사회보험제도이다.
③ 시설이나 재가서비스를 받을 수 있다.
④ 65세 노인이면 누구나 혜택을 받을 수 있다.
⑤ 신체활동 및 가사지원 등의 서비스를 받을 수 있다.

48 기출

알츠하이머병으로 일상생활이 어려워진 남편을 위해 부인이 장기요양 인정을 신청하고자 한다. 장기요양 인정 신청서를 제출해야 하는 기관은?

① 보건소
② 보건복지부
③ 국민연금공단
④ 국민건강보험공단
⑤ 건강보험심사평가원

49 기출

노인장기요양보험제도 중 다음에서 설명하는 시설급여기관은?

- 대상 : 치매·중풍 등 노인성 질환 등으로 심신에 상당한 장애가 발생하여 도움이 필요한 자
- 서비스 방법 및 내용 : 입소시켜 급식·요양, 일상생활에 필요한 편의 제공
- 규모 : 입소 정원 10명 이상

① 양로시설
② 노인요양시설
③ 단기보호시설
④ 노인복지주택
⑤ 노인요양공동생활가정

50 기출

노인장기요양 3급 판정을 받은 대상자의 가족이 부득이한 사유로 1주일간 집을 비워야할 때, 대상자에게 우선적으로 제공할 수 있는 재가급여서비스는?

① 방문간호
② 단기보호
③ 주·야간보호
④ 노인요양시설
⑤ 노인요양 공동생활가정

51 기출

노인장기요양보험 방문간호 시 의사로부터 허락·지시받고 해야 할 사항으로 옳은 것은?

① 식이요법
② 체위변경
③ 냉온요법
④ 단순도뇨
⑤ 활력징후 측정

52 기출

우리나라 노인장기요양보험제도의 서비스 대상자는?

① 결핵으로 6개월 이상 일상생활 수행이 어려운 60세
② 파킨슨병으로 6개월 이상 일상생활 수행이 어려운 50세
③ 당뇨병으로 6개월 이상 일상생활 수행이 어려운 40세
④ 시각장애로 6개월 이상 일상생활 수행이 어려운 30세
⑤ 조현병으로 6개월 이상 일상생활 수행이 어려운 20대

53 기출

국가에서 시행하는 정기 암검진에 해당되는 것은?

① 췌장암
② 난소암
③ 대장암
④ 갑상샘암
⑤ 전립선암

54

만성질환 예방을 위해 6개월마다 간암 검진으로 간초음파, 혈액검사를 받을 수 있는 국가암검진 대상자는?

① 35세 간경변증 대상자
② 25세 A형 간염 항원 양성자
③ 39세 B형 간염 항원 양성자
④ 54세 B형 간염 항체 음성자
⑤ 45세 C형 간염 항체 양성자

55 기출

국가암검진사업 중 고위험군을 대상으로 검진을 실시하는 암은?

① 간암
② 위암
③ 대장암
④ 유방암
⑤ 자궁경부암

56 기출

진료비 지불제도 중 사후보상 결정방식의 장점은?

① 행정관리가 간편하다.
② 과잉 진료를 예방할 수 있다.
③ 예방중심 의료서비스가 강화된다.
④ 의료진의 재량권이 확대되어 의료의 질이 높아진다.
⑤ 진료비 심사·조정과 관련된 공급자의 불만이 감소된다.

57 기출

행위별수가제에 대한 설명으로 옳은 것은?

① 의사의 권한이 지나치게 작아진다.
② 국민의료비가 낮아질 가능성이 많다.
③ 의사간 불필요한 경쟁이 심하지 않다.
④ 양질의 서비스를 받을 수 있으나 과잉 진료가 문제이다.
⑤ 환자에게 제공된 서비스 중 일부만 진료비 청구의 근거가 된다.

58 기출

종합병원에서 대장암 수술을 받은 환자에게 진찰료, 검사비와 수술비 등을 청구하는 진료비 지불제도는?

① 인두제
② 봉급제
③ 포괄수가제
④ 총액계약제
⑤ 행위별수가제

59 기출

요양병원에 입원한 A씨는 입원 1일째 정해진 입원 진료비를 지불하였다. 이에 해당되는 지불제도로 옳은 것은?

① 봉급제
② 인두제
③ 포괄수가제
④ 총액계약제
⑤ 행위별 수가제

60 기출

우리나라에서 백내장 수술을 받고 합병증 없이 퇴원하는 환자에게 적용되는 진료비지불제도는?

① 봉급제
② 행위별수가제
③ 포괄수가제
④ 총액계약제
⑤ 인두제

61 기출

신장이식수술을 받은 환자가 미리 책정된 진료비를 지불했다. 이 진료비 지불제도에 대한 특징으로 옳은 것은?

① 의료기술 발전
② 과잉진료비 억제
③ 의료 연구의 증진
④ 의사의 욕구 충족
⑤ 의료인의 자율성 보장

62

본인일부부담금제도에 대한 설명으로 옳은 것은?

① 노인에게 본인 일부부담금 공제
② 보험료 부담능력이 있는지 점검하기 위해
③ 일정기간 경과 후 국가로부터 일정 비용을 환불
④ 불필요한 의료서비스를 이용하지 않게 하기 위해
⑤ 진찰하는 의사의 재량으로 진료비용을 감행하기 위해

CHAPTER
03 환경보건

제1장 | 환경의 요소

01

인체의 체온조절작용에 영향을 미치는 온열요소에 해당되지 <u>않는</u> 것은?

① 기온
② 기류
③ 구름
④ 기습
⑤ 복사열

02

겨울철의 가장 쾌적한 감각온도로 적당한 것은?

① 16~17℃
② 18~20℃
③ 20~22℃
④ 24~25℃
⑤ 25~27℃

03

다음 중 습도에 관한 설명으로 옳은 것은?

① 태양열을 흡수하여 대지의 과열을 방지한다.
② 상대습도가 40% 이하일 때 사람에게 쾌적감을 준다.
③ 비교습도란 공기 1㎥ 중에 함유된 수증기량을 말한다.
④ 절대습도란 공기 중에 최대한 물방울이 섞일 수 있는 것이다.
⑤ 습도는 정오가 지나서는 최대, 밤에서 아침까지는 최소가 된다.

04

불감기류에 대한 설명으로 옳지 <u>않은</u> 것은?

① 0.1 m/sec 이하의 기류이다.
② 생식선의 발육을 촉진시킨다.
③ 우리가 감각할 수 없는 기류이다.
④ 냉한에 대한 저항력을 강화시킨다.
⑤ 실내나 의복에 끊임없이 존재한다.

05

태양복사 에너지 중에서 온열감을 주는 광선으로 옳은 것은?

① 자외선
② 적외선
③ 엑스선
④ 가시광선
⑤ 마이크로파

06

자외선의 생물학적 영향에 대한 설명으로 옳지 <u>않은</u> 것은?

① 체내 비타민 D 형성
② 피부결핵 및 관절염 치료
③ 신진대사와 적혈구생성 촉진
④ 온열작용에 의한 일사병 유발
⑤ 피부침착, 피부암, 백내장 유발

07 `기출`

우리나라의 환경부에는 미세먼지 예보를 현재 실시하고 있다. 다음에 해당하는 미세먼지 등급은?

> • 노인은 장시간 외출, 무리한 실외 활동을 하지 않아야 한다.

① 매우 좋음
② 좋음
③ 보통
④ 나쁨
⑤ 매우 나쁨

08

다음 중 불쾌지수(DI) 70의 의미로 옳은 것은?

① 10% 정도의 사람이 불쾌감을 느낌
② 50% 정도의 사람이 불쾌감을 느낌
③ 거의 모든 사람이 견딜 수 없는 느낌
④ 거의 모든 사람이 참기 어려운 상태에 이름
⑤ 거의 모든 사람이 매우 심한 불쾌감을 느낌

제2장 | 환경오염

09 `기출`

환경오염으로 인해 발생하는 현상으로 옳은 것은?

① 빙하의 증가
② 산성비의 감소
③ 이상 기후의 증가
④ 해수면의 높이 하강
⑤ 온실가스의 농도감소

10 `기출`

다음 중 이차 대기오염물질은?

① 오존
② 황산화물
③ 탄화수소
④ 질소산화물
⑤ 일산화탄소

11

지구 온난화의 피해를 주는 이차 대기오염물질에 해당되는 것은?

① NO_x
② HC
③ O_3
④ SO_2
⑤ CO

12 기출

고도 20~30km의 대기층에 있으며, 태양의 자외선을 일정하게 막아주는 곳은?

① 전리층
② 오존층
③ 외기권
④ 중간권
⑤ 대류권

13

다음은 대기오염의 영향에 대한 설명이다. 옳은 것은?

> 가. 지구온난화로 기상이변이 초래된다.
> 나. 산성비가 대기오염에 피해를 준다.
> 다. 오존층의 파괴로 피부암 발생이 증가한다.
> 라. 기온상승으로 인한 열사병 피해가 증가한다.
> 마. 일산화탄소의 증가로 식물의 성장이 촉진된다.

① 가, 다
② 가, 나, 다
③ 나, 라, 마
④ 가, 나, 다, 라
⑤ 가, 나, 다, 라, 마

14 기출

금속물이나 석조 건물이 부식되어 인체에 영향을 미치는 현상으로 옳은 것은?

① 열섬 현상
② 군집독
③ 산성비
④ 기온역전
⑤ 황사 현상

15 기출

다음에서 설명하는 대기오염 현상은?

> • 공장이나 자동차 배기가스에서 배출된 산화물이 대기 중에서 산화되어 있다가 지상으로 강하하여 생태계 교란, 삼림 황폐화, 청제 구조물 부식 등의 피해를 준다.

① 산성비
② 기온역전
③ 열섬현상
④ 황사현상
⑤ 지구온난화

16

대기오염의 영향으로 호수나 하천의 생태계를 파괴하고, 금속물과 석조건물을 부식시키고, 농작물이나 산림에 큰 피해를 주는 현상으로 옳은 것은?

① 산성비
② 열섬현상
③ 부영양화
④ 지구온난화
⑤ 오존층 파괴

17 기출

다음 중 실내공기오염의 지표로 사용되는 가스로 옳은 것은?

① 질소
② 산소
③ 오존
④ 일산화탄소
⑤ 이산화탄소

18 기출

밀폐된 공간에서 다수의 사람이 밀집되어 있을 때 두통, 어지러움, 메스꺼움 등의 증상이 나타났다. 이의 대처 방법으로 옳은 것은?

① 환기 실시
② 난방 가동
③ 냉방 가동
④ 조도 조절
⑤ 채광 조절

19

다음 중 군집독에 대한 설명으로 옳은 것은?

> 가. 밀폐된 장소에 다수인이 있는 경우에 발생할 수 있다.
> 나. 주증상은 불쾌감, 두통, 권태 등이 나타난다.
> 다. 공기의 물리적, 화학적 성상의 변화가 원인이다.
> 라. 예방은 적절한 환기이다.
> 마. 기후의 상태에 따라 악화되는 질환이다.

① 가, 다
② 가, 나, 다
③ 나, 라, 마
④ 가, 나, 다, 라
⑤ 가, 나, 다, 라, 마

20 기출

새로 입주한 아파트에 거주하는 가족들이 어지럼증, 두통, 피부염 등의 증상을 호소하고 있을 때 추정되는 건강문제는?

① 군집독
② 새집증후군
③ 레지오넬라증
④ 카드뮴 중독증
⑤ 일산화탄소 중독증

21

물의 자정 작용에 내용으로 옳지 <u>않은</u> 것은?

① 분해
② 침전
③ 산화
④ 희석
⑤ 소독

22

염소소독을 했을 때 수중에 잔존하는 것으로 옳는 것은?

① 아염소산화물
② 염소이온화물
③ 유리잔류염소
④ 이온교환잔여물
⑤ 불화염소잔여물

23

염소소독제 중에서 유효염소량이 가장 많은 것은?

① 표백분
② 휠싱틴
③ 석회분말
④ 벤토나이트
⑤ 황산실리카

24

물의 냄새와 맛을 제거하는데 가장 효과적인 것으로 옳은 것은?

① 염소
② 질산은
③ 활성탄
④ 표백분
⑤ 황산동

25 기출

환경부에서 지정하고 있는 음용수의 수질 기준으로 옳은 것은?

① 색도 – 5
② 수소이온농도 – 3.0
③ 유리잔류염소 – 5.0
④ 총대장균 – 100 cc에 미검출
⑤ 일반 세균 – 1 cc에 1,000마리

26

음용수 수질기준 중 분변오염의 지표로 사용되는 것은?

① 탁도   ② 대장균군
③ 일반세균   ④ 용존산소
⑤ 과망간산칼륨

27

상수의 일반적인 정수과정으로 옳은 것은?

① 폭기 → 여과 → 소독 → 급수
② 침전 → 여과 → 소독 → 급수
③ 여과 → 침전 → 소독 → 급수
④ 폭기 → 침전 → 소독 → 급수
⑤ 침전 → 폭기 → 소독 → 급수

28 기출

도시하수처리법의 순서로 옳은 것은?

① 스크린 → 침사지 → 침전지 → 활성오니법
② 스크린 → 침전지 → 침사지 → 활성오니법
③ 침사지 → 침전지 → 활성오니법 → 스크린
④ 침사지 → 활성오니법 → 스크린 → 침전지
⑤ 침전지 → 스크린 → 활성오니법 → 침사지

29

다음 중 도시의 하수처리에 가장 많이 이용되는 하수 처리법으로 옳은 것은?

① 관계법
② 안정지법
③ 활성오니법
④ 살수여과법
⑤ 임호프탱크법

30

분뇨와 같이 유기물이 다량 함유된 것을 처리하는 혐기성 방법으로 옳은 것은?

① 관계법   ② 산화지법
③ 살수여상법   ④ 활성오니법
⑤ 임호프탱크법

31 기출

용존산소량이 높은 물의 특성은?

① 염분이 높다.
② 온도가 낮고 깨끗하다.
③ 화학적 산소요구량이 높다.
④ 생물학적 산소요구량이 높다.
⑤ 식물성 플랑크톤이 많이 번식해 있다.

32

공장폐수의 오염도를 반영하는 대표적인 수질오염지표로 옳은 것은?

① 용존산소량
② 대장균검사
③ 부유물질량
④ 일반세균검사
⑤ 화학적 산소요구량

33 기출

수중에 있는 유기물질을 미생물에 의해서 호기성 상태로 분해, 산화시키는데 요구되는 수질오염 지표로 옳은 것은?

① DO(용존 산소량)
② BOD(생물학적 산소요구량)
③ COD(화학적 산소요구량)
④ pH
⑤ 대장균군

34 기출

유기물질의 과다 유입으로 발생한 수질오염상태로 옳은 것은?

① 탁도가 낮아진다.
② 용존산소량이 높아진다.
③ 부유물질량이 줄어든다.
④ 암모니아성 질소가 줄어든다.
⑤ 생물학적 산소요구량이 높아진다.

35

인과 질소 등의 영향으로 물의 가치가 상실되는 수질오염현상으로 옳은 것은?

① 부영양화   ② 부활현상
③ 적조현상   ④ 자정작용
⑤ Mills-Reincke 현상

36

수질오염 물질 중 사지마비, 정신이상, 언어장애, 시청각기능장애 등을 유발하는 중금속으로 옳은 것은?

① 페놀   ② 크롬
③ 카드뮴   ④ 베릴륨
⑤ 메틸수은

37

식품위생의 대상이 <u>아닌</u> 것은?

① 식품   ② 포장
③ 첨가물   ④ 영양소
⑤ 기구, 용기

38

식품의 부패에 해당되는 영양소로 옳은 것은?

① 당질   ② 지방질
③ 무기질   ④ 단백질
⑤ 탄수화물

39

다음 중 식품의 변질과정을 설명한 내용으로 옳지 <u>않은</u> 것은?

① 부패는 단백질 식품에 미생물이 증식하는 것이다.
② 산패는 당질식품에 미생물이 증식하여 분해되는 현상이다.
③ 식품에 미생물이 증식하면 부패, 발효, 변패가 차례로 일어난다.
④ 발효는 탄수화물에 미생물이 증식하여 일어나는 분해 작용이다.
⑤ 변패는 당질, 지방질 식품에 미생물이 증식하여 분해되는 현상이다.

40 기출

식품을 장기간 보관하기 위해 수분을 15% 이하로 줄여서 세균을 억제시키는 방법으로 옳은 것은?

① 냉장법   ② 통조림법
③ 건조법   ④ 밀봉법
⑤ 저온살균법

41 기출

다음 내용은 식품보존법 중 어디에 해당되는가?

> - 김장철 배추에 소금 간을 잘 맞추어 김치를 담궈 보자.
> - 겨울이 오면 유지에 설탕을 많이 넣어서 잼을 만들어 먹자.
> - 피자나 스파게티에 내가 담근 피클을 먹어야지 제 격인데.

① 절임법
② 밀봉법
③ 통조림법
④ 훈연법
⑤ 염장법

42

우유의 영양을 유지하기 위한 소독법으로 옳은 것은?

① 저온살균법
② 자비소독법
③ 건열멸균법
④ 세균여과법
⑤ 고압증기멸균법

43

식중독의 대표적인 증상으로 옳지 <u>않은</u> 것은?

① 설사
② 구토
③ 복통
④ 현훈
⑤ 오심

44

저온살균으로 사멸되며 고열, 복통을 수반하고 잠복기는 평균 24시간으로 6~9월에 주로 발병하는 식중독으로 옳은 것은?

① 웰치균 식중독
② 살모넬라 식중독
③ 보툴리누스 식중독
④ 포도상구균 식중독
⑤ 장염 비브리오 식중독

45 기출

어패류를 먹은 다음 날 설사, 복통, 구토, 발열을 호소할 때 의심할 수 있는 식중독은?

① 웰치균
② 살모넬라
③ 보툴리누스
④ 노로바이러스
⑤ 장염비브리오

46 기출

다음에서 의심할 수 있는 식중독은?

> - 급식으로 햄버거를 먹은 어린이들이 복통, 설사, 발열, 구토 증상을 집단으로 호소하고 있다.
> - 일부는 심각한 용혈요독증후군을 나타내고 있다.

① 살모넬라 식중독
② 포도상구균 식중독
③ 캄필로박터 식중독
④ 보툴리누스균 식중독
⑤ 장출혈성대장균 식중독

47

독소형 식중독에 속하는 것은?

① 테물린
② 솔라닌
③ 살모넬라
④ 포도상구균
⑤ 장염비브리오

48 기출

유통기한이 지난 케이크를 먹고 걸릴 수 있는 식중독 균으로 옳은 것은?

① 포도상구균 　　② 웰치균
③ 보툴리누스균 　 ④ 연쇄상구균
⑤ 살모넬라균

49 기출

포도상구균 식중독을 일으키는 원인은?

① 신경독
② 장독소
③ 아폴라톡신
④ 에르고톡신
⑤ 테르로도톡신

50

포도상구균 식중독을 일으키는 원인균으로 옳은 것은?

① 장독소
② 무스카린
③ 베네루핀
④ 신경독소
⑤ 테트로톡신

51

신경계 급성중독 증상을 일으키고 통조림, 소시지 등이 원인식품이며 치명률이 높은 식중독으로 옳은 것은?

① 살모넬라 식중독
② 포도상구균 식중독
③ 보툴리누스 식중독
④ 연쇄상구균 식중독
⑤ 장염비브리오 식중독

52

감자의 식중독 원인물질로 옳은 것은?

① 솔라닌 　　　② 무스카린
③ 베네루핀 　　④ 에르고톡신
⑤ 테트로도톡신

53

쥐가 매개하는 질병과 연결이 옳지 <u>않은</u> 것은?

① 세균성 － 페스트
② 리케치아 － 발진열
③ 기생충 － 선모충증
④ 세균성 － 렙토스피라증
⑤ 바이러스성 － 쯔쯔가무시병

54

매개곤충과 전염병의 연결이 옳지 <u>않은</u> 것은?

① 벼룩 － 페스트
② 모기 － 사상충증
③ 이 － 발진티푸스
④ 진드기 － 말라리아
⑤ 파리 － 소화기계 전염병

55

구충과 구서의 일반적인 원칙으로 옳지 않은 것은?

① 발생초기에 구제
② 해충의 성충 구제
③ 발생원 및 서식처 제거
④ 광범위하게 동시에 구제
⑤ 대상 동물의 생태습성에 따라 구제

56

다음 중 음식물과 낙엽을 처리하는 가장 좋은 방법은?

① 매립법
② 투기법
③ 소각법
④ 방기처분
⑤ 퇴비처리법

57 기출

폐기물을 모아 묻는 폐기물 처리 방법으로 지하수를 오염시킬 수 있는 것은?

① 소각　　　　② 매립
③ 파쇄　　　　④ 퇴비
⑤ 적재

58

쓰레기의 비위생적 매립이 국민보건에 미치는 직접적인 영향으로 볼 수 없는 것은?

① 악취 발생
② 토양 오염
③ 해충 발생
④ 전염병 발생
⑤ 지하수 오염

59

다음 중 병원에서 나오는 감염성폐기물의 처리방법으로 적절한 것은?

① 퇴비법
② 매몰처분
③ 소각처분
④ 방기처분
⑤ 해양투기법

60 기출

생활폐기물 처리 방법 중 가장 위생적이나 공기 오염이 우려되는 것은?

① 투기법　　　　② 매립법
③ 소각법　　　　④ 고형화법
⑤ 퇴비화법

61

기생충을 사멸시키는데 적당한 부식기간으로 옳은 것은?

① 여름 1개월, 겨울 1개월
② 여름 1개월, 겨울 2개월
③ 여름 1개월, 겨울 3개월
④ 여름 2개월, 겨울 2개월
⑤ 여름 2개월, 겨울 3개월

62

분뇨를 위생적으로 처리하기 위한 목적이 아닌 것은?

① 기생충 질환 방지
② 수인성 전염병 방지
③ 세균성 전염병 방지
④ 소화기계 전염병 방지
⑤ 호흡기계 전염병 방지

제1장 | 산업보건의 이해

01

산업보건의 목적으로 옳지 <u>않은</u> 것은?

① 직업병 치료
② 직업병 예방
③ 직업능률 향상
④ 산업재해 방지
⑤ 산업피로 예방

02

근로기준법상 보호연령으로 옳은 것은?

① 9세 이상~12세 미만
② 10세 이상~18세 미만
③ 11세 이상~17세 미만
④ 12세 이상~19세 미만
⑤ 15세 이상~18세 미만

03

다음에서 설명하는 건강진단의 종류는?

> • 사업주는 상근 근로자의 건강관리를 위해 주기적으로 건강진단을 실시한다.
> • 사무직 근로자의 경우 2년에 1회 이상 건강진단을 실시한다.

① 일반 건강진단
② 특수 건강진단
③ 수시 건강진단
④ 임시 건강진단
⑤ 배치전 건강진단

04

유해한 작업환경에서 종사하는 근로자의 건강유지를 목적으로 실시하는 건강진단으로 옳은 것은?

① 일반 건강진단
② 수시 건강진단
③ 특수 건강진단
④ 임시 건강진단
⑤ 배치 전 건강진단

제2장 | 산업장 건강문제

05

직업병에 대한 정의로 옳은 것은?

① 직장에서 발생하는 질병
② 근로자에게 발생하는 모든 질병
③ 직업을 가진 사람에게서 발생하는 질병
④ 그 직장에 근무하는 동안 발생하는 질병
⑤ 근로자들이 그 직업에 종사함으로써 발생하는
　 질병

06

직업병의 발생 원인을 연결한 것으로 옳은 것은?

> 가. 소음 – 난청
> 나. 기압 – 잠함병
> 다. 분진 – 진폐증
> 라. 조명부족 – 고산병
> 마. 고온 – 레이노질병

① 가, 다
② 가, 나, 다
③ 나, 라, 마
④ 가, 나, 다, 라
⑤ 가, 나, 다, 라, 마

07 기출

해녀병으로 불리는 잠함병의 유해 요인으로 옳은 것은?

① 감압　　　　　　② 소음
③ 진동　　　　　　④ 분진
⑤ 조명

08

잠함병의 예방대책과 관련이 없는 것은?

① 단계적 감압
② 인공산소 공급
③ 작업시간 단축
④ 감압 후 온도 증가
⑤ 부적격자의 작업 제한

09

착암기를 많이 사용하는 근로자의 손가락이 창백해지는 말초순환장애를 일으키는 직업병으로 옳은 것은?

① 잠함병
② 레이노질병
③ 전신진동증
④ 일시적 난청
⑤ 메트헤모글로빈빈혈증

10 기출

온라인 게임을 개발하는 컴퓨터 프로그래머의 건강장애로 손목 피로, 목이나 어깨의 결림현상, 눈의 피로 증상을 동반하는 질병은?

① 잠함병　　　　　② 항공병
③ 진폐증　　　　　④ 소음성 난청
⑤ VDT 증후군

11

VDT 증후군의 증상으로 옳지 않은 것은?

① 신경통　　　　　② 백내장
③ 불면증　　　　　④ 어깨통증
⑤ 유산의 원인

12

부적합한 조명에 의한 직업병과 관계 없는 것은?

① 색약
② 가성근시
③ 안정피로
④ 안구 진탕증
⑤ 작업능률의 저하

13 기출

30년간 인쇄소에 근무한 58세 남성이 빈혈, 신경중추장애 진단을 받았다. 치은에 암자색이 나타나고, 사지말단에 힘이 없다. 이때 의심되는 중독 증상의 원인 물질로 옳은 것은?

① 납   ② 수은
③ 카드뮴   ④ 크롬
⑤ 구리

14

직업성 난청이 유발될 수 있는 소음이 크기로 옳은 것은?

① 10 dB   ② 30~40 dB
③ 50~60 dB   ④ 60~80 dB
⑤ 90~120 dB

15

추운 곳에서 종사하는 근로자에게 홍반성 발적이 생겼다. 이 경우에 해당하는 동상의 단계로 옳은 것은?

① 1도   ② 2도
③ 3도   ④ 4도
⑤ 5도

16

열중증 중 가장 치명적인 것으로 옳은 것은?

① 열사병
② 열경련
③ 열실신
④ 열쇠약
⑤ 열허탈증

17

열 경련의 주요 원인으로 옳은 것은?

① 조직손상
② 순환장애
③ 만성 체열소모
④ 수분과 염분 소실
⑤ 체온조절 중추이상

18

산업재해에 의한 직업병과 관계 없는 것은?

① 잠함병
② 규폐증
③ 식중독
④ 열중증
⑤ 진동증후군

19

다음 중 직업병 예방대책으로 옳지 않은 것은?

① 근로자의 보호구 착용
② 정기적인 신체검사 실시
③ 절반 이상의 작업시간 단축
④ 생산기술 및 작업환경의 개선
⑤ 근로자의 적정배치와 근로시간의 적정화

20

산업재해 발생 관련 요인에 관한 내용으로 옳은 것은?

> 가. 환경적 요인 : 작업환경의 불량
> 나. 생리적 요인 : 근로자의 체력부족
> 다. 작업상의 요인 : 작업미숙
> 라. 관리상의 요인 : 산업장의 관리 태만성
> 마. 심리적 요인 : 조명의 불량

① 가, 다
② 가, 나, 다
③ 나, 라, 마
④ 가, 나, 다, 라
⑤ 가, 나, 다, 라, 마

21

재해건수를 평균 실근로자수로 나누어 산출하는 재해지표로 옳은 것은?

① 건수율
② 강도율
③ 누적률
④ 도수율
⑤ 평균손실일수

22

업무파트에 근무하는 직장인이 오후만 되면 나른하고 어깨 관절의 통증과 경직을 느껴 병원 진료를 받았으나 특별한 이상이 없었고 3일 정도 쉬었더니 증상이 없어졌다. 가장 적당한 것은?

① 견갑통
② 산업재해
③ 산업피로
④ 레이노현상
⑤ 경견완증후군

23 기출

산업피로에 관한 설명으로 옳은 것은?

① 비가역적인 생체변화를 의미한다.
② 정신적, 육체적 노동부하와 관련이 없다.
③ 작업시간은 산업피로발생과 관련이 없다.
④ 재해 발생 건수와 산업피로는 반비례한다.
⑤ 적절한 휴식과 충분한 영향 섭취로 예방하는 것이 중요하다.

24

산업피로를 예방하기 위한 대책으로 옳은 것은?

> 가. 작업 과정중 적절한 휴식시간을 삽입한다.
> 나. 작업환경을 정비하고 유해환경을 개선한다
> 다. 작업공구, 기계, 작업 자세는 인간 공학적으로 설계한다.
> 라. 개인차에 맞는 작업량을 조절한다
> 마. 동적인 작업은 피로를 더하므로 정적인 작업으로 전환한다.

① 가, 다
② 가, 나, 다
③ 나, 라, 마
④ 가, 나, 다, 라
⑤ 가, 나, 다, 라, 마

25 기출

근로자 작업환경의 유해인자 관리방법 중 대치에 해당하는 것은?

① 발끝을 보호하기 위해 안전화를 신는다.
② 소음이 심한 작업장에서 귀마개를 착용한다.
③ 가연성 물질이 담긴 유리병을 철제통으로 바꾼다.
④ 작업장에 후드를 설치하여 오염된 공기를 배출한다.
⑤ 방사선 동위원소 취급 시 원격조정 장치를 사용한다.

PART

03

공중보건학

파워 간호조무사 **국가시험 예상문제집**

CHAPTER 01 공중보건학

제1장 | 공중보건의 이해

01
공중보건학의 목적으로 옳은 것은?

① 만성질환 관리
② 급성질환 관리
③ 진단 및 질병치료
④ 질병예방 및 수명연장
⑤ 조기발견 및 조기치료

02
공중보건학의 범위에 포함되지 <u>않는</u> 것은?

① 보건행정
② 질병치료
③ 식품위생
④ 환경위생
⑤ 의료보장제도

03
지역사회의 건강상태 및 보건사업수준을 평가할 때 가장 대표적인 지표로 옳은 것은?

① 출생률
② 모성사망률
③ 유아사망률
④ 영아사망률
⑤ 주산기사망률

04
유병률에 대한 설명으로 옳은 것은?

① 분모는 건강한 전체 인구수이다.
② 치명률이 높으면 유병률은 높다.
③ 발병률이 높으면 유병률은 낮다.
④ 질병 이환기간이 길수록 유병률은 높다.
⑤ 분자는 새로이 특정 건강문제가 발생한 사람 수이다.

05
다음 중 지역사회의 인구특성을 파악할 때 필요한 자료로 옳지 <u>않은</u> 것은?

① 모아비
② 조사망률
③ 조출생률
④ 영아사망률
⑤ 비례사망자수

06

건강증진의 개념으로 가장 옳은 것은?

① 특정 질환에 대한 예방활동이다.
② 건강에 관한 가치관의 변화 과정이다.
③ 질병 치료를 통한 건강능력의 증진이다.
④ 건강에 관한 지식 습득을 위한 과정이다.
⑤ 건강 잠재력의 개발과 발휘를 통한 건강수준의 향상이다.

07

최근 질병치료보다 예방이란 건강증진이 강조되는 이유로 옳은 것은?

① 의료비 감소
② 평균수명의 감소
③ 의사 및 의료시설의 부족
④ 의료인에 대한 불신 증가
⑤ 일단 발병되면 잘 치료되지 않는다.

08

최근 건강증진 사업이 필요한 이유로 옳은 것은?

> 가. 평균수명의 연장
> 나. 의료비에 대한 사회적 부담 증가
> 다. 건강 생활 습관의 중요성 증가
> 라. 만성질환의 증가
> 마. 2차 예방의 중요성 인식

① 가, 다
② 가, 나, 다
③ 나, 라, 마
④ 가, 나, 다, 라
⑤ 가, 나, 다, 라, 마

09

국민건강증진법상 건강증진사업의 종류로 옳지 <u>않은</u> 것은?

① 보건교육
② 질병예방
③ 영양개선
④ 건강생활의 실천
⑤ 질병의 조기 치료

10

우리나라 국민건강증진 종합계획에 제시된 건강생활 실천 분야 중 금연사업으로 실시되고 있는 것으로 옳지 <u>않은</u> 것은?

① 흡연 규제
② 금연상담 전화정책
③ 금연클리닉 확대운영
④ 흡연 모니터링 체계 구축
⑤ 담배에 관한 광고 확대 실시

11

지역사회 건강증진사업의 주된 철학으로 옳은 것은?

① 질병의 악화를 막으려는 소극적 개념
② 신체적 건강의 증진을 강조하는 개념
③ 질병치료를 위한 의료진의 책임을 강조
④ 건강생활의 실천을 위한 스스로의 책임을 강조
⑤ 보건소의 질병치료에 관련된 책임을 강조하는 개념

12

국민건강증진 사업 시 고려해야 할 기준 및 지침으로 옳지 <u>않은</u> 것은?

① 예산범위
② 소요자원
③ 평가시행
④ 관련법규
⑤ 업무지침

13

청소년기 대상자 중심의 건강증진사업으로 옳지 <u>않은</u> 것은?

① 기초 예방접종
② 성교육 및 상담
③ 보건교육 및 상담
④ 음주 및 약물중독예방
⑤ 금연교육 및 여드름 관리

14

생애주기에 따른 건강증진사업으로 옳은 것은?

> 가. 영, 유아기 – 영유아 성장발달 검사
> 나. 청소년기 – 음주 및 약물중독 예방
> 다. 장년기 – 만성질환 예방 및 관리
> 라. 노년기 – 치매예방, 관절염 관리
> 마. 학령기 – 치아관리

① 가, 다
② 가, 나, 다
③ 나, 라, 마
④ 가, 나, 다, 라
⑤ 가, 나, 다, 라, 마

15

지역사회의 보건의료를 위해 일차예방이 대두된 이유로 옳은 것은?

① 감염병의 확대
② 노인인구의 증가
③ 건강행위의 중요성 증가
④ 정부의 계획에 따른 추진
⑤ 소득증대로 인한 여가시간 증대

16

공중보건사업의 질병예방 수준에 관한 설명으로 옳지 <u>않은</u> 것은?

① 일차 예방–건강증진행위, 주변환경 정리정돈
② 일차 예방–예방접종, 건강검진
③ 이차 예방–조기진단 및 치료
④ 이차 예방–물리치료, 작업치료
⑤ 삼차 예방   정신질환자 사회복귀훈련, 재활치료

17 기출

지역사회보건의 일차 예방으로 옳은 것은?

① 재활
② 유방암 검사
③ 임산부 산전 간호
④ 치매 환자의 인지 검사
⑤ 당뇨병 환자의 식이요법

18

지역사회 간호사업 중 일차적 예방으로 옳은 것은?

> 가. 당뇨병 식이요법
> 나. 산전간호
> 다. 신체 부위의 기능 회복을 위한 물리치료
> 라. 비만증 예방
> 마. 독감예방접종

① 가, 다
② 가, 나, 다
③ 나, 라, 마
④ 가, 나, 다, 라
⑤ 가, 나, 다, 라, 마

19

40대 남자가 지나친 음주로 기억력 장애와 손떨림 등 일상생활 장애를 보이고 있다. 이 사람을 조기발견하여 치료를 받도록 하는 것과 관련된 것은?

① 재활
② 일차예방
③ 이차예방
④ 삼차예방
⑤ 사회복귀 훈련

20 기출

질병예방 중 이차적 예방에 해당되는 것은?

① 물리치료
② 성인의 건강검진
③ 영유아의 예방접종
④ 청소년의 금연 교육
⑤ 어린이의 손씻기 교육

21 기출

치매를 관리하기 위한 이차예방 프로그램은?

① 노인을 대상으로 치매예방수칙을 교육한다.
② 치매노인을 대상으로 인지재활을 실시한다.
③ 노인을 대상으로 치매선별검사를 실시한다.
④ 지역주민을 대상으로 치매예방 운동을 확산한다.
⑤ 지역주민을 대상으로 치매에 대한 부정적 인식을 개선한다.

22 기출

질병의 삼차예방에 대한 보건교육 내용은?

① 영유아 예방접종
② 학령기 구강관리
③ 뇌졸중 환자의 재활
④ 성병 예방을 위한 콘돔 사용법
⑤ 당뇨병 환자의 철저한 식이요법

23 기출

질병의 예방활동에서 삼차예방에 해당하는 것은?

① 건강검진
② 질병치료
③ 예방접종
④ 자활요법
⑤ 조기발견

CHAPTER
02 질병관리사업

제1장 | 역학

01
다음 중 감염의 3대 요소로 옳은 것은?

① 환자, 숙주, 환경
② 병원체, 환자, 숙주
③ 병인체, 환경, 환자
④ 병원체, 환경, 숙주
⑤ 병원체, 환자, 매개체

02 기출

질병발생의 요인 중 숙주요인에 해당하는 것은?

① 기후
② 인종
③ 독력
④ 병원력
⑤ 감염력

03
다음 중 질병발생 중 숙주 요인으로 옳지 <u>않은</u> 것은?

① 영양　　　　　② 인종
③ 면역　　　　　④ 성별
⑤ 환경

04 기출
질병의 자연사 단계에서, 이미 감염되었으나 증상이 나타나지 <u>않는</u> 시기는?

① 회복기
② 비병원성기
③ 초기병원성기
④ 불현성질병기
⑤ 발현성질병기

05 기출
기후 특성 상 특정지역에만 감염이 일정기간 유지되는 것은?

① 계절병　　　　② 기상병
③ 풍토병　　　　④ 냉방병
⑤ 인수공통병

06

모기가 전파 매개체인 감염성 질환은?

① 수족구병
② 장티푸스
③ 인플루엔자
④ 지카바이러스
⑤ 중증급성호흡기증후군(SARS)

07

감염력의 정의로 옳은 것은?

① 병원력과 같은 동의어로 사용된다.
② 상대적 민감도는 발병자수/전감염자수로 표시된다.
③ 병원체가 감염된 숙주에게 현성질병을 일으키는 능력
④ 병원체가 숙주에 침입하여 알맞은 기관에 자리잡고 증식하는 능력
⑤ 질병의 위중도와 관련된 개념으로 환자 중 영구적 후유증이나 사망비율로 표현한다.

08 기출

숙주에 침입하여 현성감염을 일으키는 것은?

① 독력　　　　② 감염력
③ 병원력　　　④ 면역력
⑤ 증식력

09 기출

병원체가 숙주에 대해 심각한 임상 증상과 장애를 일으키는 능력을 가리켜 무엇이라 하는가?

① 독력　　　　② 면역력
③ 감염력　　　④ 병원력
⑤ 감수성

10 기출

숙주에 침입한 병원체가 심각한 임상증상과 장애를 일으키는 정도를 의미하는 것은?

① 독력　　　　② 감염력
③ 병원력　　　④ 면역력
⑤ 감수성

11

환자의 저항력이 감소되었을 때 주로 발생하여 환자 자신의 구강, 장 등에 정착되어 있는 세균에 의해 유발되는 감염으로 옳은 것은?

① 방어 감염
② 교차 감염
③ 내인성 감염
④ 외인성 감염
⑤ 원발성 감염

12 기출

한 지역에 국한되지 않고 전국 또는 전 세계에 퍼지는 경향이 있는 감염병 발생 양상은?

① 주기성(periodic)
② 토착성(endemic)
③ 산발성(sporadic)
④ 유행성(epidemic)
⑤ 범유행성(pandemic)

13

환자와 보호자에게 감염예방에 관한 교육을 실시할 때에 가장 강조할 사항으로 옳은 것은?

① 손 씻기　　　　② 음식물관리
③ 소독가운 착용　④ 일회용품 사용
⑤ 세탁물의 소독

14

전염을 관리할 때 제일 어렵고 중요한 것으로 옳은 것은?

① 토양 관리
② 환자 관리
③ 보균자 관리
④ 노약자 관리
⑤ 동물 병원소 관리

15

다음 중 병원체에 의해 감염 후 증상 발현이나 발병이 <u>없는</u> 사람으로 옳은 것은?

① 현성감염자
② 인간병원소
③ 불현성감염자
④ 회복기보균자
⑤ 잠복기보균자

16

불현성 감염에 대한 설명으로 옳은 것은?

가. 병원균이 배출된다.
나. 감염원이 된다.
다. 병원 감염 후 증상이 나타나지 않는다.
라. 전염성이 없다.
마. 질병의 규모나 발생양상이 정확히 파악된다.

① 가, 다
② 가, 나, 다
③ 나, 라, 마
④ 가, 나, 다, 라
⑤ 가, 나, 다, 라, 마

17

파상풍 감염경로로 옳은 것은?

① 외상
② 구강
③ 비말감염
④ 수두의 합병증
⑤ 충수돌기염의 합병증

18 기출

코로나 바이러스감염증-19(COVID-19) 예방접종 후에 얻게 되는 면역은?

① 선천성면역
② 인공수동면역
③ 인공능동면역
④ 자연수동면역
⑤ 자연능동면역

19 기출

예방접종 후 항체가 생기는 면역으로 옳은 것은?

① 선천면역
② 자연능동면역
③ 자연수동면역
④ 인공능동면역
⑤ 인공수동면역

20

홍역을 앓고 나서 생기는 면역은?

① 선천면역
② 자연능동면역
③ 자연수동면역
④ 인공능동면역
⑤ 인공수동면역

21

다음 중 생균백신으로 옳은 것은?

① 결핵
② 콜레라
③ 일본뇌염
④ 장티푸스
⑤ 소아마비(주사용)

제2장 | 감염성 질환

22

다음 중 비말감염 질환으로 옳지 <u>않은</u> 것은?

① 홍역
② 풍진
③ 말라리아
④ 디프테리아
⑤ 유행성 이하선염

23 기출

병원체의 탈출경로가 호흡기계인 질병으로 옳은 것은?

① 임질
② 콜레라
③ 장티푸스
④ 인플루엔자
⑤ 쯔쯔가무시증

24

소화기계 감염성질환으로 옳은 것은?

① 소아마비, 결핵, 홍역
② 소아마비, 결핵, 뇌염
③ 세균성이질, 결핵, 홍역
④ 소아마비, 콜레라, 말라리아
⑤ 콜레라, 장티푸스, 세균성이질

25 기출

바이러스성 감염 질환으로 옳은 것은?

① 결핵
② 콜레라
③ 장티푸스
④ 발진티푸스
⑤ 유행성 이하선염

26

다음 중 바이러스성 질환에 속하는 것으로 옳은 것은?

가. 유행성 이하선염
나. 홍역
다. 천연두
라. 일본 뇌염
마. 결핵

① 가, 다
② 가, 나, 다
③ 나, 라, 마
④ 가, 나, 다, 라
⑤ 가, 나, 다, 라, 마

27

바이러스에 대한 설명으로 옳은 것은?

① 박테리아 일종이다.
② 항생제 효과가 크다.
③ 병원체 중 크기가 가장 크다.
④ 전자현미경으로 관찰 가능하다.
⑤ 주로 곤충류가 매개하며 발진티푸스, 결핵을 일으 킨다.

28 기출

폐결핵의 가장 흔한 감염 경로로 옳은 것은?

① 매개곤충을 통한 감염
② 피부상처를 통한 감염
③ 주사기 등 기구에 의한 감염
④ 기침이나 재채기에 의한 비말감염
⑤ 결핵균에 오염된 식품의 섭취에 의한 감염

29 기출

활동성 결핵환자의 감염관리로 옳은 것은?

① 수질관리
② 다인실 배정
③ 역격리
④ 암막커튼설치
⑤ 음압격리

30

결핵의 주된 증상으로 옳지 않은 것은?

① 피로
② 식욕부진
③ 체중증가
④ 오후의 미열
⑤ 야간의 발한

31

투베르쿨린 검사결과 양성으로 판명된 사람에게 우선적으로 조치해야 할 사항으로 옳은 것은?

① BCG를 접종한다.
② 객담검사를 한다.
③ 흉부X선 촬영을 한다.
④ 즉시 투약을 시작한다.
⑤ 투베르쿨린 검사를 다시 실시한다.

32

초등학생을 대상으로 결핵반응검사를 한 결과 음성으로 나타난 경우 해야 할 조치로 옳은 것은?

① BCG 접종   ② 혈청검사
③ X선촬영   ④ 객담검사
⑤ 결핵환자등록

33

다음 중 전염병환자의 분비물 처리방법으로 옳은 것은?

① 소각   ② 저온소독
③ 자비소독   ④ 증기소독
⑤ 일광소독

34

폐결핵의 전파를 예방하는 처리방법으로 옳지 않은 것은?

① 환자의 분뇨를 소독 처리한다.
② 환자의 방은 환기를 자주 시킨다.
③ 환자의 객담은 종이에 싸서 소각한다.
④ 환자의 가족은 규칙적인 X선 검사를 한다.
⑤ 5세 이하의 어린이에게는 예방적으로 INH를 투여한다.

35

가정 내에 결핵환자가 있을 때 간호조무사의 임무로 옳지 <u>않은</u> 것은?

① 환자를 격리시킨다.
② 결핵환자는 기침을 할 때 입과 코를 막고 하도록 한다.
③ 환자가 규칙적으로 클리닉에 와서 관리 받도록 교육한다.
④ 결핵환자의 가족은 모두 규칙적으로 흉부 X-ray 검사를 받도록 한다.
⑤ 환자의 객담은 종이에 싸서 소각하도록 하고 식기는 끓는 물로 소독한다.

36

처치물을 정리하다가 B형간염 환자에게 주사했던 바늘에 찔렸다. 처치방법으로 옳은 것은?

① 방치한다.
② 물로 깨끗이 씻는다.
③ 그대로 두고 관찰한다.
④ B형간염 예방접종을 한다.
⑤ 면역 혈청 글로블린을 주사한다.

37 기출

오염된 물이나 음식물에 의해 전파되는 수인성 감염병에 해당하는 질환은?

① 풍진
② 홍역
③ A형간염
④ 일본뇌염
⑤ 유행성이하선염

38

수인성 감염병에 관한 설명으로 옳은 것은?

> 가. 소화기계 증상이 발생한다.
> 나. 환자 발생이 폭발적이다.
> 다. 급수원이 오염원이다.
> 라. 계절과 무관하게 발생한다.
> 마. 이환율과 치명률이 높다.

① 가, 다
② 가, 나, 다
③ 나, 라, 마
④ 가, 나, 다, 라
⑤ 가, 나, 다, 라, 마

39

수인성 감염병의 유행특성으로 옳지 <u>않은</u> 것은?

① 대체로 치명률이 높다.
② 환자발생이 폭발적이다.
③ 하절에 많으나 계절에 관계없이 일어난다.
④ 음료수에서 동일 전염병의 병원체가 검출된다.
⑤ 일반적으로 성별, 연령별 발생률의 차이가 없다.

40

다음 중 수인성 감염병으로 옳은 것은?

① 뇌염
② 황열
③ 파상풍
④ 사상충
⑤ 장티푸스

41

아메바성 이질에 대한 설명으로 옳은 것은?

가. 열대와 아열대에 많이 분포한다.
나. 병원체는 원충류에 의한 것이다.
다. 수인성 감염병의 하나로 분뇨의 적절한 처리, 인분 사용 금지 등이 예방법이다.
라. 특징적인 증상이 혈점액성 설사와 복통이다.
마. 담수어나 송어, 연어, 농어 등을 생식하지 않는다.

① 가, 다
② 가, 나, 다
③ 나, 라, 마
④ 가, 나, 다, 라
⑤ 가, 나, 다, 라, 마

42 기출

4세 이하 환아에게 발생률이 높고 고열과 심한 설사, 혈액과 농이 섞인 점액성 혈변이 나타날 경우 의심할 수 있는 질환은?

① 황열
② 공수병
③ 말라리아
④ 일본 뇌염
⑤ 세균성 이질

43

후천성 면역결핍증(AIDS)의 전파 방법으로 옳은 것은?

가. 성적 접촉
나. 바이러스에 감염된 혈액 및 혈액 제품의 수혈
다. 감염된 모성에서 태아로 주산기 전파
라. 바이러스에 오염된 주사기에 의해서 감염
마. 환자와의 성적인 접촉만을 통해 감염

① 가, 다
② 가, 나, 다
③ 나, 라, 마
④ 가, 나, 다, 라
⑤ 가, 나, 다, 라, 마

44

에이즈 예방 및 환자관리를 위한 교육내용으로 옳지 않은 것은?

① 전파방지 방법
② 지속적인 추후 관리
③ 성관계 시 콘돔 사용
④ 폐렴과 같은 기회감염
⑤ 에이즈 의심 시 백신투여

45

인간면역결핍바이러스(HIV)감염의 위험요인으로 옳지 않은 것은?

① 면도기, 칫솔
② HIV 양성모체
③ 정액이나 질 분비물
④ 잦은 호흡기계 감염
⑤ 오염된 혈액이나 바늘

46 기출

매독에 대한 설명으로 옳은 것은?

① 제3급 감염병에 해당된다.
② 신생아 임균 눈염을 유발한다.
③ 가임 여성은 예방접종이 필요하다.
④ 원인균은 사람면역결핍바이러스이다.
⑤ 모체의 태반을 통해 수직감염이 될 수 있다

47

연성하감과 관계 없는 것은?

① 성병의 일종이다.
② 튜크레이간균이 원인균이다.
③ 자연면역이 가능한 질환이다.
④ 직접적인 성교접촉에 의해 감염된다.
⑤ 국소적 임파결절, 부종, 동통, 궤양이 특징이다.

48

성병관리에 있어서 간호조무사의 임무를 설명한 것
으로 옳지 <u>않은</u> 것은?

① 임신 중 매독에 감염되지 않도록 교육한다.
② 임질 감염 시 신생아 안염을 유발할 수 있음을 교
육한다.
③ 의심나는 환자가 발견되면 의사를 찾아가 치료받
도록 권고한다.
④ 의사와 간호사를 도와 클리닉 또는 가정방문을
통해 환자 발견에 힘쓴다.
⑤ 임신 중 매독에 감염된 것이 확실하면 임신중기
이후에 치료받도록 지도한다.

49 기출

민물고기를 생식하는 경우 감염될 수 있는 기생충은?

① 편충
② 회충
③ 요충
④ 간흡충
⑤ 십이지장충

50 기출

초등학교 1학년 남아가 항문 주위에 발적과 종창이
있고 항문이 가렵다고 호소한다. 이때 감염된 기생충
질환으로 볼 수 있는 것은?

① 회충증
② 요충증
③ 편충증
④ 장흡충증
⑤ 폐흡충증

51

다음 중 충체의 흡혈로 인한 혈액손실로 빈혈, 토식
증이 일어나며 경구적으로 침입할 경우, 채독증을 발
생시키는 기생충 질환으로 옳은 것은?

① 요충
② 회충
③ 사상충
④ 십이지장충
⑤ 간디스토마

52

기생충 예방방법으로 옳지 <u>않은</u> 것은?

① 육류는 생식한다.
② 도마를 깨끗이 씻는다.
③ 민물고기는 가열하여 먹는다.
④ 야채는 5회 이상 씻어 먹는다.
⑤ 도축장 위생 검사를 실시한다.

53

기생충의 관리방법을 설명한 내용으로 옳지 <u>않은</u>
것은?

① 예방보다 치료에 주력해야 한다.
② 기생충의 발육에 필요한 숙주를 제거한다.
③ 접촉 감염을 예방하는 집단관리가 필요하다.
④ 위생적인 환경개선과 손씻기 등 개인위생을 교육
한다.
⑤ 국가적인 기구나 조직을 이용하고 법적인 규제를
한다.

제3장 | 만성질환

54 기출

국가적 차원에서 지속관리율과 자기관리율이 높은 질환으로 옳은 것은?

① 인플루엔자
② 당뇨
③ 메르스
④ 신종플
⑤ 충수돌기염

55 기출

만성질환의 일반적 특성은?

① 질병 경과가 짧다.
② 질병 원인이 명확한다.
③ 생활습관이 영향을 미친다.
④ 질병 진행에 개인차가 없다.
⑤ 연령 증가에 따라 유병률이 감소한다.

56

만성질환의 역학적 특성으로 옳은 것은?

① 이환기간이 짧다.
② 유병률이 발생률보다 높다.
③ 유병률이 발생률보다 낮다.
④ 유병률, 발생률이 모두 높다.
⑤ 유병률, 발생률이 모두 낮다.

57

만성퇴행성 질환의 위험요인으로 옳지 <u>않은</u> 것은?

① 영적 요인
② 유전적 요인
③ 습관적 요인
④ 직업적 요인
⑤ 사회, 경제적인 요인

58

만성퇴행성 질환의 특성과 관련이 <u>없는</u> 것은?

① 생활습관과 관련된다.
② 유병률이 발생률보다 높다.
③ 연령증가에 따라 유병률이 증가한다.
④ 전염성 질환을 앓고 난 후에 만성질환이 발생한다.
⑤ 대부분의 만성질환은 여러 개의 위험요인을 가진다.

59

만성퇴행성질환의 일차예방의 주된 내용으로 옳지 <u>않은</u> 것은?

① 질병예방   ② 보건교육
③ 재활치료   ④ 건강증진
⑤ 위험인자 홍보

60

만성퇴행성질환자의 관리목표로 옳지 <u>않은</u> 것은?

① 기능장애 지연
② 건강수명 연장
③ 질병 유병률 증가
④ 질환의 중증도 완화
⑤ 자기관리능력 개선 및 유지

CHAPTER 03 인구와 출산

제1장 | 인구의 이해

01

15~64세의 인구가 전체인구의 50%를 초과하는 경우로 생산연령인구가 유입되는 도시형 인구 구조로 옳은 것은?

① 별형
② 종형
③ 호로형
④ 항아리형
⑤ 피라미드형

02 [기출]

인구피라미드 유형 중 별형의 특성은?

① 생산연령인구가 많이 유출되는 농촌형
② 생산연령인구가 많이 유입되는 도시형
③ 출생률이 사망률보다 낮은 인구감소형
④ 낮은 출생률과 낮은 사망률이 특징인 선진국형
⑤ 높은 출생률과 높은 사망률이 특징인 저개발국형

03

출생률과 사망률이 낮은 선진국 형태로 0~14세 인구가 65세 인구의 2배와 같아지는 인구구조로 옳은 것은?

① 종형
② 별형
③ 호로형
④ 항아리형
⑤ 피라미드형

04 [기출]

생산연령인구가 많이 유출되어 전체 인구의 50% 미만인 농촌지역의 인구구조 유형은?

① 종형
② 별형
③ 호로형
④ 항아리형
⑤ 피라미드형

05

인구동태에 관한 통계자료로 옳은 것은?

| 가. 연령구성 |
| 나. 출생률 |
| 다. 성별구성 |
| 라. 이혼률 |
| 마. 전출입률 |

① 가, 다
② 가, 나, 다
③ 나, 라, 마
④ 가, 나, 다, 라
⑤ 가, 나, 다, 라, 마

06

제2차 성비의 설명으로 옳은 것은?

① 노인
② 사망
③ 태아성비
④ 출생 후 성비
⑤ 출생 시 성비

07

인구의 성별구성에서 3차 성비의 설명으로 옳은 것은?

① 현재 남자 100명당 여자인구의 비
② 현재 여자 100명당 남자인구의 비
③ 출생 시 남아 100명당 여아인구의 비
④ 출생 시 여아 100명당 남아인구의 비
⑤ 출생 전 태내 여아 100명당 남아인구의 비

08

다음 중 성비에 관한 설명이 옳지 <u>않은</u> 것은?

① 노령기에는 성비가 높아진다.
② 3차 성비는 현재인구 성비를 의미한다.
③ 1차 성비는 태아성비로 남자가 여자보다 많다.
④ 성비는 여자 100명에 대한 남자의 수로 표시된다.
⑤ 2차 성비는 출생성비로 장래인구를 추정하는데 도움이 된다.

09 기출

개발도상국에 비해 선진국의 부양비를 설명한 내용으로 옳은 것은?

① 노년 부양비 증가
② 노령화 지수 감소
③ 노인 인구의 감소
④ 총 부양비의 증가
⑤ 유소년 부양비 증가

10 기출

현재 우리나라 노인 인구의 특성은?

① 노녀부양비의 증가
② 노인 인구 비율의 감소
③ 노인 치매 유병률의 감소
④ 노인 단독가구 비율의 감소
⑤ 건강수명과 기대수명의 일치

11 기출

노년 부양비에 대한 설명으로 옳은 것은?

① 영아 인구에 대한 노인 인구의 비율
② 노인 인구의 증가에 따른 인구 비율
③ 유소년 인구에 대한 노인 인구의 비율
④ 노인 인구에 대한 생산가능 인구의 비율
⑤ 생산가능 인구에 대한 노인 인구의 비율

12 기출

총부양비를 구하는 식으로 옳은 것은?

① $\dfrac{\text{실업자 수}}{\text{경제활동인구}} \times 100$

② $\dfrac{\text{65세 이상 인구}}{\text{0\sim14세 인구}} \times 100$

③ $\dfrac{\text{0\sim14세 인구}}{\text{15\sim65세 인구}} \times 100$

④ $\dfrac{\text{65세 이상 인구}}{\text{15\sim64세 인구}} \times 100$

⑤ $\dfrac{\text{0\sim14세 인구} + \text{65세 이상 인구}}{\text{15\sim64세 인구}} \times 100$

제2장 | 인구정책

13 기출

우리나라 인구정책으로 옳은 것은?

① 해외이민 장려
② 임대 주택사업 축소
③ 난관 결찰 수술 확대
④ 다자녀 가정 지원 감소
⑤ 출산 및 양육 여건 조성

14

최근 우리나라 인구 정책 중 저출산 극복 대책으로 옳지 <u>않은</u> 것은?

① 입양제도 개선
② 영유아기 자녀 양육지원
③ 안정적인 노후소득 보장
④ 양육보조금과 의료비 지원
⑤ 일-가정 양립을 위한 인프라

15

우리나라 인구정책의 내용으로 옳지 <u>않은</u> 것은?

① 인구자질향상 사업
② 성비의 불균형 유지
③ 적절한 인구규모 유지
④ 환경개선과 보건서비스
⑤ 지역적으로 균형 있는 인구분포

16

가족계획의 정의로 옳은 것은?

① 건강한 자녀를 낳도록 하는 것
② 식량조절을 위하여 자녀수를 줄이는 것
③ 인구조절을 위하여 자녀수를 줄이는 것
④ 자녀를 적게 낳아 경제적으로 어려움을 줄이는 것
⑤ 출산시기, 간격, 자녀수를 결정하여 건강한 자녀의 출산과 양육을 하는 것

17

우리나라 가족계획 사업의 내용으로 옳지 <u>않은</u> 것은?

① 모자보건 강화
② 출산억제 정책
③ 청소년의 성문제 해결
④ 인공임신 중절의 예방
⑤ 출생성비의 불균형 해소

18

우리나라 가족계획사업의 방향으로 옳지 <u>않은</u> 것은?

① 인공임신중절
② 출산 장려 정책
③ 모자보건의 강화
④ 피임 방법의 질적 향상
⑤ 청소년 성교육 및 미혼모 예방

19

일시적인 피임방법을 선택할 때 고려해야 할 사항으로 옳지 <u>않은</u> 것은?

① 인체에 무해할 것
② 피임의 효과가 확실할 것
③ 간편하고 비용이 적게 들 것
④ 성생활에 지장을 주지 않을 것
⑤ 피임에 실패할 경우 모성만은 안전할 것

20

피임방법 중 지연적 피임 방법으로 옳은 것은?

① 점액관찰법
② 정관절제술
③ 경구피임법
④ 난관결찰술
⑤ 피하이식법

21

기초체온법으로 피임하려 할 때 체온을 측정할 시기로 적당한 것은?

① 아침식사 후
② 점심식사 후
③ 취침직전에 누워서
④ 아침에 일어나서 세수한 후
⑤ 아침에 깨어나서 누워 있는 상태로

22

월경주기를 이용하여 자연피임방법을 사용하고자 할 때 배란주기 중 기초체온 측정 결과를 설명한 것은?

① 고온상태에서 떨어진다.
② 약간 하락했다가 상승한다.
③ 갑자기 상승한 후 지속된다.
④ 갑자기 상승했다가 떨어진다.
⑤ 뚜렷한 체온의 하강이 있은 후 지속된다.

23

자궁내 장치 삽입의 부작용으로 옳은 것은?

① 두통
② 소화 불량
③ 월경량 증가
④ 오심과 구토
⑤ 유즙분비 감소

24

자궁내 장치의 피임원리로 옳은 것은?

① 정자사멸
② 수정방지
③ 배란억제
④ 난자사멸
⑤ 수정란의 착상방지

25

피임방법 중 자궁내 장치에 관한 설명으로 옳은 것은?

> 가. 정자가 자궁내로 들어가는 것을 방지함으로써 피임효과를 기대한다.
> 나. 감염, 월경량 과다, 월경불순의 부작용이 있다.
> 다. 의료진의 도움 없이 혼자서 삽입할 수 있다.
> 라. 모유수유중일 때 사용할 수 있다.
> 마. 한 번 삽입으로 오랫동안 피임효과가 지속된다.

① 가, 다
② 가, 나, 다
③ 나, 라, 마
④ 가, 나, 다, 라
⑤ 가, 나, 다, 라, 마

26

피임방법 중 경구피임약 28정 복용 시 21정+7정을 먹는데 7정을 추가로 복용하는 이유로 옳은 것은?

① 영양섭취를 위해
② 미용효과를 위해
③ 부작용 예방을 위해
④ 피임효과의 증대를 위해
⑤ 매일 먹는 습관을 들이기 위해

27

다음은 경구피임약 복용에 관한 설명으로 옳은 것은?

> 가. 오심, 체중증가 등의 임신증상과 비슷한 부작용이 나타난다.
> 나. 일시적 피임방법 중 가장 효과가 나쁘다.
> 다. 불규칙하게 복용한 경우 피임의 효과가 불확실하다.
> 라. 월경 현상이 중지된다.
> 마. 복용시간을 12시간이 지났을 경우 그 다음 날 2정을 복용한다.

① 가, 다
② 가, 나, 다
③ 나, 라, 마
④ 가, 나, 다, 라
⑤ 가, 나, 다, 라, 마

28

경구피임제에 대한 설명으로 옳지 <u>않은</u> 것은?

① 정맥염 환자는 복용할 수 없다.
② 가장 많이 사용되는 피임법이다.
③ 배란작용을 억제시키는 작용이다.
④ 월경시작 5일째부터 매일 복용한다.
⑤ 월경주기가 일정한 사람만 복용할 수 있다.

29

피임과 성병예방을 동시에 할 수 있는 방법으로 옳은 것은?

① 콘돔
② 살정자제
③ 질세척법
④ 경구피임약
⑤ 다이아프램

30

피임법 중 응급피임법을 사용해야 할 상황으로 옳은 것은?

① 임신초기 낙태를 원할 경우
② 영구피임을 원하지 않는 경우
③ 먹는 피임약 복용을 잊은 경우
④ 성폭력으로 인하여 임신이 우려되는 경우
⑤ 임신 5개월 이후 임신을 지속하기 어려운 경우

31

영구적인 피임법으로 옳은 것은?

① 콘돔
② 기초체온법
③ 정관절제술
④ 월경주기법
⑤ 경구용 피임약

32

피임을 위해 정관절제수술을 받은 환자의 간호교육으로 옳은 것은?

가. 정관 수술 후 일주일 동안은 음낭에 무리가 가는 신체적 활동은 삼간다.
나. 하복부의 불편감은 2~3일 후 소실된다.
다. 부종과 출혈이 심하면 의사에게 연락하도록 한다.
라. 피임이 확실하므로 다른 피임법 없이 수술 후 1주일부터 성관계가 가능하다.
마. 수술 후 정액이 사정되지 않으므로 신중히 선택한다.

① 가, 다
② 가, 나, 다
③ 나, 라, 마
④ 가, 나, 다, 라
⑤ 가, 나, 다, 라, 마

CHAPTER
04   모자보건

파워간호조무사국가시험예심문제집

제1장 | 모자보건의 이해

01 기출

「모자보건법」상 모자보건사업 대상자의 정의로 옳은 것은?

① 영유아란 출생 후 8년 미만인 사람을 말한다.
② 미숙아란 선천성 기형이 있는 영유아를 말한다.
③ 신생아란 출생 후 28일 이내의 영유아를 말한다.
④ 임산부란 임신 중이거나 분만 후 8개월 미만인 여성을 말한다.
⑤ 선천성이상아란 신체의 발육이 미숙한 채로 출생한 영유아를 말한다.

02 기출
「모자보건법」상 임산부의 정의로 옳은 것은?

① 15~34세 여성
② 35~49세 여성
③ 임신 전부터 수유기까지의 여성
④ 임신 전부터 분만 전까지의 여성
⑤ 임신 중이거나 분만 후 6개월 미만인 여성

03
모자보건법의 모자보건사업 대상이 <u>아닌</u> 것은?

① 모성
② 영유아
③ 임산부
④ 신생아
⑤ 학령기 아동

04 기출
모자보건사업의 중요성에 대한 설명으로 옳은 것은?

① 예방 중심의 사업이다.
② 비용 대비 효율성이 낮다.
③ 대상자는 전체 인구의 약 40%를 차지한다.
④ 다음 세대의 인구 자질에 영향을 주지 않는다.
⑤ 대상자 중 모성은 의학적 처치가 필요하지 않다.

05

모자보건의 중요성에 대한 설명으로 옳은 것은?

> 가. 모자보건 대상이 전체 인구의 60~70%이다.
> 나. 다음 세대의 인구자질에 영향을 미친다.
> 다. 임산부와 영유아는 건강상 보호가 필요한 취약
>   계층이다.
> 라. 임산부와 어린이의 발병을 방치하면 사망률이
>   높다.
> 마. 모자보건과 관련된 질환은 대부분 예방이 어렵다.

① 가, 다
② 가, 나, 다
③ 나, 라, 마
④ 가, 나, 다, 라
⑤ 가, 나, 다, 라, 마

06

모자보건사업의 목적으로 옳지 <u>않은</u> 것은?

① 모자인구의 유병률 증가
② 모자인구의 위험요인 감소
③ 모자인구의 건강 수준 향상
④ 모자인구의 사망 수준 감소
⑤ 모자인구를 위한 물리적·사회적 환경 조성

07

모자보건사업 내용으로 옳지 <u>않은</u> 것은?

① 성교육 및 성담
② 가족계획 지도 및 상담
③ 영유아 영양과 구강관리
④ 영유아 성장발달 스크리닝
⑤ 임산부의 산전, 분만, 산후관리

08 기출

국가의 건강수준이나 보건수준의 평가지표로 옳은
것은?

① 조사망률
② 영아 사망률
③ 유아 사망률
④ 신생아 사망률
⑤ 사인별 사망률

09 기출

모자보건사업의 주요 평가지표는?

① 건강수명
② 영아사망률
③ 노년부양비
④ 손상사망률
⑤ 비례사망지수

10

영아사망률이 한 국가의 건강수준 및 보건사업 수준
평가에 대표석 지표토 사용되는 이유로 옳은 것은?

> 가. 한 나라의 의학기술이나 보건의료체계의 수준을
>   반영하기 때문
> 나. 지역의 자연적, 사회적 환경조건과 의료혜택의 부
>   실을 반영하기 때문
> 다. 국민의 건강수준을 반영하기 때문
> 라. 일정 연령군이므로 통계적 유의성이 높기 때문
> 마. 경제적인 수준에 의하여 영향을 받지 않기 때문

① 가, 다
② 가, 나, 다
③ 나, 라, 마
④ 가, 나, 다, 라
⑤ 가, 나, 다, 라, 마

제2장 | 모성 보건

11

모자보건수첩에 기재 내용으로 옳지 <u>않은</u> 것은?

① 예방접종
② 영유아 정기검진
③ 임산부 정기검진
④ 영유아의 성장발육
⑤ 영유아 치아발육 상태

12

영유아에게 실시하는 구강건강진단에 포함되어야 하는 사항으로 옳지 <u>않은</u> 것은?

① 구강질환 상태
② 치아발육 상태
③ 구강발육 상태
④ 치아우식증 상태
⑤ 치아마모증 상태

제3장 | 영유아 보건

13

5개월된 영아의 건강검진은 몇 개월마다 실시하는가?

① 1개월마다 1회
② 2개월마다 1회
③ 3개월마다 1회
④ 4개월마다 1회
⑤ 5개월마다 1회

14

영유아 건강관리 내용으로 옳은 것은?

> 가. 치아관리
> 나. 시력관리
> 다. 영양관리
> 라. 성장·발달 프로그램
> 마. 장애예방을 위한 선별검사

① 가, 다
② 가, 나, 다
③ 나, 라, 마
④ 가, 나, 다, 라
⑤ 가, 나, 다, 라, 마

15

보건소 내 모자보건실 설치 시 준비사항으로 옳지 <u>않은</u> 것은?

① 대기실을 설치하도록 한다.
② 결핵실과 가까운 곳에 배치한다.
③ 대상자들에게 즐겁고 편안한 곳이어야 한다.
④ 클리닉 내에 음용수를 이용할 수 있도록 준비한다.
⑤ 대상자가 앉는 의자의 높이는 안락감을 유지할 수 있는 수준으로 한다.

16

보건소 내 영유아실에서 근무하는 간호조무사 업무로 옳지 <u>않은</u> 것은?

① 예방접종을 실시한다.
② 체중과 신장을 측정한다.
③ 대상자를 접수하고 안내한다.
④ 유아의 기록카드를 준비한다.
⑤ 영유아실에서 필요한 물품을 준비한다.

17 기출

생후 12개월된 영아의 수두 예방접종에 관한 문의 전화가 보건소로 왔다. 이에 대한 응답으로 옳은 것은?

① "접종 후 바로 귀가하면 됩니다."
② "고열이 있어도 접종이 가능합니다."
③ "오전보다 오후에 오시면 좋습니다."
④ "접종 전날 목욕을 시키면 안 됩니다."
⑤ "아이의 건강상태를 잘 아는 보호자가 아이를 데리고 오세요."

18 기출

영아의 예방접종 후 주의사항에 관한 교육 내용으로 옳은 것은?

① "접종 후 엎드리게 해서 재우세요.
② "접종 후 고열과 경련이 있으면 집에서 관찰하세요"
③ "접종 후 귀가하여 3시간 이상 주의 깊게 관찰해 주세요.
④ "접종 후 당일은 약물의 흡수를 위해 과격한 신체활동을 해도 됩니다."
⑤ "접종 후 이상반응을 관찰해야 하니 5분간 의료기관 내에 머물러 주세요"

CHAPTER 05 지역사회보건

제1장 | 지역사회보건

01

다음 중 건강과 관련된 가족의 기능으로 옳지 **않은** 것은?

① 보건교육을 제공한다.
② 적절한 의식주를 제공한다.
③ 치료약을 처방하고 투여한다.
④ 필요시 응급처치를 제공한다.
⑤ 적절한 보건의료기관을 선택한다.

02

다음 중 가족발달주기에 대한 설명으로 옳은 것은?

> 가. 각 주기별로 가족이 해결해야 할 과업이 있다.
> 나. 2세대 핵가족을 중심으로 분류한다.
> 다. 가족형성을 중심으로 분류한다.
> 라. 가족형성 – 확대 – 축소 – 해체되어가는 과정에 따른다.
> 마. 모든 가족은 같은 기능을 가지고 있다.

① 가, 다
② 가, 나, 다
③ 나, 라, 마
④ 가, 나, 다, 라
⑤ 가, 나, 다, 라, 마

03

지역사회보건사업의 대상으로 옳은 것은?

① 만성질환자
② 전염병환자
③ 가정방문대상
④ 전체지역주민
⑤ 생활보호대상자

04

지역사회보건사업의 목적으로 옳은 것은?

> 가. 건강의 유지 및 증진
> 나. 질병의 진단 및 치료
> 다. 가족의 자가건강 관리능력 향상
> 라. 만성질환의 관리와 예방접종
> 마. 재활치료

① 가, 다
② 가, 나, 다
③ 나, 라, 마
④ 가, 나, 다, 라
⑤ 가, 나, 다, 라, 마

05

지역사회간호란 지역사회를 대상으로 무엇을 통하여 지역사회 적정기능수준의 향상에 기여하는 것을 목표로 하는 것인가?

① 간호제공 보건교육
② 수질오염 검역실시
③ 결핵치료 보건사업
④ 만성질병 예방관리
⑤ 모자보건 가족계획

06

지역사회보건 간호사업의 목적으로 옳은 것은?

① 재가노인의 방문간호를 한다.
② 계획된 예방접종을 실시한다.
③ 만성질환 예방 및 관리를 한다.
④ 가족단위의 건강관리능력을 향상시킨다.
⑤ 의료비를 지불 능력이 없는 대상자를 간호한다.

07

지역사회보건 간호사업 내용의 선정 과정으로 옳은 것은?

① 보건의료인 단체에서 선정한다.
② 보건소의 결정에 의해 선정한다.
③ 지역사회 진단에 의해서 선정한다.
④ 보건복지부 결정에 의해서 선정한다.
⑤ 지역주민의 요구에 맞는 사업을 선정한다.

08

지역사회보건사업 대상의 기본단위로 옳은 것은?

① 국가   ② 가족
③ 기관   ④ 사회
⑤ 개인

09

지역사회보건 간호사업의 단위인 가족에 관한 설명으로 옳지 <u>않은</u> 것은?

① 가족은 공동체이다.
② 가족은 일차적 집단이다.
③ 가족은 상호배타적 집단이다.
④ 가족은 사회적 환경에 영향을 받는다.
⑤ 가족은 특유의 가치관, 행동양상, 생활방식을 가진다.

10

지역사회보건사업에서 주민의 참여가 잘 이루어지도록 하기 위한 가장 중요한 요소로 옳은 것은?

① 사업의 경제성을 강조한다.
② 전문용어를 많이 사용한다.
③ 사업목표의 중요성을 강조한다.
④ 지역사회 기관장들을 참여시킨다.
⑤ 전문가들은 주민의 입장에서 생각한다.

11

지역사회보건 간호사업의 기본원리로 옳지 <u>않은</u> 것은?

① 지역사회에서 이용 가능한 것이어야 한다.
② 사업의 뚜렷한 목적과 목표가 있어야 한다.
③ 개인 환자보다는 가족이 사업의 단위가 된다.
④ 보건교육과 건강상담은 사업의 중요한 부분이다.
⑤ 건강목표 달성을 위한 의사결정의 주체는 간호조무사이다.

12

지역사회 간호사업에 대한 내용으로 옳은 것은?

① 개인이 사업단위가 된다.
② 의사의 처방에 따라 사업을 실시한다.
③ 경제수준이 낮은 국가에서만 실시한다.
④ 사업의 결과가 단기간에 나타나야 한다.
⑤ 지역사회 특성에 적절한 사업을 실시한다.

13

지역사회보건 간호사업 시 지역사회를 진단하는 목적으로 옳지 <u>않은</u> 것은?

① 보건요원의 업무활동을 배정하기 위함이다.
② 사업의 우선순위 설정이 가능하기 때문이다.
③ 지역주민의 건강 요구를 파악하기 위함이다.
④ 지역주민의 건강 문제를 확인하기 위함이다.
⑤ 보건사업의 계획과 정책수립의 기초자료를 제공하기 위함이다.

14

지역사회보건사업의 계획단계와 관련된 내용으로 옳은 것은?

가. 관찰 가능한 목표의 설정
나. 지역소재 의료기관의 파악
다. 평가계획의 수립
라. 간호요구의 사정
마. 평가대상 및 기준 결정

① 가, 다
② 가, 나, 다
③ 나, 라, 마
④ 가, 나, 다, 라
⑤ 가, 나, 다, 라, 마

15

지역사회 주민의 건강에 영향을 주는 요인으로 옳지 <u>않은</u> 것은?

① 영적 요인
② 환경적 요인
③ 유전적 요인
④ 문화적 요인
⑤ 사회경제적 요인

16

지역사회보건사업 수행 시 고려해야 할 지역사회 자료로 옳지 <u>않은</u> 것은?

① 주민의 건강과 관련된 대상자 개인의 자료
② 경로당, 탁아소 등의 사회자원에 관한 자료
③ 건강과 관련된 인력의 종류와 수에 관한 자료
④ 생정 통계, 보고자료, 연구논문 등의 기초자료
⑤ 상·하수 시설, 주택구조, 공기오염도에 관한 자료

17 기출

지역사회 보건의료자원 중 지적 자원에 해당하는 것은?

① 의사
② 간호사
③ 약국·보건소
④ 보건교육물품
⑤ 의료기술 및 관리기술

18

지역사회보건 간호사업의 우선순위 결정 시 고려할 사항이 아닌 것은?

① 문제 해결에 소요되는 시간
② 지역사회 내 타 전문직의 활동범위
③ 건강문제 해결에 영향을 미치는 동기수준
④ 지역사회 건강문제에 대한 주민들의 인식정도
⑥ 문제 해결이 얼마나 많은 수의 주민에게 영향을 미치는 수준

19

지역사회보건 간호사업의 일선 업무를 담당하고 있는 보건행정기관에 해당되는 것은?

① 보건소
② 보건연구소
③ 보건정책국
④ 보건복지부
⑤ 지방공사 의료원

20

지역보건법에 제시된 보건소의 업무로 옳지 않은 것은?

① 정신보건의 증진
② 응급의료에 관한 사항
③ 공중위생 및 식품위생
④ 장애인의 재활 복지사업
⑤ 전염병의 예방·관리 및 진료

21

간호조무사가 보건소에서 하는 역할로 옳지 않은 것은?

① 영유아 정규 신체검사 장려
② 독자적인 치료 및 예방접종 실시
③ 객담수집 및 치료중단환자 계속관리
④ 예방접종의 중요성에 대한 교육 및 계속관리
⑤ 가정, 학교, 지역사회 환경위생을 관찰하여 보건 계몽활동

22

결핵실에 근무하는 간호조무사의 업무로 옳은 것은?

가. 결핵환자의 치료진행을 감독 관리한다.
나. 결핵환자의 개인기록표를 정리한다.
다. 전반적인 업무진행을 지휘한다.
라. 결핵실의 환경을 정리정돈 한다.
마. 상담을 원하는 결핵환자 방문 시 간호사에게 의뢰한다.

① 가, 다
② 가, 나, 다
③ 나, 라, 마
④ 가, 나, 다, 라
⑤ 가, 나, 다, 라, 마

23

지역사회보건 사업 수행 시 간호조무사의 역할로 옳지 <u>않은</u> 것은?

① 전반적인 사업수행에 협조한다.
② 보건통계 작성에 관한 협조한다.
③ 시범 교육 시 보건간호사를 조력한다.
④ 보건간호사의 지시 감독하에 업무를 수행한다.
⑤ 영유아 예방접종 문진표 작성을 위한 설명을 한다.

24

보건소에서 근무하는 간호조무사의 업무로 옳은 것은?

> 가. 보건소의 환경정리를 실시한다
> 나. 보건통계 작성에 협조한다.
> 다. 보건간호사의 지시 감독하에 일일, 주간, 월간 계획을 세운다.
> 라. 환자에게 정맥주사를 놓는다.
> 마. 객담검사를 원하는 결핵환자를 상담한다.

① 가, 다
② 가, 나, 다
③ 나, 라, 마
④ 가, 나, 다, 라
⑤ 가, 나, 다, 라, 마

25

보건소내 영유아실에서 근무하는 간호조무사 업무로 옳지 <u>않은</u> 것은?

① 예방접종을 실시한다.
② 체중과 신장을 측정한다.
③ 대상자를 접수하고 안내한다.
④ 유아의 기록카드를 준비한다.
⑤ 영유아실에서 필요한 물품을 준비한다.

26

보건소내 모자보건실 설치 시 준비사항으로 옳지 <u>않은</u> 것은?

① 대기실을 설치하도록 한다.
② 결핵실과 가까운 곳에 배치한다.
③ 대상자들에게 즐겁고 편안한 곳이어야 한다.
④ 클리닉 내에 음용수를 이용할 수 있도록 준비한다.
⑤ 대상자가 앉는 의자의 높이는 안락감을 유지할 수 있는 수준으로 한다.

제2장 | 정신보건

27

지역사회 정신보건사업이 필요한 이유로 옳은 것은?

① 정신질환자의 유병율 증가
② 퇴원 후 재발하는 정신질환자의 감소
③ 정신질환자의 입원 가능한 병실 수 증가
④ 활발히 진행되고 있는 정신질환관련 보건교육
⑤ 정신질환에 대한 사회·경제적 비용 부담 감소

28 기출

지역사회 정신건강증진사업의 일차예방으로 옳은 것은?

① 사회재활훈련
② 우울증 환자 조기 검진
③ 만성 정신질환자 퇴원교육
④ 정신병원 퇴원 후 투약방법
⑤ 지역주민 정신질환 치료에 관한 교육

29

다음 중 정신보건사업의 삼차예방에 해당하는 것으로 옳은 것은?

① 신생아를 둔 부모교육
② 지역정신의료기관의 설치
③ 자살방지 응급 전화 운영·홍보
④ 지역사회의 정신건강을 해치는 사회환경 발견
⑤ 퇴원·퇴소할 정신질환자의 사회생활 적응훈련 프로그램계획

30

정신보건사업의 추진방향으로 옳은 것은?

① 정신질환자의 격리 강화에 힘써야 한다.
② 정신질환자의 치료에 있어 조기개입은 불필요하다.
③ 정신질환은 치료보다는 예방을 우선으로 해야 한다.
④ 정신질환은 개인의 문제이므로 국가가 개입할 필요가 없다.
⑤ 국민의 정신건강 및 정신질환에 대한 인식개선은 신경 쓸 필요가 없다.

31 [기출]

다음에서 설명하는 정신재활 프로그램은?

- 환자에게 일상생활을 영위해 나가는데에 필요한 기술을 익힐 수 있는 기회를 제공함.
- 정신장애로 인해 결핍된 인간관계의 개선 및 독립적 생활에 필요한 기술을 교육함.
- 증상관리, 대인관계, 스트레스 관리 교육이 대표적임

① 가족교육   ② 자조집단
③ 직업재활   ④ 주거서비스
⑤ 사회기술훈련

32 [기출]

최근 배우자와 사별한 후 생활에 흥미가 없고 우울하여 잠을 들지 못하는 70대 여성의 정신건강을 위한 지역사회 서비스 기관은?

① 사회복귀시설
② 공동거주시설
③ 정신건강복지센터
④ 중독관리통합지원센터
⑤ 치매전담형 주·야간보호센터

33 [기출]

환청이 들리고 자신을 괴롭히는 사람이 자주 나타난다며 방안에서 나오지 않고 있다. 이 환자의 정신질환으로 옳은 것은?

① 조증
② 우울증
③ 조현병
④ 불안 장애
⑤ 신체적 장애

34

6개월 전 큰 화재로 가족을 잃은 사람이 다음과 같은 증상으로 일상생활에 심각한 문제가 발생하고 있다. 의심할 수 있는 정신장애는?

- 고통스러운 당시 상황이 반복하여 떠오름
- 화재사고 상황에 대하여 말하는 것을 꺼림
- 본인만 살아남은 것에 대해 심한 죄책감을 보임
- 과한 놀람 반응와 불안정한 수면 양상을 보임

① 성격장애
② 섭식장애
③ 양극성장애
④ 신체증상장애
⑤ 외상후스트레스장애

35 기출

방어기전 중 다음 <보기>에 해당하는 것은?

> · 마음을 편치 않게 하는 성격의 일부가 그 사람의 지배를 벗어나 하나의 독립된 성격인 것처럼 행동하는 것

① 해리
② 전치
③ 반동형성
④ 학동기 아동
⑤ 임산부

36 기출

"나는 술을 마시지만 자주 마시지 않아 문제가 전혀 없어요."라고 말하는 알코올 중독환자가 사용한 방어기전은?

① 억압
② 억제
③ 부정
④ 투사
⑤ 반동형성

제3장 | 노인보건

37 기출

노인보건사업이 필요한 이유로 옳은 것은?

① 노인 인구 감소
② 노인 진료비 감소
③ 노인의 평균 수명 감소
④ 노인의 만성질환 유병률 감소
⑤ 노인의 일상생활수행능력 감소

38 기출

보건소에서 실시하는 노인 건강증진사업으로 옳은 것은?

① 경로 식당 운영
② 노인 대학 운영
③ 여가 생활 지원
④ 노인경로당 증대
⑤ 만성질환 관리

제4장 | 방문보건

39 기출

노인장기요양보험에서 가정방문 간호 시 자격기준으로 옳은 것은?

① 임상실무 경력 2년 이상 간호사
② 임상실무 경력 2년 이상 물리치료사
③ 임상실무 경력 2년 이상 사회복지사
④ 임상실무 경력 2년 이상 간호조무사
⑤ 일하고 있지 않은 치과위생사

40 기출

다음은 노인장기요양보험의 재가급여 중 무엇에 해당하는가?

> · 의사, 한의사 또는 치과의사의 지시에 따라 수급자의 가정 등을 방문하여 간호, 진료의 보조, 요양에 관한 상담 또는 구강위생 등을 제공하는 급여

① 단기보호 ② 방문간호
③ 방문목욕 ④ 방문요양
⑤ 주·야간보호

41 [기출]

뇌경색증을 진단받은 50세 남자가 가정에서 장기요양서비스를 제공받고자 할 때 신청할 수 있는 보험제도(A)와 보험급여(B)가 옳게 묶인 것은?

	A	B
①	국민건강보험	간병비
②	국민건강보험	재가급여
③	노인장기요양보험	간병비
④	노인장기요양보험	재가급여
⑤	노인장기요양보험	시설급여

42

가정방문 간호에 있어 방문의 간격이나 횟수는 누가 결정하는가?

① 보건소장
② 간호조무사
③ 보건소 보건계장
④ 보건소 행정계장
⑤ 지역사회 보건간호사

43 [기출]

노인장기요양보험제도에서 방문간호에 대한 설명으로 옳은 것은?

① 신체활동과 가사활동을 지원한다.
② 방문간호지시서에 따라 서비스를 제공한다.
③ 목욕설비를 갖춘 장비를 이용하여 서비스를 제공한다.
④ 간호조무사 자격 취득과 동시에 방문간호 서비스를 제공할 수 있다.
⑤ 수급자를 하루 중 일정시간 동안 장기요양기관에서 보호하는 서비스이다.

44 [기출]

보건소 방문건강관리사업에 대한 내용으로 옳은 것은?

① 「국민건강보험법」에 근거한다.
② 질병 진단과 치료 서비스를 제공한다.
③ 민간병원 중심으로 서비스를 제공한다.
④ 비용은 대상자가 시간당 수가로 지불한다.
⑤ 취약계층을 중점 대상으로 서비스를 제공한다.

45 [기출]

방문간호사가 방문간호를 하는 목적으로 옳은 것은?

① 식품 지원
② 질병 치료
③ 빈곤가정의 경제 지원
④ 자기건강관리 능력의 향상
⑤ 건강관리사업기관을 방문 권유

46 [기출]

간호조무사의 가정방문 활동의 목적은?

① 환경위생 개선공사 시행
② 대상자의 경제상황 개선
③ 가족을 단위로 한 건강관리
④ 대상자 및 가족의 질병진단
⑤ 결핵환자의 객담 수집 및 진료

47 [기출]

간호조무사가 가정방문 중에 해야 할 사항으로 옳은 것은?

① 회의를 거쳐서 평가한다.
② 방문할 교통편을 확인해본다.
③ 방문 시 필요한 서류를 챙긴다.
④ 가정방문에서 주거 환경을 관찰한다.
⑤ 방문 가정에 대해 과거 기록을 찾아본다.

48

가정방문 시 관절염으로 거동이 불편한 어르신을 발견하였을 경우 수행할 업무로 옳지 <u>않은</u> 것은?

① 집안 외부구조를 파악한다.
② 환자가 호소하는 증상을 들어준다.
③ 가족관계 등 가족구성원을 파악한다.
④ 약물을 정확히 복용하고 있는 지를 확인한다.
⑤ 최근 의료기관에 진료한 적이 있는지 확인한다.

49

지역사회 간호사업에서 이루어지는 가정방문에 대한 내용으로 옳지 <u>않은</u> 것은?

① 실제 가정환경에서 자료를 수집할 수 있다.
② 실제 상황에 적절한 간호를 제공할 수 있다.
③ 가족 전체의 강점과 취약점을 확인할 수 있다.
④ 간호조무사의 시간과 비용이 최소로 절약된다.
⑤ 활용 가능한 가족 내 자원을 직접 파악할 수 있다.

50

가정방문의 장점으로 옳지 <u>않은</u> 것은?

① 가족 내 자원을 활용할 수 있다.
② 가장 효과적인 보건교육을 할 수 있다.
③ 대상자에 대한 종합적인 파악이 가능하다.
④ 거동이 불편한 대상자도 서비스를 받을 수 있다.
⑤ 같은 건강문제를 가진 사람과 정보를 공유할 수 없다.

51 기출

가정방문 전 보건간호사가 해야 할 사항으로 옳은 것은?

① 간호사의 비용과 시간이 절약된다.
② 가정 방문 간호사가 방문 횟수를 늘린다.
③ 치료할 물품과 개인 소지품을 함께 넣는다.
④ 방문간호사가 편한 날짜로 방문일을 정한다.
⑤ 기록을 읽어보고 방문 날짜, 방문할 순서대로 물품을 준비한다.

52 기출

지역사회에서 가정방문을 계획할 때 방문할 대상자의 순서로 옳은 것은?

① 당뇨병 노인 - 성홍열 아동 - 초생아 - 미숙아
② 초생아 - 매독 임부 - 폐렴 아동 - 당뇨병 노인
③ 미숙아 - 당뇨병 임부 - 폐렴 아동 - 폐결핵 성인
④ 폐결핵 노인 - 성홍열 아동 - 초생아 - 당뇨병 임부
⑤ 임신중독증 임부 - A형 감염환자 - 미숙아 - 폐결핵 성인

53 기출

가정방문의 우선순위에 관한 설명으로 옳은 것은?

① 집단보다 개인이 우선이다.
② 급성질환보다 만성질환이 우선이다.
③ 면역력이 높은 집단일수록 우선이다.
④ 경제 정도, 교육정도가 높은 층이 우선이다.
⑤ 감염성 질환보다 비감염성 질환이 우선이다.

CHAPTER
06 의료관계법규

제1장 | 의료법

01 기출

「의료법」에서 정의하는 의료인으로 묶인 것은?

① 의사, 한의사, 조산사, 간호사, 약사
② 의사, 요양사, 치과의사, 간호사, 약사
③ 의사, 치과의사, 한의사, 조산사, 간호사
④ 의사, 한의사, 임상병리사, 조산사, 간호사
⑤ 의사, 한의사, 수의사, 간호사, 치과기공사

02

「의료법」상 의료인에 해당되는 사람으로 옳은 것은?

① 약사
② 조산사
③ 요양보호사
④ 치과기공사
⑤ 임상병리사

03 기출

「의료법」상 다음에 해당하는 의료기관은?

> 100병상 이상 300병상 이하인 경우에는 내과, 외과, 소아청소년과, 산부인과 중 3개 진료과목, 영상의학과, 마취통증의학과와 진단검사의학과 또는 병리과를 포함한 7개 이상의 진료과목을 갖추고 각 진료과목마다 전속하는 전문의를 둘 것

① 의원
② 병원
③ 종합병원
④ 전문병원
⑤ 상급종합병원

04

「의료법」상 의료기관에 해당되지 <u>않는</u> 것은?

① 병원
② 조산원
③ 보건소
④ 치과병원
⑤ 종합병원

05

「의료법」상 종합병원의 시설 요건 중 수용할 수 있는 최저 입원환자 수에 해당되는 것은?

① 30명
② 80명
③ 90명
④ 100명
⑤ 300명

06

「의료법」상 의료기관을 개설할 수 <u>없는</u> 자에 해당하는 것은?

① 의사
② 한의사
③ 치과의사
④ 간호사
⑤ 조산사

07

「의료법」상 의료인의 결격사유에 해당하는 것으로 옳은 것은?

> 가. 마약, 대마 또는 항정신성 의약품 중독자
> 나. 금치산자, 한정치산자 선고를 받고 복권된 자
> 다. 정신질환자(단, 정신과 전문의가 의료인으로서 적합하다고 인정하는 사람은 예외)
> 라. 의료관련 법령위반으로 그 형의 집행이 종료된 자
> 마. 국가시험에 관하여 부정행위를 한 자

① 가, 다
② 가, 나, 다
③ 나, 라, 마
④ 가, 나, 다, 라
⑤ 가, 나, 다, 라, 마

08

「의료법」상 의료인의 품위손상행위에 해당하지 <u>않는</u> 것은?

① 비도덕적 진료행위
② 허위 또는 과다광고 행위
③ 불필요한 검사나 과잉진료 행위
④ 학문적으로 인정되지 아니하는 간호실무
⑤ 의료기관을 개설할 수 없는 자에게 고용되어 진료하는 행위

09

「의료법」상 의료인의 면허취소 사유가 <u>아닌</u> 것은?

① 면허증을 대여한 때
② 품위손상 행위를 한 때
③ 의료인 결격사유에 해당하게 된 때
④ 면허의 조건을 이행하지 아니한 경우
⑤ 자격정지 처분 기간 중에 의료 행위를 한 때

10 기출

간호조무사의 자격을 인정해주는 기관으로 옳은 것은?

① 보건복지부   ② 행정안전부
③ 여성가족부   ④ 질병관리본부
⑤ 기획재정부

11

간호조무사의 자격인정 및 그 업무한계 등에 관한 필요한 사항을 정하는 법령으로 옳은 것은?

① 대통령령
② 보건복지부령
③ 대한간호협회령
④ 간호조무사협회장령
⑤ 한국보건의료인 국가시험원장령

12

간호조무사는 병원에서 누구의 지시 감독하에 업무를 수행해야 하는가?

① 환자
② 병원장
③ 간호사
④ 업무부장
⑤ 간호과장

13 기출

「의료법」상 간호조무사의 업무로 옳은 것은?

① 간단한 진료 및 치료
② 치과 의료 및 구강 보건
③ 한방 의료 및 한방 보건
④ 검사물 채취 및 한방 보건
⑤ 간호사 보조 및 요양 위주 간호

14

다음 중 시·도지사의 자격인정을 받는 직종으로 옳은 것은?

가. 접골사	나. 침사
다. 구사	라. 요양보호사
마. 간호조무사	

① 가, 다
② 가, 나, 다
③ 나, 라, 마
④ 가, 나, 다, 라
⑤ 가, 나, 다, 라, 마

15

다음 중 요양병원에 입원할 수 있는 대상자로 옳지 않은 것은?

① 치매 환자
② 만성 질환자
③ 정신 질환자
④ 노인성 질환자
⑤ 상해 후 회복기 환자

16 기출

간호·간병통합서비스의 정의로 옳은 것은?

① 보건소에서 해주는 의료서비스
② 독거노인에 대한 정부 지원 서비스
③ 병원에서 보호자 없이 제공되는 입원서비스
④ 상조회사에서 제공되는 환자대상 의료서비스
⑤ 국립병원에서 실시되는 환자대상 의료서비스

17 기출

「의료법」상 의료인이나 의료기관 개설자가 10년 기간 동안 보존해야 하는 것은?

① 처방선
② 수술기록
③ 환자 명부
④ 간호기록부
⑤ 검사소견 기록

18

「의료법」상 진료에 관한 기록과 그 보존기간의 연결이 잘못된 것은?

① 환자명부 – 10년
② 간호기록부 – 5년
③ 진료기록부 – 10년
④ 수술기록부 – 10년
⑤ 방사선사진 및 그 소견서 – 5년

19

다음 중 인공임신중절수술의 허용에 해당하지 않는 것은?

① 금치산자, 한정치산자인 경우
② 모체의 건강을 심히 해할 경우
③ 본인의 유전학적 질환이 있는 경우
④ 강간, 준강간으로 인한 임신인 경우
⑤ 혼인이 불가능한 혈족간의 임신인 경우

제2장 | 정신건강증진 및 정신질환자 복지서비스 지원에 관한 법률 (정신건강복지법)

20

「정신건강증진 및 정신질환자 복지서비스 지원에 관한 법률」상 기본이념에 대한 설명으로 옳지 않는 것은?

① 모든 정신질환자는 최적의 치료를 받을 권리를 보장받는다.
② 모든 정신질환자는 인간으로서의 존엄과 가치를 보장받는다.
③ 입원 중인 정신질환자는 가능한 한 자유로운 환경이 보장되어야 한다.
④ 모든 정신질환자는 정신질환이 있다는 이유로 차별대우를 받지 않는다.
⑤ 입원치료가 필요한 정신질환자에 대하여는 강제적 입원이 이루어져야 한다.

21

「정신건강증진 및 정신질환자 복지서비스 지원에 관한 법률」상 정신보건의 목적으로 옳은 것은?

> 가. 유전병의 조기발견
> 나. 정신질환 예방
> 다. 정신질환자의 격리
> 라. 정신질환자의 치료
> 마. 건전한 정신기능의 유지

① 가, 다
② 가, 나, 다
③ 나, 라, 마
④ 가, 나, 다, 라
⑤ 가, 나, 다, 라, 마

22 기출

「정신건강증진 및 정신질환자 복지서비스 지원에 관한 법률」상 부양의무자로서 정신질환자의 보호의무자가 될 수 있는 사람은?

① 미성년자
② 행방불명자
③ 피성년후견인
④ 피한정후견인
⑤ 파산선고 후 복권된 자

23

「정신건강증진 및 정신질환자 복지서비스 지원에 관한 법률」상 정신질환자의 보호의무자로 가능한 사람으로 옳은 것은?

① 고령자
② 미성년자
③ 행방불명자
④ 금치산자, 한정치산자
⑤ 파산선고를 받고 복권되지 아니한 자

24 기출

「정신건강증진 및 정신질환자 복지서비스 지원에 관한 법률」상 정신의료기관의 장은 자의로 입원한 정신질환자에게 몇 개월마다 퇴원 의사를 확인해야 하는가?

① 2개월　　② 4개월　　③ 6개월
④ 8개월　　⑤ 10개월

25 기출

「정신건강증진 및 정신질환자 복지서비스 지원에 관한 법률」상 다음에서 설명하는 입원의 종류는?

> 정신적으로 문제가 있어 자주 폭력적인 언행을 하는 20대 남성의 부모 2인은 정신건강의학과 전문의의 입원이 필요하다는 진단을 받고 정신병원에 아들의 입원을 신청하였다.

① 자의입원
② 동의입원
③ 응급입원
④ 보호의무자에 의한 입원
⑤ 시장·군수·구청장에 의한 입원

26 기출

「정신건강증진 및 정신질환자 복지서비스 지원에 관한 법률」상 다음에서 설명하는 입원의 종류는?

> 에게 해를 끼칠 위험이 큰 사람을 발견한 사람은 그 상황이 매우 급박하여 입원 등을 시킬 시간적 여유가 없을 때에는 의사와 경찰관의 동의를 받아 정신의료기관에 입원을 의뢰할 수 있다.

① 동의입원
② 응급입원
③ 자의입원
④ 보호의무자에 의한 입원
⑤ 시장·군수·구청장에 의한 입원

27

「정신건강증진 및 정신질환자 복지서비스 지원에 관한 법률」상 정신보건 전문요원으로 옳은 것은?

① 정신과의사
② 정신보건요양사
③ 사회복귀시설의 장
④ 정신의료기관의 장
⑤ 정신보건사회복지사

28

정신질환 환자의 삼차간호에 해당되는 것은?

① 환경위생 개선
② 건강검진 실시
③ 인성교육 실시
④ 사회복귀 촉진 훈련
⑤ 정신보건시설 적응 훈련

29

정신과의료기관에서 의뢰한 정신질환자를 입소시켜 요양과 사회복귀를 촉진하기 위한 훈련기관으로 옳은 것은?

① 정신병원　　　　② 요양병원
③ 정신보건센터　　④ 사회복귀시설
⑤ 정신요양시설

30

정신보건시설과 관계 없는 것은?

① 보건의료원
② 정신요양시설
③ 정신의료기관
④ 정신질환자 생활시설
⑤ 정신질환자 사회복귀시설

31

「정신건강증진 및 정신질환자 복지서비스 지원에 관한 법률」상 정신질환자의 실태조사를 몇 년마다 실시해야 하는지 옳은 것은?

① 매 5년마다
② 매 10년마다
③ 보건복지부 장관이 필요하다고 인정하는 때
④ 보건소장의 요청에 의해 필요하다고 인정하는 때
⑤ 지방자치장의 판단 하에 필요하다고 인정하는 때

32

「정신건강증진 및 정신질환자 복지서비스 지원에 관한 법률」상 정신질환자 실태조사 내용으로 옳지 <u>않은</u> 것은?

① 정신질환의 발생원인, 유형 및 정도에 관한 사항
② 정신질환자의 성별, 연령, 학력, 결혼상태 및 가족사항에 관한 사항
③ 서비스 요구도 및 기타 정신과 전문의가 필요하다고 인정하는 사항
④ 정신질환자의 치료경력, 의료서비스 이용형태 및 치료비용에 관한 사항
⑤ 정신질환자의 취업, 직업훈련, 소득, 주거, 경제상태 및 복지서비스 정도에 관한 사항

33 기출

「정신건강증진 및 정신질환자 복지서비스 지원에 관한 법률」상 정신질환자의 권익 보호 및 지원에 대한 설명으로 옳은 것은?

① 정신의료기관 등의 장은 입원 등을 한 사람에 대하여 치료 또는 보호의 목적으로 신체적 제한을 할 수 있다.
② 정신의료기관 등의 장은 입원 등을 한 사람에 대하여 치료 목적으로 통신과 면회의 자유를 제한

할 수 있다.
③ 정신질환자를 보호할 수 있는 시설 외의 장소에 정신질환자를 수용하여서는 아니된다.
④ 국가 또는 지방자치단체는 정신질환자의 사회적 응을 촉진시키기 위하여 의료비의 경감·보조나 그 밖에 필요한 지원을 할 수가 없다.
⑤ 누구든지 응급입원의 경우를 제외하고는 정신질환자를 정신의료기관 등에 입원 등을 시키거나 입원 등의 기간을 연장할 수 있다.

34 기출

「정신건강증진 및 정신질환자 복지서비스 지원에 관한 법률」상 정신질환자에게 노동을 강요했을 때의 벌금으로 옳은 것은?

① 1년 이하 징역 천만원 이하 벌금
② 2년 이하 징역 2천만원 이하 벌금
③ 3년 이하 징역 3천만원 이하 벌금
④ 4년 이하 징역 4천만원 이하 벌금
⑤ 5년 이하 징역 5천만원 이하 벌금

제3장 | 결핵예방법

35 기출

「결핵예방법」상 임상적, 방사선학적 또는 조직학적 소견상 결핵에 해당되지만 결핵균 검사에서 양성으로 확인되지 <u>않은</u> 자는?

① 폐렴
② 폐결핵
③ 결핵의사환자
④ 활동성결핵환자
⑤ 잠복기결핵환자

36

「결핵예방법」상에 명시된 대한결핵협회의 설치 목적으로 옳지 <u>않은</u> 것은?

① 결핵예방사업
② 결핵퇴치사업
③ 결핵에 관한 연구
④ 결핵에 관한 조사
⑤ 결핵병원관리사업

39 기출

「결핵예방법」상 병원에서 근무하는 간호조무사는 결핵 검사를 몇 년에 한번 씩 받아야 하는가?

① 매년
② 2년
③ 3년
④ 4년
⑤ 5년

37 기출

「결핵예방법」상 결핵환자의 진단을 보고받은 의료기관의 장은 누구에게 신고해야 하는가?

① 시·도지사
② 관할 보건소장
③ 보건복지부장관
④ 대한결핵협회장
⑤ 시장·군수·구청장

40

「결핵예방법」상 결핵예방접종을 받아야 할 의무 대상자로 옳은 것은?

① 초등학교 1학년 아동
② DPT 예방접종이 끝난 영아
③ 출생 후 1개월 이내의 신생아
④ 홍역예방접종을 마친 12개월 아동
⑤ MMR 예방접종을 마친 15개월 아동

38

「결핵예방법」상 의료업무 종사자가 결핵환자를 진단하였을 경우 취해야 하는 내용으로 옳은 것은?

① 10일 이내 주민등록주소지에 신고한다.
② 7일 이내 관할 보건소 소장에게 신고한다.
③ 24시간 이내 관할 보건소 소장에게 신고한다.
④ 7일 이내 본적지 시장, 군수, 구청장에게 신고한다.
⑤ 30일 이내 현재 살고 있는 지역의 시장, 군수, 구청장에게 신고한다.

41 기출

「결핵예방법」상 전염성 결핵환자에 대하여 접객업이나 그 밖에 사람들과 접촉이 많은 업무에 종사하는 것을 일시 제한할 수 있는 자는?

① 대통령
② 보건복지부장관
③ 시장·군수·구청장
④ 보건소장
⑤ 담당의사

42

「결핵예방법」상 감염성 결핵환자의 취업이 정지 또는 금지되는 업무로 옳은 것은?

> 가. 식품접객업
> 나. 미용업
> 다. 의료인의 업무 및 보조
> 라. 원양구역을 항해구역으로 하는 객실승무원의 1일 8시간 이상 비행 근무 업무
> 마. 환경미화업무

① 가, 다
② 가, 나, 다
③ 나, 라, 마
④ 가, 나, 다, 라
⑤ 가, 나, 다, 라, 마

43 기출

「결핵예방법」상 결핵관리업무 종사자가 업무 중 알게 된 환자의 비밀을 정당한 사유 없이 누설했을 시의 벌칙은?

① 500만원 이하의 벌금
② 1천만원 이하의 벌금
③ 2년 이하의 징역 또는 1천만원 이하의 벌금
④ 2년 이하의 징역 또는 2천만원 이하의 벌금
⑤ 3년 이하의 징역 또는 3천만원 이하의 벌금

44

「결핵예방법」상 정당한 이유 없이 결핵환자의 입원을 거절한 병원장에 대한 벌칙으로 옳은 것은?

① 1년 이하의 징역 또는 200만 원 이하의 벌금
② 2년 이하의 징역 또는 600만 원 이하의 벌금
③ 3년 이하의 징역 또는 3,000만 원 이하의 벌금
④ 4년 이하의 징역 또는 1,500만 원 이하의 벌금
⑤ 5년 이하의 징역 또는 2,000만 원 이하의 벌금

45

「결핵예방법」상 결핵환자의 격리치료 거부 시 처해지는 벌칙으로 옳은 것은?

① 200만원 이하 과태료
② 500만원 이하 벌금
③ 1000만원 이하 벌금
④ 3년 이하 징역 또는 3천만원 이하 벌금
⑤ 5년 이하 징역 또는 5천만원 벌금

제4장 | 구강보건법

46

다음 중 「구강보건법」의 목적으로 옳은 것은?

① 국민의 구강건강을 증진하기 위함이다.
② 학교 구강보건사업을 알리기 위함이다.
③ 수돗물불소농도 조정사업을 확장하기 위함이다.
④ 지방자치단체의 구강사업을 실천하기 위함이다.
⑤ 구강질환 예방을 위한 용품을 보급하기 위함이다.

47

「구강보건법」상 수돗물불소농도조정사업의 목적은?

① 구강검진
② 구강보건교육
③ 치아우식증 예방
④ 구강관리용품 배포
⑤ 구강위생관리 지도 및 실천

48 기출

「구강보건법」상 영유아 구강보건교육 계획을 수립하여 실시해야 하는 횟수는?

① 1년   ② 2년
③ 3년   ④ 4년
⑤ 5년

49

「구강보건법」 제6조에 명시된 구강보건사업 기본계획에 포함되지 않은 것은?

① 학교 구강보건사업
② 사업장 구강보건사업
③ 중환자의 특별 구강간호
④ 노인 및 장애인 구강보건사업
⑤ 구강보건에 관한 조사, 연구 및 교육사업

50 기출

「구강보건법」상 구강건강실태는 몇 년마다 조사하여야 하는가?

① 1년   ② 2년
③ 3년   ④ 4년
⑤ 5년

51

「구강보건법」상 수돗물불소화사업과 관련된 보건소장의 업무로 옳지 않은 것은?

① 불소투입시설의 점검
② 불소 농도 측정 및 기록
③ 불소제제의 보관 및 관리
④ 수돗물불소화사업에 대한 교육
⑤ 수돗물불소화사업에 대한 홍보

52

수돗물불소농도조정사업을 계획·시행하는 사람으로 옳은 것은?

① 보건소장
② 시·도지사
③ 질병관리본부장
④ 상수도사업소장
⑤ 보건복지부장관

53 기출

1일 1회 불소용액 양치 시 양치액에 불소 포함 농도로 옳은 것은?

① 0.01%   ② 0.05%
③ 0.1%   ④ 0.2%
⑤ 0.5%

54 기출

「구강보건법」상 주 1회 양치하는 경우, 불소용액 양치사업에 필요한 불소용액 농도는 양치액의 몇 퍼센트인가?

① 0.05%   ② 0.08%
③ 0.1%   ④ 0.15%
⑤ 0.2%

55

「구강보건법」상 임산부에게 실시하는 구강건강진단의 내용으로 옳지 않은 것은?

① 구강질환상태
② 치주질환상태
③ 구강발육상태
④ 치아우식증 상태
⑤ 치아마모증 상태

56 기출

「구강보건법」상 모자보건수첩을 발급받은 임산부에게 구강검진을 실시해야 하는 사람으로 옳은 것은?

① 치과의사
② 보건소장
③ 보건진료소장
④ 보건복지부장관
⑤ 시장·군수·구청장

59 기출

「혈액관리법」상 5년 이하의 징역 또는 5천만원 이하의 벌금에 해당되는 경우는?

① 혈액 매매행위를 한 자
② 혈액제제의 수가를 위반하여 혈액제제를 공급한 자
③ 채혈 전에 헌혈자에 대하여 건강진단을 하지 아니한 자
④ 부적격혈액을 수혈받은 사람에게 이를 알리지 아니한 자
⑤ 건강진·채혈·검사 등 업무상 알게 된 다른 사람의 비밀을 누설하거나 발표한 자

제5장 | 혈액관리법

57 기출

「혈액관리법」상 허용되는 것은?

① 타인의 헌혈증서를 구입함
② 자신의 헌혈증서를 타인에게 판매함
③ 자신의 헌혈증서를 타인에게 기부함
④ 자신의 혈액을 금전상의 대가를 받고 타인에게 제공함
⑤ 타인의 혈액을 금전상의 대가를 받고 제3자에게 제공하도록 알선함

60

「혈액관리법」에서 정하는 혈액업무에 포함되지 않는 것은?

① 채혈
② 검사
③ 제조
④ 헌혈
⑤ 품질관리

58

「혈액관리법」상 혈액매매행위 금지에 해당되지 않은 것은?

① 헌혈증서 구입
② 헌혈증서 판매
③ 혈액수가의 조정
④ 헌혈증서 판매 방조
⑤ 자신의 혈액을 금전상 대가를 받고 제공함

61 기출

「혈액관리법」상 헌혈자에 대하여 채혈을 하기 전에 실시하여야 하는 건강진단은?

① 심전도 검사
② 폐활량 검사
③ 산소포화도 측정
④ 체온 및 맥박 측정
⑤ 단순흉부방사선촬영

62 기출

「혈액관리법」상 혈액원에서 헌혈자에게 채혈 전 실시해야 할 건강검진 항목으로 옳은 것은?

① 빈혈 검사
② 매독 검사
③ B형 간염 검사
④ C형 간염 검사
⑤ 후천성면역결핍증 검사

63

「혈액관리법」상 혈액원이 채혈 전 헌혈자에게 실시하는 건강진단이 아닌 것은?

① 혈압 측정
② 체온, 맥박 측정
③ 문진, 시진, 촉진
④ 산소포화도 측정
⑤ 적혈구용적률 검사에 의한 빈혈검사

64

「혈액관리법」상 헌혈을 위한 혈액을 채혈할 때 실시하는 검사가 아닌 것은?

① ALT 검사
② 혈당 검사
③ B형간염 검사
④ C형간염 검사
⑤ 후천성면역결핍증 검사

65 기출

헌혈 시 「혈액관리법」에서 채혈이 금지된 사람은?

① 수혈 후 2년 경과된 자
② 체중이 45kg 미만인 성인 여자
③ 홍역, 수두 예방접종 후 2개월이 경과된 자
④ B형간염 면역글로불린 투여 후 2년 경과된 자
⑤ 급성감염질환 의심 증상이 없어진지 4일 경과된 자

66

다음 중 혈액제제가 아닌 것은?

① 전혈
② 칼슘제제
③ 농축적혈구
④ 농축혈소판
⑤ 신선동결혈장

67

「혈액관리법」상 특정수혈 부작용으로 옳지 않은 것은?

① 장애
② 사망
③ 피부발진과 고열
④ 입원 치료를 요하는 부작용
⑤ 바이러스 등에 의하여 감염되는 질병

68

혈액관리법상 특정수혈 부작용으로 사망한 경우에 신고 시기로 옳은 것은?

① 7일 이내
② 14일 이내
③ 20일 이내
④ 30일 이내
⑤ 지체 없이 즉시

69 기출

「혈액관리법」상 부적격 혈액을 폐기처분한 후 그 결과를 누구에게 보고해야 하는가?

① 보건소 소장
② 질병관리청장
③ 혈액관리 업체
④ 보건복지부 장관
⑤ 대한적십자사 사장

제6장 | 감염병의 예방 및 관리에 관한 법률

70 기출

「감염병의 예방 및 관리에 관한 법률」상 감염병의사환자의 정의로 옳은 것은?

① 병원체를 보유하고 있는 자
② 현재 감염병을 앓고 있는 자
③ 현재 증상이 나타나고 있는 자
④ 감염이 의심되나 확인이 되지 않은 자
⑤ 임상증상은 없으나 감염병병원체를 보유하고 있는 자

71 기출

「감염병의 예방 및 관리에 관한 법률」상 다음에서 설명하는 용어로 옳은 것은?

> • 감염병환자 등이 발생한 경우 감염병의 차단과 확산 방지 등을 위하여 감염병환자 등의 발생 규모를 파악하고 감염원을 추적하는 등의 활동

① 감시
② 역학조사
③ 표본감시
④ 감염병의 예방 조치
⑤ 감염병 유행에 대한 방역 조치

72 기출

「감염병의 예방 및 관리에 관한 법률」상 다음의 특징을 가진 감염병은?

> • 집단 발생의 우려가 크고, 치명률이 높음
> • 유행 즉시 높은 수준의 격리가 필요함
> • 신종인플루엔자, 중동호흡기증후군(MERS), 코로나19(COVID-19) 등이 포함됨

① 제1급감염병
② 제2급감염병
③ 제3급감염병
④ 제4급감염병
⑤ 제5급감염병

73 기출

「감염병의 예방 및 관리에 관한 법률」상 그 발생을 계속 감시할 필요가 있어 발생 또는 유행 시 24시간 이내에 신고하여야 하는 감염병은?

① 탄저   ② 페스트
③ 연성하감   ④ 쯔쯔가무시증
⑤ 신종인플루엔자

74

「감염병의 예방 및 관리에 관한 법률」상 유행 여부를 조사하기 위해 표본감시 활동이 필요한 감염병으로 보건복지부령으로 정하는 감염병에 해당되는 것은?

① 지정감염병
② 제1급감염병
③ 제2급감염병
④ 제3급감염병
⑤ 제4급감염병

75 기출

「감염병의 예방 및 관리에 관한 법률」상 예방접종을 시행하여 범유행성(pandemic)에 대응하는 감염병 관리방법은?

① 병원체 제거
② 보균자 격리
③ 숙주 면역력 증강
④ 병원체 탈출 방해
⑤ 숙주 감수성 강화

76 기출

「감염병의 예방 및 관리에 관한 법률」상 환자나 임산부 등이 의료행위를 적용받는 과정에서 발생한 감염병으로써 감시활동이 필요한 감염병의 종류로 옳은 것은?

① 기생충 감염병
② 성 관련 감염병
③ 생물학적 감염병
④ 의료 관련 감염병
⑤ 중복 감염병

77

「감염병의 예방 및 관리에 관한 법률」상에 규정된 정기예방접종을 해야 하는 감염병이 <u>아닌</u> 것은?

① 홍역
② 파상풍
③ 백일해
④ 장티푸스
⑤ 디프테리아

78 기출

DTaP로 예방접종할 수 있는 질환으로 옳은 것은?

① 폴리오, 백일해, 파상풍
② 디프테리아, 폴리오, 파상풍
③ 디프테리아, 백일해, 파상풍
④ 디프테리아, 폴리오, 백일해
⑤ 디프테리아, 백일해, 폴리오

79 기출

관할 보건소에서 진행하는 필수예방접종에 해당하는 질병으로 옳은 것은?

① 홍역
② 탄저병
③ 한센병
④ 페스트
⑤ 장티푸스

80

임시 예방접종을 시행하고자 할 때 공고해야 할 내용으로 옳지 <u>않은</u> 것은?

① 장소
② 기일
③ 예방접종 부위
④ 예방접종의 종류
⑤ 예방접종 받을 자의 범위

81

사망진단서 또는 시체검안서를 교부할 수 있는 자로 옳은 것은?

① 한의사
② 간호사
③ 조산사
④ 물리치료사
⑤ 응급구조사

PART

04

기본간호 실기

파워 간호조무사 **국가시험 예상문제집**

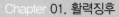

CHAPTER
01 활력징후

제1장 | 활력징후

01

다음 중 주관적인 징후로 옳은 것은?

① 불안
② 청색증
③ 얼굴 표정
④ 빠른 맥박
⑤ 체온 상승

03 기출

성인 활력징후 중 이상 소견으로 간호사에게 즉시 보고해야 하는 것은?

① 호흡 18회
② 맥박 115회
③ 직장체온 37.4℃
④ 혈압 100/70 mmHg
⑤ 맥박 산소포화도 97%

제2장 | 체온

02 기출

5개월 된 영아의 맥박을 안정 시에 측정한 결과 중 간호사에게 즉시 알려야 하는 경우는?

① 60회/분
② 80회/분
③ 100회/분
④ 120회/분
⑤ 140회/분

04

체온측정 시 갑자기 높은 체온의 환자를 발견했을 때 간호로 옳은 것은?

① 해열제를 준다.
② 얼음주머니를 대준다.
③ 즉시 알코올로 목욕시켜 안정시킨다.
④ 가족에게 알리고 환자를 안정시킨다.
⑤ 다른 체온계로 재어 확인한 후 보고한다.

05

구강체온과 액와체온의 설명으로 옳은 것은?

① 구강이 액와보다 $0.5°F$ 높다.
② 구강이 액와보다 $0.5°F$ 낮다.
③ 구강이 액와보다 $0.5°C$ 높다.
④ 구강이 액와보다 $0.5°C$ 낮다.
⑤ 구강체온과 액와체온은 차이가 없다.

06

다음 중 체온측정시간으로 옳은 것은?

① 액와체온 : 3~5분
② 고막체온 : 2~5초
③ 구강체온 : 1~2분
④ 직장체온 : 8~10분
⑤ 전자체온계 : 5~10분

07 기출

액와체온 측정을 바르게 설명한 것은?

① 구강체온 측정보다 정확한 측정이다.
② 심부체온을 재는 가장 정확한 방법이다.
③ 영유아에게 가장 신속하게 측정할 수 있는 방법이다.
④ 액와체온계의 탐침 부분을 액와 중앙에 놓고 측정한다.
⑤ 액와에 땀이 있을 경우 수건으로 비벼서 닦은 후 측정한다.

08

액와체온 측정에 관한 내용으로 옳지 <u>않은</u> 것은?

① 3~5분간 측정한다.
② 무의식환자나 쇠약한 노인환자를 측정한다.
③ 겨드랑이의 땀을 수건으로 가볍게 두드려준다.
④ 체온계의 수은구가 액와 중앙에 밀착되도록 한다.
⑤ 측정 전에 수은이 $35°C$ 이하로 내려가도록 체온계를 흔든다.

09

구강체온을 측정할 수 있는 환자로 옳은 것은?

① 정신병 환자
② 호흡곤란 환자
③ 구강수술 환자
④ 의식불명 환자
⑤ 절대안정 환자

10 기출

고막체온 측정 방법으로 옳은 것은?

① 외이도 쪽으로 강하게 넣는다.
② 보청기를 낀 상태에서 측정한다.
③ 소아는 귓바퀴 후하방으로 잰다.
④ 탐침 삽입 후 2~5분 후에 측정한다.
⑤ 탐침을 넣고 밀면서 머리쪽으로 이동한다.

11 기출

성인의 체온을 측정하는 방법으로 옳은 것은?

① 구강체온 측정 시 전자체온계의 탐침을 볼 점막에 삽입한다.
② 직장체온 측정 시 전자체온계의 탐침을 항문에 1 cm 깊이로 삽입한다.
③ 이마체온 측정 시 적외선체온계의 센서가 환자의 눈을 향하도록 댄다.
④ 액와체온 측정 시 전자체온계의 탐침이 겨드랑이 전액와선 위치에 오도록 꽂는다.
⑤ 고막체온 측정 시 귓바퀴를 후상방으로 잡아당겨 적외선 체온계의 센서가 고막을 향하도록 삽입한다.

12

병실에서 파손된 수은체온계의 처리방법으로 옳은 것은?

① 수은을 조심스럽게 모아 변기에 버린다.
② 진공청소기로 흩어진 수은을 모아 버린다.
③ 수은을 모아 휴지에 싸서 휴지통에 버린다.
④ 수은을 비닐봉지에 모아 일반쓰레기와 함께 버린다.
⑤ 수은이 손에 닿지 않게 모은 후 병원 폐기물 절차에 따라 처리한다.

13

체온계 소독에 사용되는 소독약으로 옳은 것은?

① 베타딘
② 70% 알코올
③ 헥사클로르펜
④ 과산화수소수
⑤ 3~5% 석탄산수

제3장 | 맥박

14

다음 중 맥박수를 증가시키는 요인으로 옳지 <u>않은</u> 것은?

① 운동
② 출혈
③ 복부통증
④ 체온상승
⑤ 부교감신경의 자극

15

출혈 시 나타나는 빈맥에 해당되는 것은?

① 60회/분
② 70회/분
③ 80회/분
④ 90회/분
⑤ 100회/분

16 기출

성인의 맥박측정방법으로 옳은 것은?

① 요골맥박은 엄지, 검지, 중지로 잰다.
② 병원 입원 시 15초간 재서 4를 곱한다.
③ 심첨맥박을 들을 때 청진기 종형으로 듣는다.
④ 심첨맥박은 쇄골과 늑간이 만나는 지점에서 한다.
⑤ 요골맥박이 불규칙하면 심첨맥박을 측정하여 비교한다.

17

맥박을 측정하는 방법으로 옳지 <u>않은</u> 것은?

① 맥박수, 강도, 리듬, 규칙성 등을 측정한다.
② 맥박이 불규칙한 경우 1분간 맥박수를 잰다.
③ 엄지손가락을 요골동맥 위에 놓고 맥박을 측정한다.
④ 심장 기능을 파악하기 위해 안정 후 맥박을 측정한다.
⑤ 손목 안쪽 엄지손가락을 연결하는 선 위에서 요골 동맥을 찾는다.

18

다음 중 맥박 측정이 가능한 부위로 옳은 것은?

가. 측두동맥	나. 대동맥
다. 경동맥	라. 관상동맥
마. 폐동맥	

① 가, 다
② 가, 나, 다
③ 나, 라, 마
④ 가, 나, 다, 라
⑤ 가, 나, 다, 라, 마

19 기출

발의 혈액순환 상태를 확인하기 위한 맥박측정부위는?

① 경동맥
② 측두동맥
③ 족배동맥
④ 상완동맥
⑤ 요골동맥

20 기출

부정맥이 있는 성인 환자의 맥박을 정확하게 측정할 수 있는 부위는?

① 측두맥박
② 심첨맥박
③ 상완맥박
④ 슬와맥박
⑤ 족배맥박

21

심첨맥박 측정에 관한 내용으로 옳지 <u>않은</u> 것은?

① 10초 동안 잰다.
② 왼쪽가슴을 노출시켜 청진한다.
③ 환자를 눕게 하거나 앉게 한 후 측정한다.
④ 측정하는 동안 맥박수, 강도와 규칙성 등을 평가한다.
⑤ 왼쪽 쇄골 중앙선에서 5번째 늑골간에 청진기를 댄다.

제4장 | 호흡

22 기출

호흡측정방법으로 옳은 것은?

① 영아가 울고 있는 중일 때 잰다.
② 흡기와 호기를 각각 1회씩 체크한다.
③ 호흡측정 중 긴장을 풀기 위해 대화한다.
④ 요골맥박을 측정한 손을 그대로 두고 측정한다.
⑤ 호흡이 불규칙할 시 30초 측정 후 곱하기 2배 한다.

23 [기출]

활력징후 측정 중 환자가 인식하지 않도록 측정해야 하는 것은?

① 맥압
② 호흡
③ 맥박
④ 혈압
⑤ 체온

24

활력증상 측정 후 반드시 보고해야 할 호흡으로 옳지 <u>않은</u> 것은?

① 무호흡
② 얕고 빠른 호흡
③ 깊고 빠른 호흡
④ 성인의 1분당 호흡수 20회
⑤ 무호흡과 과도호흡이 주기적으로 교대되는 호흡

25

다음 중 저산소증의 증상이나 징후로 옳지 <u>않은</u> 것은?

① 혈압 저하
② 맥박의 증가
③ 안절부절, 근심, 불안
④ 호흡의 깊이와 수의 증가
⑤ 집중능력 및 의식수준의 감소

제5장 | 혈압

26

다음 중 혈압을 높이는 요인으로 옳은 것은?

가. 음식물 섭취	나. 운동
다. 흡연	라. 방광 팽창
마. 수면	

① 가, 다
② 가, 나, 다
③ 나, 라, 마
④ 가, 나, 다, 라
⑤ 가, 나, 다, 라, 마

27

다음 중 혈압을 저하시키는 요인으로 옳은 것은?

① 혈액점도 증가
② 골격근의 수축
③ 정맥환류량 증가
④ 순환혈액량 증가
⑤ 정맥벽 평활근의 이완

28

좌심실이 수축하여 대동맥 벽을 타고 흐를 때 생기는 압력으로 옳은 것은?

① 맥압
② 고혈압
③ 평균압
④ 이완기압
⑤ 수축기압

29 기출

혈압 측정에 대한 설명으로 옳은 것은?

① 커프 안에 청진기를 넣고 잰다.
② 커프의 넓이를 상완의 60%로 한다.
③ 팔을 심장보다 높이 올린 상태로 잰다.
④ 공기를 채운 상태에서 커프를 팔에 감는다.
⑤ 처음 울리는 혈류 소리가 수축기 혈압이다.

32

혈압측정 시 주로 이용되는 동맥으로 옳은 것은?

① 관상동맥
② 측두동맥
③ 상완동맥
④ 척골동맥
⑤ 요골동맥

30 기출

혈압측정방법에 관한 설명으로 옳은 것은?

① 환자의 팔을 심장과 같은 높이로 놓는다.
② 상완맥박 촉지 부위 2 cm 아래에 커프를 감는다.
③ 커프의 공기는 5 ~ 10 mmHg/초의 속도로 뺀다.
④ 상완맥박이 사라지는 지점까지 커프를 팽창시킨다.
⑤ 첫 심박소리가 들리는 지점을 이완기혈압으로 기록한다.

33

왼팔에 수액요법을 하고 있는 환자의 혈압을 측정하는 방법으로 옳은 것은?

① 평소 수축기압보다 40 mmHg 더 올린다.
② 오른쪽 팔꿈치 위 상박에 커프를 감고 측정한다.
③ 커프의 폭을 상박둘레보다 30% 넓은 것을 사용한다.
④ 정확히 듣지 못한 경우 최소한 5분을 기다렸다가 다시 측정한다.
⑤ 커프에서 수은주 눈금이 초당 7~8 mmHg 속도로 내려가게 한다.

31

혈압측정에 대한 내용으로 옳지 않은 것은?

① 팔을 심장높이로 하고 측정한다.
② 팔에서 측정 시 상완동맥에서 잰다.
③ 커프의 폭은 12~14 cm가 적당하다.
④ 팔꿈치 위 7 cm에 놓고 커프를 감는다.
⑤ 압력계의 계기로부터 90 cm 거리에 혈압계를 놓는다.

CHAPTER

02 영양과 배설

제1장 | 식사돕기

01 기출

환자의 일상적인 식사를 돕는 방법으로 옳은 것은?

① 가능하면 환자 스스로 먹게 한다.
② 상처 소독은 식사 직전에 시행한다.
③ 연하곤란이 있으면 죽보다 맑은 미음을 제공한다.
④ 똑바로 앉아 목을 뒤로 젖힌 자세에서 음식을 먹게 한다.
⑤ 음식물이 완전히 넘어가지 않은 상태에서 계속 음식물을 제공한다.

02 기출

연하곤란을 겪고 있는 노인의 식사 보조에 대한 설명으로 옳은 것은?

① 식사는 빠른 시간 내에 마치도록 한다.
② 흡인을 예방하기 위해 액체 음식을 준다.
③ 음식을 삼킬 때 상체를 숙이고 턱을 당긴다.
④ 타액 분비를 촉진시키기 위해 신맛이 강한 음식을 준다.
⑤ 편마비가 있는 환자의 경우 마비가 있는 쪽으로 음식을 준다.

03 기출

연하곤란 편마비 환자에게 발생할 수 있는 것은?

① 변비
② 설사
③ 흡인
④ 탈수
⑤ 복통

04

비위관을 삽입하고 있는 환자에게 편안감을 줄 수 있는 간호 방법으로 옳은 것은?

가. 구강 간호
나. 가습기 적용
다. 비강 간호
라. 체외로 나와 있는 튜브 고정
마. 산소 공급

① 가, 다
② 가, 나, 다
③ 나, 라, 마
④ 가, 나, 다, 라
⑤ 가, 나, 다, 라, 마

05 기출

비위관 삽입 길이를 측정하는 방법으로 옳은 것은?

① 입에서 귀, 귀에서 쇄골까지의 길이를 측정한다.
② 코끝에서 입, 입에서 배꼽까지의 길이를 측정한다.
③ 코끝에서 귀, 귀에서 검상돌기까지의 길이를 측정한다.
④ 입에서 쇄골, 쇄골에서 검상돌기까지의 길이를 측정한다.
⑤ 입에서 검상돌기, 검상돌기에서 배꼽까지의 길이를 측정한다.

06 기출

위관영양 시 주사기로 흡인한 위 내용물을 위로 다시 넣는 이유는?

① 기도 흡인 예방
② 위장관 출혈 방지
③ 복부 팽만감 완화
④ 미생물 전파 예방
⑤ 전해질 손실 방지

07 기출

위관영양에 대한 방법으로 옳은 것은?

① 위액을 확인 후 버린다.
② 1분에 150 mL씩 투여한다.
③ 주입 전에 실온 정도의 물을 30 cc 준다.
④ 몸통에서 영양백의 높이는 80 cm로 한다.
⑤ 영양액을 다 넣은 후 공기를 30 cc 넣어 준다.

08 기출

위관영양 후 취해야 할 체위로 옳은 것은?

① 복위
② 앙와위
③ 반좌위
④ 측위
⑤ 배횡와위

09 기출

위관영양을 실시할 때 간호보조활동으로 옳은 것은?

① 주입 직후 똑바로 눕게 한다.
② 주입 시 앙와위를 취하게 해 준다.
③ 주입 전 흡인했던 위 내용물을 버린다.
④ 주입 용기를 위(stomach)와 같은 높이에 위치하도록 한다.
⑤ 영양액은 분당 50 cc 이상 주입되지 않도록 조절기를 조정한다.

10

위관영양 실시에 관한 설명으로 옳은 것은?

> 가. 음식물 온도는 차게 주고 음식공급 전후 30~50 mL의 물을 준다.
> 나. 음식물 주입 전 반드시 위 내용물을 확인한다.
> 다. 자세는 앙와위를 취하고 약물투여 후 바로 눕도록 한다.
> 라. 음식물 주입 후에는 비위관을 조절기로 막아둔다.
> 마. 음식물을 천천히 계속 주입한다.

① 가, 다
② 가, 나, 다
③ 나, 라, 마
④ 가, 나, 다, 라
⑤ 가, 나, 다, 라, 마

제2장 | 섭취량과 배설량 측정

11 기출

섭취량과 배설량 측정 시 섭취량에 포함되는 것은?

① 출혈량
② 구토물
③ 상처 배액
④ 흉관 배액
⑤ 위관영양액

12 기출

섭취량과 배설량을 측정하는 방법으로 옳은 것은?

① 가글액은 배설량으로 측정한다.
② 수혈액은 섭취량에 포함시키지 않는다.
③ 소변주머니 양으로 배설량을 측정한다.
④ 기저귀를 찬 경우는 순수 배설량을 측정한다.
⑤ 경구 투여 시 마시는 물을 섭취량에 포함시키지 않는다.

13 기출

섭취량과 배설량 측정 시 배설량에 포함되는 것은?

① 가글액
② 상처 배액
③ 비위관 주입액
④ 복막투석 주입액
⑤ 정상호흡 시 수분 소실량

14

수분 섭취량과 배설량을 측정할 때 배설량에 포함되는 것으로 옳은 것은?

가. 출혈량	나. 비위관 배액
다. 상처배액	라. 구토물
마. 대변	

① 가, 다
② 가, 나, 다
③ 나, 라, 마
④ 가, 나, 다, 라
⑤ 가, 나, 다, 라, 마

15 기출

환자의 섭취량과 배설량을 기록할 때 옳은 것은?

① 연필로 작성한다.
② 계측기구로 계량하여 기록한다.
③ 관찰자가 자의적으로 작성한다.
④ 기록자만 알 수 있는 약어로 기록하다
⑤ 각 기록은 간호행위가 이루어진 직전, 직후가 동시에 기록되어야 한다.

16 기출

섭취량으로 기록되어야 하는 것은?

① 소변
② 구토
③ 설사
④ 가글액
⑤ 혈액 공급받은 용량

제3장 | 배변돕기

17

청결관장에 대한 설명으로 옳지 않은 것은?

① 체위는 앙와위가 이상적이다.
② 관장촉은 배꼽을 향해서 삽입한다.
③ 관장튜브 삽입 시 직장튜브에 윤활제를 바른다.
④ 튜브를 삽입하는 동안 입을 벌리고 숨을 쉬게 한다.
⑤ 환자가 복통을 호소할 때에는 관장용액의 흐름을 잠시 중단하였다가 계속한다.

18 기출

성인 배출관장 시 간호로 옳은 것은?

① 관장 시 심호흡을 금한다.
② 관장 용액은 36.5℃로 한다.
③ 관장통은 80 cm 높이로 한다.
④ 관장에 적절한 체위는 반좌위이다.
⑤ 적어도 10분 후에 배변하도록 한다.

19 기출

수술 전 관장을 시행하려고 할 때 환자의 자세로 적절한 것은?

① 앙와위
② 반좌위
③ 절석위
④ 좌측 심스 체위
⑤ 트렌델렌버그 체위

20

변비가 있는 대상자를 위한 간호로 옳지 않은 것은?

① 대상자에게 운동과 활동하도록 교육시킨다.
② 배변할 수 있는 충분한 시간을 주도록 한다.
③ 신선한 과일, 채소, 곡류의 섭취를 증가시킨다.
④ 배변 시 복부근육을 이완시키는 자세를 취하도록 한다.
⑤ 특별한 제한이 없는 한 충분한 수분섭취를 하도록 한다.

21

다음 중 관장의 종류에 따른 목적으로 옳은 것은?

① 배출관장-약물치료
② 구충관장-기생충 제거
③ 영양관장-장내 가스제거
④ 투약관장-분변 매복의 제거
⑤ 구풍관장-수분과 영양분 주입

22

정체관장 시 유의할 내용으로 옳지 않은 것은?

① 용액은 서서히 주입한다.
② 용액의 양은 200~250 cc로 한다.
③ 사용 약품은 용해되기 쉬운 것이어야 한다.
④ 용액이 장시간 장 내에 머물게 하기 위함이다.
⑤ 투약을 위한 경우는 시행 전에 청결관장을 한다.

23

배변을 촉진시키기 위해 좌약을 사용할 경우 옳지 않은 것은?

① 삽입 후 엉덩이를 눌러준다.
② 직장 벽에 닿도록 삽입한다.
③ 좌약에 윤활제를 바른 후 삽입한다.
④ 좌약을 삽입한 즉시 화장실에 가도록 한다.
⑤ 냉장 보관한 좌약은 1시간 정도 실온에 둔 후 삽입한다.

24 기출

엉덩이를 들어 올리지 못하는 환자에게 변기를 대주는 방법으로 옳은 것은?

① 바로 기저귀를 채워 준다.
② 간호조무사 쪽으로 환자를 돌린다.
③ 뾰족한 부분이 등쪽을 향하게 한다.
④ 측위 자세에서 변기를 대어 주고 앙와위로 눕힌다.
⑤ 누워 있는 자세에서 엉덩이를 들고 변기를 빨리 댄다.

25 기출

의식이 있는 부동환자에게 침대용 일반 변기를 적용하는 방법으로 옳은 것은?

① 배변이 끝날 때까지 옆에서 변기를 잡아 준다.
② 변기를 대어 준 후 침대머리를 엉덩이보다 낮게 해 준다.
③ 한 손으로 다리를 들고 엉덩이 밑으로 변기를 밀어 넣는다.
④ 변기의 낮고 둥근 부분이 환자의 발쪽으로 향하게 대어준다.
⑤ 측위에서 변기를 댄 후 앙와위로 돌려 눕히면서 엉덩이가 변기 위로 올라가게 한다.

26 기출

기저귀 착용 와상 환자의 간호시 보조 방법으로 옳은 것은?

① 기저귀는 6시간마다 교체한다.
② 실금 예방을 위해 수분섭취를 제한한다.
③ 실금의 횟수를 줄이기 위해 진정제를 투여한다.
④ 기저귀 안쪽의 오염물이 보이도록 말아서 버린다.
⑤ 허리를 들 수 없는 경우 옆으로 돌려서 갈아준다.

27

인공항문 세척 시 세척용액, 온도, 양, 세척통의 높이가 옳게 연결된 것은?

① 비눗물 − 38~40℃ − 약 2.5L − 약 50 cm
② 비눗물 − 35~37℃ − 약 3~4L − 약 60 cm
③ 수돗물 − 38~40℃ − 약 1~2L − 약 40 cm
④ 수돗물 − 43~45℃ − 약 1~2L − 약 30 cm
⑤ 생리식염수 − 38~40℃ − 약 1L − 약 30 cm

28

인공항문을 가진 환자 간호로 옳지 않은 것은?

① 규칙적인 배변훈련을 하도록 한다.
② 섬유질이 많은 음식은 되도록 삼간다.
③ 인공항문 세척은 항상 같이 옆에서 도와준다.
④ 음식으로 변을 조절할 수 있도록 가르쳐준다.
⑤ 인공항문 주위의 피부가 감염되지 않도록 한다.

제4장 | 배뇨돕기

29

요배설장애 중 24시간 소변 배설량이 100~400 mL 정도로 감소한 상태를 설명하는 용어로 옳은 것은?

① 긴박뇨
② 다뇨증
③ 요실금
④ 핍뇨증
⑤ 배뇨곤란

30 기출

자연배뇨를 촉진하는 방법으로 옳은 것은?

① 차가운 변기를 제공한다.
② 흐르는 물소리를 들려준다.
③ 손을 차가운 물에 담가 준다.
④ 하복부에 얼음 주머니를 대준다.
⑤ 도뇨관을 삽입하여 배뇨하게 한다.

31 기출

수술 후 대상자가 요의를 느끼지만 소변을 보지 못하고 있다. 자연배뇨를 유도하기 위한 방법으로 옳은 것은?

① 수분섭취를 제한한다.
② 배뇨 시 곁에서 격려한다.
③ 물 흐르는 소리를 듣게 해준다.
④ 손과 발을 차가운 물로 씻어준다.
⑤ 하복부에 얼음주머니를 대어준다.

32

비뇨기계 상태를 사정하기 위해 잔뇨량을 측정하는 방법으로 옳은 것은?

① 정체도뇨관에서 소변을 직접 채취한다.
② 섭취량과 배설량을 체크하여 측정한다.
③ 카테터를 제거 한 후 소변량을 측정한다.
④ 소변을 보고 난 뒤에 바로 단순도뇨관을 삽입하여 측정한다.
⑤ 요의를 느끼면 소변을 본 후 유치도뇨관을 삽입하여 측정한다.

33 기출

성인여자환자의 단순도뇨관 삽입 시 잘 되었다고 볼 수 있는 것은?

① 요도 카테터는 매일 갈아준다.
② 삽입된 도뇨관으로 소변이 나온다.
③ 요도 부위가 따끔따끔하다고 한다.
④ 도뇨관 삽입 시 아프지 않다고 한다.
⑤ 도뇨관 삽입 후 풍선에 생리식염수를 주입한다.

34 기출

단순도뇨의 방법으로 옳은 것은?

① 여자는 도뇨시 앙와위를 취하게 한다.
② 도뇨관은 허벅지 안쪽에 반창고로 고정한다.
③ 음순을 벌린 손은 도뇨관이 삽입될 때까지 유지한다.
④ 남자는 요도구 바깥쪽에서 안쪽으로 닦으면서 소독한다.
⑤ 도뇨관을 살짝 잡아당겨 풍선이 방광 안에 있는지 확인한다.

35

대상자에게 단순도뇨관이 필요한 경우가 <u>아닌</u> 것은?

① 시간당 소변량을 측정할 때
② 배뇨 후 잔뇨량을 측정할 때
③ 무균적으로 소변을 채취할 때
④ 일시적인 방광 팽만을 해결할 때
⑤ 수술 전에 방광을 비워 수술 시 인접기관의 손상을 방지할 때

38 기출

유치도뇨관이 삽입된 환자의 요로감염 예방법은?

① 수면 시에는 도뇨관을 잠가둔다.
② 소변이 고여 있도록 도뇨관을 꼬아둔다.
③ 소변수집주머니를 병실 바닥에 놓아둔다.
④ 소변수집주머니를 방광보다 아래에 놓아둔다.
⑤ 찢어진 소변수집주머니는 테이프로 붙여 사용한다.

36 기출

유치도뇨관 삽입환자에 대한 간호보조활동으로 옳은 것은?

① 도뇨관은 침상 난간에 고정한다.
② 밤사이 취침 중에는 도뇨관을 잠가 둔다.
③ 소변 배액 주머니는 바닥에 닿지 않게 한다.
④ 도뇨관은 알코올로 씻어 건조한 후 재사용한다.
⑤ 소변 배액 주머니는 도뇨관과 분리한 상태에서 비운다.

39

유치도뇨관 삽입환자의 소변주머니를 방광 위치보다 낮게 유지시키는 이유로 옳은 것은?

① 소변의 역류 방지
② 도뇨관 풍선의 파열 방지
③ 도뇨관과 연결관의 감염 방지
④ 도뇨관과 연결관의 꼬임 방지
⑤ 도뇨관과 연결관의 개방성 유지

37

대상자에게 유치도뇨관이 필요한 경우가 <u>아닌</u> 것은?

① 시간당 소변량을 측정해야 하는 경우
② 무균적 소변 검사물을 수집해야 하는 경우
③ 계속적으로 방광세척을 실시해야 하는 경우
④ 회음부 수술환자의 수술부위의 감염방지를 위한 경우
⑤ 자연배뇨가 불가능하여 계속적인 인공배뇨가 필요한 경우

40 기출

유치도뇨 중 세균 배양을 위한 소변 채취방법으로 옳은 것은?

① 도뇨관을 빼서 채취한다.
② 종이컵으로 중간뇨를 채취한다.
③ 소변주머니에서 멸균용기로 채취한다.
④ 도뇨관 내에 고여 있는 소변을 채취한다.
⑤ 도뇨관을 소독솜으로 닦고 멸균 주삿바늘을 도뇨관에 삽입하여 채취한다.

41

병원감염이 가장 잘 일어나는 신체부위로 옳은 것은?

① 신경계
② 호흡기계
③ 소화기계
④ 비뇨기계
⑤ 피부감각계

42 기출

유치도뇨관 삽입 시 회음부 간호로 옳은 것은?

① 측위로 한다.
② 휴지로 닦아 준다.
③ 수건이 물보다 더 깨끗하다.
④ 요도에서 항문으로 소독한다.
⑤ 요도-소음순-대음순 순서로 닦는다.

43 기출

인공배뇨 시 회음부 간호로 옳은 것은?

① 상, 하의를 모두 벗긴다.
② 한 개의 솜으로 여러 번 닦는다.
③ 항문에서 요도구 쪽으로 닦는다.
④ 요도, 소음순, 대음순 순서로 닦는다.
⑤ 음경은 요도구에서 원을 그리며 바깥 방향으로 닦는다.

CHAPTER 03 감염과 상처

제1장 | 소독과 멸균

01

소독과 멸균에 대한 용어 설명으로 옳은 것은?

가. 무균 – 감염되지 않은 상태
나. 소독 – 세균을 죽이는 것
다. 멸균 – 아포를 포함한 모든 미생물을 죽이는 것
라. 방부 – 감염되지 않은 상태로 병원성 미생물이 없
　　는 상태
마. 정균 – 미생물을 사멸하는 것

① 가, 다
② 가, 나, 다
③ 나, 라, 마
④ 가, 나, 다, 라
⑤ 가, 나, 다, 라, 마

02

소독과 멸균법에 관한 설명으로 옳은 것은?

가. 건열멸균은 섭씨 100℃에서 20분 동안 소독하며
　　모든 미생물은
　　파괴하지 못한다.
나. 저온살균법은 섭씨 63℃에서 30분 동안 소독하여
　　세균을 사멸한다.
다. E/O가스는 인체에 독성이 없고 모든 미생물과 아
　　포를 죽인다.
라. 고압증기멸균법은 병원균과 아포를 포함한 모든
　　미생물을 사멸시킨다.
마. 자불소독은 세균의 포자와 일부 바이러스는 죽이
　　지 못한다.

① 가, 다
② 가, 나, 다
③ 나, 라, 마
④ 가, 나, 다, 라
⑤ 가, 나, 다, 라, 마

03 기출

낮은 수준의 약한 소독으로도 소독이 가능한 물품은?

① 체온계
② 이동 겸자
③ 외과 기구
④ 검사용 바늘
⑤ 대장내시경 기구

04 기출

높은 수준의 소독이 요구되는 경우로 옳은 것은?

① 체온계 ② 청진기
③ 대변기 ④ 외과용 칼
⑤ 심전도기계

05 기출

120℃에서 30분의 고압증기를 이용하여 멸균시킬 수 있는 용품으로 옳은 것은?

① 연고, 내시경
② 스테인리스 곡반, 가운
③ 플라스틱, 유리제품
④ 종이, 외과용 수술기구
⑤ 고무제품, 드레싱 세트

06

고압증기멸균 물품 준비사항으로 옳지 <u>않은</u> 것은?

① 소독할 물품은 철저히 세척한다.
② 예리한 날이 있는 기구는 끝을 거즈로 싼다.
③ 한 겹의 소독방포에 여러 물품을 함께 포장한다.
④ 소독물품 꾸러미에 물품명과 소독날짜를 적는다.
⑤ 건조물품이 든 통이나 병의 뚜껑을 열고 포장한다.

07 기출

1~2시간 정도 160℃의 열을 이용하여 파우더를 멸균하는 방법은?

① 건열 멸균 ② 급속 멸균
③ 여과 멸균 ④ E.O.가스 멸균
⑤ 고압증기 멸균

08 기출

중앙공급실에서 플라스틱이나 고무제품의 멸균을 위해 선택하는 방법은?

① 급속 멸균 ② 건열 멸균
③ 여과 멸균 ④ 고압증기 멸균
⑤ E.O. 가스 멸균

09

고무제품이나 플라스틱제품을 멸균하는데 사용되는 방법으로 옳은 것은?

① 페놀
② 알코올
③ 과산화수소
④ 과망간산칼륨
⑤ 산화에틸렌가스(E/O gas)멸균

10

물품에 맞는 소독방법의 연결이 옳지 <u>않은</u> 것은?

① 식기-자비 소독
② 내시경-E/O가스 멸균
③ 플라스틱-E/O가스 멸균
④ 린넨류-고압증기 멸균법
⑤ 고무카테터-고압증기 멸균법

11

우유의 영양분 손실 방지를 위한 소독방법으로 옳은 것은?

① 저온살균법
② 세균여과법
③ 자비살균법
④ 방사선이용법
⑤ 자외선멸균법

12 기출

자비소독에 대한 방법으로 옳은 것은?

① 아포균까지 사멸한다.
② 기름이 묻은 물품은 그대로 소독한다.
③ 물품은 물에 중간 정도만 잠기게 한다.
④ 100℃의 물이 끓고 난 후 10분간 끓인다.
⑤ 유리 제품은 물이 끓기 시작한 때 넣는다.

13

자비소독에 관한 설명으로 옳지 <u>않은</u> 것은?

> 가. 유리제품은 물이 끓기 시작한 후에 넣는다.
> 나. 소독할 물품이 완전히 물속에 잠기게 한다.
> 다. 소독 후 물이 식은 뒤 기구를 꺼낸다.
> 라. 칼과 바늘은 가제에 싸서 넣는다.
> 마. 소독시간은 100℃에서 10분 이상 필요하다.

① 가, 다
② 가, 나, 다
③ 나, 라, 마
④ 가, 나, 다, 라
⑤ 가, 나, 다, 라, 마

14

결핵환자 객담을 처리할 때 가장 완전한 소독방법으로 옳은 것은?

① 소각법
② 건열멸균법
③ 저온소독법
④ 화학적 소독법
⑤ 고압증기멸균법

15

기구소독이나 피부소독 시 사용되는 알코올의 농도로 옳은 것은?

① 25%
② 50%
③ 75%
④ 90%
⑤ 100%

16

감염병 환자의 식기소독 방법으로 옳은 것은?

① 끓인 후에 씻는다.
② 씻은 후에 끓인다.
③ 소독수에 담궜다 씻는다.
④ 더운물에 담궜다 씻는다.
⑤ 비눗물에 담궜다 씻는다.

제2장 | 감염관리

17

감염병 환자를 간호할 때 마스크를 새로 바꿔야 할 경우로 옳지 <u>않은</u> 것은?

① 땀으로 마스크가 젖었을 때
② 감염병 환자와 직접 접촉했을 때
③ 마스크를 사용한지 30분이 지났을 때
④ 감염병 환자가 간호조무사의 얼굴에 대고 기침을 했을 때
⑤ 감염병 환자가 간호조무사의 얼굴에 대고 재채기를 했을 때

18

내과적 무균술인 교차감염을 예방하기 위해 손을 씻어야 하는 경우이다. 옳지 <u>않은</u> 것은?

① 수술시작 전·후
② 대상자와 접촉하기 전·후
③ 드레싱을 교환하기 전·후
④ 가운이나 마스크를 착용하기 전·후
⑤ 대상자의 분비물 등을 만지고 난·후

19 기출

내과적 손씻기 방법으로 옳은 것은?

① 손을 씻고 수도꼭지를 손으로 잠근다.
② 2~5분 정도 손소독제를 이용하여 닦는다.
③ 손을 팔꿈치 아래로 하여 물이 흐르게 한다.
④ 손가락 끝을 다른 손의 손등에 문질러 씻는다.
⑤ 손을 씻고 손목에서 손가락 쪽으로 물기를 닦는다.

20 기출

내과적 손씻기에 대한 설명으로 옳은 것은?

① 팔꿈치보다 손가락을 위로 하고 씻는다.
② 손목에 있는 시계는 착용한 채로 씻는다.
③ 손을 씻은 후 맨손으로 수도꼭지를 잠근다.
④ 손가락 끝을 다른 손의 손바닥에 문질러 씻는다.
⑤ 손을 씻은 후 젖은 종이타월을 재사용하여 손을 닦는다.

21

일반 병실에서 감염예방을 위한 손위생(손씻기) 방법으로 옳은 것은?

> 가. 마찰은 10초~1분간 문지른다.
> 나. 따뜻한 흐르는 물에 씻는다.
> 다. 시계나 반지 같은 장신구를 제거한다.
> 라. 팔꿈치 위까지 닦아준다.
> 마. 발로 조절하는 수도꼭지를 이용한다.

① 가, 다
② 가, 나, 다
③ 나, 라, 마
④ 가, 나, 다, 라
⑤ 가, 나, 다, 라, 마

22

일반 격리병실에서 가운을 착용하는 방법으로 옳지 <u>않은</u> 것은?

① 가운을 입기 전에 소독장갑을 낀다.
② 가운을 입을 때는 내면을 잡고 입는다.
③ 등에서 가능한 많이 여민 후 허리끈을 맨다.
④ 벗을 때는 손을 씻을 때까지 안쪽이 닿지 않게 한다.
⑤ 격리실 밖에 걸 때는 오염된 면이 안으로 가도록 하여 걸어둔다.

23 기출

멸균장갑 착용법으로 옳은 것은?

①   ②

③   ④

⑤

24 기출

병원의 환경관리방법으로 옳은 것은?

① 사용한 침구는 털어서 보관한다.
② 병실의 복도 바닥 청소 시 비질을 한다.
③ 격리실 안에 격리 의료폐기물 박스를 둔다.
④ 사용한 후두경 날은 비눗물에 담가 소독한다.
⑤ 입원실 청소는 오염이 심한 구역에서 덜 심한 구역으로 한다.

25 기출

감염병실(격리실)에서 사용한 가운 처리 방법으로 옳은 것은?

① 장갑을 벗고 목 끈을 먼저 푼다.
② 장갑을 벗고 손을 씻은 후 허리끈을 푼다.
③ 가운의 겉면을 손으로 잡아 당겨서 벗는다.
④ 격리실 안에서 가운을 걸어둘 때 안쪽 면이 바깥으로 나오게 걸어둔다.
⑤ 격리실 안에서 가운을 벗을 때는 깨끗한 면이 보이게 돌돌 말아서 버린다.

26 기출

간호조무사가 병실에 들어갈 때 N95마스크를 착용해야 하는 환자의 질병은?

① 농가진 ② 봉와직염
③ 심내막염 ④ 세균성 이질
⑤ 활동성 폐결핵

27 기출

활동성 결핵환자의 병실출입 시 감염예방법으로 옳은 것은?

① 식기는 따로 소독한다.
② 병실을 양압격리실로 만든다.
③ 환자를 격리실 밖에서 산책시킨다.
④ 양압격리실을 주기적으로 환기시킨다.
⑤ 병실 출입 시 일회용 N95 마스크를 착용한다.

28

접촉성 감염병 환자는 감염예방에 대한 간호로 옳은 것은?

① 병실을 나와서 장갑을 벗는다.
② 청진기는 다른 환자와 같이 사용해도 된다.
③ 장갑 착용으로 손씻기를 대신할 수도 있다.
④ 감염병 환자의 분변 처리 시 가운을 입는다.
⑤ 같은 균에 양성인 환자끼리 병실을 함께 쓰면 안 된다.

29 기출

질병의 종류나 감염질환의 유무에 관계없이 의료기관에 입원한 모든 환자에게 적용되는 격리지침은?

① 공기주의 ② 보호격리
③ 표준주의 ④ 접촉주의
⑤ 비말주의

30

내과적 무균법에 해당하는 것으로 옳은 것은?

① 드레싱
② 역격리법
③ 개방성 창상소독
④ 수술부위에 멸균포 덮기
⑤ 분만 보조 시 마스크 착용

31 기출

보호격리를 적용해야 하는 환자는?

① 발진이 있는 성홍열 환자
② 기침이 심한 백일해 환자
③ 가래가 있는 활동성 폐결핵 환자
④ 당일 조혈모세포이식을 받은 백혈병 환자
⑤ 열이 있는 메티실린 내성 황색포도구균(MRSA)
 감염 환자

32

역격리에 대한 설명으로 옳은 것은?

① 외과적 무균법의 하나이다.
② 건강한 사람이 스스로 감염을 관리하는 것이다.
③ 세균을 일정한 범위 밖으로 나가지 못하게 하는
 것이다.
④ 전염병환자나 보균자로부터 전염병이 전파되는 것
 을 막는 것이다.
⑤ 감염에 민감한 대상자의 주위환경을 무균적으로
 하여 감염을 예방한다.

33

역격리가 필요한 환자로 옳지 <u>않은</u> 것은?

① 결핵 환자
② 이식수술 환자
③ 심한 화상 환자
④ 무과립세포증 환자
⑤ 선천적 면역결핍 환자

34

외과적 멸균법이 요구되는 사항으로 옳은 것은?

> 가. 도뇨관 삽입
> 나. 주사약 준비과정
> 다. 멸균 물품을 다룰 때
> 라. 요추천자 시
> 마. 관장할 때

① 가, 다
② 가, 나, 다
③ 나, 라, 마
④ 가, 나, 다, 라
⑤ 가, 나, 다, 라, 마

35

수술실에서 소독가운을 입고 통과하는 방법으로
옳은 것은?

① 등을 마주하고 지나간다.
② 서로 옆으로 향하여 통과한다.
③ 마주보며 거리를 두고 지나간다.
④ 오른쪽 옆으로 돌아서 통과한다.
⑤ 완전 소독되어서 닿아도 상관없다.

36 기출

외과적 손씻기에 관한 설명으로 옳은 것은?

① 항균비누를 사용하여 손목까지 씻는다.
② 손가락 끝에서 팔꿈치 방향으로 씻는다.
③ 손씻기 후 손으로 수도꼭지를 잡고 잠근다.
④ 손씻기 후 손에 남아 있는 물기를 떨어낸다.
⑤ 손씻기 후 손끝 위치를 허리 아래로 유지한다.

37

외과적 무균술을 위한 손위생(손씻기) 방법으로 옳은 것은?

> 가. 팔꿈치가 손보다 항상 아래로 가도록 한다.
> 나. 흐르는 물로 헹구고 멸균타올로 닦는다.
> 다. 손과 팔은 각각 부위를 나누어 10~15회 가량씩 솔로 닦는다.
> 라. 손 씻기를 할 때 흐르는 물로 손끝부터 팔꿈치쪽으로 씻는다.
> 마. 물과 비누를 사용하여 씻는다.

① 가, 다
② 가, 나, 다
③ 나, 라, 마
④ 가, 나, 다, 라
⑤ 가, 나, 다, 라, 마

38

다음 중 소독된 부위로 생각할 수 <u>없는</u> 것은?

① 소독된 가운
② 소독된 장갑
③ 소독포를 씌운 부분
④ 소독된 마스크를 착용한 얼굴
⑤ 소독된 가운을 입은 사람의 가슴과 허리 사이

39 기출

외과적 무균술 원칙상 멸균상태를 유지하고 있는 물품은?

① 시야를 벗어난 수술기구
② 개봉한 흔적이 있는 주삿바늘
③ 다른 멸균물품과 접촉한 멸균거즈
④ 알코올로 소독한 피부에 닿은 이동겸자
⑤ 멸균포의 가장자리 안쪽 1 cm에 놓아둔 생검 바늘

40

수술실에서 멸균영역을 적용하는 방법으로 옳지 <u>않는</u> 것은?

① 소독포의 외면은 오염된 것으로 간주한다.
② 시야에 보이지 않는 부분은 오염된 것으로 간주한다.
③ 소독포를 폈을 때 가장자리는 오염된 것으로 간주한다.
④ 멸균된 거즈에 습기가 있을 때는 오염된 것으로 간주한다.
⑤ 소독가운을 착용했을 때 가운의 앞면 전체는 멸균영역으로 간주한다.

41 기출

곡반에 혈액이 묻었을 때 소독방법으로 옳은 것은?

① 자비 소독한다.
② 건열 멸균시킨다.
③ 소다수에 담가둔다.
④ 젖은 수건으로 닦는다.
⑤ 찬물에 씻고 따뜻한 비눗물로 헹군다.

42 기출

멸균물품의 사용방법으로 옳은 것은?

① 이동 겸자 끝이 손잡이보다 아래로 가게 잡는다.
② 물품의 뚜껑을 내려놓을 때 안쪽이 아래로 가게 한다.
③ 멸균 물품은 허리 높이보다 낮은 작업대에서 사용한다.
④ 용액은 멸균 용기에 따르기 전에 절반은 버리고 따른다.
⑤ 멸균 물품에 멸균 표시 용지가 없어도 멸균으로 간주한다.

43

소독물품을 사용하는 방법으로 옳지 <u>않은</u> 것은?

① 조명을 밝게 한다.
② 무균적인 시술 시에는 말을 제한한다.
③ 편리함을 위해 사용 전에 미리 풀어 놓는다.
④ 무균물품 사용부위로 손이 지나가지 않도록 한다.
⑤ 소독물품을 미리 풀어 놓아야 할 경우에는 멸균포로 덮어 둔다.

44

소독물품을 꺼내 사용하는 방법으로 옳지 <u>않은</u> 것은?

① 소독물품은 반드시 소독된 섭자로 꺼낸다.
② 소독물품은 사용할 분량만큼만 꺼내도록 한다.
③ 가능한 소독용기의 뚜껑은 여러 번 열지 않도록 한다.
④ 소독물품을 꺼낼 때는 섭자가 다른 곳에 닿지 않도록 한다.
⑤ 소독용기에서 꺼내 사용 후 남은 물품은 다시 소독용기에 넣는다.

45 기출

이동겸자 사용법으로 옳은 것은?

① 24시간마다 멸균한다.
② 겸자 끝을 벌려서 꺼낸다.
③ 겸자 끝이 위로 가게 한다.
④ 용기에 겸자를 두 개씩 꽂는다.
⑤ 허리 높이 아래에서 들고 있는다.

46

이동섭자의 사용방법으로 옳은 것은?

> 가. 하루에 사용할 섭자를 멸균하여 섭자통 안에 여러 개 꽂아 놓는다.
> 나. 섭자통 입구 가장자리는 오염된 것으로 간주한다.
> 다. 멸균된 물품을 소독된 부위에 놓을 때는 섭자를 바닥에 닿게 놓는 것이 안전하다.
> 라. 소독솜을 주고 받을 때는 서로 닿지 않게 한다.
> 마. 멸균섭자를 들 때는 섭자의 끝이 항상 아래를 향하도록 한다.

① 가, 다
② 가, 나, 다
③ 나, 라, 마
④ 가, 나, 다, 라
⑤ 가, 나, 다, 라, 마

47 기출

뚜껑이 있는 용기에서 멸균용액을 따르는 방법으로 옳은 것은?

① 사용 후 남은 용액은 다시 사용한다.
② 개봉 시 조금 따라 버리고 사용한다.
③ 뚜껑의 내면이 위로 향하게 들고 있는다.
④ 필요할 때 열고 가능한 한 천천히 닫는다.
⑤ 바닥에 내려놓을 때는 뚜껑의 내면이 아래로 향하게 한다.

48

뚜껑이 있는 소독용기를 사용하는 방법으로 옳은
것은?

> 가. 필요할 때만 뚜껑을 열고 가능한 빨리 닫는다.
> 나. 뚜껑을 열 때 뚜껑에 멸균된 내면이 아래로 향하
> 게 한다.
> 다. 뚜껑을 테이블 위에 놓을 때는 멸균된 내면이 위
> 를 향하게 한다.
> 라. 소독용액을 따를 때는 바로 용기에 대고 따른다.
> 마. 꺼낸 물품 중 사용하지 않은 것은 다시 용기에 넣
> 는다.

① 가, 다
② 가, 나, 다
③ 나, 라, 마
④ 가, 나, 다, 라
⑤ 가, 나, 다, 라, 마

49 기출

멸균물품을 다룰 때 주의사항으로 옳은 것은?

① 이동겸자는 사용할 때마다 소독한다.
② 멸균포가 펼쳐진 위로 물건을 건넨다.
③ 소독용기는 드레싱이 끝날 때까지 열어둔다.
④ 소독캔에서 물품을 꺼낼 때 뚜껑은 안쪽이 위로
　향하게 들고 있다.
⑤ 멸균 꾸러미 개봉 시 준비하는 사람에게 멀리 있
　는 쪽 멸균포 자락부터 펼친다.

제3장 | 상처관리

50

상처를 드레싱하는 목적으로 옳지 않은 것은?

① 분비물 흡수를 위해서
② 출혈을 방지하기 위해서
③ 상처를 보호하기 위해서
④ 통증을 완화하기 위해서
⑤ 상처부위를 지지하기 위해서

51 기출

상처 드레싱의 주의사항으로 옳은 것은?

① 드레싱 전후 반드시 손을 씻는다.
② 드레싱 세트는 병실마다 따로 사용한다.
③ 마스크와 멸균 장갑은 착용하지 않는다.
④ 드레싱 세트는 드레싱 30분 전에 열어 준비한다.
⑤ 환자의 통증이 심할 경우 드레싱 끝난 후 진통제
　를 투여한다.

52 기출

**개복 수술을 한 환자의 상처부위를 소독하는 방법으
로 옳은 것은?**

> [그림 설명]
> • : 소독 시작 지점　①~⑥: 소독 순서
> ┉› : 소독 방향
> ※ 소독 시작 지점(•)마다 새로운 소독솜을 사용함

55

두부에 손상을 입은 환자의 상처지지를 위한 붕대법으로 옳은 것은?

① 회귀대   ② 나선대

③ 환행대   ④ 사행대

⑤ 나선절전대

56 [기출]

상처에 붕대 감는 방법으로 옳은 것은?

① 말단이 안 보이게 감는다.
②ㅌ 말단에서 중심으로 감는다.
② 관절은 편 상태에서 감는다.
④ 상처 부위 위에서 매듭을 묶는다.
⑤ 상처 부위 삼출물이 있는 곳은 단단히 묶는다.

53

상처 소독 시 방향으로 옳은 것은?

① 아래서 위로
② 오른쪽에서 왼쪽으로
③ 바깥쪽에서 안쪽으로
④ 가장자리에서 중심으로
⑤ 깨끗한 쪽에서 더러운 쪽으로

57 [기출]

붕대를 적용하는 방법으로 옳은 것은?

① 말단 부위 끝까지 감는다.
② 상처 위에 매듭을 묶는다.
③ 몸의 중심에서 말단 쪽으로 감는다.
④ 뼈가 돌출된 부위는 솜을 대고 감는다.
⑤ 붕대가 분비물로 인해 젖은 경우 건조기로 말린다.

54

상처 드레싱 시 세트가 젖어 있을 때 옳은 것은?

① 유효날짜를 확인한다.
② 건조시켜 다시 사용한다.
③ 젖은 상태 그대로 사용한다.
④ 새 것으로 교체해서 사용한다.
⑤ 약간 젖은 경우는 상관이 없다.

58

석고붕대환자 간호 방법으로 옳지 <u>않은</u> 것은?

① 석고붕대 후 무감각 정도를 확인한다.
② 석고붕대 굴곡을 따라 받쳐주고 건조시킨다.
③ 석고붕대는 건조기를 옮겨 가면서 말려 준다.
④ 젖은 석고붕대 위에 따뜻한 담요를 덮어준다.
⑤ 석고붕대에 건조기는 50 cm 정도 거리를 두고 말린다.

CHAPTER
04   개인위생

제1장 | 목욕 돕기

01

부동환자에게 실시하는 침상목욕의 목적으로 옳지 않은 것은?

① 혈액순환을 촉진시킨다.
② 몸 안의 노폐물을 제거한다.
③ 대상자의 욕구를 알 수 있다.
④ 신경을 자극하고 근육을 긴장시킨다.
⑤ 개인위생방법에 대해 교육시킬 수 있다.

02   기출

성인환자의 침상목욕 방법으로 옳은 것은?

① 발톱을 둥글게 깎아 준다.
② 눈을 바깥쪽에서 안쪽으로 닦아 준다.
③ 목욕물의 온도는 30~35℃를 유지한다.
④ 팔은 손끝에서 겨드랑이 방향으로 닦아 준다.
⑤ 가슴과 등을 닦은 후 팔과 다리를 닦아 준다.

03 기출

침상목욕에 대한 설명으로 옳은 것은?

① 외음부를 비눗물로 깨끗이 씻겨준다.
② 움직일 수 있는 환자에 한하여 실시한다.
③ 간호조무사의 가까운 쪽의 신체부터 씻는다.
④ 하지부터 시작하여 상지, 얼굴의 순서로 씻긴다.
⑤ 상지를 닦을 때는 팔에서 어깨 쪽으로 씻어낸다.

04 기출

침상목욕 방법으로 옳은 것은?

① 어깨에서 손목으로 닦는다.
② 무릎에서 발의 방향으로 닦는다.
③ 눈은 바깥에서 안쪽으로 닦는다.
④ 얼굴은 이마, 코, 볼, 입술, 눈 순서로 닦는다.
⑤ 복부는 배꼽을 중심으로 시계방향에 따라 닦는다.

05 기출

침상목욕 시 주의사항으로 옳은 것은?

① 발목에서 대퇴 쪽으로 닦는다.
② 목욕물의 온도는 30℃를 유지한다.
③ 눈은 비누를 묻힌 물수건으로 닦는다.
④ 문을 열어두어 방 안에 습기가 차지 않도록 한다.
⑤ 왼팔에 정맥주사를 맞고 있는 경우 왼팔의 환의
부터 벗긴다.

06 기출

통목욕 방법에 관한 설명으로 옳은 것은?

① 창문을 열어둔다.
② 목욕통에 물을 가득 받는다.
③ 환자를 40분 이상 물속에 있게 한다.
④ 목욕통 바닥에 미끄럼 방지용 발판을 깔아 준다.
⑤ 환자가 목욕통 안에 있는 상태에서 뜨거운 물을
더 받는다.

07

통목욕 시 환자가 갑자기 쓰러졌을 때 가장 먼저 해야 할 일로 옳은 것은?

① 보호자에게 알린다.
② 즉시 간호사에게 보고한다.
③ 통 밖으로 환자를 끌어낸다.
④ 즉시 호흡 및 맥박을 측정한다.
⑤ 통속의 물을 빼고 머리를 낮추어 준다.

08

미온수 목욕을 실시하는 목적으로 옳은 것은?

① 지혈도모　　　　② 통증경감
③ 부종경감　　　　④ 체온하강
⑤ 배뇨곤란 도움

09 기출

미온수 스폰지 목욕 시 주의 사항으로 옳은 것은?

① 복부는 2~3분 동안 닦는다.
② 혈관이 큰 곳을 중심으로 닦는다.
③ 36.5℃ 이상의 온도로 물을 준비한다.
④ 1시간 이상 시행하고 피부색을 확인한다.
⑤ 엉덩이 등, 다리, 팔, 얼굴 순으로 닦는다.

10

열이 있는 대상자에게 가장 자극이 적고, 편안함을 제공할 수 있는 방법으로 옳은 것은?

① 냉찜질
② 얼음찜질
③ 얼음목도리
④ 알코올 마사지
⑤ 미온수 스펀지 목욕

11 기출

대상자에게 좌욕을 실시하려고 한다. 그 방법으로 옳은 것은?

① 문을 안에서 잠근다.
② 물은 50~60℃로 한다.
③ 쪼그려 앉는 자세로 한다.
④ 어지럽거나 피로감을 느끼면 중단한다.
⑤ 편안한 환경을 제공하기 위해 혼자 둔다.

12

치질환자 항문 부위의 상처 치유와 소염 작용을 위해 적용할 수 있는 목욕은?

① 좌욕　　　　　② 샤워
③ 냉목욕　　　　④ 완전 침상목욕
⑤ 자기보조 침상목욕

13

좌욕하는 목적으로 옳지 <u>않은</u> 것은?

① 지혈작용
② 동통경감
③ 부종경감
④ 상처치유촉진
⑤ 혈액순환촉진

제2장 | 부위별 개인위생 돕기

14 기출

구강간호에 관한 설명으로 옳은 것은?

① 칫솔모가 빳빳한 칫솔을 사용한다.
② 장기간 금식 환자는 구강간호가 금기이다.
③ 입안을 닦아 낼 때 혀 안쪽까지 깊숙이 닦는다.
④ 잇몸이 상했을 경우 칫솔로 잇몸 마사지를 한다.
⑤ 입가의 물기를 뒤고 입술에 바셀린 크림을 바른다.

15 기출

구강간호를 돕는 방법으로 옳은 것은?

① 치아뿐 아니라 혀도 닦아준다.
② 이동겸자는 치아에 직접 닿게 사용한다.
③ 클로르헥시딘 원액으로 치아를 닦아준다.
④ 곡반의 볼록한 부분이 환자의 턱 밑으로 가도록 놓는다.
⑤ 과산화수소수로 입안을 소독한 후 헹구어 내지 않도록 한다.

16 기출

특수구강간호 대상자로 옳은 것은?

① 결핵환자
② 의치를 하고 있는 노인 환자
③ 폐렴으로 인한 기관지 삽관 환자
④ 인후통으로 인한 편도선 절제 환자
⑤ 유동 식이를 하는 위절제 수술환자

17

특별구강간호를 자주 해주어야 하는 대상자로 옳은 것은?

가. 무의식 환자
나. 장기간 금식환자
다. 비위관 삽입환자
라. 산소요법 시행환자
마. 탈수 환자

① 가, 다
② 가, 나, 다
③ 나, 라, 마
④ 가, 나, 다, 라
⑤ 가, 나, 다, 라, 마

18

구강간호 시 사용하는 약품으로 옳지 <u>않은</u> 것은?

① 바셀린
② 알코올
③ 글리세린
④ 생리식염수
⑤ 과산화수소수

19 기출

침상 모발간호 시 옳은 것은?

① 엉킨 머리는 찬물로 씻는다.
② 환자를 침상 중앙으로 이동시킨다.
③ 손톱을 사용해서 마사지하듯 감긴다.
④ 과신전 예방을 위해 수건을 말아서 목에 대어
준다.
⑤ 혈액이 머리에 붙어 있는 경우 따뜻한 물로 헹구
도록 한다.

20 기출

침상세발 시 간호보조활동으로 옳은 것은?

① 손톱으로 두피를 마사지해준다.
② 세발 후 머리를 젖은 채로 둔다.
③ 환자의 눈을 수건으로 덮어준다.
④ 머리는 샴푸액이 남아 있을 정도로 헹궈준다.
⑤ 세발 전 침대의 높이를 간호조무사의 무릎 높이
로 조정한다.

21 기출

여성 환자의 회음부 간호에 대한 설명으로 옳은 것은?

① 하나의 소독솜으로 닦는다.
② 회음부를 최대한 노출한다.
③ 항문에서 치골 부위로 닦는다.
④ 70% 알코올을 사용하여 닦는다.
⑤ 대음순을 닦고 소음순을 닦는다.

22 기출

**여자 환자의 회음부 위생을 위한 간호보조활동으로
옳은 것은?**

① 슬흉위를 취하도록 도와준다.
② 음순을 모은 상태에서 닦아 준다.
③ 요도에서 항문 방향으로 닦아 준다.
④ 과산화수소수를 이용하여 닦아 준다.
⑤ 수건의 같은 면을 이용하여 닦아 준다.

23 기출

남자환자의 회음부 간호를 돕는 방법으로 옳은 것은?

① 회음부는 찬물로 닦는다.
② 항문, 음경, 귀두 순서로 닦는다.
③ 요도구 부위는 직선모양으로 닦는다.
④ 포경수술을 하지 않은 환자는 포피를 뒤집어 닦
아준다.
⑤ 유치도뇨관이 삽입된 경우 주 1회 회음부 간호를
시행한다.

24 기출

욕창이 발생할 위험성이 높은 환자는?

① 걷기 운동 중인 고혈압 환자
② 수술 후 조기이상 중인 환자
③ 자극에 반응이 없는 무의식 환자
④ 병실을 자주 배회하는 치매 환자
⑤ 일상생활 활동을 하고 있는 노인 환자

25

욕창발생의 원인에 관한 내용으로 옳은 것은?

> 가. 의식수준 저하
> 나. 장시간 동안 같은 자세로 누워 있음
> 다. 실금으로 오염된 침구
> 라. 영양상태 불량
> 마. 감각저하

① 가, 다
② 가, 나, 다
③ 나, 라, 마
④ 가, 나, 다, 라
⑤ 가, 나, 다, 라, 마

26

욕창이 발생할 가능성이 많은 환자와 관계 없는 것은?

① 부종 환자
② 충수염 환자
③ 당뇨병 환자
④ 몹시 마른 환자나 노인
⑤ 땀이 심하게 많은 환자

27

장기간 부동으로 발생할 수 있는 간호문제로 옳지 않은 것은?

① 빈뇨
② 욕창
③ 골다공증
④ 직립성 저혈압
⑤ 폐렴이나 무기폐

28

욕창 예방을 위한 등 마사지 방법으로 옳지 않은 것은?

① 마사지를 하는 동안 피부상태를 관찰한다.
② 노인환자는 알코올을 사용하면 효과적이다.
③ 편안함을 주기 위해 측위나 복위를 취해준다.
④ 피부를 미끄럽게 해주기 위해 로션을 발라준다.
⑤ 등 마사지는 긴장을 이완시키고 혈액순환을 자극한다.

29

욕창예방에 대한 간호방법으로 옳은 것은?

> 가. 고무링을 욕창 호발 부위에 놓는다.
> 나. 환자의 체위를 자주 변경해준다.
> 다. 크레들 사용으로 말초혈관 순환을 돕는다.
> 라. 침구에 구김이나 부스러기를 제거한다.
> 마. 등 마사지를 자주 실시한다.

① 가, 다
② 가, 나, 다
③ 나, 다, 마
④ 가, 나, 다, 라
⑤ 가, 나, 다, 라, 마

30 기출

장시간 앙와위로 누워 있는 환자에게 욕창이 발생할 수 있는 부위는?

① 경골
② 천골
③ 흉골
④ 하악골
⑤ 전두골

31 기출

장기간 침상에 누워 있는 환자의 발뒤꿈치에서, 표피부터 진피층까지 침범된 찰과상과 수포가 관찰되었다. 욕창의 단계는?

① 1단계   ② 2단계
③ 3단계   ④ 4단계
⑤ 미분류단계

34 기출

욕창환자에 대한 간호보조활동으로 옳은 것은?

① 저단백식이를 제공한다.
② 4시간마다 체위를 변경해준다.
③ 밑홑이불은 여러 겹으로 주름지게 한다.
④ 침상이 젖어 있지 않도록 자주 확인한다.
⑤ 미끄러지도록 당기면서 자세를 바꿔 준다.

32

천골부위에 발적이 있는 와상 환자를 위한 간호방법으로 옳은 것은?

① 천골부위를 마사지 한다.
② 침상 머리 쪽을 올려준다.
③ 발적 부위에 쿠션을 대준다.
④ 2시간마다 체위변경을 해준다.
⑤ 모든 뼈 돌출부위에 패드를 대준다.

35 기출

복압성 요실금이 있는 노인을 돕는 방법으로 옳은 것은?

① 침상안정을 하게 한다.
② 진정제를 복용하게 한다.
③ 낮 동안 수분을 제한한다.
④ 골반근육 강화운동을 하게 한다.
⑤ 요의가 있을 때마다 변기를 대 준다.

33 기출

둔부에 발적이 있는 환자의 간호로 옳은 것은?

① 물 침요를 사용한다.
② 알코올 마사지를 해준다.
③ 발적 시 마사지를 해준다.
④ 8시간 간격으로 체위 변경한다.
⑤ 수분 섭취를 제한하고 저단백식이를 준다.

36 기출

요실금이 있는 노인 환자를 위한 간호보조활동으로 옳은 것은?

① 차, 커피의 섭취를 권장한다.
② 규칙적으로 소변을 보게 한다.
③ 실금할 때마다 단단히 주의를 준다.
④ 잠자기 30분 전부터 수분을 섭취하게 한다.
⑤ 하루 1,000cc 미만으로 수분을 섭취하게 한다.

CHAPTER 05 활동관리

제1장 | 운동

01 기출

석고붕대를 하고 있는 다리의 등척성 운동 방법으로 옳은 것은?

① 침대 위에 달려 있는 삼각대를 잡아당기게 한다.
② 정해진 각 속도(angular velocity)로 움직이게 한다.
③ 환자가 힘들어하면 보호자가 수농석 운동을 해 준다.
④ 다리의 근육을 수 초간 조였다가 푸는 것을 반복 한다.
⑤ 침대에 걸터앉아 다리를 침상 아래로 늘어뜨리게 한다.

02 기출

다음에서 설명하는 운동의 종류는?

- 관절을 움직이지 않고, 근육의 길이 변화는 없지 만 의식적인 근육의 긴장으로 에너지를 소비하는 능동적인 운동
- 다리에 석고붕대나 견인을 적용한 환자가 근육을 몇 초간 조였다가 이완함으로써 손상된 다리의 근 력을 유지하는 운동

① 등속성 운동
② 능상성 운동
③ 등척성 운동
④ 점진저항 운동
⑤ 스트레칭 운동

03 기출

견인을 하고 있는 환자에게 다리의 근력 강화를 위해 권장해야 할 운동으로 옳은 것은?

① 추를 제거한다.
② 다리를 좌우로 움직인다.
③ 다리에 힘을 주었다 뺐다 한다.
④ 다리를 위아래로 올렸다 내렸다 한다.
⑤ 무릎을 굽혔다 폈다 관절 운동을 한다.

04 기출

의식이 <u>없는</u> 환자에게 수동 관절가동범위 운동을 실시할 경우 어깨운동 방법으로 옳은 것은?

① 팔꿈치를 잡고 손목을 어깨 쪽으로 구부렸다가 펴 준다.
② 전완을 잡고 손바닥을 아래로 향한 후 다시 위로 향하게 한다.
③ 팔을 몸통으로부터 멀어지게 움직였다가 다시 몸통 옆에 놓는다.
④ 머리 양측을 손으로 지지하여 귀가 어깨에 닿도록 옆으로 기울인다.
⑤ 손목을 엄지손가락 쪽으로 구부렸다 새끼손가락 쪽으로 구부려 준다.

05 기출

수동적 관절범위운동 시 고관절의 운동요법으로 옳은 것은?

① 발가락을 구부린다.
② 발가락을 위로 올린다.
③ 발가락을 구부렸다 폈다 한다.
④ 양쪽 발을 안쪽에서 바깥쪽으로 돌린다.
⑤ 한쪽 무릎을 구부린 후 반대쪽 다리를 들어올린다.

06 기출

수동적 관절범위운동을 도울 때 주의해야 할 사항은?

① 침상 커튼을 걷고 시행한다.
② 빠르고 강한 힘으로 운동시킨다.
③ 운동시킬 관절 옆에 가까이 선다.
④ 관절 가동 범위를 초과하여 운동시킨다.
⑤ 각 관절마다 1회 40분 이상 운동시킨다

07

팔꿈치의 각도가 작아지는 움직임을 나타내는 용어로 옳은 것은?

① 내전
② 회내
③ 굴곡
④ 회외
⑤ 신전

08 기출

신체가 정중선에서 멀어지는 관절 운동으로 옳은 것은?

① 외전
② 외번
③ 회내
④ 외회전
⑤ 과신전

09 기출

다음과 같은 목관절 움직임은?

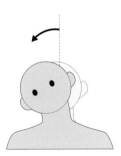

① 외전
② 외번
③ 외회전
④ 과신전
⑤ 측방 굴곡

10

경추손상으로 견인하고 있는 환자의 간호로 옳은 것은?

> 가. 욕창예방을 위한 간호
> 나. 배설간호시 상행감염주의
> 다. 섬유질과 수분 섭취로 변비예방
> 라. 핀이 꽂힌 부위를 잘 관찰하고 부분적으로 관리
> 마. 근육 위축을 예방하기 위해 목의 능동운동 장려

① 가, 다
② 가, 나, 다
③ 나, 라, 마
④ 가, 나, 다, 라
⑤ 가, 나, 다, 라, 마

제2장 | 이동과 보행

11

신체역학 원리에 대한 설명으로 옳은 것은?

> 가. 중심이 낮을수록 물체는 안전하다.
> 나. 크고 강한 근육을 사용하는 것이 안전하다.
> 다. 기저면이 넓을수록 물체는 안전하다.
> 라. 기저면 중심에 가까울수록 안전하다.
> 마. 물건을 밀 때 체중을 다리의 앞쪽에서 뒤쪽으로
>   이동시킨다.

① 가, 다
② 가, 나, 다
③ 나, 라, 마
④ 가, 나, 다, 라
⑤ 가, 나, 다, 라, 마

12 기출

누워 있는 환자를 침상머리 쪽으로 이동시킬 때 신체 역학의 원리를 올바르게 적용한 자세는?

① 두발을 모아서 선다.
② 무릎을 펴고 등을 구부린다.
③ 침대 높이를 허리 아래로 낮춘다.
④ 침대 높이를 허리 아래로 낮춘다.
⑤ 엉덩이와 다리의 큰 근육을 이용한다.

13 기출

쓰러진 환자를 이동시킬 때의 자세로 옳은 것은?

① 무게 중심점을 기저면에서 멀리 한다.
② 환자 가까이 서서 기저면을 좁게 한다.
③ 허리 아래 높이에서 일을 하도록 한다.
④ 다리와 엉덩이의 근육으로 환자를 들어올린다.
⑤ 허리를 구부리고 다리를 편 상태에서 들어올린다.

14 기출

허리 통증환자에게 할 수 있는 간호로 옳은 것은?

① 엎드려서 자게 한다.
② 장시간 같은 자세로 서있게 한다.
③ 몸을 돌릴 때 허리만 돌리게 한다.
④ 몸을 숙일 때 무릎을 굽히지 않게 한다.
⑤ 물건을 들어 올릴 때 신체 가까이에서 들게 한다.

15

오른쪽 편마비 환자의 보행을 도와주기 위한 방법으로 옳지 <u>않은</u> 것은?

① 간호조무사는 환자의 왼쪽에 선다.
② 환자의 겨드랑이 부위에서 팔을 지지한다.
③ 벨트를 이용하면 간호조무사의 힘이 덜 든다.
④ 환자의 허리 주위로 한 손을 대어 안정시킨다.
⑤ 두 명의 간호조무사가 돕는 것이 더욱 안전하다.

16 기출

오른쪽 편마비 환자가 계단을 내려갈 때 간호조무사가 도와주는 방법으로 옳은 것은?

 ①
 ②
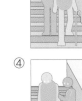 ③
 ④
 ⑤

17 기출

지팡이를 사용하는 왼쪽 다리가 불편한 환자가 계단을 오르려고 할 때 순서로 옳은 것은?

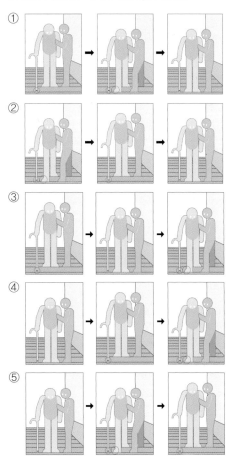

18

목발보행 시 체중이 가해지는 적당한 부위로 옳은 것은?

① 상박
② 전박
③ 손목
④ 겨드랑이
⑤ 골절되지 않은 다리

19 기출

오른쪽 정강뼈 골절로 석고붕대를 하고 있는 환자의
목발보행법으로 옳은 것은?

[그림 설명]
- • : 이동중 목발, ⊙ : 정지 중 목발, ↑ : 이동 대상 지시

① 2점보행

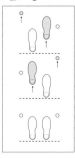

② 2점보행

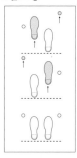

③ 3점보행

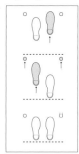

④ 3점보행

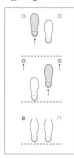

⑤ 4점보행

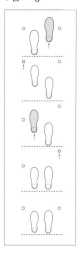

20 기출

액와 목발보행을 돕는 방법으로 옳은 것은?

① 머리를 숙여 바닥을 보면서 걷게 한다.
② 겨드랑이로 몸무게를 지탱하여 걷게 한다.
③ 처음으로 목발 보행을 하는 경우 보폭을 넓게 하
여 시작한다.
④ 팔꿈치를 완전히 편 상태에서 목발 손잡이를 잡
을 수 있게 한다.
⑤ 목발의 아래쪽 부분을 각 발의 앞 15 cm, 바깥쪽
옆 15 cm에 놓는다.

21

간호조무사가 목발보행을 돕는 방법으로 옳은 것은?

① 무릎을 약간 구부리도록 한다.
② 목발보행 시 목발은 액와로 지탱한다.
③ 목발을 사용하기 전에 다리운동만 해도 된다.
④ 목발 끝이 양발의 전방보다 40 cm 앞에 오게
한다.
⑤ 계단을 내려올 때는 아픈 쪽 다리와 목발을 먼저
옮긴다.

22 기출

오른쪽 편마비 환자를 침대에서 휠체어로 옮기려고
할 때 휠체어의 위치로 옳은 것은?

①

②

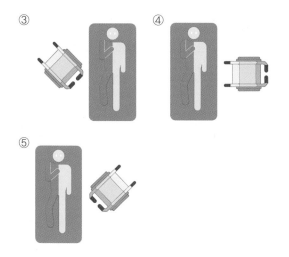

24

환자를 이동하는 방법으로 옳은 것은?

① 환자를 앞으로 안고 옮긴다.
② 환자를 휠체어로 옮길 때 바퀴를 고정시킨다.
③ 환자를 잡아당기거나 밀 때 체중을 이용하지 않는다.
④ 이동시키려는 환자를 자신의 몸 쪽에서 멀리하도록 한다.
⑤ 등에 무리가 가지 않도록 가능한 한 환자에게서 멀리 떨어진다.

23 기출

왼쪽 편마비 환자가 침상에서 내려올 때 휠체어의 위치로 옳은 것은?

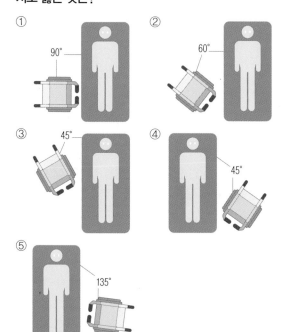

25

환자를 운반차로 이송하는 방법으로 옳은 것은?

가. 내리막길에서는 발을 진행방향 앞으로 향하게 한다.
나. 간호조무사는 환자의 머리 쪽에 선다.
다. 오르막길에서는 머리를 진행방향 앞으로 향하게 한다.
라. 운반차의 난간을 올린다.
마. 환자를 옮길 때는 발을 진행방향으로 향하게 하는 것이 원칙이다.

① 가, 다   ② 가, 나, 다
③ 나, 라, 마   ④ 가, 나, 다, 라
⑤ 가, 나, 다, 라, 마

26

환자를 침상에서 이동용 침상으로 옮길 때 주의 사항으로 옳은 것은?

① 팔, 다리를 잡고 이동한다.
② 정맥 주사를 빼고 이동한다.
③ 3인 이상 신호는 눈짓으로 한다.
④ 이동용 침상 바퀴를 풀어 놓는다.
⑤ 도뇨관을 일시적으로 잠그고 이동한다.

27 기출

움직일 수 없는 환자를 침상에서 운반차로 옮기는 방법으로 옳은 것은?

① 침상을 운반차 높이보다 낮게 한다.
② 운반차 바퀴의 고정장치를 풀어 둔다.
③ 수액은 방해가 되므로 제거하고 옮긴다.
④ 환자를 옮긴 후 운반차의 난간을 올려 준다.
⑤ 침상과 운반차를 30cm 이상 떨어뜨려 놓는다.

28

체위성 저혈압을 호소하는 대상자에게 필요한 간호로 옳은 것은?

① 측와위로 누워서 쉬게 한다.
② 밤에는 탄력양말을 신도록 한다.
③ 보행 전에 잠시 침상에 앉아 있도록 한다.
④ 체위변경 시에는 빨리 일어나도록 교육한다.
⑤ 이동 시 현기증이 나므로 휠체어를 이용한다.

제3장 | 체위

29 기출

자궁경부암을 검진하기 위해 내원한 대상자가 취하도록 해야 할 체위는?

① 측위
② 복위
③ 반좌위
④ 앙와위
⑤ 절석위

30 기출

호흡곤란을 호소하는 천식환자에게 적용해야 할 체위로 옳은 것은?

① 앙와위
② 반좌위
③ 절석위
④ 배횡와위
⑤ 트렌델렌버그 체위

31 기출

심장수술 받은 환자의 폐를 최대한 확장할 수 있는 체위로 옳은 것은?

① 슬흉위
② 반좌위
③ 트렌델렌버그 체위
④ 앙와위
⑤ 복위

32 기출

의식이 있는 성인 환자에게 관장을 실시할 때 취하게 해야 할 자세로 옳은 것은?

① "똑바로 누워주세요."
② "복부를 침대에 대고 누워주세요."
③ "상체를 살짝 올려주세요."
④ "왼쪽으로 돌아누운 후 위쪽에 있는 다리를 더 많이 구부려 주세요."
⑤ "가슴을 바닥에 대고 무릎을 굽힌 후 엉덩이를 들어주세요."

33 기출

무의식 환자에게 구강간호를 제공할 때 올바른 체위는?

① 복위
② 측위
③ 슬흉위
④ 배횡와위
⑤ 트렌델렌버그 체위

35

환자의 체위에 대한 적용이다. 잘못 연결된 것은?

① 슬흉위–산후운동
② 배행와위–복부검사
③ 골반고위–방광·질검사
④ 심스식 체위–관장, 항문검사
⑤ 파울러씨 체위–호흡곤란 환자

제4장 | 안전

34

외상이 없는 성인 환자가 어지럼증을 호소하고 피부는 차고 축축하며, 혈압이 떨어지고 있다. 이때 취하게 해 주어야 하는 체위는?

①
②
③
④
⑤

36

대상자에게 억제대를 사용하는 목적으로 옳지 않은 것은?

① 침대에서 낙상을 방지한다.
② 특별치료 시 환자의 움직임을 방지한다.
③ 소양증으로 인한 피부 손상을 방지한다.
④ 혼돈상태 환자의 자해 위험을 방지한다.
⑤ 관절의 경축이나 근육의 수축을 방지한다.

37

다음 중 억제대를 사용할 때 주의해야 할 환자로 옳지 않은 것은?

① 자해 환자
② 정신질환자
③ 내과입원 환자
④ 혼돈이 있는 환자
⑤ 습진이 있는 환자

38

억제대 사용 시 주의할 사항으로 옳은 것은?

① 환자가 싫어하면 중단한다.
② 전신 억제대는 침대난간에 묶는다.
③ 기능적 장애가 일어나지 않게 억제한다.
④ 신체적, 정신적 상태는 관찰할 필요가 없다.
⑤ 억제대는 불안한 환자를 진정시키기 위해 실시
한다.

39

침대나 휠체어에서의 낙상 방지를 위해 사용하는 억제대로 옳은 것은?

① 8자 억제대   ② 자켓 억제대
③ 전신 억제대   ④ 장갑 억제대
⑤ 팔꿈치 억제대

40 　기출

정맥 주사를 맞고 있는 환아에게 팔꿈치를 구부리지 못하게 하는 보호대(억제대)로 옳은 것은?

①
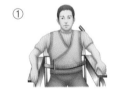

②

③

④

⑤

41 　기출

가려움증이 있는 환자가 피부를 긁지 않도록 손과 손가락의 움직임을 제한하는 신체 보호대는?

① 재킷 억제대   ② 손목 억제대

③ 장갑보호대   ④ 벨트 억제대
      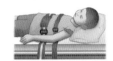

⑤ 주관절(팔꿈치) 보호대

42

수두나 습진 아동이 긁지 못하게 하기 위해 적용되는 억제법으로 옳은 것은?

① 8자 억제법   ② 전신 억제법
③ 벨트 억제법   ④ 자켓 억제법
⑤ 팔꿈치 억제법

43 　기출

검사나 치료 시 영아의 전신 움직임을 억제하기 위해 적용하는 보호대는?

① 재킷 보호대   ② 장갑 보호대
③ 벨트 보호대   ④ 홑이불(mummy) 보호대
⑤ 팔꿈치 보호대

CHAPTER 06 체온 유지

제1장 | 온요법

01 기출

온요법을 적용하는 목적은?

① 혈관 수축 증가
② 혈액 점성 증가
③ 근육 이완 증가
④ 조직 대사작용 감소
⑤ 모세혈관의 투과성 감소

02

다음 중 온요법의 효과로 옳은 것은?

가. 통증 완화	나. 근육긴장 감소
다. 혈액순환 촉진	라. 세포대사 감소
마. 혈액점도 증가	

① 가, 다
② 가, 나, 다
③ 나, 라, 마
④ 가, 나, 다, 라
⑤ 가, 나, 다, 라, 마

03 기출

허리 통증환자에게 더운물주머니를 적용하려고 할 때 간호보조활동으로 옳은 것은?

① 주머니를 피부에 직접 대어 준다.
② 1회 적용 시 1시간 동안 대어 준다.
③ 발적이 생기면 더운물의 온도를 낮추어 적용한다.
④ 주머니에 공기를 포함하여 더운물을 가득 채운다.
⑤ 주머니를 거꾸로 들어 보아 물이 새는지 확인한다.

04

더운물주머니 적용에 대한 설명으로 옳은 것은?

① 물에 온도는 60도 정도로 유지한다.
② 물주머니에는 물을 가득 채워서 사용한다.
③ 효과를 높이기 위해 주머니를 직접 피부에 대 준다.
④ 원인 모르는 복통이 있을 때에는 더운물주머니를 대준다.
⑤ 물주머니를 평평한 곳에 눕혀 공기를 제거한 후 사용한다.

05 기출

온습포의 적용 방법으로 옳은 것은?

① 피부는 젖은 채로 그냥 둔다.
② 발적 시 10분 후 다시 대어 준다.
③ 온습포의 온도는 30~37℃로 한다.
④ 2~3분마다 갈아주고 15분 동안 적용한다.
⑤ 온습포 효과를 높이기 위해서는 적용시간을 늘리면 된다.

06

온습포 사용부위에 바셀린을 바르는 이유로 옳은 것은?

① 화상을 예방하기 위해
② 통증을 감소시키기 위해
③ 피부 내 열을 오래 보유하기 위해
④ 혈액순환 증진을 위한 마사지를 하기 위해
⑤ 습기의 증발로 인한 차가움을 예방하기 위해

제2장 | 냉요법

07 기출

얼음주머니의 적용 목적으로 옳은 것은?

① 지혈
② 근육 이완
③ 부종 증가
④ 대사활동 증가
⑤ 관절활액점도 감소

08

얼음주머니를 적용할 때 주의사항으로 옳지 <u>않은</u> 것은?

① 피부상태를 관찰하고 대어 준다.
② 주머니에 얼음을 ½ 정도 채운다.
③ 주머니를 수건으로 싸서 사용한다.
④ 주머니에 공기를 넣어 얼음을 채운다.
⑤ 얼음은 모가 나지 않게 주머니에 넣는다.

09 기출

편도절제술을 받은 아동이 심한 인후통을 호소할 때 목 부분에 적용할 수 있는 것은?

① 열 램프
② 얼음 칼라
③ 저체온 담요
④ 수분 열 패드
⑤ 알코올 스펀지 목욕

10

얼음칼라가 적용되는 경우로 옳은 것은?

① 두부 수술 후 두통 완화
② 기관지염 환자에게 염증 완화
③ 기관절개 수술 후 점액 배출 도움
④ 편도선 수술 후 출혈과 통증 감소
⑤ 충수염 수술 후 통증 및 출혈 예방

CHAPTER 07 수술과 진단검사 돕기

제1장 | 수술

01 기출

수술 후의 호흡기계 합병증을 예방하기 위해 환자에게 미리 교육시키는 수술 전 간호로 옳은 것은?

① 휴식, 안정
② 관장, 기침
③ 안정, 기침
④ 휴식, 심호흡
⑤ 심호흡, 기침

02 기출

다음 날 충수절제술이 예정된 환자에게 수술 전 금식에 대해 설명할 내용으로 옳은 것은?

① "입이 마르면 껌을 씹으세요."
② "물을 한 모금도 드시지 않도록 하세요."
③ "얼음을 한 조각 물고 있는 것은 괜찮아요."
④ "갈증이 심하면 이온음료를 조금씩 드세요."
⑤ "배가 고프면 사탕을 입 안에서 녹여 드세요."

03 기출

전신마취 수술 예정인 환자에게 가장 중요한 간호로 옳은 것은?

① 환자의 안정
② 소화기 합병증의 예방
③ 순환기 합병증의 예방
④ 봉합 부위의 빠른 회복
⑤ 기도 유지, 호흡기 합병증의 예방

04

수술 전 투약으로 아트로핀을 주는 이유로 옳은 것은?

① 체온 저하
② 수면 유도
③ 통증 감소
④ 불안 감소
⑤ 기도분비물 억제

05 기출

전신마취 수술이 예정되어 있는 환자에게 수술 당일 아침에 시행하는 일반적인 간호보조활동으로 옳은 것은?

① 유동식을 제공한다.
② 가능하면 소변을 참게 한다.
③ 속옷 위에 수술가운을 입힌다.
④ 매니큐어가 지워져 있는지 확인한다.
⑤ 귀중품은 수술실로 가지고 가게 한다.

06

수술 당일 아침 환자 준비 내용으로 옳지 <u>않은</u> 것은?

① 귀중품은 몸에 지니도록 한다.
② 손톱, 발톱의 메니큐어를 지운다.
③ 속옷을 벗고 수술가운으로 갈아입힌다.
④ 머리핀은 빼고 긴 머리는 양쪽으로 묶어준다.
⑤ 의치는 제거하여 물그릇에 넣어 보관하도록 한다.

07 기출

제왕절개 수술이 예정된 환자의 수술 전 피부준비를 위한 간호보조활동으로 옳은 것은?

① 손톱의 매니큐어는 남겨둔다.
② 털이 난 반대방향으로 면도한다.
③ 제모의 범위는 수술 부위보다 좁게 정한다.
④ 다른 환자에게 사용한 면도날을 물로 씻어 재사용한다.
⑤ 제모제를 사용하기 전에 피부 민감성 반응을 확인한다.

08

수술부위를 삭모하는 방법으로 옳은 것은?

가. 따뜻한 물과 비누를 이용한다.
나. 털이 난 방향으로 면도한다.
다. 수술부위보다 넓고 길게 면도한다
라. 절개할 부위만 면도한다.
마. 털이 난 반대방향으로 면도한다.

① 가, 다
② 가, 나, 다
③ 나, 라, 마
④ 가, 나, 다, 라
⑤ 가, 나, 다, 라, 마

09

수술 후의 간호 내용으로 옳지 <u>않은</u> 것은?

① 움직임을 최소화 한다.
② 금식 상태를 유지한다.
③ 활력증후를 계속 측정하다.
④ 의식 상태를 자주 확인한다.
⑤ 심호흡과 체위변경을 실시한다.

10 기출

전신마취 수술 후 대상자에게 심호흡과 기침을 격려하는 이유로 옳은 것은?

① 쇼크 예방
② 폐렴 예방
③ 혈전 예방
④ 출혈 예방
⑤ 요로감염 예방

11

수술 후 올 수 있는 합병증에 속하지 <u>않은</u> 것은?

① 폐렴
② 빈혈
③ 무기폐
④ 상처 감염
⑤ 혈전성 정맥염

12 기출

전신마취 하에 자궁절제술 후 병실로 돌아온 환자의 무기폐를 예방하기 위한 간호보조활동으로 옳은 것은?

① 수면 격려
② 구강 간호
③ 침상 안정
④ 심호흡 격려
⑤ 회음부 간호

13

수술 후 체위변경과 조기이상의 목적으로 옳은 것은?

> 가. 폐렴과 같은 합병증 예방
> 나. 회복시간 단축
> 다. 혈전성정맥염 예방
> 라. 빈혈 예방
> 마. 상처감염 예방

① 가, 다
② 가, 나, 다
③ 나, 라, 마
④ 가, 나, 다, 라
⑤ 가, 나, 다, 라, 마

14

수술 후 합병증을 예방하기 위해 조기이상이 필요한 환자로 옳은 것은?

① 비출혈 환자
② 위 수술환자
③ 뇌수술 환자
④ 눈 수술환자
⑤ 대퇴골절 수술환자

15

수술 직후 금식해야 할 환자가 갈증을 호소할 때 간호로 옳은 것은?

① 보리차를 준다.
② 바셀린을 입술에 발라준다.
③ 정맥으로 수액을 공급한다.
④ 입술에 젖은 거즈를 대준다.
⑤ 적은 양의 물을 스푼으로 자주 먹인다.

16

수술 후 무의식 환자의 머리를 옆으로 돌려 눕히는 이유로 옳은 것은?

① 기침을 유도하기 위함
② 편안함을 도모하기 위함
③ 심호흡을 용이하게 하기 위함
④ 마취에서 빨리 깨어나게 하기 위함
⑤ 구강 내 분비물의 배출을 용이하게 하기 위함

17 기출

수술 후 발생할 수 있는 혈전정맥염을 예방하기 위한 간호보조활동으로 옳은 것은?

① 수분섭취를 제한한다.
② 침상안정을 격려한다.
③ 하지운동을 금지한다.
④ 탄력스타킹을 적용한다.
⑤ 냉온찜질을 교대로 시행한다.

18 기출

수술 후 심부정맥 혈전증 예방을 위해서 취해야 할 사항으로 옳은 것은?

① 복위를 취해 준다.
② 비타민 K를 섭취한다.
③ 수분 섭취를 제한한다.
④ 조기 이상을 취해 준다.
⑤ 심상 안정을 취해 준다.

19 기출

복부수술 후 의식이 없는 환자의 머리를 옆으로 돌려 눕히는 이유는?

① 출혈 예방
② 탈수 예방
③ 요정체 예방
④ 기도 흡인 예방
⑤ 복부 팽만 예방

제2장 | 진단검사

20 기출

검사에 대한 간호보조활동으로 옳은 것은?

① 요추천자 후 4시간 동안 좌위를 취해준다.
② 복수천자 시행 전에 배설·도뇨를 금지한다.
③ 대변은 냉장고에 보관했다가 검사실로 보낸다.
④ 객담검사 시 객담은 늦은 저녁에 받도록 한다.
⑤ 정맥으로 채취한 혈액 검사물은 바로 검사실로 보낸다.

21

검체 채취 후 취급방법으로 옳은 것은?

① 사고로 인한 검사물 손실 시 다시 받지 않는다.
② 소변은 처음 나오는 소변을 받아 검사실로 보낸다.
③ 검사물은 받아서 병실에 두었다가 검사실로 보낸다.
④ 아메바 검사를 위한 대변은 받는 즉시 검사실로 보낸다.
⑤ 24시간 소변검사는 검사가 시작된 시간의 소변부터 모은다.

22

대상자의 신체검진 전 준비로 옳지 않은 것은?

① 검진에 적합한 체위를 취하도록 돕는다.
② 검진에 적합한 조명과 환경을 조성해준다.
③ 검진에 사용되는 기구는 따뜻하게 준비한다.
④ 복부검진 시 검진 후에 소변을 보도록 한다.
⑤ 검진할 기구는 사용 전에 이상 여부를 확인한다.

23 기출

시행 전 금식이 필요한 검사는?

① 심전도 검사
② 소변 배양 검사
③ 대장 내시경 검사
④ 흉부 엑스선 검사
⑤ 대변 기생충 검사

24 기출

기관지경검사를 위한 간호보조활동으로 옳은 것은?

① 검사 중 목을 앞으로 숙이게 한다.
② 검사 전 최소 4시간 이상 금식하게 한다.
③ 검사 전 척추 마취를 실시함을 설명한다.
④ 틀니를 한 경우 착용하고 검사를 받게 한다.
⑤ 검사 후 가스가 나올 때까지 금식하게 한다.

25 기출

다음 중 시행하기 전에 금식을 해야 하는 검사는?

① 골밀도 검사
② 일반 대변 검사
③ 24시간 소변 검사
④ 상부 위장관 촬영술
⑤ 단순 흉부 엑스선 검사

26

소변검사의 목적으로 옳지 <u>않은</u> 것은?

① 신염 진단
② 백혈구 검사
③ 당뇨병 진단
④ 세균 배양검사
⑤ 장출혈 정도 파악

27

일반 소변검사물을 채취하는 방법으로 옳은 것은?

① 첫소변을 30~50 cc 받는다.
② 중간소변 30~50 cc 받는다.
③ 검사물병의 1/2 정도 받는다.
④ 마지막 소변 60~100 cc 가량을 용기에 받는다.
⑤ 검사물 채취 후 다른 검사물과 함께 모아 다음에
  보낸다.

28 기출

유치도뇨관을 삽입한 성인환자의 요배양검사를 위한
간호보조활동으로 옳은 것은?

① 유치도뇨관을 제거하고 중간뇨를 받는다.
② 유치도뇨관과 소변수집주머니를 분리한 후 소변
  을 받는다.
③ 소변수집주머니 하단을 주삿바늘로 천자하여 소
  변을 채취한다.
④ 소변수집주머니의 하단 조절기(clamp)를 열어서
  소변을 받는다.
⑤ 소변수집주머니의 검체 채취구에서 무균적 방법
  으로 소변을 채취한다.

29 기출

24시간소변검사 환자에 대한 간호로 옳은 것은?

① 중간 소변을 받는다.
② 마지막 소변은 버린다.
③ 중간에 흘렸어도 그냥 받는다.
④ 첫 소변은 버리고 마지막까지 받는다.
⑤ 방광을 완전히 비우고 물 한 컵 마신 후 나오는 소변을 수집한다.

30

24시간소변 수집 시 방법으로 옳지 않은 것은?

① 소변 수집 시작시간에 배뇨한 첫 소변부터 모은다.
② 다른 검사를 위해 수집용기에서 소변을 덜어내지 않는다.
③ 방광을 비운 정확한 시간을 검사시작 시간으로 간주한다.
④ 화장실에 24시간 요검사물 채뇨중이라는 표시를 달아둔다.
⑤ 검사가 끝나는 마지막까지 배뇨를 하게 하여 검사물에 포함시킨다.

31 기출

대변검사 시 주의해야 할 사항으로 옳은 것은?

① 검체 이동 지연 시 검체를 냉동 보관한다.
② 대, 소변을 함께 채취하여 검체통에 넣는다.
③ 잠혈검사 3일 전부터 붉은 육류 섭취를 제한한다.
④ 대변에 점액이 나올 경우 점액을 제외한 대변을 채취한다.
⑤ 생리혈과 치질로 인한 혈액은 검사에 영향을 주지 않는다.

32 기출

암 프로그램 중 잠혈반응검사 결과 양성 반응이 나왔다. 다음 검사 단계로 옳은 것은?

① 위내시경
② 대장내시경
③ 갑상선 검사
④ 위 상복부 X-ray
⑤ 자궁 경부 검사

33

대상자의 잠혈반응검사의 주의사항으로 옳은 것은?

① 검사를 위해 약물과 음식을 제한한다.
② 검사 실시 전에는 소변을 참도록 한다.
③ 생리가 끝나면 바로 검사를 할 수 있다.
④ 정확한 진단을 위해 반복적으로 검사한다.
⑤ 출혈성 치질이 있을 때는 검사를 연기하도록 한다.

34

객담검사를 위한 가장 적절한 시기로 옳은 것은?

① 점심시간
② 잠들기 전
③ 저녁식사 전
④ 아무 때나 상관없음
⑤ 이른 아침 잠에서 깨어난 직후

35 기출

진단검사에 대한 내용이 옳은 것은?

① 상부위장관 촬영 후 수분 섭취를 제한한다.
② 뇌파검사(EEQ)를 하기 전 반드시 금식을 한다.
③ 위 내시경 검사 전 위장관 활동 촉진제를 투여
　한다.
④ 소변배양검사 시 소변 배액 주머니에서 소변을 채
　취한다.
⑤ 전혈구 검사(CBC)는 항응고제가 들어 있는 검체
　용기를 사용한다.

36 기출

채혈에 대한 간호보조활동으로 옳은 것은?

① 바늘을 제거한 부위를 문질러 준다.
② 채혈 전 팔을 심장 위치보다 높여 준다.
③ 채혈 부위의 혈관 확장을 위해 냉찜질을 해 준다.
④ 채혈된 혈액이 검체용기의 벽으로 흘러 들어가도
　록 한다.
⑤ 채혈된 혈액이 시약과 골고루 섞이도록 검체용기
　를 세게 흔든다.

37 기출

동맥혈가스분석 검사 시 주의사항으로 옳은 것은?

① 검사 전 금식을 하게 한다.
② 채혈 부위를 문질러 지혈한다.
③ 채혈한 혈액을 실온에 보관한다.
④ 채혈한 혈액을 공기에 노출시킨다.
⑤ 헤파린으로 코팅처리한 주사기를 사용한다.

38

**동맥혈의 가스분석 결과이다. 이중에서 반드시 보고
해야 할 경우로 옳은 것은?**

① pH : 7.37~7.42
② HCO$_3$: 25 mEg/L
③ PaCO$_2$: 43 mmHg
④ PaO$_2$: 82 mmHg
⑤ HCO$_3$: 5 0mEg/L

39

**식도, 위, 십이지장의 병변을 보기 위한 검사로 옳은
것은?**

① 바리움관장
② 정맥신우촬영
③ 기초신진대사율
④ 상부위장관 촬영
⑤ 파파니콜라우 도말검사

40 기출

조영제를 사용하여 검사하는 것은?

① 흉강천자
② 심전도 검사
③ 초음파 검사
④ 자기공명영상
⑤ 상부위장관 검사

41 기출

전기적 흐름을 통해서 인체의 활동 상태를 알아보는 검사는?

① 심전도
② 초음파
③ X-ray
④ 자기공명영상
⑤ 컴퓨터 단층촬영

44 기출

흉강천자 시 자세로 옳은 것은?

① 측위를 취한다.
② 천자 시 기침을 하게 한다.
③ 베개를 안고 침상에 눕는다.
④ 흉강천자 후 흉부 둘레를 잰다.
⑤ 베개를 안고 팔을 책상 위로 올린 후 앞으로 엎드린다.

42 기출

조영제를 사용하지 않는 자기공명영상(MRI) 검사에 관한 설명으로 옳은 것은?

① 방사선 동위원소가 투여된다.
② 검사 부위에 면도를 시행한다.
③ 고주파를 이용한 단층촬영이다.
④ 검사 시 3분마다 자세를 바꾼다.
⑤ 몸에 건 금속 장신구를 제거한다.

45 기출

흉강천자 시 간호보조활동으로 옳은 것은?

① 환자의 복부 둘레를 측정한다.
② 관장을 하여 환자의 장을 비운다.
③ 환자의 머리에 전극을 밀착하여 부착한다.
④ 환자의 폐소공포증(claustrophobia) 여부를 확인한다.
⑤ 바늘이 삽입된 후에는 환자가 움직이지 않도록 한다.

43 기출

폐쇄공포증이 있는 환자가 불안해 할 수 있는 검사로 옳은 것은?

① 심전도
② 심장초음파
③ 근전도 검사
④ 정맥신우촬영
⑤ 자기공명영상촬영

46 기출

복수천자 시 적절한 체위로 옳은 것은?

① 측위
② 반좌위
③ 앙와위
④ 심스위
⑤ 슬흉위

47 기출

뇌척수액 검사를 채취하는 방법으로 옳은 것은?

① 골수천자
② 늑막천자
③ 복수천자
④ 요추천자
⑤ 흉강천자

50

요추천자 실시 후 통증 감소와 뇌척수액 누출을 방지하기 위한 자세로 옳은 것은?

① 심스위
② 반좌위
③ 절석위
④ 앙와위
⑤ 배횡와위

48 기출

요추천자 후 환부가 젖어 있는 것 같다고 호소하는 대상자에게 우선적으로 취해야 할 사항은?

① 환부를 살펴본다.
② 환의를 갈아 입힌다.
③ 환부에 마사지를 해 준다.
④ 환부에 휴지를 대어 준다.
⑤ 화장실에 가고 싶은 지 물어본다.

49 기출

요추천자 간호보조활동으로 옳은 것은?

① 검사 전 복부둘레를 측정한다.
② 검사 후 천자 부위를 열어 둔다.
③ 검사 전날 자정부터 금식시킨다.
④ 검사 중 심스 체위를 취하게 한다.
⑤ 검사 후 머리와 다리가 수평이 되게 눕힌다.

CHAPTER

08 응급상황 대처

제1장 | 심폐소생술

01

성인의 경우 심폐소생술을 한 사람이 실시해야 할 경우 심장마사지와 인공호흡의 비율로 옳은 것은?

① 5 : 1
② 10 : 2
③ 15 : 2
④ 30 : 1
⑤ 30 : 2

02 기출

심폐소생술 시 가슴 압박의 위치로 옳은 것은?

① 흉골
② 명치 끝
③ 흉골 아래 1/2 지점
④ 쇄골에서 두 번째 늑간이 만나는 지점
⑤ 우측 쇄골의 중앙과 3번 늑간이 만나는 지점

03 기출

영아 심폐소생술 방법으로 옳은 것은?

① 발바닥을 두드려서 의식을 확인한다.
② 기도를 개방하기 위해 목을 과신전한다.
③ 가슴 압박은 한 손의 손바닥을 이용한다.
④ 가슴 압박 위치는 검상돌기 아래 부분이다.
⑤ 가슴 압박 속도는 분당 80회 미만으로 한다.

04 기출

성인 심폐소생술 시 방법으로 옳은 것은?

① 분당 50~60회 압박한다.
② 검상돌기 부위를 압박한다.
③ 가슴 부위를 5 cm 깊이로 압박한다.
④ 가슴압박과 인공호흡의 비율은 20:1로 한다.
⑤ 손가락 끝이 가슴에 닿도록 하여 팔꿈치를 구부려 압박한다.

05

인공호흡 시 가장 먼저 해야 할 사항으로 옳은 것은?

① 환자를 보호한다.
② 환자의 머리를 하지보다 낮게 눕힌다.
③ 환자의 머리를 하지보다 높게 눕힌다.
④ 기도를 막을 수 있는 모든 이물질을 제거한다.
⑤ 환자의 머리를 옆으로 돌려 점액이 입과 코로 흘러나오도록 한다.

06 기출

심정지를 일으킨 성인에게 자동심장충격기를 사용하는 방법으로 옳은 것은?

① 옷 위에 패드를 붙인다.
② 심장충격 버튼을 누른 후 바로 전원을 끈다.
③ 심장리듬 분석 중에도 가슴 압박을 지속한다.
④ 패드를 부착할 부위에 물기가 있으면 제거한다.
⑤ 심장충격 버튼을 누를 때 패드를 누르고 있는다.

07 기출

흉벽으로 전기를 방출시켜 심실세동을 정상리듬으로 회복시킬 수 있는 응급처치는?

① 가슴압박
② 인공호흡
③ 흉관삽입
④ 기관내삽관
⑤ 자동심장충격기 적용

08 기출

자동심장충격기에서 "심장 리듬을 분석합니다."하는 음성지시를 듣고 그 다음에 해야 할 행동으로 옳은 것은?

① 가슴 압박을 지속한다.
② 인공호흡을 2회 실시한다.
③ 경동맥의 맥박을 확인한다.
④ 대상자에게서 손을 떼고 물러난다.
⑤ 어깨를 두드리며 대상자의 반응을 확인한다.

제2장 | 응급처치

09

응급처치의 설명으로 옳은 것은?

① 회복하기 어려운 환자의 처치이다.
② 회복기 환자에게 취해지는 처치이다.
③ 병원에 도착하여 처음 하는 처치이다.
④ 수술도중 환자에게 하는 신속한 처치이다.
⑤ 사고나 질병에 대한 즉각적이고 임시적인 처치이다.

10

응급상황 시 환자의 의식 상태를 사정할 때 가장 먼저 사용하는 방법으로 옳은 것은?

① 언어적 자극
② 촉각적 자극
③ 각막 반사자극
④ 심한 동통자극
⑤ 가벼운 동통자극

11 기출

의식이 <u>없는</u> 환자에게 중요한 간호로 옳은 것은?

① 체위 변경
② 수액 공급
③ 기도 유지
④ 혈압 측정
⑤ 고열량식이

12 기출

길거리를 걷다가 쓰러진 사람을 발견한 경우 의식을 확인한 후 취해야 할 행동은?

① 맥박을 확인한다.
② 인공호흡을 실시한다.
③ 심폐소생술을 실시한다.
④ 자동심장충격기를 실시한다.
⑤ 주변인을 정확히 지목하여 신고를 요청한다.

13

의식을 잃고 쓰러져 있는 성인 대상자를 발견하였을 때 가장 먼저 시행해야 하는 것은?

① 1초 동안 인공 호흡을 시행한다.
② 10초 동안 얼굴과 가슴을 관찰한다.
③ 고개를 옆으로 돌려 질식을 예방한다.
④ 119에 신고하고 자동심장충격기를 요청한다.
⑤ 대상자의 어깨를 두드리며 소리쳐서 반응을 확인한다.

14

의식이 없는 환자에게 구강으로 음료수나 약물을 주어서는 안 되는 이유로 옳은 것은?

① 실금을 하기 때문에
② 복부팽만이 생기기 때문에
③ 환자가 먹을 수 없기 때문에
④ 긴급히 수술을 받아야 하기 때문에
⑤ 기도로 넘어가 질식할 우려가 있기 때문에

15

응급환자 발생 시 119에 전화하여 알려주어야 할 사항으로 옳지 <u>않은</u> 것은?

① 환자의 연락처
② 응급상황의 내용
③ 환자의 위치와 상태
④ 필요한 응급 처치 도구
⑤ 신고자의 신원과 연락처

제3장 | 상황별 응급처치

16 기출

온몸의 경련과 함께 거품을 토하는 환자에게 취해 주어야 할 처치로 옳은 것은?

① 기도 유지한다.
② 조명을 밝게 한다.
③ 사지를 고정시킨다.
④ 보호대를 사용한다.
⑤ 허리띠를 조여 준다.

17 [기출]

자간전증을 진단받은 임신부가 경련을 하고 있을 때 돕는 방법으로 옳은 것은?

① 수분 공급을 위해 물을 마시게 한다.
② 손상을 방지하기 위해 억제대를 해 준다.
③ 침대난간에 부딪히지 않게 침대난간을 내린다.
④ 흡인을 방지하기 위해 머리를 옆으로 돌려 준다.
⑤ 환자의 상태를 확인하기 위해 혈액검사를 시행한다.

18

간질환자가 바닥에 쓰러져 발작 증상을 일으킬 때 옳은 것은?

> 가. 침대에 옮겨 눕힌다.
> 나. 호흡을 용이하게 하고 기도 흡인을 예방하기 위해 환자의 몸을 옆으로 돌린다.
> 다. 손상을 막기 위해 억재대를 사용한다.
> 라. 옷을 느슨하게 해서 호흡이 편안하도록 돕는다.
> 마. 발작 시 환자를 다치게 할 수 있는 위험한 물건은 치워 둔다.

① 가, 다
② 가, 나, 다
③ 나, 라, 마
④ 가, 나, 다, 라
⑤ 가, 나, 다, 라, 마

19 [기출]

대퇴골 골절로 응급실에 들어온 환자를 위한 간호로 옳은 것은?

① 골절 부위에 댈 부목을 준비
② 수술 직전까지 음식 섭취 격려
③ 골절 부위의 순환을 확인을 위한 혈압 측정
④ 골절 부위에 부종과 통증을 완화하기 위해 온찜질을 적용
⑤ 골절된 다리의 수동적 관절운동을 통해 근육 수축을 예방

20

골절환자의 응급처치로 옳지 <u>않은</u> 것은?

① 대퇴골 골절시 긴 부목을 댄다.
② 상지골절시 삼각건을 이용한다.
③ 쇄골 골절시 삼각건을 이용한다.
④ 두개골 골절시 머리를 아래로 둔다.
⑤ 척추골 골절시 처치하지 않고 구조를 요청한다.

21

척추손상이 의심되는 환자를 발견하였을 때 즉각적인 처치로 옳은 것은?

① 업어서라도 빨리 병원으로 옮긴다.
② 통증이 심하므로 측와위로 눕힌다.
③ 전신부목으로 몸을 똑바로 눕힌다.
④ 바퀴의자에 앉혀 병원으로 옮긴다.
⑤ 호흡곤란이 있으므로 상체를 눕혀서 운반한다.

22 기출

독사에게 발목을 물렸을 때 응급처치로 옳은 것은?

① 물린 발목보다 아래를 묶는다.
② 물린 발목을 심장보다 낮게 한다.
③ 물린 발목의 독을 입으로 빨아낸다.
④ 물린 발목을 지속적으로 움직이게 한다.
⑤ 물린 발목에 온찜질을 하여 통증을 완화한다.

23 기출

뱀에게 다리를 물렸을 때 응급처치 방법으로 옳은 것은?

① 수분 섭취를 격려한다.
② 환부를 부목으로 고정한다.
③ 환부의 하부를 압박대로 묶는다.
④ 환부를 심장보다 높게 위치시킨다.
⑤ 환부를 얼음으로 직접 문질러 준다.

24

사교상 환자의 처치법으로 옳은 것은?

가. 칼로 함부로 절개하지 않는다.
나. 움직이지 않도록 한다.
다. 되도록 수분 섭취는 금하고 쇼크에 주의한다.
라. 구조자가 입으로 피를 빨아내지 않도록 한다.
마. 물린 부위는 심장보다 아래로 향하게 한다.

① 가, 다
② 가, 나, 다
③ 나, 라, 마
④ 가, 나, 다, 라
⑤ 가, 나, 다, 라, 마

25 기출

음식물로 상기도가 폐쇄된 의식 있는 어른들의 응급처치로 옳은 것은?

① CPR 시행
② heimlich 법 시행
③ head-tilt 법 시행
④ jaw-thrust 법 시행
⑤ head-tilt/chin lift 법 시행

26 기출

추위에 장시간 노출되어 발가락에 동상이 발생한 환자에 대한 간호보조활동으로 옳은 것은?

① 전기담요를 덮어 준다.
② 발가락을 문질러 준다.
③ 물집이 있으면 터트린다.
④ 동상 부위를 심장보다 낮춘다.
⑤ 따뜻한 물에 동상 부위를 담근다.

27

동상에 걸린 환자 간호로 옳지 <u>않은</u> 것은?

① 젖은 옷은 벗겨준다.
② 동상부위를 만지지 않도록 한다.
③ 부종이 오지 않도록 상승시켜준다.
④ 보온을 위해 가벼운 담요로 덮어준다.
⑤ 체온조절중추의 기능부전으로 인해 발생한다.

28 기출

비출혈이 있는 환자의 응급처치로 옳은 것은?

① 고개를 뒤로 젖힌다.
② 입으로 숨을 쉬게 한다.
③ 코피가 멈춘 후 코를 푼다.
④ 입으로 넘어온 코피를 삼키게 한다.
⑤ 목덜미나 콧등에 더운물 찜질을 한다.

29 기출

코피가 나는 환자의 응급처치로 옳은 것은?

① 코를 세게 풀게 한다.
② 콧등에 온찜질을 한다.
③ 입이 아닌 코로 숨을 쉬게 한다.
④ 입안으로 넘어온 혈액을 삼키게 한다.
⑤ 머리를 앞으로 숙인 채 좌위를 취하게 한다.

30

다음 중 쇼크에 대한 증상으로 옳지 않은 것은?

① 청색증
② 빠른 맥박
③ 체온 상승
④ 혈압 하강
⑤ 소변배설량 감소

31

쇼크환자의 응급치료로 옳은 것은?

> 가. 절대 안정한다.
> 나. 보온한다.
> 다. 옷을 느슨하게 한다.
> 라. 다리를 높여준다.
> 마. 활력 징후를 자주 측정한다.

① 가, 다
② 가, 나, 다
③ 나, 라, 마
④ 가, 나, 다, 라
⑤ 가, 나, 다, 라, 마

32 기출

다량의 구토 후 빈호흡, 저혈압과 함께 피부가 차갑고 축축해지는 증상이 나타날 때 가장 먼저 해야 할 응급처치로 옳은 것은?

① 다리를 올려준다.
② 위세척을 해준다.
③ 냉요법을 적용한다.
④ 하지를 마사지한다.
⑤ 고장식염수를 투여한다.

33 기출

저혈량 쇼크시 우선적인 간호로 옳은 것은?

① 산소를 공급해준다.
② 수액요법을 취한다.
③ 머리를 높이 올려준다.
④ 혈관수축제를 투여한다.
⑤ 변형 트렌델렌버그 체위를 취해준다.

34

다음 중 아나필라틱 쇼크에 대한 설명으로 옳은 것은?

① 정상보호기전 중 하나이다.
② 과도한 전신성 혈관이완이다.
③ 예상되거나 의도된 생리적 반응이다.
④ 흡수량이 배설량보다 적을 때 발생한다.
⑤ 과도한 용량의 약물을 장기복용 시 발생된다.

35 [기출]

벌에 쏘인 환자에 대한 응급처치로 옳은 것은?

① 쏘인 부위를 직접 압박한다.
② 전신의 알러지 반응을 관찰한다.
③ 쏘인 부위에 더운물 찜질을 한다.
④ 피부에 박힌 침은 족집게로 즉시 제거한다.
⑤ 쏘인 부위를 심장보다 높게 들어 올려준다.

36

노인이 운동하다 발목을 삐었을 때 응급간호로 옳지 않은 것은?

① 얼음 찜질
② 다리 상승
③ 더운물 찜질
④ 손상부위 고정
⑤ 발목지지 및 안정

37

발목 염좌 시 응급처치로 옳은 것은?

> 가. 다친 발목을 올려준다.
> 나. 미지근한 물에 발을 담근다.
> 다. 찬 습포나 얼음주머니를 대준다.
> 라. 발목을 마사지 한다.
> 마. 발목 운동을 위해 조심히 걷는다.

① 가, 다
② 가, 나, 다
③ 나, 라, 마
④ 가, 나, 다, 라
⑤ 가, 나, 다, 라, 마

38

타박상을 입었거나 관절이 삐었을 때 부종을 예방하기 위한 처치로 옳은 것은?

① 좌욕
② 찬물 찜질
③ 알코올 목욕
④ 미온수 목욕
⑤ 더운물 찜질

39 [기출]

운동장에서 운동하다가 학생이 쓰러졌다. 일사병으로 추측이 되는 이 환자에게 가장 먼저 시행해야 할 간호로 옳은 것은?

① 식염수로 관장시킨다.
② 얼음물 마사지를 시킨다.
③ 75% 알코올로 마사지해준다.
④ 20℃ 미온수로 마사지시킨다.
⑤ 시원한 그늘진 곳으로 옮긴 후 안정시킨다.

40 기출

열손상증 중에 심부체온이 40도 이상 올라가면서도 땀이 나지 <u>않는</u> 등 체온조절중추 기능이 상실되는 증상은?

① 화상
② 일사병
③ 열경련
④ 열피로
⑤ 열사병

41

열사병의 응급처치로 옳은 것은?

> 가. 빨리 서늘한 곳으로 옮긴다.
> 나. 선풍기를 튼다.
> 다. 옷을 벗기거나 느슨하게 해준다.
> 라. 호흡곤란 시 산소호흡기를 사용한다
> 마. 머리를 약간 높이고 다리는 올려주는 자세를 취해 준다.

① 가, 다
② 가, 나, 다
③ 나, 라, 마
④ 가, 나, 다, 라
⑤ 가, 나, 다, 라, 마

42 기출

무더운 날씨에 육상훈련을 하던 선수가 땀을 많이 흘리고 팔다리 근육에 경련을 일으켰다. 예상되는 원인은?

① 염증
② 산소 부족
③ 염분 부족
④ 체액량 증가
⑤ 마그네슘 과다

43

고온 환경에서 심한 육체적 노동을 하다가 열경련을 일으킨 사람의 응급처치이다. 옳지 <u>않은</u> 것은?

① 수분을 공급한다.
② 근육을 지압한다.
③ 영양분을 공급한다.
④ 0.9% 식염수를 마시게 한다.
⑤ 바람이 잘 통하는 곳에 환자를 눕힌다.

44 기출

음료수로 오인하여 다량의 농약을 복용하여 의식이 혼미한 환자의 응급처치로 옳은 것은?

① 위 세척
② 아트로핀 투여
③ 수액 공급 제한
④ 고산소요법 시행
⑤ 중추신경계제 투여

45

음독환자를 병원에 데리고 갈 때 반드시 챙겨야 할 것으로 옳은 것은?

① 환자의 유서
② 환자의 토물
③ 환자의 소지품
④ 사용한 해독제
⑤ 약물이 든 용기

46

중독될 수 있는 약물을 과량 복용한 경우 흡수를 억제하기 위한 응급처치 방법으로 옳은 것은?

① 위 세척
② 투석요법
③ 도뇨관 삽입
④ 이뇨제 투여
⑤ 활성탄 투여

47 기출

중독 시 응급처치 상황이다. 그 연결이 옳은 것은?

① 빙초산 중독 — 위세척
② 농약 중독 — 비타민 K 투여
③ 쥐약 중독 — 중추신경억제제 투여
④ 일산화탄소 중독 — 고농도 산소 투여
⑤ 바비튜레이트 중독 — 중추신경억제제 투여

48

일산화탄소(CO) 중독환자에 대한 우선적인 간호로 옳은 것은?

① 치열 사이에 설압자를 삽입한다.
② 사지에 더운물 주머니를 대준다.
③ 통증이 심하므로 측와위로 눕힌다.
④ 공기가 맑은 곳으로 환자를 옮긴다.
⑤ 측위로 눕혀 분비물이 흡인되지 않도록 한다.

49

찰과상의 설명으로 옳은 것은?

① 피부가 찔린 것이다.
② 피부가 긁힌 것이다.
③ 피부가 찢어진 것이다.
④ 피부가 분리된 것이다.
⑤ 피부가 감염된 것이다.

50 기출

못이나 칼같은 예리하고 날카로운 것에 찔려 생긴 좁고 깊은 상처로 옳은 것은?

① 찰과상
② 열상
③ 관통상
④ 자상
⑤ 절상

51

자상이나 열상을 입은 경우 조치로 옳지 <u>않은</u> 것은?

① 지혈한 후 필요시 봉합
② 파상풍 우려 시 항독소 접종
③ 소독된 거즈로 압박하여 지혈
④ 필요시 항생제 연고 도포 후 드레싱
⑤ 상처에 이물질이 묻은 경우 흐르는 물로 세척

52

상처감염을 막기 위하여 주의해야 할 상처로 옳지 않은 것은?

① 열상
② 자상
③ 타박상
④ 2도 화상 환자
⑤ 창상이 있는 골절 환자

53

심한 출혈을 보인 환자의 응급처치로 옳은 것은?

가. 출혈부위를 직접 압박한다.
나. 심장보다 올려준다.
다. 지혈대는 최후에 사용한다.
라. 수액을 공급한다.
마. 감염 가능성이 있다면 직접 압박법은 사용하지 않는다.

① 가, 다
② 가, 나, 다
③ 나, 라, 마
④ 가, 나, 다, 라
⑤ 가, 나, 다, 라, 마

54

출혈 시 지혈대 사용법으로 옳은 것은?

① 출혈부위를 낮추어준다.
② 음료수를 주어 수분을 보충한다.
③ 될수록 상처로부터 먼 곳에 지혈대를 맨다.
④ 지혈대는 매 60분마다 15분씩 풀어줘야 한다.
⑤ 지혈대를 오래 매고 있을 경우는 매 20분마다 풀어주고 2~3분 후에 다시 맨다.

55

다음은 화상응급처치를 설명한 것으로 옳은 것은?

가. 화상 부위를 흐르는 찬물에 담그어 통증과 부종을 줄인다.
나. 시계, 반지, 의복 등은 병원에 도착할 때까지 제거해서는 안 된다.
다. 옷에 불이 붙은 경우에는 방바닥에 몸을 굴려서 끈다.
라. 물집이나 피부 부스러기는 터트리거나 제거하고 항생제 연고로 드레싱한다.
마. 상처는 습한 드레싱으로 자주 교환한다.

① 가, 다
② 가, 나, 다
③ 나, 라, 마
④ 가, 나, 다, 라
⑤ 가, 나, 다, 라, 마

56 기출

2도 화상환자의 응급처치로 옳은 것은?

① 화상 연고를 도포한다.
② 손상된 조직을 제거한다.
③ 화상 부위의 수포를 제거하지 않는다.
④ 젖은 멸균 거즈로 화상 부위를 덮어준다.
⑤ 화상 부위에 얼음주머니를 직접 대어 준다.

57

40세 남자환자가 머리와 목, 한쪽 팔 전부 그리고 가슴과 배에 화상을 입었다. 몇 % 화상에 해당되는지 옳은 것은?

① 9%
② 18%
③ 27%
④ 36%
⑤ 45%

제4장 | 산소요법

58

산소투여 환자 간호 시 주의해야 할 내용으로 옳지 않은 것은?

① 금연시킨다.
② 손을 자주 씻는다.
③ 성냥, 라이터를 치운다.
④ 전열기 사용을 금지한다.
⑤ 모나 합성섬유 대신 면 담요를 사용한다.

59 기출

산소투여 환자 간호로 옳은 것은?

① 주변에 라이터를 둔다.
② 모직물로 된 담요를 사용한다.
③ 습윤병에 기포가 생기는지 확인한다.
④ 습윤병에 멸균 생리식염수를 채운다.
⑤ 실내 환경을 항상 건조하게 조성한다.

60

대상자에게 산소요법 적용 시 주의사항으로 옳지 않은 것은?

① 병실에 금연 표시판을 단다.
② 인화성 기름의 사용은 피한다.
③ 병실 내에 적절한 장소에 소화기를 비치한다.
④ 화재 시 행동지침과 비상구 통로 등을 알려준다.
⑤ 정전기 발생의 예방을 위해 담요를 사용하도록 한다.

61 기출

가장 높은 농도의 산소를 투여하기 위해 준비해야 할 물품은?

① 비강 카테터
② 비강 캐뉼라
③ 벤추리 마스크
④ 비재호흡 마스크
⑤ 단순 안면 마스크

62 기출

산소투여를 지속하면서 음식을 섭취할 수 있는 기구는?

① 소생백
② 비강캐뉼라
③ 벤추리마스크
④ 단순안면마스크
⑤ 비재호흡마스크

63 기출

단순안면 산소마스크에 대한 관리로 옳은 것은?

① 환자에게 측위를 취해준다.
② 귀 뒤에 거즈나 패드를 댄다.
③ 마스크를 턱에서 코 방향으로 씌운다.
④ 마스크에 습기가 찼을 때 더운물을 적셔준다.
⑤ 산소로 인한 눈의 자극을 방지하기 위해 마스크의 눈 쪽 부분을 헐렁하게 해 준다.

64

가습요법의 적용 목적으로 옳지 <u>않은</u> 것은?

① 점막건조 예방
② 상기도의 감염치료
③ 기도의 분비물 배출
④ 기도의 자극증상 완화
⑤ 기도를 유지해 환기를 증진

66

기관절개 환자의 간호내용으로 옳지 <u>않은</u> 것은?

① 연필과 종이를 준비한다.
② 절개부위의 점막이 건조해지지 않도록 한다.
③ 청색증, 호흡곤란 증상이 있는지 자주 관찰한다.
④ 내관을 과산화수소수 용액에 몇 분 동안 담가 둔다.
⑤ 끈으로 매듭을 만들어 여유 있게 목 옆에 단단히 묶는다.

65

기관절개환자의 기도흡인 시 흡인방법으로 옳은 것은?

가. 삽입된 카테터를 부드럽게 회전시키면서 흡인한다.
나. 카테터를 16 cm 이상 충분히 삽입한다.
다. 무균용기에 생리식염수나 멸균수를 부어 사용한다.
라. 1회 총 흡인시간은 5분으로 제한한다.
마. 흡인 대상자가 무의식 상태일 때는 좌위를 유지한 후 흡인한다.

① 가, 다
② 가, 나, 다
③ 나, 라, 마
④ 가, 나, 다, 라
⑤ 가, 나, 다, 라, 마

CHAPTER 09 환자와 보호자 관리

제1장 | 입원, 퇴원, 전동

01 기출

의식이 명료한 성인입원환자를 확인하는 방법으로 옳은 것은?

① 침상의 이름표를 보고 확인한다.
② 환자 본인 여부를 가족에게 확인한다.
③ 환자의 이름을 불러 보아 맞는지 확인한다.
④ 환자의 생년월일을 불러 보아 맞는지 확인한다.
⑤ 환자가 대답한 이름과 등록번호 또는 생년월일을 입원팔찌와 대조하여 확인한다.

02 기출

환자가 병원 입원 시 간호조무사가 해야 할 업무로 옳은 것은?

① 외래방문 날짜를 알려준다.
② 귀중품은 간호사에게 보관한다.
③ 병실안내 및 규칙을 설명해준다.
④ 치료 경과에 대하여 설명을 해준다.
⑤ 필요시 가정방문 서비스를 연결해준다.

03 기출

입원 수속 후 병동에 도착한 환자에게 해야 할 일은?

① 수술동의서 받기
② 외래 방문일자 안내
③ 질병 경과에 대한 설명
④ 간호사실에 귀중품 보관
⑤ 식사 시간 및 면회 시간 안내

04

환자가 입원할 때 간호조무사가 가장 먼저 할 일로 옳은 것은?

① 입원 시 활력징후를 측정한다.
② 환의로 갈아입히고 옆 환자를 소개한다.
③ 병원 방침대로 환자에 관한 기록을 한다.
④ 병원 환경과 일반적인 규칙에 대한 안내를 한다.
⑤ 환자에게 자신을 소개하고 지정된 병실로 안내한다.

05 기출

오른팔에 수액을 맞고 있는 환자에게 상의를 환복시킬 때 간호로 옳은 것은?

① 수액을 완전히 열고 탈의한다.
② 벗길 때는 오른팔 먼저 탈의한다.
③ 갈아입힐 때는 왼팔 먼저 착의한다.
④ 수액세트를 분리하지 말고 탈의한다.
⑤ 수액병을 오른팔보다 낮게 하고 탈의한다.

06

화상환자를 위해서 만드는 침상으로 옳은 것은?

① 빈 침상
② 수술 침상
③ 크래들 침상
④ 골절환자 침상
⑤ 스트라이커 침상

07 기출

요추골절환자의 침상으로 옳은 것은?

① 앉을 수 있으면 앉혀 놓는다.
② 푹신한 공기침요를 사용한다.
③ 단단하고 평평한 판자를 사용한다.
④ 허리 밑과 머리에 베게를 대어 준다.
⑤ 허리에 부담을 주지 않기 위해 복위를 취해준다.

08 기출

환자가 누워 있는 상태에서 홑이불을 교환하는 침상의 종류는?

① 빈 침상
② 개방 침상
③ 크래들 침상
④ 사용 중 침상
⑤ 골절환자 침상

09 기출

병원전동 시 약 처리방법으로 옳은 것은?

① 폐기한다.
② 원무과로 보낸다.
③ 약국에 반납한다.
④ 보호자에게 준다.
⑤ 이동할 병동으로 보낸다.

10 기출

환자를 다른 병동으로 전동시킬 때 간호로 옳은 것은?

① 중간병원비 정산을 요청한다.
② 남아 있는 약은 남김없이 버린다.
③ 의무기록지를 정리하여 원무과로 보낸다.
④ 환자 기록과 전동 물품들을 해당 병동으로 옮긴다.
⑤ 병실 전동 시에는 환자의 비밀이기 때문에 왜 옮기는지 알리지 않는다.

11 기출

전동 시 간호보조활동으로 옳은 것은?

① 전입 시 가져온 약물은 버린다.
② 전입 시 병동 시설에 대해 안내한다.
③ 전출 시 퇴원처리 후 다시 입원 수속을 한다.
④ 전출 시 의무기록을 정리하여 의무기록실로 보낸다.
⑤ 전출 시 환자와 보호자가 전입병동을 찾아가게 한다.

12 기출

퇴원하는 환자에 대한 간호로 옳은 것은?

① 병원 시설 안내
② 면회 시간 안내
③ 귀중품 보관 안내
④ 외래 방문 일정 안내
⑤ 화재 시 대피로 안내

13 기출

환자퇴원 시 안내사항으로 옳은 것은?

① 병원 규칙을 설명한다.
② 간호사 호출 방법을 교육한다.
③ 병원 환경의 내부 구조를 알려 준다.
④ 집에서 할 수 있는 운동을 교육한다.
⑤ 환자의 개인 소지품은 보관 후 외래방문 시 드린다.

14 기출

환자 퇴원 시 교육해야 할 내용으로 옳은 것은?

① 병동 규칙을 자세히 해준다.
② 추후 내원할 날짜를 알려준다.
③ 진단 결과를 상세히 설명해 준다.
④ 퇴원 전 의무기록지를 작성하게 한다.
⑤ 퇴원결정은 환자와 보호자가 결정한다.

15

침상 만들 때 사용하는 물품의 순서로 옳은 것은?

① 고무포-밑홑이불-반홑이불-담요-윗홑이불-침상보
② 밑홑이불-고무포-반홑이불-윗홑이불-담요-침상보
③ 밑홑이불-반홑이불-고무포-담요-윗홑이불-침상보
④ 밑홑이불-고무포-반홑이불-담요-윗홑이불-침상보
⑤ 밑홑이불 고무포 반홑이불-침상보-윗홑이불-담요

16 기출

앙와위로 누워 있는 환자에게 발 지지대를 해주는 이유로 옳은 것은?

① 골절 예방
② 빈혈 예방
③ 미끄럼 방지
④ 족저굴곡 예방
⑤ 하지의 외전 방지

17 기출

화상 부위 피부에 침구가 닿지 않게 하는 보조기구로 옳은 것은?

① 베개
② 크레들
③ 핸드롤
④ 발지지대
⑤ 대전자말이

18

침상에서 사용하는 보조기구로 옳지 <u>않은</u> 것은?

① 침상 판 – 허리지지 유지
② 침상 난간 – 이동 시 낙상방지
③ 발 지지대 – 척추선열 유지의 보조
④ 크레들 – 화상, 골절환자 상처 보호
⑤ 손 두루마리 – 손가락의 굴곡상태 유지

제2장 | 의사소통

19

치료적 의사소통 방법으로 옳지 <u>않은</u> 것은?

① 충고
② 경청
③ 공감
④ 눈맞춤
⑤ 고개 끄덕임

20 기출

다음 <보기>와 같이 말하는 환자에게 해줄 수 있는 치료적 의사소통으로 옳은 것은?

> • 환자 : 아내가 저를 간호해주기로 하였는데 힘들 것 같아요. 집안일도 해야 하고, 아이도 도와줘야 하거든요.
> • 간호조무사 :

① "아내는 다 잘하실꺼에요"
② "그런 걱정은 환자분한테 안 좋아요."
③ "그런 생각하시면 아내분도 속상하실 거에요."
④ "그런 말을 하지 말고 다른 이야기를 해 주세요."
⑤ "아내가 집안일과 아이를 돌봐야 해서 환자분 간호해 주시는게 힘들다고 생각하시는군요."

21 기출

식사를 잘 하지 못하는 환자가 불편함으로 호소하고 있다. 치료적 의사소통으로 옳은 것은?

① 환자 : 식사하기가 너무 힘들어요.
　간호조무사 : 요양원으로 가시는 게 좋을 것 같아요.
② 환자: 식사하기가 너무 힘들어요.
　간호조무사 : 그 정도는 참으셔야죠.
③ 환자 : 식사하기가 너무 힘들어요.
　간호조무사 : 식사를 잘 못하셔서 힘드시군요.
④ 환자 : 식사하기가 너무 힘들어요.
　간호조무사 : 약만 잘 드시면 될 거에요.
⑤ 환자 : 식사하기가 너무 힘들어요.
　간호조무사 : 걱정마세요. 저희병원 의사선생님은 유능하니까요.

22 기출

다음에 해당하는 치료적 의사소통 방법은?

> • 환자가 자신이 말하기 힘든 내용을 이야기할 때 환자에게 생각하고 말할 기회를 제공하기 위해 잠시 말을 중단함 충분한 시간을 주면서 기다린다.

① 반영
② 침묵
③ 조언
④ 안심시키기
⑤ 개방적 질문

23 기출

환자가 "저는 그 사람을 이해할 수 없어요."라고 이야기 할 때, 이에 대응하는 의사소통으로 옳은 것은?

① "저라면 그냥 참겠어요."
② "이제 그 이야기는 그만 하시죠."
③ "당신은 이해심이 부족한 사람이군요."
④ "지금 상황에 그런 생각은 전혀 도움이 되지 않습니다."
⑤ "이해할 수 없다고 생각되는 부분을 말씀해 주실 수 있을까요?"

24 기출

다음의 의사소통 기술은?

> • 대상자와의 대화 내용이나 느낌을 다른 말로 바꾸어 말함
> • 대상자가 말한 사건에 동반하는 감정을 강조함

① 반영   ② 거절
③ 조언   ④ 자기 노출
⑤ 개방적 질문

25 기출

다음과 같은 상황에서 간호조무사의 반응으로 바람직한 것은?

> • 말기 췌장암 환자가 "저도 제 주변사람들처럼 건강했으면 좋겠어요. 여행도 다니며 마음껏 즐길 수 있잖아요." 라고 이야기하며 눈물을 흘리고 있다.

① "조금 우울해지시니까 다른 이야기할까요?"
② "이번 치료를 받으시면 금방 좋아지실 거에요"
③ "저라면 다른 생각하지 않고 치료에 전념하겠어요."
④ "마음껏 여행 다니시면서 즐겁게 지내고 싶으시군요."
⑤ "그렇게 마음이 약해지시면 어떻게 친구처럼 여행을 가실 수 있겠어요?"

26 기출

비치료적 의사소통으로 옳은 것은?

① "그러시군요. 이해합니다."
② "오늘은 기분이 어떠세요?"
③ "그래요. 약만 잘 드시면 됩니다."
④ "병원에 입원하신 느낌이 어떠십니까?"
⑤ "얼마나 아프신지 더 자세히 말씀해 보세요."

27

시각장애가 있는 환자와의 의사소통으로 옳지 않은 것은?

① 큰 음성으로 언어적 의사소통을 주도한다.
② 병실에 들어왔음을 알리고 자기소개를 한다.
③ 환자 몸에 손을 대기 전에 그 이유를 알린다.
④ 효율적인 소통을 위해 가능한 구체적으로 설명해 준다.
⑤ 주변에 소리와 병실 내 가구의 배치 등에 대해서 설명해 준다.

28 기출

난청환자와 의사소통하는 방법으로 옳은 것은?

① 긴 문장으로 설명한다.
② 입을 작게 벌려 말한다.
③ 환자와 이야기 할 때 입을 가린다.
④ 보청기 착용 시 입력을 낮게 조절한다.
⑤ 눈짓으로 신호를 주면서 이야기를 시작한다.

30 기출

잘 듣지 못하는 난청 노인환자의 의사소통으로 옳은 것은?

① 고음으로 이야기한다.
② 같은 방향을 보고 이야기한다.
③ 얼굴을 정면으로 보지 않고 말한다.
④ 보청기 착용 시 입력을 낮게 조절한다.
⑤ 간단하고 짧은 문장으로 천천히 이야기한다.

29 기출

난청환자와의 의사소통 간호로 옳은 것은?

① 큰소리로 말한다.
② 입을 가리고 말한다.
③ 몸짓으로 이해를 돕는다.
④ 상대방의 옆에 가서 말한다.
⑤ 환자에게 입 모양을 볼 수 없도록 해서 말한다.

31

노인과 대화 시 유의할 점으로 옳지 않은 것은?

① 몸짓을 사용한다.
② 주변 소음을 줄인다.
③ 발음을 분명히 한다.
④ 높고 큰 소리로 말한다.
⑤ 얼굴을 마주보고 얘기한다.

CHAPTER 10 투약, 수혈, 임종간호

제1장 | 투약

01

비경구 약물 투여방법 중 약효가 빠른 순서대로 배열된 것은?

① 근육-정맥-구강-피하
② 정맥-피하-구강-근육
③ 정맥-근육-피하-구강
④ 피하-근육-정맥-구강
⑤ 구강-피하-정맥-근육

02

경구 투약 시 5가지 원칙으로 옳지 <u>않는</u> 것은?

① 정확한 약
② 정확한 시간
③ 정확한 용량
④ 정확한 환자
⑤ 환자의 주소

03

특정시간에 한 번만 투여하는 처방방법으로 옳은 것은?

① 일회처방
② 즉시처방
③ 정규처방
④ 구두처방
⑤ 필요 시 처방

04

관리를 요하는 약물 투약 시 설명으로 옳지 <u>않은</u> 것은?

① 철분제는 식후에 복용한다.
② 헤파린은 주사 후에 마사지한다.
③ 모르핀은 투여 전에 호흡을 측정한다.
④ 강심제는 투여 전에 맥박을 측정한다.
⑤ 인슐린은 주사부위를 바꿔가면서 주사한다.

05

경구투약에 관한 설명으로 옳은 것은?

> 가, 약을 다른 병으로 옮기지 않도록 한다.
> 나. 약을 너무 많이 따랐을 경우에는 약병에 다시 붓는다.
> 다. 물약이 뿌옇게 흐리거나 색깔이 변했으면 약국에 반납한다.
> 라. 철분제제의 약물은 식간에 복용한다.
> 마. 약은 지시된 시간 전후 30분 내에 투약한다.

① 가, 다
② 가, 나, 다
③ 나, 라, 마
④ 가, 나, 다, 라
⑤ 가, 나, 다, 라, 마

06

경구투약의 단점으로 옳지 <u>않은</u> 것은?

① 간편하고 경제적이다.
② 정확한 흡수량의 측정이 어렵다.
③ 철분제제 약물은 치아에 손상을 준다.
④ 위액으로 인해 약물작용에 영향을 준다.
⑤ 위장관에 자극으로 오심, 구토 등이 나타난다.

07

맛이 좋지 <u>않은</u> 쓴 약을 경구 투여하는 경우 투약 전에 도와줄 수 있는 방법으로 옳은 것은?

① 따뜻한 차를 마시게 한다.
② 비스켓을 소량 먹게 한다.
③ 사탕을 입에 물고 있게 한다.
④ 시원한 레몬즙을 마시게 한다.
⑤ 얼음조각을 입에 물고 있도록 한다.

08

다음 중 경구투약이 가능한 대상자로 옳은 것은?

① 무의식환자
② 계속 토하는 환자
③ 유동식 섭취 환자
④ 연하곤란이 있는 환자
⑤ 금식(NPO)을 하고 있는 환자

09

눈세척 방법으로 옳지 <u>않은</u> 것은?

① 용액을 37℃로 준비한다.
② 점적기가 눈에 닿지 않게 한다.
③ 환측 부위로 머리를 돌리게 한다.
④ 보통 생리식염수나 지시된 세척액을 사용한다.
⑤ 세척할 동안 용액이 외안각에서 내안각으로 흐르게 한다.

10

안약 투여 방법으로 옳은 것은?

① 안연고는 하안검 외측에서 내측으로 바른다.
② 안약의 점적기 끝을 눈가장자리에 대고 흐르게 한다.
③ 안약 투여 후 왼쪽 시지로 눈의 내각을 가볍게 눌러준다.
④ 연고를 투여한 후 안구를 굴리지 말고 조용히 눈을 감게 한다.
⑤ 하부 결막낭의 외각에서 내각으로 가로 1~2 cm 연고를 바른다.

11

코에 약물을 점적하는 방법으로 옳지 <u>않은</u> 것은?

① 입으로 숨을 쉬게 한다.
② 투약 전에 코를 풀게 한다.
③ 사골동 치료 시에는 우측을 향해 약물을 떨어뜨린다.
④ 투약 후 흡수를 위해 5~10분간 그대로 누워 있게 한다.
⑤ 상악동 치료 시 어깨 밑에 베개를 넣고 머리를 치료방향으로 돌린다.

12

3세 미만 소아의 귀에 약물투여 방법으로 옳은 것은?

① 전상방   ② 전하방
③ 후상방   ④ 후하방
⑤ 수평방향

13

귀 점적 투여의 목적으로 옳지 <u>않은</u> 것은?

① 귀지를 부드럽게 하기 위함
② 귀의 통증을 완화시키기 위함
③ 내이도의 질환을 치료하기 위함
④ 외이도 이물질을 제거하기 위함
⑤ 외이도의 분비물을 제거하기 위함

14

질에 국소적 약물투여 방법으로 옳지 <u>않은</u> 것은?

① 회음부만 노출시킨다.
② 약물투여 전 먼저 소변을 보게 한다.
③ 측위를 취하도록 하고 패드를 깔아준다.
④ 약물 투여 후 그대로 5~10분 동안 누워 있게 한다.
⑤ 질 점막 후벽을 따라 좌약을 1~2 cm 정도 삽입한다.

15

투약과 관련된 의학용어의 설명으로 옳은 것은?

가. stat : 즉시	나. ac : 식후
다. OD : 우측 눈	라. prn : 매시간
마. hs : 금식	

① 가, 다
② 가, 나, 다
③ 나, 라, 마
④ 가, 나, 다, 라
⑤ 가, 나, 다, 라, 마

16

주사약물 중 바이알을 주사기에 준비할 때 방법으로 옳은 것은?

① 바이알 속에 공기를 넣어서는 안 된다.
② 주사량의 2배의 공기를 바이알 속에 넣는다.
③ 주사량의 4배의 공기를 바이알 속에 넣는다.
④ 바이알 크기와 같은 양의 증류수로 희석한다.
⑤ 주사량과 같은 양의 공기를 바이알 속에 넣는다.

17

환자에게 투여할 약물을 수액으로 투입하기 위해 준비하는 과정에서 수액세트 속에 있는 공기방울을 모두 배출시켜야 하는 이유로 옳은 것은?

① 공기방울로 인한 감염 예방
② 공기방울로 인한 색전증 예방
③ 약물이 잘 투입될 수 있게 하기 위해
④ 공기방울로 인한 폐울혈을 예방하기 위해
⑤ 공기방울로 인한 정맥벽을 자극하여 통증을 유발하기 위해

18 기출

항생제를 정맥으로 투여하기 전 과민반응 여부를 확인하려고 할 때, 주사방법으로 옳은 것은?

① 피내주사
② 피하주사
③ 근육주사
④ 정맥주사
⑤ 골내주사

19

BCG 예방접종의 방법으로 옳은 것은?

① 근육주사
② 피하주사
③ 정맥주사
④ 피내주사
⑤ 경구투여

20

피하주사로 투여될 수 있는 약물로 옳지 <u>않은</u> 것은?

① 마약
② 인슐린
③ 헤파린
④ 예방백신
⑤ 페니실린

21

피하주사에 적합한 부위로 옳지 <u>않은</u> 것은?

① 복부
② 견갑골
③ 상박외측
④ 대퇴직근
⑤ 대퇴의 앞쪽

22

다음 중 근육주사 부위로 옳지 <u>않은</u> 것은?

① 견갑골 부위
② 대퇴직근 부위
③ 외측광근 부위
④ 둔부의 배면 부위
⑤ 둔부의 복면 부위

23

근육주사의 장점으로 옳은 것은?

① 헤파린 투여 시 사용한다.
② 피부반응을 관찰할 수 있다.
③ 흡수속도가 피하주사보다 빠르다.
④ 혈중농도를 일정하게 유지시켜준다.
⑤ 약물에 대한 반응이 가장 빨리 나타난다.

24

피하조직에 자극성 있는 약물을 근육주사 시 자극을 최소화 하는 방법으로 옳지 <u>않은</u> 것은?

① 근육 깊숙이 주사한다.
② 주사바늘을 바로 뺀다.
③ 주사 후 마사지하지 않는다.
④ 10초를 기다렸다가 주사침을 뽑는다.
⑤ 약물 주입 후 마지막에 0.2 mL의 공기를 주입한다.

25

정맥주사의 목적으로 옳지 <u>않은</u> 것은?

① 약물의 빠른 효과를 얻기 위해서
② 신체의 영양과 수분을 공급하기 위해서
③ 수분과 전해질의 균형을 조절하기 위해서
④ 약물을 희석하거나 독소를 해독하기 위해서
⑤ 진단이나 약물의 과민반응을 알아보기 위해서

26

정맥주입 시 주입속도에 영향을 미치는 요인으로 옳지 <u>않은</u> 것은?

① 약물점도
② 정맥 수액병 높이
③ 정맥천자 바늘 길이
④ 정맥내 바늘의 위치
⑤ 수액병 공기구멍의 막힘

제2장 | 수혈

27

수혈의 목적으로 옳지 <u>않은</u> 것은?

① 순환 혈액을 보충하기 위해
② 산소 운반 능력을 증가하기 위해
③ 혈액의 결핍성분을 보충하기 위해
④ 출혈에 따른 쇼크를 예방하기 위해
⑤ 수분과 전해질의 균형을 유지하기 위해

28

심한 출혈로 인한 수혈 시 사용하는 혈액성분으로 옳은 것은?

① 전혈
② 혈장
③ 알부민
④ 혈소판
⑤ 농축적혈구

29 기출

수혈 중 발열과 빈호흡이 나타났을 때 가장 먼저 해야 하는 것은?

① 수혈을 중단한다.
② 수혈세트를 교체한다.
③ 혈액을 따뜻하게 데운다.
④ 임상병리 검사실에 연락한다.
⑤ 생리식염수를 혈액과 함께 주입한다.

30

수혈 시 유의사항으로 옳은 것은?

> 가. 발열, 오한, 가려움증, 두통이 나타나면 주입속도를 늦춘다.
> 나. 공혈자와 수혈자의 혈액형을 확인한다.
> 다. 혈액의 주입 속도를 빠르게 하기 위하여 19 G 이상의 바늘을 사용한다.
> 라. 수혈을 시작한 후 처음 15분 동안 대상자와 함께 있도록 한다.
> 마. 수혈 중 부작용이 발생하였을 경우 즉시 중단 후 의사에게 보고한다.

① 가, 다
② 가, 나, 다
③ 나, 라, 마
④ 가, 나, 다, 라
⑤ 가, 나, 다, 라, 마

제3장 | 임종(호스피스 간호)

31

호스피스 간호의 목적으로 옳지 <u>않은</u> 것은?

① 증상과 통증의 조절하는 것
② 최신의 의학기술에 의한 치료를 돕는 것
③ 대상자의 의지를 존중하며 가능한 편안한 죽음을 맞이하도록 하는 것
④ 대상자의 가족이 대상자와의 사별에 대처할 수 있도록 가족을 돕는 것
⑤ 임종환자와 가족의 사회적, 정서적, 신체적, 영적인 안위를 제공하는 것

32 기출

호스피스 환자의 간호에 대한 내용으로 옳은 것은?

① 환자의 가족을 심리적으로 지지해준다.
② 병이 완치될 수 있다고 격려해준다.
③ 가족들의 슬픔에 무심한 태도를 보여준다.
④ 죽음을 앞둔 환자의 생명을 연장하기 위해 노력한다.
⑤ 환자를 찾는 방문객에게 면회 사절임을 알려준다.

33

임종환자를 돕기 위한 바람직한 태도로 옳은 것은?

① 추억을 회상하도록 한다.
② 위로하고 기운 내라고 한다.
③ 즐거운 일에 대해 이야기한다.
④ 환자의 요구대로 무조건 들어준다.
⑤ 환자의 말에 관심을 보이며 잘 경청한다.

34

임종 시 가장 마지막까지 남아 있는 감각으로 옳은 것은?

① 후각
② 청각
③ 통각
④ 촉각
⑤ 시각

35 기출

임종을 앞둔 환자를 위한 간호보조활동으로 옳은 것은?

① 독방에 혼자 있게 한다.
② 큰 소리로 빠르게 말한다.
③ 실내온도를 30℃ 이상으로 유지한다.
④ 환자가 말할 때 경청하고 공감해 준다.
⑤ 시력이 뚜렷해지므로 책을 읽도록 권한다.

36

임종 시 나타나는 증상으로 옳지 <u>않은</u> 것은?

① 순환의 감소
② 감각의 상실
③ 활력징후의 변화
④ 위장관 기능 증가
⑤ 근육 긴장도 상실

37

임종환자 사후처치 간호내용으로 옳지 <u>않은</u> 것은?

① 눈을 감겨준다.
② 의치는 제거한다.
③ 사체를 앙와위로 눕힌다.
④ 솜으로 코와 귀를 막는다.
⑤ 둔부 밑에 흡수성 패드를 대준다.

38

사후처치 시 간호기록으로 옳지 <u>않은</u> 것은?

① 담당의사
② 사망시간
③ 처치해 준 내용
④ 보호자 도착시간
⑤ 사망 전 대상자의 상태

PART

05

실전 모의고사

파워 간호조무사 **국가시험 예상문제집**

제1회 모의고사

01

간호조무사가 소아환자의 침상 난간을 올리지 않아 환자가 침대에서 떨어져서 골절되었다. 이와 관련된 행위에 해당되는 것은?

① 부정행위
② 불법행위
③ 업무상과실
④ 주의의무태만
⑤ 전단석 의료행위

02

자신의 검사결과에 대해 환자가 문의할 때 간호조무사의 태도로 옳은 것은?

① 담당간호사에게 보고한다.
② 담당의사에게 물어보도록 한다.
③ 보고 후 알려주겠다고 대답한다.
④ 검사결과를 확인한 후 알려준다.
⑤ 자신의 업무가 아니므로 알려줄 수 없다고 한다.

03

병원물품 사용 후 관리방법으로 옳은 것은?

가. 고막 체온계의 탐침 커버는 재사용한다.
나. 거즈는 일반의료폐기물 통에 처리한다.
다. 더운물 주머니는 비누로 씻어 햇빛에 말린다.
라. 고무포는 둥글게 말아서 보관한다.
마. 곡반을 뜨거운 물에 넣어 소독한 후 완전히 물기를 닦아낸다.

① 가, 다
② 가, 나, 다
③ 나, 라, 마
④ 가, 나, 다, 라
⑤ 가, 나, 다, 라, 마

04

다음 중 혈액의 성분과 관련된 설명으로 옳은 것은?

① 적혈구-식균 작용
② 혈소판-혈액응고 관여
③ 혈청-산소와 친화성 있음
④ 혈장-90% 이상이 단백질로 형성
⑤ 백혈구-과립백혈구에는 입파구와 단핵구가 있음

05

다음 중 지방성분을 소화하는 효소로 옳은 것은?

① 펩신
② 트립신
③ 리파아제
④ 덱스트린
⑤ 아밀라아제

06

다음 중 갑상샘과 관련 있는 식품으로 옳은 것은?

① 과일
② 생선
③ 육류
④ 우유
⑤ 해조류

07

다음 중 교감신경 자극 시 나타나는 신체의 변화로 옳은 것은?

① 동공 축소
② 기관지 수축
③ 심장박동 저하
④ 말초혈관 수축
⑤ 소화관 연동운동 증가

08

결핵약 중 스트렙토마이신의 가장 큰 부작용으로 옳은 것은?

① 위장 장애
② 요로 결석
③ 말초신경염
④ 제3뇌신경 장애
⑤ 제8뇌신경 장애

09

치아에 검게 착색되는 약물로 옳은 것은?

① 진정제
② 철분제
③ 진통제
④ 항생제
⑤ 진해제

10

약품의 관리 요령에 대한 내용으로 옳은 것은?

> 가. 라벨이 손상된 약은 투여해서는 안 된다.
> 나. 투여하지 않은 약은 다시 약병에 부어둔다.
> 다. 침전물이 있거나 변색된 약은 사용하지 않는다.
> 라. 마약이나 항정신성 의약품은 냉장고에 보관한다.
> 마. 좌약은 냉장 보관한다.

① 가, 다
② 가, 나, 다
③ 나, 라, 마
④ 가, 나, 다, 라
⑤ 가, 나, 다, 라, 마

11

갑상선 기능 유지에 중요한 영양소로 옳은 것은?

① 철
② 칼슘
③ 단백질
④ 요오드
⑤ 비타민 C

12

부종이 심한 환자에게 제한해야 할 식이요법으로 옳은 것은?

① 수분, 지방
② 수분, 나트륨
③ 단백질, 수분
④ 나트륨, 탄수화물
⑤ 탄수화물, 단백질

13

영구치 중 가장 마지막에 맹출되는 치아로 옳은 것은?

① 송곳니
② 사랑니
③ 제1대구치
④ 제2대구치
⑤ 하악 유중절치

14

치과 간호조무사의 기구전달 및 업무에 대한 설명으로 옳은 것은?

① 고속 핸드피스만 사용한다.
② 간호조무사 의자가 의사보다 낮아야 한다.
③ 자주 사용하는 물품은 우측에서 좌측으로 배열한다.
④ 진료 시 통증을 없애기 위해서 국소마취를 실시한다.
⑤ 진료의사가 오른손으로 진료시에는 간호조무사는 진공흡입기를 오른손으로 잡고 조정한다.

15

요골동맥에서 손가락으로 심장박동의 파동이 동맥파를 타고 말초에 전달될 때 숙지하여 질병상태를 판단하는 진단방법으로 옳은 것은?

① 맥진
② 망진
③ 문진
④ 절진
⑤ 안진

16

다음 중 침구법 간호에 관한 내용으로 옳은 것은?

> 가. 침 자리가 청색으로 부은 경우 그대로 두면 자연히 없어진다.
> 나. 발침 후 남은 침을 확인한다
> 다. 침구 제거 후 소독솜을 이용하여 가볍게 문지른다.
> 라. 침체가 피부 위로 2/10 ~ 3/10 정도 노출되게 한다.
> 마. 사용한 침구는 알코올 솜으로 닦아 고압증기멸균 소독을 한다.

① 가, 다
② 가, 나, 다
③ 나, 라, 마
④ 가, 나, 다, 라
⑤ 가, 나, 다, 라, 마

17

40대 여성이 자살을 시도하여 응급실에 실려왔다. 깨어나자 "왜 저를 살리셨어요?"라고 말하며 울 때 치료적 의사소통방법으로 옳은 것은?

① "누구나 그런 생각을 하죠"
② "자살은 그릇된 행동이에요"
③ "죽고 싶을 만큼 삶이 힘드시군요"
④ "누구 맘대로 죽음을 선택하는 거죠?"
⑤ "당신은 살 가치가 충분히 있는 사람이에요"

18

다음 중 객담분비가 많은 환자의 간호로 옳은 것은?

① 수분 섭취를 제한한다.
② 실내온도를 시원하게 차게 해준다.
③ 체온측정 시 구강체온계를 사용한다.
④ 불안감, 두려움을 감소시키기 위해 대화를 한다.
⑤ 목뒤에 베개를 대주고 하체를 올린 체위를 한다.

19

산후 자궁위치 교정과 월경통 완화을 위한 체위로 옳은 것은?

① 측위
② 복위
③ 쇄석위
④ 슬흉위
⑤ 골반고위

20

다음 중 맥박 측정이 불가능한 부위로 옳은 것은?

① 경동맥
② 상완동맥
③ 측두동맥
④ 관상동맥
⑤ 요골동맥

21

섭취량과 배설량 측정에 관한 설명으로 옳은 것은?

① 구토물은 배설량에 포함시키지 않는다.
② 위장관 흡인액은 배설량에 포함시키지 않는다.
③ 땀은 많이 흘려도 배설량에 포함시키지 않는다.
④ 수액 주입은 비경구적 주입으로 섭취량에 포함한다.
⑤ 위관영양액 공급 전후에 주입하는 물의 양은 섭취량에 포함시키지 않는다.

22

두 다리 모두에 체중을 지탱할 수 있는 대상자의 4점 보행 시 가장 먼저 내딛어야 하는 것은?

① 왼쪽 발
② 오른쪽 발
③ 양쪽 목발
④ 오른쪽 목발
⑤ 오른쪽 목발과 발

23

활력징후에 관한 설명으로 옳은 것은?

① 호흡과 맥박의 비율은 2 : 1이다.
② 혈압은 나이가 많을수록 증가한다.
③ 호흡수는 나이가 많을수록 증가한다.
④ 맥박수는 나이가 많을수록 증가한다.
⑤ 호흡수가 감소하면 맥박수는 증가한다.

24

특정시간에 한 번만 투여하는 처방방법으로 옳은 것은?

① 일회처방
② 즉시처방
③ 정규처방
④ 구두처방
⑤ 필요 시 처방

25

침상에 앙와위로 누워 있는 무의식 환자에게 욕창이 가장 잘 발생할 수 있는 부위로 옳은 것은?

① 상완골 부위
② 측두부, 늑골부
③ 장골부, 경골부
④ 천골부, 견갑부
⑤ 대전자부위, 요추부

26

혈액 속에 이산화탄소가 증가될 때 호흡수의 변화로 옳은 것은?

① 감소한다.
② 증가한다.
③ 변화 없다
④ 감소하다 증가한다.
⑤ 증가하다 감소한다.

27

관장용액이 주입되는 동안 대상자가 복통을 호소할 때의 간호로 옳은 것은?

① 관장하는 자세를 바꾸어 주도록 한다.
② 관장용액이 들어가는 것을 일시적으로 멈춘다.
③ 대상자에게 입으로 천천히 숨을 쉬도록 권한다.
④ 대상자를 잘 설득시켜 관장액을 계속 주입한다.
⑤ 용액이 천천히 들어가도록 관장통의 높이를 높혀 준다.

28

입원한 환자에게 항생제 투여를 위해 피부반응검사를 하고자 한다. 옳은 방법은?

① 피내주사
② 정맥주사
③ 근육주사
④ 피하주사
⑤ 척수강내주사

29

안과수술 중 백내장, 녹내장 수술 후 안대를 하는 이유로 옳은 것은?

① 동공축소를 막기 위해
② 동공확대를 막기 위해
③ 안구 통증을 줄이기 위해
④ 빛 반사를 차단하기 위해
⑤ 안구운동을 최소화하기 위해

30

교차감염 예방을 위한 격리병실에서 지켜야 할 지침으로 옳은 것은?

> 가. 손을 씻은 후 수도꼭지를 소독타월로 싸서 잠근다.
> 나. 격리병실에서 사용하는 침요는 고무커버가 씌워진 것을 사용한다.
> 다. 격리병실에서 사용된 기구나 쓰레기는 이중포장법을 이용해 처리한다.
> 라. 격리병실 안에 격리가운을 걸어두어야 할 때는 가운의 외면이 겉으로 나오게 한다.
> 마. 손을 씻을 때는 손끝이 팔꿈치보다 높게 한다.

① 가, 다
② 가, 나, 다
③ 나, 라, 마
④ 가, 나, 다, 라
⑤ 가, 나, 다, 라, 마

31

다음 중 심부전 환자에게 안정이 중요한 이유로 옳은 것은?

① 혈압이 높아진다.
② 호흡수가 낮아진다.
③ 배설량이 감소한다.
④ 심박동수가 빨라진다.
⑤ 조직 산소 소모율이 높아진다.

32

빈혈 환자의 간호 중재목적 중 가장 옳은 것은?

① 혈액을 보충한다.
② 통증을 경감시킨다.
③ 환자를 안정시킨다.
④ 환자를 보온시킨다.
⑤ 순환 산소량을 증가시킨다.

33

다음 중 성인의 1일 정상 소변배출량으로 옳은 것은?

① 500~1,000 cc
② 1,000~2,000 cc
③ 2,000~3,000 cc
④ 3,000~4,000 cc
⑤ 4,000~5,000 cc

34

재활의 목적으로 옳은 것은?

① 불구를 예방하는 것
② 불구가 된 사람을 치료하는 것
③ 질병이전의 상태로 회복하는 것
④ 수술하지 않은 상태가 되도록 도와주는 것
⑤ 육체적 정신적 능력을 최대한 발휘하도록 해 주는 것

35

다음 중 당뇨환자의 발간호로 옳은 것은?

① 발톱을 일자로 자른다.
② 티눈이나 각질을 잘라낸다.
③ 신발은 발에 꼭 맞게 신는다.
④ 여름에는 통풍을 위해 샌들을 신는다.
⑤ 혈액순환 촉진을 위해 더운물 주머니를 대준다.

36

의식수준 사정 시 혼미상태 설명으로 옳은 것은?

① 졸린 듯 눈을 반쯤 감는다.
② 자극에 적절하게 반응한다.
③ 큰소리 자극에만 반응을 한다.
④ 자극에 전혀 반응하지 않는다.
⑤ 질문에 대한 부적절한 반응을 한다.

37

흉곽수술 후 환측 팔운동 시작시기로 옳은 것은?

① 1주 후
② 2주 후
③ 봉합사 제거 후
④ 봉합부위 치유 후
⑤ 되도록 빠른 시일 내

38

부분 위 절제수술 환자 급속이동증후군을 예방하는
방법으로 옳은 것은?

① 위관 영양을 투입한다.
② 한 번에 많은 양을 준다.
③ 소화제를 복용하게 한다.
④ 소량씩 자주 음식을 준다.
⑤ 식사 중 물을 많이 마시게 한다.

39

출생 3일된 신생아의 맥박이 140회/분, 호흡이 50회/
분이었다. 가장 먼저 실시해야 할 간호로 옳은 것은?

① 정상이므로 그냥 둔다.
② 감염이므로 항생제를 투여한다.
③ 선천성 질환이 의심되므로 검사한다.
④ 흥분이나 울고 난 후 상태가 아닌지 확인한다.
⑤ 두개 내 출혈을 나타내는 증상이므로 관찰한다.

40

다음 중 영유아 예방접종에 관한 내용으로 옳은 것은?

① MMR은 24개월에 접종한다.
② B형간염은 1회 기본접종한다.
③ BCG는 생후 2일 사이에 접종한다.
④ 소아마비 예방접종은 경구 투여한다.
⑤ DPT는 생후 2, 4, 6개월이 기본접종이다.

41

신생아에게 질산은 용액을 점안하여 예방할 수 있는 안구질환으로 옳은 것은?

① 임균성 안염
② 안구 건조증
③ 선천성 백내장
④ 선천성 녹내장
⑤ 클라미디아 결막염

42

미숙아의 특징으로 옳은 것은?

① 손바닥과 발바닥 주름이 많다.
② 체온 유지가 어렵고 호흡이 빠르다.
③ 피하지방이 적거나 없고 솜털이 없다.
④ 신체에 비해 머리가 크고 야윈 모습이다.
⑤ 태지가 감소되어 있고, 짙은노랑 혹은 초록색이다.

43

다음 중 수두 환아의 간호로 옳은 것은?

① 기관 절개술을 실시한다.
② 다른 환아와 놀이에 참여시킨다.
③ 수두부위를 부드럽게 마사지한다.
④ 가려움 완화를 위해 비누사용 미온수로 목욕한다.
⑤ 2차 감염예방을 위해 긁지 않도록 손에 장갑을 끼운다.

44

골절환자의 응급처치 시 가장 중요한 간호로 옳은 것은?

① 골절된 뼈를 신속히 맞추어 준다.
② 동통을 감소시키기 위해 신속히 진통제를 준다.
③ 부종을 감소시키기 위해 골절부위의 얼음찜질을 해준다.
④ 골절 환자는 부득이한 경우를 제외하고는 부목을 대기 전에 절대 이동하지 않는다.
⑤ 골절부위가 외부로 노출되었을 경우 세균감염을 방지하기 위해 즉시 소독을 실시한다.

45

이물질에 의해 기도가 폐쇄된 환자에게 실시하는 응급처치로 옳은 것은?

① 인공호흡을 실시한다.
② 물을 많이 마시도록 한다.
③ 머리를 옆으로 돌려놓은 후 안정시킨다.
④ 두 견갑골 사이를 4번 정도 강하게 친다.
⑤ 머리를 가슴보다 높게 한 후 심호흡을 하게 한다.

46

응급환자 시 가장 먼저 확인해야 할 대상자로 옳은 것은?

① 비출혈 환자
② 호흡부전 환자
③ 사지 골절환자
④ 하지 2도 화상환자
⑤ 출혈 없는 타박상 환자

47

다음 중 보건교육을 실시하는 가장 중요한 이유로 옳은 것은?

① 보건교육에 대한 정보를 전달한다.
② 보건교육을 통해 대인관계를 돕는다.
③ 스스로 자신의 건강을 지키도록 도와준다.
④ 보건교육을 통해 생활 습관을 경험하게 한다.
⑤ 보건교육을 통해 보건소 사업내용을 홍보한다.

48

보건교육을 실시할 때 평가시기로 옳은 것은?

① 계획수립 이전
② 계획수립 시
③ 교육진행 중
④ 마무리 단계
⑤ 교육의 전 과정

49

유병률 산출 공식에서 분자에 해당하는 것은?

① 환자를 접촉한 감수성자의 수
② 일정기간 위험에 폭로된 인구수
③ 전체인구 중 감염에 이환된 사람
④ 새로운 건강문제가 발생한 사람의 수
⑤ 현재 특정 건강문제를 가지고 있는 사람

50

지역사회보건 간호사업에서 기록 및 보고가 필요한 이유로 옳은 것은?

① 상벌의 기초자료로 활용하기 위해
② 상사에게 담당업무를 인정받기 위해
③ 타보건 요원의 업무범위를 알기 위해
④ 환자나 가족에게 치료 및 간호의 효과를 알리기 위해
⑤ 사업의 계획, 진행, 성과를 분석하고 재계획 시 중복을 피하기 위해

51

국가가 보험료 부담능력이 없는 저소득층의 의료를 공적부조방식으로 보조하는 제도로 옳은 것은?

① 사회보험
② 건강보험
③ 의료급여
④ 민간사보험
⑤ 산업재해보험

52

보건의료전달체계 목적으로 옳은 것은?

① 건강보험수가 결정
② 보건의료 예산의 비율 조절
③ 보건의료 수요자에게 적정한 의료 제공
④ 국민의료비 증가 억제를 위한 대책수립
⑤ 보건의료 수요자에게 의료서비스 내역과 수준 결정

53

다음 중 의료인이 제공한 서비스와 약제, 진료 재료별로 비용을 지불하여 양질의 의료서비스를 받을 수 있는 장점과 과잉진료의 단점이 있는 진료비 지불제도로 옳은 것은?

① 인두제
② 봉급제
③ 포괄수가제
④ 총액 계약제
⑤ 행위별수가제

54

'보건소는 (   )에 1개소씩 설치하도록 되어 있다.'
빈 칸에 적합한 말로 옳은 것은?

① 읍, 면 ② 시, 도
③ 특별시 ④ 직할시
⑤ 시, 군, 구

55

우리나라에서 일차보건의료 사업을 수행하기 위해
만들어진 간호직으로 옳은 것은?

① 보건교사
② 보건관리사
③ 보건진료원
④ 전문 간호사
⑤ 가정 간호사

56

다음 중 대기오염이 가장 잘 발생할 수 있는 기상조
건으로 옳은 것은?

① 눈이 올 때
② 날씨가 흐릴 때
③ 비가 많이 올 때
④ 바람이 많이 불 때
⑤ 기온이 역전되었을 때

57

다음 중 용존산소에 대한 설명으로 옳은 것은?

① 순수한 물일 때 최소이다.
② 용존산소가 높으면 물의 오염이 낮다.
③ 용존산소가 낮을수록 물의 오염이 낮다.
④ 병원성 장내세균 오염의 간접적인 지표가 된다.
⑤ 어족보호를 위한 용존산소량은 2 ppm 이하이다.

58

장염비브리오 식중독을 일으키는 원인식품에 해당되
는 것은?

① 계란, 육류
② 감자, 버섯
③ 햄, 소시지
④ 빵, 떡, 우유
⑤ 생선회, 어패류

59

환경보전을 위한 대책으로 옳은 것은?

가. 환경보호법 제정
나. 폐기물부과금
다. 배출물부담금
라. 환경개선 부담금
마. 수질개선 부담금

① 가, 다
② 가, 나, 다
③ 나, 라, 마
④ 가, 나, 다, 라
⑤ 가, 나, 다, 라, 마

60

작업환경 관리의 기본원칙 중 가장 효과적인 방법으
로 옳은 것은?

① 환기
② 희석
③ 격리
④ 대치
⑤ 보호구 착용

61

B형간염의 전염경로로 옳은 것은?

① 음식   ② 공기
③ 혈액   ④ 대변
⑤ 소변

62

Heinrich(하인리히)의 주요재해(현성재해) : 경미재해(불현성재해) : 유사재해(잠재성재해)의 발생비율로 옳은 것은?

① 1 : 10 : 30
② 1 : 29 : 500
③ 1 : 29 : 300
④ 100 : 29 : 1
⑤ 10 : 100 : 500

63

다음 중 장티푸스의 주된 전파경로로 옳은 것은?

① 환자의 혈액
② 환자의 피부나 점막
③ 파리나 모기 등의 곤충
④ 병원에서 사용하는 의료기구 등
⑤ 환자나 보균자의 대소변에 오염된 음식물

64

감염병 예방에 있어 감염원 처리로 옳은 것은?

① 개인 위생 계몽교육을 실시한다.
② 매개체 서식장소에 살충제를 살포한다.
③ 병에 대한 약제를 예방적으로 복용한다.
④ 환자, 보균자를 조기에 발견하여 치료한다.
⑤ 숙주가 감염원에 접근하여 위험에 노출되는 것을 제한한다.

65

면역에 관한 설명으로 연결이 옳은 것은?

① 인공능동면역 – 선천적으로 획득한 면역
② 인공능동면역 – 예방접종 후 생성된 면역
③ 인공수동면역 – 선천적으로 획득한 면역
④ 자연수동면역 – 질병의 이환 후 획득한 면역
⑤ 자연능동면역 – 모체로부터 받은 면역

66

모유수유를 하고 월경주기가 불규칙한 여성이 터울 조정을 위해 2~3년간 피임을 하고자 할 때 가장 알맞은 피임방법으로 옳은 것은?

① 질외사정
② 난관결찰술
③ 자궁내 장치
④ 경구용 피임약
⑤ 월경주기법(오기노 방법)

67

출생률이 사망률보다 낮아 인구가 감소하는 유형으로 일부 선진국가들이 여기에 속하며, 0~14세 인구가 50세 이상 인구의 2배가 안 되는 인구구조로 옳은 것은?

① 종형
② 별형
③ 항아리형
④ 표주박형
⑤ 피라미드형

68

최단월경주기가 27일이고, 최장월경주기가 31일인 여성이 피임을 위해 성교를 피해야 할 기간은 언제인가?

① 월경 제1~5일
② 월경 제9~20일
③ 월경 제10~17일
④ 월경 제13~16일
⑤ 월경 제27~31일

69

모성 사망의 정의로 옳은 것은?

① 임신, 분만, 수유로 인한 사망
② 임신, 유산, 산욕으로 인한 사망
③ 임신, 분만, 사산으로 인한 사망
④ 임신, 유산, 임신중독으로 인한 사망
⑤ 임신, 분만, 산욕의 합병증으로 인한 사망

70

지역사회 중심의 간호사업 과정에서 첫 번째 단계에 해당되는 것은?

① 지역사회를 진단한다.
② 현실성이 있는 목표를 설정한다.
③ 사업평가에 대한 계획을 수립한다.
④ 문제해결에 알맞은 방법을 선택한다.
⑤ 구체적 사업활동에 대한 계획을 수립한다.

71

넓은 의미의 모자보건 대상으로 옳은 것은?

① 15~49세의 여성과 태아, 출생아
② 20~40세의 여성과 태아, 출생아
③ 임신, 분만, 수유기의 15~49세의 여성
④ 임신, 분만, 수유기의 20~40세의 여성
⑤ 15세 이상의 모든 여성과 태아, 출생아

72

지역사회보건 간호사업을 위해 우선 실시되어야 할 것으로 옳은 것은?

① 보건통계작성
② 보건사업평가
③ 간호목표설정
④ 보건실태파악
⑤ 보건업무수행

73

보건소 내 건강관리실의 장점으로 가장 적절한 것은?

① 지역사회의 발전에 큰 영향을 미친다.
② 지역사회 인적 자원을 확보할 수 있다.
③ 적은 비용으로 많은 효과를 낼 수 있다.
④ 대상자의 불편감을 다소 해소시켜 줄 수 있다.
⑤ 같은 문제를 갖고 있는 대상자들끼리 교류할 수 있다.

74

지역사회 간호조무사가 가족에게 서비스를 제공할 때 우선적으로 고려해야 할 사항으로 맞는 것은?

① 가족의 발달 주기
② 전문가의 자문내용
③ 정부시책에 따른 내용
④ 가족 전체의 요구 사항
⑤ 지역사회 유지들의 요구

75

지역사회 보건문제에 불평을 하는 주민을 대할 때 간호조무사의 태도로 옳은 것은?

① 흥분된 마음을 진정시켜 드린다.
② 회의 후 검토해 보겠다고 약속한다.
③ 관련 부서에서 얘기할 수 있도록 안내한다.
④ 잘못 오해한 부분이 있는 경우에는 정정해준다.
⑤ 주민의 불평에 진심으로 공감하면서 끝까지 청취하도록 한다.

76

초등학교에서 실시하는 주1회 양치 불소용액에 필요한 농도로 옳은 것은?

① 양치 액의 0.05%
② 양치 액의 0.1%
③ 양치 액의 0.2%
④ 양치 액의 0.3%
⑤ 양치 액의 0.4%

77

임신 초기 임부에게 매독균이 발견되었을 때 간호조무사가 가장 우선적으로 해야 할 일로 옳은 것은?

① 접촉자를 색출
② 페니실린 주사투여
③ 신속한 치료와 격리
④ 위험인 성병임을 강조
⑤ 조기 치료를 위해 의사에게 보고

78

혈액원이 채혈업무를 할 때 한 번에 한 사람에게서 채혈할 수 있는 최대 양으로 옳은 것은?

① 전혈 200 ml
② 전혈채혈 400 ml
③ 농축적혈구 400 ml
④ 혈장성분채혈 300 ml
⑤ 혈소판 성분 채혈 200 ml

79

신고된 결핵환자에게 가정방문 또는 보건교육을 통하여 의료에 관한 적절한 지도를 지시하여야 하는 법적책임을 가진 사람으로 옳은 것은?

① 관할 보건소장
② 시장, 군수, 구청장
③ 환자를 진단한 의사
④ 환자를 간호한 간호사
⑤ 간호보조를 한 간호조무사

80

수정이 주로 이루어지는 난관 부위로 옳은 것은?

① 협부
② 간질부
③ 팽대부
④ 난관채
⑤ 자궁과 경계부위

81

임산부의 사망률을 감소시키기 위해 가장 중요한 것으로 옳은 것은?

① 산전 간호
② 산욕기 간호
③ 무균적인 처치
④ 분만 2기 간호
⑤ 분만 3기 간호

82

모유수유 시 유방간호 시 주의할 점으로 옳은 것은?

① 유두는 비누 사용을 금지한다.
② 가슴 마사지하기 전 냉찜질을 한다.
③ 유즙을 사출시키는 호르몬은 프로락틴이다.
④ 유두균열이 있어도 통증 없으면 수유를 계속한다.
⑤ 유두균열이 있으면 상처 치유될 때까지 수유를 금지한다.

83

다음 중 임신의 확정적 징후로 옳은 것은?

① 월경중지
② 복부증대
③ 오심, 구토
④ 백대하 증가
⑤ 태아심음 청취

84

다음 중 임신으로 인한 신체적 변화로 옳은 것은?

① 질 분비물이 감소한다.
② 잇몸 출혈이 쉽게 일어난다.
③ 심박출량이 60%~70% 증가한다.
④ 임신 전반기 동안 요량이 증가한다.
⑤ 혈색소는 혈액량의 증가에 따라 증가한다.

85

제왕절개 수술 후 산모의 소변량 측정 시 저혈량이나 신장합병증을 의심하는 경우로 옳은 것은?

① 시간당 30 ml 이하
② 시간당 60 ml 이하
③ 시간당 70 ml 이하
④ 시간당 100 ml 이하
⑤ 시간당 150 ml 이하

86

다음 중 선천성 매독의 검사로 옳은 것은?

① 소변검사
② X-선검사
③ 잠혈검사
④ 혈청검사
⑤ 간기능검사

87

산욕기 간호에 대한 설명으로 옳은 것은?

① 계속적인 절대안정을 한다.
② 통목욕은 1주일 후에 한다.
③ 산후 오로는 3주까지 있을 수 있다.
④ 산후 1개월은 산후통이 있을 수 있다.
⑤ 수유는 자궁회복을 지연시키므로 권유하지 않는다.

88

임신 초기와 말기에 소변을 자주 보는 가장 중요한 이유로 옳은 것은?

① 태동이 방광을 자극하기 때문
② 방광 내벽의 모세혈관이 확장되기 때문
③ 임신으로 인해 심리적으로 불안하기 때문
④ 방광이 자궁 바로 전면에 위치하여 압박을 받기 때문
⑤ 임신으로 인해 방광 벽에 분포 된 신경이 예민하기 때문

89

노인에게 흔히 오는 우울에 대한 설명으로 옳은 것은?

① 남성노인에서 흔히 나타난다.
② 노인성 치매에 걸릴 가능성이 낮다.
③ 우울증은 정신력으로 극복하는 것이 좋다.
④ 배우자나 가족의 상실이 가장 큰 원인이다.
⑤ 우울증이 심할 경우 식욕증진, 과다수면 등이 나타난다.

90

노인성 치매의 간호로 옳은 것은?

① 혼자 두어 의지력과 독립성을 강화한다.
② 취침 전 수분을 공급하여 수면을 돕는다.
③ 한 번에 여러 가지 정보를 충분히 제공한다.
④ 간단하고 짧은 언어를 사용하여 의사소통한다.
⑤ 기분전환을 위해 환경을 새롭게 자주 바꾸어 준다.

91

노인의 심폐기능, 근력강화, 무릎관절염으로 인한 통증을 경감시키기 위해 권장되는 적절한 운동으로 옳은 것은?

① 조깅
② 수영
③ 벽 밀기
④ 고전무용
⑤ 고무밴드

92

손목에 적용하는 억제대 사용방법으로 옳은 것은?

① 30분마다 풀어준다.
② 침상틀에 바로 묶는다.
③ 손목에 패드를 댄 후 사용한다.
④ 환자에게는 비밀로 하고 사용한다.
⑤ 고리매듭을 제외한 정방형매듭을 쓴다.

93

수술 후 대상자에게 심호흡을 시키는 이유 중 가장 적당한 것은?

① 수술부위 상처치유를 위해
② 수술부위 통증을 경감하기 위해
③ 수술 후 오심과 구토를 예방하기 위해
④ 폐 확장과 마취가스 및 점액 배출을 위해
⑤ 수술에 대한 불안이나 공포를 줄이기 위해

94

수술 후 환자의 위장관 튜브를 제거하는 시기로 옳은 것은?

① 오심, 구토가 없을 때
② 장운동이 회복되었을 때
③ 소변 배설량이 정상일 때
④ 기침을 원활히 할 수 있을 때
⑤ 수분과 전해질 균형이 회복되었을 때

95

흉강천자 시 적절한 체위로 옳은 것은?

① 상체를 올려준다.
② 환측으로 눕힌다.
③ 새우등이 되도록 구부린다.
④ 머리를 복부보다 낮게 두도록 한다.
⑤ 천자 측 상지를 머리 위로 올리게 한다.

96

다음 소독법 중 아포를 형성하는 세균을 사멸하는 방법으로 옳은 것은?

① 소각법
② 저온살균법
③ 여과멸균법
④ 자비소독법
⑤ 고압증기멸균법

97

입원환자가 퇴원 후 병실 소독방법으로 옳은 것은?

① 병실은 24시간 동안 소독한 후 사용한다.
② 깨끗한 홑이불을 다시 사용하여도 무방하다.
③ 환자가 사망하거나 퇴원 후 곧바로 청소한 후 사용한다.
④ 병실 안의 모든 물품은 다시 소독하거나 소독수로 닦는다.
⑤ 병실 안의 물 컵은 사용하지 안 했을 경우 다음 환자에게 사용한다.

98

장기간 부동 상태로 누워있는 경우 체위성 저혈압이
유발되기 쉽다. 그 이유로 적당한 것은?

① 뇌혈류 증가
② 심박출량 증가
③ 심박동수 감소
④ 혈관수축력 증가
⑤ 하지에 혈액 정체

99

환자의 수동적 관절범위운동을 돕는 방법으로 옳은
것은?

① 관절범위 이상으로 무리하게 움직이지 않는다.
② 경축이나 강직이 나타나면 운동을 금지시킨다.
③ 근육경련이 발생했을 경우 주사를 투여하여 풀어
　준다.
④ 부종이나 염증이 있을 경우 부드럽게 운동하도록
　한다.
⑤ 머리부터 발끝의 순서로 작은 근육에서 큰 근육을
　운동시킨다.

100

상부위장관촬영을 하기 위해 금식해야 할 환자가 간
식을 먹었을 경우 적절한 조치 방법으로 옳은 것은?

① 그대로 촬영한다.
② 촬영을 연기한다.
③ 관장 후 촬영한다.
④ 30분 후에 촬영한다.
⑤ 1시간 후에 촬영한다.

제2회 모의고사

01

간호조무사의 업무 내용으로 옳은 것은?

① 환부에 드레싱을 한다.
② 투약 지시서에 따라 투약한다.
③ 수술에 필요한 기구를 소독한다.
④ 검사물을 임의로 냉장 보관한다.
⑤ 입원 예정 환자의 병실을 배정한다.

02

편안한 물리적 환경을 조성하기 위한 간호로 옳은 것은?

① 실내습도는 30%를 유지한다.
② 실내온도는 20~22℃를 유지한다.
③ 먼지털이를 이용해 먼지를 제거한다.
④ 환자의 심리적 안정을 위한 환기를 제한한다.
⑤ 야간에는 환자의 이동을 돕기 위해 직접조명등을 모두 켜둔다.

03

병실물품 사용 후 관리 방법으로 옳은 것은?

① 고무포는 알맞게 접어서 보관한다.
② 고막 체온계의 탐침 커버는 재사용한다.
③ 거즈는 바로 일반의료폐기물 통에 버린다.
④ 더운물 주머니는 비누로 씻어 햇빛에 말린다.
⑤ 주사기에 묻은 혈액은 뜨거운 물에 넣어 소독한다.

04

감염병 환자의 입원 시 소지한 물품의 보관방법으로 옳은 것은?

① 환자가 계속 가지고 있도록 한다.
② 뜨거운 물에 살균하여 냉장 보관한다.
③ 고압증기멸균법으로 소독한 후 보관한다.
④ 의료용 박스에 표기하여 그대로 보관한다.
⑤ 가족에게 전달하여 집으로 가져가게 한다.

05

혈소판에 관한 설명으로 옳은 것은?

① 식균작용
② 혈액응고
③ 산소운반
④ 면역작용
⑤ 이산화탄소

06

다음 중 담즙에 대한 설명으로 옳은 것은?

① 소화효소를 가진다.
② 단백질을 소화한다.
③ 간에서 생성되며 지방을 소화한다.
④ 담낭에서 생성되며 지방을 소화한다.
⑤ 담낭에서 생성되어 십이지장으로 배설한다.

07

근육주사로 투여될 수 있는 약물로 옳은 것은?

① 마약
② 인슐린
③ 헤파린
④ 예방백신
⑤ 페니실린

08

울혈성 심부전과 부정맥 치료에 사용되는 약물은?

① 헤파린
② 디곡신
③ 모르핀
④ 에피네프린
⑤ 니트로글리세린

09

뇌 기능을 유지하기 위해 필수적이며, 간과 근육에 글리코겐으로 저장되는 영양소는?

① 지방   ② 단백질
③ 무기질   ④ 비타민E
⑤ 탄수화물

10

위 절제술을 받고 회복 중인 성인남자이다. 이 환자의 덤핑신드롬을 예방하는 방법으로 옳은 것은?

① 고지방식이를 제공한다.
② 식후에 소화제를 제공한다.
③ 좌위로 식사하도록 돕는다.
④ 저탄수화물 식이를 제공한다.
⑤ 수분이 많은 식사를 제공한다.

11

다음 중 치아우식증을 감소시키는 요인으로 옳은 것은?

① 타액 점성 증가
② 타액 분비 저하
③ 타액 당질 증가
④ 불소 농도 증가
⑤ 저작운동의 감소

12

치과진료실에서 간호조무사의 업무로 옳은 것은?

① 치석 제거
② 충치 치료
③ 치아 마취
④ 부착물의 제거
⑤ 진공흡입기 사용

13

약물을 넣고 물을 부어 가열하여 성분을 삼출시키는 약물의 제형은?

① 산제   ② 탕제   ③ 고제
④ 주제   ⑤ 좌제

14

혈액 및 삼출물 순환과 대사산물의 배설을 촉진하여 각 기관의 기능을 조절하는 뜸의 작용의 작용은?

① 흥분작용   ② 억제작용
③ 반사작용   ④ 유도작용
⑤ 면역작용

15

요추천자 시 취해야 할 자세로 옳은 것은?

① 측위   ② 반좌위
③ 앙와위   ④ 절석위
⑤ 배횡와위

16

다음의 의사소통 기술은?

- 대상자가 이야기한 것을 다시 말해줌으로써 말한 사건에 동반하는 감정을 강조하는 것

[예시]

대상자 : 아내가 저를 간호해주기로 하였는데 힘들 것 같아요. 집안일도 해야 하고, 아이도 도와줘야 하거든요.

면담자 : 아내가 집안일과 아이를 돌봐야 해서 환자분 간호해주시는 게 힘들다고 생각하시는군요.

① 거절   ② 조언
③ 반영   ④ 자기 노출
⑤ 개방적 질문

17

외상이 없는 성인 환자가 어지럼증을 호소하고 피부는 차고 축축하며, 혈압이 떨어지고 있다. 이때 취하게 해 주어야 하는 체위는?

①

②

③

④

⑤

18

당뇨병 환자의 발 관리로 옳은 것은?

① 꼭 조이는 양말을 신는다.
② 상처난 곳에 요오드를 바른다.
③ 티눈은 발견즉시 손톱깎이로 제거한다.
④ 발을 보온하기 위해 뜨거운 열 패드를 제공한다.
⑤ 발을 씻은 후 발가락 사이를 마른 수건으로 톡톡 두드려 닦아 준다.

19

B형간염 예방 방법으로 옳은 것은?

① 성교 시 콘돔을 사용을 제한한다.
② 면역을 위해 예방접종을 실시한다.
③ 간염환자의 혈액이 묻은 곡반은 함께 보관한다.
④ 사용한 주사바늘을 뚜껑을 닫고 주사기와 함께 버린다.
⑤ 면도기 날을 교체하면 다른 사람과 공동으로 사용할 수 있다.

20

5년 전부터 고혈압 약을 보용하고 있는 40대 남성의 간호보조활동으로 옳은 것은?

① 지방과 콜레스테롤을 제한한다.
② 포화지방이 많은 음식을 권장한다.
③ 냉온요법으로 심장기능을 강화한다.
④ 혈액 순환을 위해 체중 증가를 권장한다.
⑤ 정상혈압으로 회복되면 약 복용을 중단한다.

21

백내장 수술 후의 간호로 옳은 것은?

① 수술 직후 안대착용을 제한한다.
② 안구 운동을 강화하여 회복을 돕는다.
③ 무거운 물건을 들 때는 허리를 굽힌다.
④ 기침이 나올 때는 가급적 입을 닫고 한다.
⑤ 수술 부위가 위로 가게 하여 눕도록 한다.

22

낙상으로 인해 주로 발생되며, 고관절 골절을 유발할 수 있는 가장 흔한 질환을 옳은 것은?

① 골다공증
② 척추 측만증
③ 퇴행성 관절염
④ 추간판 탈출증
⑤ 류머티스 관절염

23

내생식기관 중 난소에 대한 설명으로 옳은 것은?

① 배란이 일어나는 곳이다.
② 태아가 발육하는 장소이다.
③ 태아와 태반을 연결해준다.
④ 분만 시 산도가 되며 월경을 배출한다.
⑤ 난자와 정자가 만나 수정이 되는 장소이다.

24

태아만출기를 대비하여 회음부를 절개하기 전 삭모를 하는 이유로 옳은 것는?

① 절개 시 시야 확보
② 절개 시 체온 유지
③ 회음부의 상처 예방
④ 산모의 정서적 안정
⑤ 절개 부위의 감염방지

25

모유수유 시 유방간호 내용으로 옳은 것은?

① 유두는 비누 사용을 금지한다.
② 가슴 마사지 후 냉찜질을 한다.
③ 유두균열이 있어도 통증이 없으면 수유를 계속한다.
④ 3~4분 정도씩 유방에 더운물 찜질 후 찬 찜질을 한다.
⑤ 유두균열이 있으면 상처가 치유될 때까지 수유를 금지한다.

26

신생아에게 이행변이 나타나는 시기로 옳은 것은?

① 생후 24시간   ② 생후 1~3일
③ 생후 4~14일   ④ 생후 3주~4주
⑤ 생후 1~2개월

27

갑작스런 발작을 일으킨 아동의 간호로 옳은 것은?

① 주변에 위험한 물건을 치운다.
② 진정제를 투여하여 안정시킨다.
③ 억제대를 사용하여 몸을 고정시킨다.
④ 정신을 차리도록 차가운 물을 먹인다.
⑤ 바닥에 누워 있다면 즉시 의자에 앉힌다.

28

아동의 양부모가 경멸적인 언어를 사용하며 잠을 재우지 <u>않는</u> 학대의 유형으로 옳은 것은?

① 유기   ② 방임
③ 분리불안   ④ 가정 폭력
⑤ 정서적 학대

29

에릭슨의 심리사회적 발달 단계로 옳게 연결된 것은?

① 영아기-자율감   ② 유아기-신뢰감
③ 학동기-근면감   ④ 청소년기-친밀감
⑤ 성인기-자아통합감

30

노인에게 흔히 오는 우울에 대한 설명으로 옳은 것은?

① 남성 노인에서 흔히 나타난다.
② 노인성 치매에 걸릴 가능성이 낮다.
③ 우울증은 정신력으로 극복하는 것이 좋다.
④ 배우자나 가족의 상실이 가장 큰 원인이다.
⑤ 우울증이 심할 경우 식욕증진, 과다수면 등이 나타난다.

31

골관절염 노인환자의 간호보조활동으로 옳은 것은?

① 수영 등 수중운동을 제한한다.
② 관절 보호를 위해 체중을 증가시킨다.
③ 냉온요법이나 물리치료를 받도록 한다.
④ 가벼운 계단 오르내리기 운동을 시킨다.
⑤ 본인이 편하면 장시간 같은 자세를 취하도록 한다.

32

치매환자가 소리를 지르며 난폭한 행동을 할 때 대처방법으로 옳은 것은?

① 무대응으로 일관한다.
② 수면을 취하게 하고 방문을 잠궈둔다.
③ 진정될 때까지 어두운 방안에 혼자 있도록 한다.
④ 당황하고 흥분되어 있음을 이해한다는 표현을 한다.
⑤ 그런 행동을 왜 했는지 질문하여 잘못을 상기시킨다.

33

함께 등산을 하던 직장 동료가 발목을 접질렸다. 이때 간호방법으로 옳은 것은?

① 발목을 마사지 한다.
② 다친 발목을 내려준다.
③ 미지근한 물에 발을 담근다.
④ 찬 습포나 얼음주머니를 대준다.
⑤ 발목 운동을 위해 조심히 걷는다.

34

소방청에서 권고하는 일반적인 심폐소생술의 순서로 옳은 것은?

① 환자의 반응확인 → 호흡 확인 → 가슴압박 시행 → 119 신고 → 기도개방 → 인공호흡 실시 → 회복자세
② 환자의 반응확인 → 기도개방 → 119 신고 → 호흡 확인 → 가슴압박 시행 → 인공호흡 실시 → 회복자세
③ 환자의 반응확인 → 119 신고 → 호흡 확인 → 가슴압박 시행 → 기도개방 → 인공호흡 실시 → 회복자세
④ 환자의 반응확인 → 인공호흡 실시→ 호흡 확인 → 119 신고 → 가슴압박 시행 → 기도개방 → 회복자세
⑤ 환자의 반응확인 → 가슴압박 시행 → 119 신고 → 호흡 확인 → 인공호흡 실시 → 기도개방 → 회복자세

35

작업장에서 육체적 노동을 하다가 열경련을 일으킨 사람의 응급처치로 옳은 것은?

① 근육을 지압한다.
② 온찜질을 실시한다.
③ 히터를 틀어 보온을 유지한다.
④ 풀어져 있는 단추를 채워 준다.
⑤ 머리를 낮춰서 혈액 순환을 돕는다.

36

금연을 시작한지 일주일이 지난 사람들을 대상으로 한 교육내용으로 가장 옳은 것은?

① 금주절제법
② 금단증상 대처법
③ 영상자료를 통한 폐암사진
④ 금연에 성공한 실제 예 들기
⑤ 담배가격 인상과 경제성 교육하기

37

보건교육 시 대상자들의 흥미를 유도하고 학습목표를 제시하는 단계로 옳은 것은?

① 도입
② 전개
③ 요약
④ 평가
⑤ 결론

38

치아우식증을 주제로 치과의사 2~5명이 자신의 의견을 발표한 후 사회자의 진행에 따라 청중과 공개토론하는 형식으로 청중을 포함한 구성원 모두가 치의학관련 전문가로 구성된 보건교육방법을 옳은 것은?

① 배심토의
② 버즈토의
③ 그룹토의
④ 심포지엄
⑤ 브레인스토밍

39

목표지향평가로 미리 도달할 목표를 설정해놓고 교육을 실시 후 목표에 도달되었는지를 평가하는 유형은?

① 진단평가
② 절대평가
③ 상대평가
④ 총괄평가
⑤ 형성평가

40

시·군·구마다 1개소씩 설치되어 있는 우리나라 일차보건의료기관의 장을 지휘·감독을 하는 사람으로 옳은 것은?

① 대통령
② 보건소장
③ 행정안전부장관
④ 보건복지부장관
⑤ 시장·군수·구청장

41

다음에서 설명하는 세계보건기구에서 제시한 일차보건의료 구성요소에 해당하는 것은?

> • 모든 지역주민들이 쉽게 받아들일 수 있어야 한다.

① 접근성
② 효율성
③ 수용가능성
④ 주민의 참여
⑤ 지불부담능력

42

보건의료체계 구성요소 중 공공재원, 기업주, 조직화된 민간기관, 외국의 원조 등의 범주로 분류되는 것은?

① 경제적 지원
② 자원의 조직화
③ 보건의료자원의 개발
④ 보건의료정책 및 관리
⑤ 보건의료서비스의 제공

43

우리나라 국민건강보험 제도의 특성에 관한 설명으로 옳은 것은?

① 보험자는 국민 모두가 해당된다.
② 고소득층은 지역건강보험에 가입해야 한다.
③ 보험가입 금액 한도 내에서 보장받을 수 있다.
④ 간병인을 고용하면 간병비를 지급받을 수 있다.
⑤ 보험료 부담능력에 따라 보험료가 차등 부과된다.

44

노인장기요양서비스에 대한 설명으로 옳은 것은?

① 판정 등급에 관계없이 균등하다.
② 재정은 국민건강보험 방식으로 통합 운영한다.
③ 재원은 국가 및 지방자치단체가 전액 부담한다.
④ 3년 이상의 경력을 가진 간호조무사는 방문간호를 할 수 있다.
⑤ 피보험자는 국민건강보험 가입자와 동일한 국민건강보험공단이다.

45

포괄 수가제에 대한 설명으로 옳은 것은?

① 의사의 생산성이 증가된다.
② 병원 업무의 표준화가 쉽다.
③ 전문적 의료수가결정에 적합하다.
④ 의료서비스의 양과 질이 확대된다.
⑤ 예방보다 치료에 치중하는 경향이 있다.

46

지구 대기의 온실효과로 기온이 상승하는데 그 이유로 옳은 것은?

① 화산폭발로 인한 방사열이 대기 중에 흡수되기 때문
② 대기 중 먼지의 증가로 적외선 부근의 복사열이 흡수되기 때문
③ 대기 중 아황산가스 증가로 적외선 부근의 복사열이 흡수되기 때문
④ 대기 중 탄산가스의 증가로 적외선 부근의 복사열이 흡수되기 때문
⑤ 대기 중 일산화탄소의 증가로 자외선 부근의 복사열이 흡수되기 때문

47

도시하수나 농업폐수의 유입으로 동식물성 프랑크톤이 과도하게 번식하는 수질오염현상으로 옳은 것은?

① 부영양화
② 적조 현상
③ 부활 현상
④ 열섬 현상
⑤ 밀스-라인케 현상

48

대기의 오염도를 측정할 때 지표로 사용되는 가스로 옳은 것은?

① O_2
② N_2
③ CO_2
④ SO_2
⑤ HC

49

유통기한이 지난 통조림을 먹고 걸릴 수 있는 식중독 중에 가장 높은 치사율을 보이고 있는 독소형 식중독균으로 옳은 것은?

① 웰치균
② 포도상구균
③ 연쇄상구균
④ 살모넬라균
⑤ 보툴리누스균

50

직업병의 발생 원인을 연결한 것으로 옳은 것은?

① 해녀 – 수은중독
② 채석공 – 규폐증
③ 방사선 기사 – 잠함병
④ 항공기 조종사 – 고산병
⑤ 시각디자이너 – 레이노드씨병

51

질병의 자연사 단계에서, 병인의 자극이 시작되는 질병 전기로서 숙주의 면역강화로 인하여 질병에 대한 저항력이 요구되는 시기는?

① 비병원성기
② 초기병원성기
③ 불현성질병기
④ 발현성질병기
⑤ 회복기

52

다음 중 바이러스성 질환으로 옳게 연결된 것은?

① 디프테리아, 백일해
② 소아마비, 홍역
③ 장티푸스, 성홍열
④ 콜레라, 유행성 이하선염
⑤ 말라리아, B형 간염

53

초등학교 1학년 학생들에게 결핵검진을 하려고 한다. 가장 저렴하며, 집단검진 시 가장 유용한 검사방법은?

① X-ray 간접촬영
② PPD test
③ 객담 검사
④ MMR 검사
⑤ DTaP 검사

54

발병률과 유병률에 대한 설명으로 옳은 것은?

① 급성 전염병일 때 발병율은 낮고 유병률은 높다.
② 유병률의 분모는 일정기간 위험에 노출된 인구수이다.
③ 발병률의 분자는 일정시점에 어떤 집단의 환자 수이다.
④ 전염병 유행기간이 짧은 때는 발병율과 유병률이 낮다.
⑤ 발병률과 유병률은 지역별의 보건사업 수준을 평가하는 지표이다.

55

만성질환에 대한 설명으로 옳은 것은?

① 갑자기 발병한다.
② 적절한 관리가 불가능하다.
③ 폐렴, 폐결핵 등이 해당된다.
④ 질병의 완치가 어려운 질환이다.
⑤ 한 가지 원인에 의해 발생하는 질환이다.

56

다음 중 성비에 관한 설명이 옳은 것은?

① 노령기에는 성비가 높아진다.
② 3차 성비는 현재 20~30대 성비를 의미한다.
③ 1차 성비는 태아성비로 여자가 남자보다 많다.
④ 성비는 여자 100명에 대한 남자의 수로 표시된다.
⑤ 2차 성비는 청소년기 성비로 미래 경제활동연령층
   을 나타낸다.

57

모자보건사업의 중요성이 강조되는 이유는?

① 모자보건 대상자가 전체 인구의 약 20%이다.
② 모성과 아동은 다른 연령층에 비해 감수성이
   낮다.
③ 모성과 아동의 질병은 예방은 어렵지만 사망률이
   낮다.
④ 모성과 아동의 건강은 다음 세대의 국민건강에
   영향을 미친다.
⑤ 모성과 아동은 다수의 질병에 동시에 노출되며 만
   성적 경향을 나타낸다.

58

임산부에게 산전관리가 필요한 이유로 옳은 것은?

① 태아 성감별이 용이하다.
② 유아의 안전사고 예방을 높여준다.
③ 제왕절개수술의 성공률이 높아진다.
④ 사산 및 신생아 사망률을 감소시킨다.
⑤ 임신 중 발생할 수 있는 합병증을 높여준다.

59

임신성 고혈압 환자의 간호로 옳은 것은?

① 병실을 밝게 한다.
② 고단백 식이를 준다.
③ 실내에서 운동을 한다.
④ 고열량 섭취를 권장한다.
⑤ 수분 섭취를 최대한 권장한다.

60

어린 시절 성적학대를 당한 후 성인이 되어서 그 사
실을 기억하지 못하는 방어기제의 유형으로 옳은 것
은?

① 부정
② 전치
③ 해리
④ 반동
⑤ 억압

61

공중보건사업의 질병예방 수준에 관한 설명으로 옳
은 것은?

① 일차 예방-건강증진행위, 재활치료
② 일차 예방-비만예방, 산전간호
③ 이차 예방-금연·금주, 조기 치료
④ 이차 예방-물리치료, 작업치료
⑤ 삼차 예방-정신질환자 사회복귀훈련, 주변환경
   정리정돈

62

지역사회보건 사업 수행 시 가정방문의 목적 중 가장 중요한 것은?

① 효과적인 건강상담을 하기 위함이다.
② 가족에게 맞는 시범교육을 하기 위함이다.
③ 환자가 오가는 시간을 절약하기 위함이다.
④ 경제, 사회, 교육 상태를 파악하기 위함이다.
⑤ 가족을 단위로 한 건강관리를 하기 위함이다.

63

지역사회에서 가정방문을 할 경우 가정방문 우선순위로 옳은 것은?

① 당뇨병 임부 – 성홍열 아동 – 초생아 – 미숙아
② 폐결핵 노인 –폐렴 아동 – 신생아 – 당뇨병 임부
③ 신생아 – 매독 임부 – 성홍열 아동 – 당뇨병 노인
④ 당뇨병 노인 – A형 감염환자 – 미숙아 – 폐결핵 성인
⑤ 미숙아 – 임신중독증 임부 – 폐렴 아동 – 폐결핵 성인

64

지역사회 가정방문을 실시하고자 한다. 가정방문의 장점으로 옳은 것은?

① 소수의 인력이 요구된다.
② 시간과 비용이 적게 든다.
③ 가족의 재산 내역을 파악할 수 있다.
④ 대상자에 맞는 간호제공이 용이하다.
⑤ 보건소의 재료와 기구를 활용할 수 있다.

65

진료에 관한 기록과 그 보존기간의 연결이 옳은 것은?

① 진단서 – 2년
② 처방전 – 3년
③ 환자명부 – 5년
④ 수술기록부 – 5년
⑤ 간호기록부 – 10년

66

「정신건강증진 및 정신질환자 복지서비스 지원에 관한 법률」상 정신의료기관 등의 장은 자의입원을 한 사람에 대하여 입원을 한 날부터 몇 개월마다 퇴원할 의사가 있는지 확인해야 하는가?

① 1개월
② 2개월
③ 3개월
④ 6개월
⑤ 12개월

67

[결핵예방법]상 결핵환자가 동거자에게 결핵을 감염시킬 우려가 있다고 인정할 때 일정 기간 동안 결핵병원에 입원하도록 명할 수 있는 사람으로 옳은 것은?

① 관할 보건소장
② 동거자의 부모
③ 결핵병원관리자
④ 결핵환자의 담당의사
⑤ 특별자치도지사 또는 시장, 군수, 구청장

68

[구강보건법]상 수돗물불소화사업과 관련된 보건소장의 업무로 옳은 것은?

① 불소농도 유지
② 불소화합물 첨가
③ 불소 농도 측정 및 기록
④ 불소제제의 보관 및 관리
⑤ 불소화합물 첨가시설의 운영

69

[혈액관리법] 상 혈액원이 채혈 후 실시하는 검사로 옳은 것은?

① 빈혈검사 ② 혈당검사
③ B형 간염 검사 ④ 혈소판계수검사
⑤ 산소포화도 측정검사

70

「감염병의 예방 및 관리에 관한 법률」상 전파가능성을 고려하여 발생 또는 유행 시 24시간 이내에 신고하고 격리가 필요한 감염병은?

① 결핵 ② 매독
③ 파상풍 ④ B형간염
⑤ 중동호흡기증후군

71

성인 활력징후 중 이상 소견으로 간호사에게 즉시 보고해야 하는 것은?

① 호흡 30회
② 맥박 80회
③ 직장체온 37.0℃
④ 혈압 110/80 mmHg
⑤ 맥박 산소포화도 99%

72

맥박 측정이 가능한 부위로 연결된 것 중 옳은 것은?

① 요골동맥, 폐동맥
② 상완동맥, 대동맥
③ 측두동맥, 경동맥
④ 관상동맥, 대퇴동맥
⑤ 족배동맥, 관상동맥

73

50대 남성환자에게 위관영양을 실시하고자 할 때의 방법으로 옳은 것은?

① 주입 후에 공기를 30 cc 넣어 준다.
② 음식물의 온도는 체온보다 약간 낮게 한다.
③ 위관영양 후 취해야 할 자세는 앙와위가 좋다.
④ 1회에 300 cc의 영양액을 30분에 걸쳐 주입한다.
⑤ 위관의 위치 확인을 이해 위 내용물을 확인 후 버린다.

74

부동환자의 배변 간호보조 방법으로 옳은 것은?

① 기저귀 배설물 상태를 환자에게 확인시킨다.
② 환기를 위해 병실문과 창문을 열고 실시한다.
③ 간호조무사 쪽으로 등을 대고 측위를 취한다.
④ 침대의 양쪽 난간을 올린 후 변기를 대어준다.
⑤ 앙와위 자세에서 허리를 올려 변기를 밀어 넣는다.

75

수분 섭취량과 배설량을 측정할 때 섭취량에 포함되는 것으로 옳은 것은?

① 소변 ② 상처 배액
③ 심한 발한 ④ 위관영양액
⑤ 젖은 드레싱

76

대상자에게 정체도뇨관이 필요한 경우로 옳은 것은?

① 시간당 소변량을 측정할 때
② 배뇨 후 잔뇨량을 측정할 때
③ 무균적으로 소변을 채취할 때
④ 일시적인 방광 팽만을 해결할 때
⑤ 수술 전에 방광을 비워 수술 시 인접기관의 손상을 방지할 때

77

물품에 맞는 소독방법의 연결이 옳은 것은?

① 도뇨관 – 건열멸균법
② 주사기 – E/O가스멸균법
③ 우유병 – E/O가스멸균법
④ 린넨류 – 고압증기멸균법
⑤ 스테인레스 곡반 – 고압증기멸균법

78

격리병동에서 교차감염을 예방하기 위한 주의사항으로 옳은 것은?

① 손을 씻을 때는 팔꿈치가 손끝보다 낮게 한다.
② 격리병실에서 사용하는 침요는 커버를 벗기고 사용한다.
③ 격리병실에서 사용된 쓰레기는 격리실 밖으로 가지고 나가 처리한다.
④ 격리병실 안에서 가운을 벗을 때는 깨끗한 면이 보이게 돌돌 말아서 버린다.
⑤ 격리병실 안에서 격리가운을 걸어두어야 할 때는 가운의 내면을 겉으로 나오게 한다.

79

욕창의 발생 원인에 대해 옳은 것은?

① 땀을 적게 흘리는 환자에게서 주로 발생한다.
② 영양상태가 부족하면 발생 가능성이 높아진다.
③ 지속적인 압박으로 인한 호흡장애로 발생한다.
④ 가급적 자세를 바꿔주지 않는 것이 효과가 있다.
⑤ 매트리스가 딱딱한 침대를 사용하면 욕창 예방에 좋다.

80

콧물, 기침, 대화 시 전파우려가 있는 질병으로 유행성이하선염, 풍진, 독감, 폐렴과 같은 질병에 적용되는 격리 지침은?

① 공기주의
② 보호격리
③ 표준주의
④ 섭촉주의
⑤ 비말주의

81

상처에 붕대 감는 방법으로 옳은 것은?

① 말단부위는 안 보이게 감는다.
② 관절은 구부린 상태를 유지한다.
③ 몸의 중심에서 말단으로 감는다.
④ 상처 부위 위에서 매듭을 묶는다.
⑤ 배액이 있는 곳은 단단히 묶는다.

82

침상목욕에 대한 설명으로 옳은 것은?

① 허벅지에서 발목 쪽으로 닦는다.
② 눈은 바깥쪽에서 안쪽으로 닦아 준다.
③ 가슴과 등을 닦은 후 팔과 다리를 닦아 준다.
④ 복부는 배꼽을 중심으로 반시계방향에 따라 닦는다.
⑤ 얼굴은 눈, 코, 볼, 입, 이마, 턱, 귀, 목 순서대로 닦아준다.

83

특별구강간호 시 마르고 백태가 낀 혀의 죽은 조직을 제거하는데 효과적인 용액으로 옳은 것은?

① 알코올
② 베타딘
③ 붕산수
④ 생리식염수
⑤ 과산화수소수

84

여성 환자의 회음부 간호에 대한 설명으로 옳은 것은?

① 회음부를 최대한 노출한다.
② 슬흉위를 취하도록 도와준다.
③ 치골에서 항문 부위로 닦는다.
④ 소음순을 닦고 대음순을 닦는다.
⑤ 소독솜은 3회 이상 사용하지 않는다.

85

요실금이 있는 노인을 돕는 방법으로 옳은 것은?

① 차, 커피의 섭취를 제한한다.
② 24시간 기저귀를 착용하도록 한다.
③ 골반근을 강화하면 요의를 더 많이 느낀다.
④ 잠자기 30분 전에 수분을 보충하도록 한다.
⑤ 요의가 없으면 규칙적인 소변을 권장하지 않는다.

86

관절에는 도움이 되지 않지만 근육의 힘과 긴장도는 증대시키는 운동으로 옳은 것은?

① 능동적 운동
② 수동적 운동
③ 등압성 운동
④ 등장성(isotonic) 운동
⑤ 등척성(isometric) 운동

87

대상자에게 실시하는 수동적 관절범위운동의 효과로 옳은 것은?

① 근위축 예방
② 근력의 증가
③ 근육의 크기 증가
④ 근육의 경축 예방
⑤ 근육의 긴장도 증가

88

오른쪽 편마비 환자가 계단을 내려갈 때 간호조무사가 도와주는 방법으로 옳은 것은?

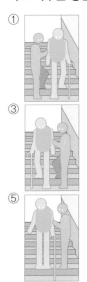
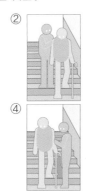

89

입원환자의 낙상을 예방하기 위한 간호방법으로 옳은 것은?

① 침대 난간을 내려둔다.
② 침상을 허리 위치보다 높여준다.
③ 휠체어 바퀴의 잠금장치를 풀어둔다.
④ 이동할 때 보행기나 지팡이를 사용하게 한다.
⑤ 조명으로 눈이 부실 때에는 실내 조명을 어둡게 한다.

90

환자의 체위에 대한 적용이다. 바르게 연결된 것은?

① 복위–요추수술 후
② 배횡와위–산후운동
③ 슬흉위–호흡곤란 시
④ 심스식 체위–항문검사
⑤ 파울러씨 체위–방광검사

91

얼음주머니를 적용할 때 주의사항으로 옳은 것은?

① 개방상처에 적용한다.
② 주머니에 얼음을 가득 채운다.
③ 주머니를 수건으로 싸서 사용한다.
④ 주머니에 공기를 넣어 얼음을 채운다.
⑤ 얼음은 조각을 내서 주머니에 넣는다.

92

수술 당일 아침 환자 준비 내용으로 옳은 것은?

① 유동식을 제공한다.
② 귀중품은 본인이 지니도록 한다.
③ 긴 머리는 머리핀으로 묶어 정리한다.
④ 속옷은 벗고 수술가운으로 갈아입힌다.
⑤ 의치는 제거하여 휴지에 싸서 보관한다.

93

수술 후 대상자별 간호로 옳은 것은?

① 현전정맥염환자는 다리운동을 제한한다.
② 위절제술환자는 심호흡과 기침을 격려한다.
③ 편도선절제환자는 따뜻한 유동식을 제공한다.
④ 금식환자가 갈증을 호소하면 유동식을 제공한다.
⑤ 무의식환자는 복위를 취하게 하여 기도 폐색을 예방한다.

94

수술 후 체위변경과 조기이상의 목적으로 옳은 것은?

① 빈혈 예방
② 통증 감소
③ 출혈 감소
④ 합병증 예방
⑤ 상처감염 예방

95

소변배양검사를 위한 방법으로 옳은 것은?

① 마지막 소변을 받는다.
② 외음부를 씻고 소변을 받는다.
③ 검사 시작 후 첫 소변을 받는다.
④ 소변 주머니로부터 소변을 받는다.
⑤ 무균적인 방법으로 도뇨하여 시험관에 받는다.

96

환자가 구토하는 경우에 옆으로 눕히거나 상체를 올리는 이유로 가장 적합한 것은?

① 자세 안정
② 구토반사 감소
③ 호흡을 용이하게 한다.
④ 토물의 기도흡인 예방
⑤ 토물의 식도흡입 예방

97

기관절개술 후 개구부위에 젖은 거즈를 덮어주는 이유로 옳은 것은?

① 습도 유지
② 점액배출 방지
③ 점액배출 도움
④ 절개부위 압박
⑤ 의사표현을 도움

98

입원환자의 침상 정리 시 주의사항으로 옳은 것은?

① 고무포는 침상 머리 쪽에 깐다.
② 밑홑이불과 윗홑이불 사이에 크래들을 놓는다.
③ 베게잇의 터진 쪽을 출입구 쪽으로 향하게 놓는다.
④ 위홑이불은 솔기가 환자에게 닿지 않도록 아래쪽으로 놓여지도록 깐다.
⑤ 침상을 만들 때 침상 머리쪽에 밑홑이불을 여유 있게 침요 밑으로 집어넣는다.

99

치료적 의사소통 방법으로 옳은 것은?

① 충고
② 비난
③ 반박
④ 침묵
⑤ 질문

100

임종을 앞둔 환자의 간호의 내용으로 옳은 것은?

① 환자의 요구는 모두 들어준다.
② 환자가 말할 때는 경청하고 공감해준다.
③ 지난 시절을 회상하도록 독방에 혼자 둔다.
④ 잘 안 들리는 것을 감안하여 큰 소리로 말한다.
⑤ 회복하면 즐길 수 있는 일이 많다면 희망적인 말을 한다.

PRACTICAL
NURSES

파워
간호조무사
국가시험 정답 및 해설

정답 및 해설

간호조무사의 합격 파트너 PRACTICAL NURSES

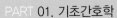

PART

기초간호학

파워 간호조무사 **국가시험 정답 및 해설**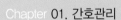

CHAPTER 01 간호관리

제1장 | 간호역사

01. 정답 | ④

간호의 발전 과정

- 자기간호(자기보호 본능에서 시작한 자기간호) → 가족간호(어머니들의 경험을 통한 간호) → 종교간호(그리스도의 박애와 희생정신, 중세 수도원 시대 수녀들의 간호) → 직업간호(독일 여집사단에서 간호인력 양성 이후부터)

02. 정답 | ④

- 환자중심간호(개별적) → 전인간호(총체적) → 재활간호(추후간호)까지를 포함한다.

제2장 | 직업윤리와 자기계발

03. 정답 | ④ 기출

간호윤리 실천 시 이점

- 자기의 직무와 관련된 자기 자신을 아는데 도움이 된다.

- 환자나 자신을 위해 안전하고 유익한 행동의 방향을 제시한다.
- 법적인 책임 한계까지도 식별하도록 도움을 준다.
- 기쁨과 보람을 느끼게 해준다.
① 사회가 맡긴 신뢰와 책임에 대해 전문직 업무수행의 명백한 자율성과 권한이 주어졌으므로 직업윤리에 입각한 행동이 필요하다.
②, ⑤ 비밀유지의무는 동료의 실수보다 환자의 생명에 영향에 줄 수 있는 의사결정 직업윤리에 따른 행동이다.
③ 전문직의 윤리강령은 윤리적 의사결정을 위한 기본석인 윤리지침이다. 간호양심과 철학의 집단적 표현이고 법률이상의 것으로 통제의 수단이 된다.

04. 정답 | ③ 기출

직업윤리

- 모든 업무를 대한간호협회 업무표준에 따라 수행하고 간호에 대한 판단과 행위에 책임을 진다.
- 간호의 전 과정에서 인간의 존엄과 가치, 개인의 안전을 우선하여야 하며, 위험을 최소화하기 위한 조치를 취한다.
- 인간 생명의 존엄성과 안전에 위배되는 생명과학기술을 이용한 시술로부터 간호대상자를 보호한다.

05. 정답 | ① 기출

직업윤리에 따른 대응 방법

- 환자의 위해를 먼저 확인하고 보고하는 것이 가장 우선순위가 높은 직업윤리에 따른 행동이다.
② 동료의 실수보다 환자의 생명에 영향에 줄 수 있는 의사결정이 직업윤리에 따른 행동이다.
③ 보호자가 알고 있는지 확인하는 것은 우선순위가 높지 않다.
④, ⑤ 간호양심과 철학의 직업윤리에 입각한 행동이 필요하다.

06. 정답 | ②

간호조무사의 업무와 한계

가: 검체를 받은 즉시 지시에 따라 검사실로 운반한다.
나: 편안하고 청결한 환경관리는 간호조무사의 기본 책임이다.
다: 진료에 지장이 없도록 필요한 기구를 손질하고 소독한다.
라: 간호사의 업무(간호조무사는 간호사의 지시 감독하에 투약할 수 있음)
마: 의사의 업무(간호조무사는 환부드레싱에 필요한 물품을 준비할 수 있음)

07. 정답 | ④

비밀유지의무 예외사항

- 환자의 허락을 받은 경우
- 공익상 필요한 사항으로 법원의 협조가 있을 경우
- 정당한 업무 행위(신체검사 상 법정전염병 발견되었을 경우) 등을 제외하고는 제3자에게 환자의 비밀을 누설해서는 안 됨

08. 정답 | ② 기출

간호조무사의 직업적 태도

- 간호조무사는 환자를 간호를 돕기 위해 먼저 자신의 건강관리가 요구된다. 또한 교대근무형태가 흔하므로 체력과 건강이 요구되는 직업이다. 간호조무사는 손끝으로 하는 일이 많고 손톱이 길면 손톱 안의 공간이 세균의 병원소가 될 수 있어 교차감염을 일으킬 수 있다. 손을 소독하거나 손으로 하는 일이 많으므로 손을 잘 보호하도록 해야 한다.

09. 정답 | ⑤ 기출

간호조무사의 직업적 태도

- 간호조무사는 직업인으로서 환자 앞에서 품위유지를 해야 한다.
① 환자와 인정관계를 맺으면 안 되고 직업적 관계를 유지한다.
② 환자의 요구는 치료상 도움이 되는 것을 가려서 들어준다.
③ 환자가 요구를 충분히 말할 수 있도록 의사소통을 원활히 해야 한다(경청이 가장 중요).
④ 노인은 어르신으로 호칭하여야 한다.

10. 정답 | ④

사례별 대응방법

- 간호조무사의 업무는 간호사의 지시 감독 하에 업무를 수행해야 하므로 환자가 진단명을 모를 경우 평소보다 더욱 친절히 대하거나, 의사소통을 줄이거나 의사의 권리(월권행위)를 침해하여 진단명을 알려주면 안 된다.

11. 정답 | ⑤

사례별 대응 방법

- 즉시 처리할 수 없는 경우에는 환자에게 충분히 상황을 설명하고 이해를 구한 후에 급한 업무가 끝나고 환자의 요구대로 침요를 갈아준다.

12. 정답 | ④ 기출

사례별 대응 방법

- 환자가 음식이나 물건으로 감사의 표현할 경우 호의에 감사를 표하고, 병원 규칙을 설명하여 잘 이해시켜 정중히 거절한다.

13. 정답 | ⑤

사례별 대응 방법

- 투약실수 발견 시 즉시 간호사에게 보고하여 적절한 조치를 취할 수 있도록 한다.

14. 정답 | ⑤

사례별 대응 방법

- 가능한 한 일찍 직속상관(간호사)에게 사유를 설명하여 대처할 수 있도록 한다.

15. 정답 | ⑤

사례별 대응 방법

- 간호조무사는 환자 상태를 관찰하고 문제가 있을 때는 즉시 간호사에게 보고해야 한다.

16. 정답 | ⑤

사례별 대응방법

- 응급환자에 대하여 「응급의료에 관한 법률」이 정하는 바에 따라 최선의 처치를 행해야 하므로 간호조무사는 간호의 요청이 있을 때 적절하게 행동하여야 한다.

17. 정답 | ④

화재발생 시 행동요령

- 병원 내에서 화재발생 시 위험으로부터 안전하게 보호해야 할 첫 번째 대상은 환자이므로 즉시 간호사에게 보고 후 병원 절차에 따라 행동한다.

18. 정답 | ② 기출

화재발생 시 행동요령

- 화재 시 발생하는 연기는 통상적인 공기보다 가볍고 온도가 무척 높아서 위로 뜨려는 성질이 무척 강하다. 연기의 이러한 성질 때문에 아래나 옆보다는 위쪽에 많은 피해를 주게 되므로 손수건 등에 물을 적셔서 입과 코를 막은 뒤 자세를 최대한 낮춰서 유독가스를 최대한 마시지 않도록 해야 한다.

① 피난층으로 이동이 불가능한 경우에는 비상구 및 옥상으로 피난한다.

③ 화재 시 엘리베이터는 연기로 인한 질식의 우려가 있으므로 탑승을 금지한다.

④ 병원 화재 시 대피시켜야 할 순서는 내원객 → 거동 가능한 환자 → 경증 환자 → 중증 환자 → 직원의 순이다.

⑤ 화재가 난 근처 비상구는 인원이 밀집되어 있어 혼란이 있을 수 있으므로 피난유도반의 개방여부확인이 필요하다.

19. 정답 | ③

화재발생 시 행동요령

- 병원 화재 시 대피시켜야 할 순서는 내원객 → 거동 가능한 환자 → 경증 환자 → 중증 환자 → 직원의 순서이다.
- 자기 힘으로 움직일 수 있는 환자를 신속히 대피시킨다.
- 일반시설과 달리 병원화재는 생존율을 높이기 위한 방법으로 병원 규정상 구조원칙이 거동환자 먼저 대피시킨다.

① 화재 시 엘리베이터는 연기로 인한 질식의 우려가 있으므로 탑승을 금지한다.

② 피난 유도 시에는 출입구나 비상구에 인원이 집중되지 않도록 상황을 확인 후에 피난을 유도한다.

④ 출입문의 손잡이가 뜨거우면 다른 피난경로를 찾아 이용한다.

⑤ 밖으로 나온 후에는 절대로 건물 안으로 들어가지 않는다.

20. 정답 | ⑤

화재발생 시 행동요령

- 병원화재 시 행동지침에 따라 먼저 움직일 수 있는 대상자를 안전한 곳으로 대피시키고, 휠체어, 들것, 침대, 이불이나 담요 등으로 대피해야 하는 대상자들을 위한 공간을 확보한다.

제3장 | 병원환경관리

21. 정답 | ⑤
병원환경관리

- 조명은 어둡거나 눈부심이 없는 간접조명이 좋고, 야간에는 대상자의 안전을 위해 완전 소등하면 안 되고 부분 조명을 켜 두어야 한다.

22. 정답 | ④ 기출
병원환경관리

① 환기는 편안한 환경을 위해 가장 중요한 요소로 직접 바람이 닿지 않도록 커튼(스크린)이나 다른 것으로 환자를 보호하여야 한다.
② 처치 보조 시 조명의 조도를 높여야 한다.
③ 병원의 병실 소음의 기준은 35~39 dB 정도 소음도 이다.
⑤ 커튼이나 스크린 같은 것을 조절하여 병실에 적당한 햇빛이 들어오게 하되 환자의 얼굴이나 눈에 직사되지 않도록 한다.

23. 정답 | ① 기출
병원환경관리

- 환기는 편안한 환경을 위해 가장 중요한 요소이다. 어떤 방법이든 환자에게 직접 바람이 닿지 않도록 커튼이나 다른 것으로 환자를 보호하여야 하며, 특히 저항력이 약한 환자에게는 조심한다.
② 통풍을 위한 창문의 면적은 방바닥 면적의 1/5 정도가 바람직하다.
③ 창문은 높은 곳에서 낮은 곳으로 닦아서 먼지가 일으키지 않도록 한다.
④ 바닥 청소 시에는 먼지를 일으켜 비질을 하지 않고 매일 마른 걸레로 먼지를 닦도록 한다.
⑤ 커튼이나 스크린 같은 것을 조절하여 병실에 적당한 햇빛이 들어오게 하되 환자의 얼굴이나 눈에 직사되지 않도록 한다.

24. 정답 | ② 기출
병원환경관리

- 사회·심리적 환경: 불안감을 유발시키는 요인 − 의료용어의 이해부족, 사생활 결여, 대상자의 역할 발탈, 병원 규칙의 규격화, 사회적 격리, 비인간적인 느낌
- 물리적 환경: 편안한 환경(온도, 습도, 환기, 청결한 공기, 광선, 소음방지, 냄새), 안전한 환경(물리적, 화학적, 전기, 병원감염, 화재), 청결한 환경(병실관리 및 청소, 물품관리 및 세척)
① 바닥의 물이나 기름은 즉시 제거한다.
② 야간에 바닥 간접조명을 사용 → 낙상 예방
③ 침대난간 설치 → 낙상 예방
④ 손상된 전선 → 즉시 보수
⑤ 휠체어 미사용 시 반드시 바퀴의 잠금장치 확인 → 낙상 예방

25. 정답 | ②
병원환경관리

- 병실바닥 청소 시 공기 오염방지를 위해 빗자루와 먼지털이는 사용 금지한다.
① 병실의 관리 책임자인 수간호사에게 보고 후 수선부에 알린다.
③ 단백질(피, 점액)이 묻어 있으면 응고되므로 먼저 찬물로 헹군 다음 더운물로 씻는다.
④ 감염병환자 또는 사망 시(종말소독)에는 소독 후 24시간 후에 새로운 환자를 받는다.
⑤ 시든 꽃이라도 환자의 허락을 받은 후 버린다.

26. 정답 | ⑤
병원물품관리

- 혈액이나 체액은 단백질을 함유하고 있으므로 더운물로 닦아내면 단백질이 응고되어 쉽게 제거되지 않는다. → 먼저 찬물로 헹구고 더운 비눗물로 씻는다.

27. 정답 | ① 기출
병원물품관리

- 병원에서는 물품을 사용하거나 소비함으로써 진료 활

동이 수행되고 있으며, 물품을 얼마만큼 효율적으로 관리하는지의 여부는 진료 활동의 효율성 여부를 좌우하게 된다. 효과적인 물품 관리 계획을 수립하고 정기적인 재고 조사가 필요하다.
② 물품배치는 부서 사용자의 편의와 효율성을 고려하여 배치하도록 한다.
③ 바닥에 떨어진 물품은 멸균 포장 상태라 할지라도 재멸균하도록 한다.
④ 과다한 재고는 병원의 수익성과 유동성에 악영향을 미치므로 적정 재고 유지로 재고 관련 비용을 최소화해야 한다.
⑤ 유효기간이 짧거나 빠른 순서대로 물품을 사용하도록 앞에서부터 배치한다.

28. 정답 | ④ 기출
병원물품관리

- 사용한 주삿바늘로 인해 혈액과 체액으로 감염될 수 있는 질병의 전파가능성을 낮출 수 있도록 지정된 손상성 의료폐기물 전용용기에 버리도록 하고 바늘을 구부리거나 사용 후 뚜껑을 닫지 않도록 교육한다.

29. 정답 | ⑤ 기출
병원물품관리

- 포장이 찢어진 물품은 다시 포장하여 소독·멸균한다.
①, ③ 소독한 날짜가 최근 것일수록 맨 뒤에 정리하여 먼저 소독한 물품이 사용되도록 한다.
② 개인 변기는 소독 후에 재사용되도록 한다.
④ 소독·멸균방법마다 유효기간이 다르므로 기간을 확인하여 유효기간이 경과된 물품은 재소독·멸균하여 보관한다.

30. 정답 | ③ 기출
병원물품관리

- 병동 물품을 얼마만큼 효율적으로 관리하느냐의 여부는 병원의 진료 활동의 효율성 여부를 좌우하게 된다. 효과적인 물품관리계획을 수립하고 정기적인 재고조사를 통해 적정 재고 유지로 재고 관련 비용을

최소화하기 위한 재고 관리가 요구된다. 그러므로 유효기간이 짧거나 빠른 순서대로 물품을 사용하도록 물품을 보관장 앞에서부터 배치하여 먼저 소모되도록 보관한다.
① 고무제품은 에틸렌옥사이드 가스멸균(E.O gas)이 적합한 멸균법이다.
② 파손된 유리앰플은 손상의 위험이 있으므로 따로 분류하여 버리도록 한다.
④ 혈액이 묻은 유리제품을 뜨거운 물로 먼저 헹굴 경우 응고가 되어 씻기 어려우므로 먼저 찬물에 헹군 다음 더운 비눗물로 씻도록 한다.
⑤ 유리제품이나 파우더, 종이, 솜, 거즈, 예리한 기구는 건열 멸균법에 해당한다.

31. 정답 | ⑤ 기출
의료폐기물

- 격리의료폐기물: 감염병으로부터 타인을 보호하기 위하여 격리된 사람에 대한 의료행위에서 발생한 일체의 폐기물(최대 보관기간 7일)을 말하며, 도형의 색상은 붉은색이다.
①, ② 분만 시 나온 태반, 웨궤양 환자의 토혈은 위해의료폐기물 중에 조직물류 폐기물에 해당한다.
③ 골절환자에게 사용한 붕대는 일반의료 폐기물에 해당한다.
④ 당뇨병 환자에게 사용한 주사바늘은 위해의료폐기물 중에 손상성 폐기물에 해당한다.
⑤ 활동성 폐결핵 환자의 객담이 묻은 거즈는 감염병의 예방 및 관리에 관한 법률에 따른 격리 의료폐기물에 해당한다.

32. 정답 | ⑤ 기출
의료폐기물

- 의료폐기물은 크게 격리 의료폐기물, 위해의료폐기물, 일반의료폐기물, 인체조직물 중 태반으로 구분한다.
- 일반병동에서 배출된 혈액, 분비물로 오염된 거즈, 일회용주사기, 수액세트 등은 일반오염 의료폐기물에 해당된다.

① 손상성 폐기물: 위해의료폐기물에 해당하는 것으로 주삿바늘, 봉합바늘, 수술용 칼날, 한방 침, 치과용 침, 파손된 유리재질의 시험기구가 해당된다.
② 병리계 폐기물: 위해의료폐기물에 해당하는 것으로 시험·검사 등에 사용된 배양액, 배양용기, 보관균주, 폐시험관, 슬라이드, 커버글라스, 폐배지, 폐장갑 등이 해당된다.
③ 생·화학 폐기물: 위해의료폐기물로 폐백신, 폐항암제, 폐화학치료제가 해당된다.
④ 혈액오염 폐기물: 위해의료폐기물에 해당하는 것으로 폐혈액백, 혈액투석 시 사용된 폐기물, 그 밖에 혈액이 유출될 정도로 포함되어 있어 특별한 관리가 필요한 폐기물이다.

제4장 | 간호행정 및 간호기록

33. 정답 | ⑤
병원 간호행정의 중심은 환자

* 간호관리의 목표는 환자(대상자)에게 양질의 간호서비스를 제공하기 위한 것이므로 간호대상자(환자)의 요구에 따라 병원행정 업무가 이루어져야 한다.

34. 정답 | ⑤
진료기록부 기재사항

; 진료자 주소, 성명, 주민번호, 병력, 가족력, 주된 증상, 진단결과, 경과, 예후, 치료 내용, 진료 일시분

35. 정답 | ⑤
처방전의 기재사항(시행규칙)

; 환자 성명, 주민등록번호, 질병 분류기호, 의료인 성명,

면허 종류 및 번호, 처방전 발급연월일, 사용기간, 의약품 조제 시 참고사항을 기재한다.
①, ②, ③, ④ 상해로 진단서 발급 시 기재사항
* 병발증 발생 가능 여부, 병명, 환자의 주소, 성명, 주민등록번호, 발병 연월일을 함께 기재한다.

36. 정답 | ③ 기출
간호기록의 원칙

* 기록 후에는 반드시 작성한 사람이 작성자의 성과 이름을 다 포함하여 정자로 서명한다.
① 약어를 사용할 경우에는 공식적인 것만 사용한다.
② 모든 기록은 잘 변하지 않도록 검정색의 펜을 이용하며, 밤번 근무자는 붉은 볼펜으로 쓰고 연필사용은 수정 가능하므로 불가하다.
④ 투약이나 치료에 대한 기록은 미리 하지 않으며 반드시 수행 후 기록하도록 한다.
⑤ 한번 기록한 것은 지우개로 지우면 안 되고 기록이 잘못된 경우 붉은색 볼펜으로 한 줄 또는 두 줄을 긋고 'error'라고 쓴 다음 정확한 기록을 다시 한다.

37. 정답 | ②
간호기록의 원칙

가: 의사소통의 시간을 절약할 수 있도록 완벽하면서 간결해야 한다.
나: 개인적인 견해나 해석없이 관찰된 사실 그대로 기록한다.
다: 약어와 기호는 공인된 것만을 사용하여 기록한다.
라: 지우개로 지우지 말고, 한 줄 또는 두 줄 적색 잉크로 사선 긋고, 실수(error)라고 쓴 다음 다시 기록한다.
마: 간호, 투약이나 처치에 관한 기록은 반드시 실시한 후에 기록한다.

CHAPTER 02 기초해부생리

제1장 | 인체의 개요

01. 정답 | ④

횡단면

; 몸을 상·하로 나누는 절단면

① 정중면: 몸을 수직으로 좌·우로 나누는 절단면
② 시상면(=정중시상면): 정중면에 평행한 면
③, ⑤ 관상면(=전두면): 몸을 전·후로 나누는 절단면

02. 정답 | ④

인체구성의 세가지 성분

; 세포, 세포간질(세포사이 물질), 체액

제2장 | 인체체계 분류

03. 정답 | ③

뼈의 기능

• 세포의 환경 유지, 조절은 혈액의 기능이다.
① 신체에 형태를 제공하고 체중부하와 직립자세를 유지한다.

② 근육과 관절구조물을 통하여 운동을 보조한다.
④ 심장과 폐와 같은 주요기관 보호한다.
⑤ 무기염(칼슘, 인) 저장한다.

04. 정답 | ②

골막

; 뼈를 싸고 있는 막으로 뼈를 보호, 혈관, 림프관, 신경 통과시키는 바탕 제공, 골절 시 뼈를 재생, 근육이 붙는 자리 마련 등의 기능을 한다.
① 골수에서 혈구를 생산: 적혈구, 백혈구, 혈소판
③ 관절에서 뼈의 충격을 완충하기 위한 작용
④ 골조직의 내면에 있는 엉성한 조직
⑤ 뼈의 실질적인 조직으로 골조직의 외면에 있는 치밀한 조직, 체중 지지

05. 정답 | ③

뼈의 성장과 대사

• 글루카곤은 췌장에서 분비되며 혈당을 높이는 역할, 인슐린은 혈당내리는 역할을 한다.
① 뼈는 체내의 칼슘의 99%와 인 90%가 포함되어 있다.
② 비타민 D는 소장에서 칼슘과 인의 흡수를 증가시킨다.
④ 갑상샘에서 생성되며 혈중 칼슘농도를 낮추는 기능을 한다.

⑤ 갑상선 뒤쪽 부갑상선에서 분비되며 혈중 칼슘농도를 올리는 작용을 한다.

⑤ 적혈구 내에는 헤모글로빈이라는 철을 함유한 붉은색의 혈색소가 있어 혈액이 붉게 보인다.

06. 정답 | ⑤
얼굴 부위 주요 뼈

- 두개골은 여러개의 뼈가 복잡하게 합쳐진 것으로 악관절만 제외하고는 모두 봉합으로 연결되어 움직임이 불가능하다.
- 측두하악관절(악관절): 귀부분의 측두골과 하악골이 연결되어 입을 열고 닫는 관절
① 전두골: 전두부(앞이마) / 후두골: 후두부(뒷쪽)
② 치조골: 치아의 뿌리가 박혀있는 턱뼈 / 하악골: 1개로 하악부(아래턱)
③ 상악골: 1쌍으로 상악부(윗턱) / 측두골: 외측면(옆면)
④ 구개골: 상악골 후방의 L자 모양으로 생긴 뼈 / 두정골: 두 개의 쌍벽을 이루고 있는 사각형(머리 위쪽)

07. 정답 | ④
백혈구

- 과립백혈구: 호중구, 호산구(산호성), 호염기구
- 무과립백혈구: 림프구와 단핵구

08. 정답 | ② 기출
적혈구

- 적혈구: 헤모글로빈이라는 철을 함유한 붉은색의 혈색소가 있어 혈액이 붉게 보이며, 산소와 결합할 수 있는 친화성이 있어 혈액에 의하여 운반되는 약 98%의 산소를 결합시켜 운반하는 중요한 물질이다.
① 백혈구는 림프구, 단핵구, 대식세포, 과립구 등 5종류로 나뉘고, 체내에 들어오는 세균을 처리하는 식균작용을 가지고 있어 병원균으로부터 우리 몸을 방어하는 역할을 한다.
③ 림프절에서는 림프구라는 백혈구가 만들어지고 식균작용과 함께 항체 형성에 관여한다.
④ 혈소판은 혈액응고에 관여하여 지혈작용을 통해 혈액의 소실을 박는 혈액의 고형성분이다.

09. 정답 | ⑤
적혈구

; 산소(95% 헤모글로빈+5% 세포막으로 구성됨)와 이산화탄소 운반의 기능을 한다.
① 혈장: 혈액 중 혈구(적혈구, 백혈구, 혈소판)을 제외한 나머지 성분
② 헤파린: 항 응고인자
③ 혈소판: 혈액 응고
④ 혈장속의 혈액응고인자

10. 정답 | ④ 기출
혈소판 – 혈액응고

- 혈액의 성분은 크게 혈장과 혈구로 나뉜다. 혈장에는 혈장단백질(알부민, 글로불린, 피브리노겐)과 물 그리고 혈구는 적혈구, 백혈구, 혈소판으로 이루어져 있다.
① 체액은 수분과 전해질로 구성되어 있다. 성인은 체중의 2/3가 수분으로 이루어져 있다.
② 백혈구는 체내에 들어온 세균을 처리하는 식균 작용을 가지고 있어 병원균으로부터 우리 몸을 방어하는 역할을 한다.
③ 적혈구는 폐에서 조직으로 산소를 운반하고, 조직에서 폐로 탄산가스를 운반한다.
⑤ 알부민은 혈장단백질의 일부로 혈액의 삼투압을 유지하며 정상적인 혈액량을 유지하게 한다.

11. 정답 | ① 기출
혈장

- 혈액: 액체 성분인 혈장이 약 55%이고 나머지 45%는 혈구(적혈구, 백혈구, 혈소판)와 혈소판 등의 고형성분이다.
- 혈장: 액체성분으로 물이 92%를 차지하고 혈장 단백질(알부민, 글로불린, 피브리노겐)으로 이루어져 있다.

12. 정답 | ②
혈액의 기능

; 산소, 영양소, 대사노폐물, 호르몬의 운반, 세포환경을
  일정하게 조절, 체온조절, 지혈, 신체방어, pH 유지, 체
  액량 조절
② 골수에서 혈액세포를 만드는 것은 뼈의 기능이다(조
  혈기능).

13. 정답 | ② 기출
혈액순환의 경로

• 체순환 경로: 좌심실 → 동맥계(대동맥) → 모세혈관
  → 정맥계(대정맥) → 우심방
• 폐순환 경로: 우심실 → 폐동맥 → 폐정맥 → 좌심방
① 상대정맥은 좌우의 완두정맥이 합류한 정맥으로, 머
  리·얼굴·팔 부위 등 상반신으로 혈액을 모으는 정맥
  계의 본줄기이다. 신체 상반부의 정맥의 혈액을 모아
  우심방으로 흘러들어가게 한다.
③ 폐동맥은 온몸에서 심장으로 돌아온 정맥혈을 폐로
  보내는 혈관이다.
④ 폐정맥은 폐에서 가스교환을 마친 동맥혈을 심장으로
  보내는 좌우의 두 혈관으로 폐에서 받아들인 산소를
  함유한 혈관이다.
⑤ 대정맥은 혈액을 우심방으로 보내주는 굵은 혈관으로
  전신에서 모인 혈액을 심장의 우심방으로 보내주는
  굵은 혈관으로 중심정맥이라고도 한다.

14. 정답 | ④
관상동맥

• 심장 벽에 분포되어 영양과 산소를 공급하는 중요한
  혈관 → 관상동맥
• 협심증: 관상동맥의 부분적, 일시적인 차단
• 심근경색증: 관상동맥의 완전한 차단

15. 정답 | ④
승모판의 위치

• 좌심방과 좌심실 사이: 이첨판=승모판
① 폐동맥 입구에는 폐동맥판

② 대동맥 입구에는 대동맥판
③ 대퇴정맥: 대퇴에 있는 정맥
⑤ 우심방과 우심실 사이: 삼첨판

16. 정답 | ⑤
간의 기능

• 신체활동을 통제 조절하는 곳은 신경계와 내분비계
  이다.
① 철분이 페리틴 형태로 저장된다.
② 탄수화물, 지방, 단백질 대사를 촉진한다(소장으로부
  터 간 문맥을 통하여 영양소를 흡수하여 영양소 대사
  작용).
③ 화학물질을 해독작용한다.
④ 혈장 단백질을 형성한다(알부민, 피브리노겐, 글로블
  린).

17. 정답 | ④
대장

• 대장: 맹장, 결장, 직장
• 소장: 십이지장, 공장, 회장

18. 정답 | ③ 기출
소화기관의 기능

• 지방: 췌장액(리파아제)과 답즙산을 이용하여 소장에
  서 이루어진다.
• 단백질: 위와 소장에서 단백질 소화효소에 의해 저분
  자 펩티드로 되고 결국 아미노산으로 가수분해된 후
  장점막에서 흡수된다.
• 탄수화물: 소장에서 단당류로 흡수된 후 간에서 글루
  코겐으로 전환되어 간과 근육에 저장되고, 과잉 탄수
  화물의 일부는 지방으로 전환된다.
① 간: 답즙을 분비하는 기관
② 대장: 소화효소의 분비는 없고 장 내용물의 수분흡수
  가 일어난다.
③ 위: 음식물을 저장하였다가 염산과 펩신 등의 위액(위
  산)을 분비하여 본격적인 소화의 첫 단계로 흡수 기
  능은 거의 일어나지 않는다.

④ 식도: 인두에서 위까지 연동운동으로 음식물 및 수분을 운반하며 소화가 일어나지 않는다.

⑤ 소장에는 장액, 췌장액, 담즙이 분비되어 본격적인 소화작용이 일어나게 된다. 내인자는 위에서 분비된다.

19. 정답 | ⑤

소화기관의 기능

가: 소장은 섭취한 모든 영양소를 소화 흡수시킨다.

나: 위는 음식물을 저장하며 위산, 펩신, 점액을 분비하여 죽처럼 만든다.

다: 간은 담즙을 생산하여 소화에 도움을 준다.

라: 식도는 인두에서 위까지 음식물을 이동시킨다.

마: 대장은 식물성 섬유를 소화하는 것 외에 주로 수분을 흡수하여 대변을 만들고 배설하는 곳이다.

20. 정답 | ⑤

소장의 기능

- 소장의 내벽은 융모로 되어 있으며 이 융모에는 모세혈관과 림프선이 들어 있다.
- 성인의 융모는 약 400~500만개, 벽은 탄력성이 있어 융모와 유미즙이 최대로 접촉할 수 있게 늘어나서 소화와 흡수를 도와준다.

① 소장에서는 장선과 십이지장선으로부터 장액이 분비되고 소화효소를 분비한다.

② 소장벽은 점막, 점막하, 근육, 장막의 4층으로 나뉘어 있다. 점막은 가장 안층이다.

③ 근막: 근육을 싸고 있는 막

④ 위의 주된 기능은 소화액을 분비하고 음식물을 저장하며 위액과 혼합하여 용해시키는 것이다.

21. 정답 | ④

췌장의 소화효소

; 알카리성으로 단백질, 탄수화물, 지방을 소화시키는 소화효소 분비

- 아밀라아제: 전분(탄수화물) → 말토스(맥아당)
- 트립신: 단백질 → 아미노산
- 리파아제: 지방 → 지방산과 글리세롤

22. 정답 | ④ 기출

췌장의 소화효소

- 지질의 소화는 췌장액과 담즙산을 이용하여 소장에서 이루어진다.
- 췌장: 트립신(단백질), 리파아제(지방), 아밀라제(탄수화물) 소화효소가 분비

23. 정답 | ④

구강의 소화효소

- 구강: 침샘 중 제일 큰 이하선에서 분비되는 프티알린(전분 → 맥아당)

① 위에서 분비: 펩신(단백질 → 아미노산)

② 소장에서 분비: 인베르타제(슈크라제), 에렙신, 말타아제, 락타아제

③ 소장에서 분비되는 락타아제(유당 → 포도당, 갈락토스)

⑤ 췌장에서 분비: 아밀라아제, 트립신, 리파아제

24. 정답 | ①

위의 소화효소

- 위에서 분비: 펩신(단백질 → 펩톤), 그 외에 염산(강산성), 점액(위벽보호) 분비

② 소장에서 분비되는 단백질 소화효소(펩톤 → 아미노산)

③ 소장에서 분비되는 탄수화물 소화효소(유당 → 포도당, 갈락토스)

④ 침에서 분비되는 탄수화물 소화효소(전분 → 말토스)

⑤ 췌장에서 분비되는 탄수화물 소화효소(전분 → 말토스)

25. 정답 | ④ 기출

폐포

- 폐포는 호흡기계의 기능적 단위로서 실질적인 가스교환은 폐포에서 이루어진다.
- 산소는 폐포에서 혈관으로 확산되는 반면 이산화탄소는 혈관에서 폐포로 확산된다.

① 후두: 인두에 이어지는 부분으로, 9개의 연골로 구성
되어 있다.
② 인두: 구강과 식도 사이에 있는 소화기관의 하나이다.
③ 기관: 후두 밑에서 시작되어 흉곽 속으로 들어가 좌
우 2개의 기관지로 나누어지는 호흡 통로이다.
⑤ 흉막: 2겹의 장막으로 이루어져 있으며, 두 흉막 사이
에 폐의 수축과 확장 시 마찰이 일어나지 않도록 하
는 역할을 한다.

26. 정답 | ③

외호흡

• 폐호흡(외호흡): 폐를 통해 산소와 탄산가스 교환하
는 것
① 호흡: 폐를 통해 산소를 들이마시고(흡기) 몸속 조직
을 돌아온 이산화탄소를 내보내는 것이다(호기).
② 폐의 모세혈관인지, 조직의 모세혈관인지 명확해야
한다.
④ 조직호흡(내호흡): 조직 속의 이산화탄소와 모세혈관
속의 산소의 교환을 말한다.
⑤ 외호흡(1차호흡): 폐포 공기와 폐의 모세혈관 사이의
산소와 이산화탄소의 교환을 말하는 1차 호흡이다.

27. 정답 | ⑤ 기출

늑간근

• 늑간근과 횡격막은 호흡을 일으키는 주된 근육으로,
호흡을 주관하는 근육은 외늑간근, 내늑간근, 늑하
근, 승모근, 횡격막 모두가 관여한다.
• 횡격막은 특히 흡기 시 내려가고, 호기 시에 다시 올
라가며, 안정 시에 주로 사용되는 호흡근으로 흉부와
복부를 나누는 근육이다.
• 흡식 운동의 과정에는 횡격막의 수축, 외늑간근의 수
축, 복부근육이 이완, 폐포의 표면장력의 약화가 일
어난다.
①, ② 광배근, 대흉근: 상완을 움직이는 근육
③ 승모근, 삼각근: 견갑골에 부착되어 있고, 어깨의 뒤
에는 승모근으로, 어깨 앞에는 삼각근으로 어깨의 둥
근 윤곽을 이루고 있다.

④ 소흉근은 대흉근보다 안쪽에 깊숙하게 위치하고 있는
가슴근육으로 어깨 통증의 원인이 된다.

28. 정답 | ①

횡격막

• 호흡은 횡격막의 수축과 이완으로 흉강 내 크기와 압
력이 변화하여 호흡을 주관한다.
② 작은가슴근(소흉근): 대흉근 밑에 있는 근육
③ 큰가슴근(대흉근): 가슴에 있는 근육
④ 호흡보조근육: 첫 번째와 두 번째 늑골을 들어 올리
는 사각근, 흉골을 상승시키는 흉쇄 유돌근, 어깨를
고정시키는 승모근과 흉근 등이 포함
⑤ 넓은등근(광배근): 등 뒤쪽의 근육

29. 정답 | ③

호르몬

• 호르몬: 내분비 샘에서 합성되고 혈류를 통하여 표적
기관으로 운반되어 그 기관에 영향을 미치는 화학
물질
• 역할: 에너지 생성, 음식물 대사, 수분과 전해질 균형,
신체적 지적 발달, 성격 발달 생식과정 조절, 신체의
전반적인 기능을 통합·조절
① 림프액: 조직 사이사이의 수분을 흡수해 순환기로 연
결하는 림프관 속에 흐르는 액체
② 척수액: 척수를 보호하는 액
④ 신경원: 신경계의 기능적인 단위: 정보를 받아 전달하
는 역할
⑤ 송과체: 시상 뒤쪽에 있으며 멜라토닌을 분비해 생체
리듬을 조절하는 호르몬 분비

30. 정답 | ①

내분비선

• 갑상선 → 티록신, 칼시토닌
② 부신수질 → 에피네프린, 노에피네프린
③ 부신피질 → 당류코티코이드, 알도스테론, 안드로겐
④ 뇌하수체 후엽 → 옥시토신, 항이뇨호르몬
⑤ 뇌하수체 전엽 → 성장호르몬, 젖샘자극, 갑상샘 자

극, 부신피질 자극호르몬, 난포자극호르몬, 황체형성
호르몬

31. 정답 | ⑤

말단비대증

; 성인에게(성장판이 닫힌 후) 성장호르몬의 과잉분비로
나타난다.
① 거인증: 어린이에게 성장호르몬의 과잉분비로 발생
한다.
② 당뇨병: 인슐린 결핍으로 오는 고혈당이 특징인 대사
성 질환이다.
③ 왜소증: 선천적으로 성장호르몬 부족으로 발생한다.
④ 요붕증: 항이뇨호르몬의 부족으로 수분재흡수장애가
발생한다.

32. 정답 | ④

크레틴병

• 갑상샘에서 분비되는 티록신은 세포 대사율을 조절
한다.
• 갑상선 호르몬 분비가 많으면 그레이브병
• 성장기에 적게 나오면 성장 지연되는 크레틴병, 성장
후에 적게 나오면 점액수종
① 옥시토신: 뇌하수체 후엽에서 나오는 호르몬으로 자
궁수축 호르몬
② 췌장호르몬: 췌장에서 나오는 호르몬은 인슐린과 글
루카곤으로 혈당 조절
③ 성장호르몬: 인체의 성장과 대사 증진
  – 영아기~골단 융합될 때까지 성장호르몬 많이 나오
  면 → 거인증, 적게 나오면 → 왜소증
  – 골단 융합된 사춘기 후 성장호르몬 많이 나오면 →
  말단비대증
⑤ 부갑상샘호르몬: 부갑상샘에서 분비되며 혈중 칼슘농
도 증가

33. 정답 | ②

갑상샘호르몬

• 갑상선에서 나오는 티록신 부족 시 성장이 정체되는

크레틴병, 성인에서는 점액수종
① 연골접합 전 성장호르몬 과잉분비 시 거인증, 부족 시
난쟁이 / 연골접합 후 성장호르몬 과잉분비 시 말단비
대증
③ 항이뇨호르몬: 부족 시 요붕증
④ 황체형성호르몬: 배란 및 황체형성, 프로게스테론 분
비 촉진
⑤ 부신피질자극호르몬: 과잉분비 시 쿠싱질환, 부족 시
에디슨 질환

34. 정답 | ②

내분비선

• 난소 → 에스트로겐, 프로게스테론
① 갑상선 → 티록신, 칼시토닌
③ 뇌하수체 전엽 → 성장호르몬, 젖샘자극, 갑상선 자
극, 부신피질 자극호르몬, 난포자극호르몬, 황체형성
호르몬
④ 부신피질 → 당류 코티코이드, 알도스테론, 성호르몬
(안드로겐)
⑤ 뇌하수체 후엽 → 옥시토신, 항 이뇨 호르몬

35. 정답 | ①

인슐린

; 췌장에서 분비되는 혈당감소 호르몬 → 부족 시 혈당이
증가되어 당뇨병 발생
② 안드로겐: 부신피질에서 분비되는 성호르몬
③ 프로락틴: 뇌하수체 전엽에서 분비되는 젖샘자극호
르몬
④ 옥시토신: 뇌하수체 후엽에서 분비되는 자궁수축호
르몬
⑤ 테스토스테론: 남성의 고환에서 분비되는 성호르몬

36. 정답 | ② `기출`

췌장의 호르몬

• 췌장은 내분비와 외분비가 분비되는 유일한 장기이다.
• 아밀라제, 리파아제, 트립신을 소화액으로 췌장을 분
비하는 외분비부와 알파세포에서 글루카곤, 베타세포

에서는 인슐린을 분비하는 내분비부(랑게르한스섬)로 나뉜다.

① 인슐린: 췌장의 세포에서 분비되어 혈당을 낮추는 호르몬이다.

③ 코르티졸: 부신피질에서 생성되는 스테로이드 호르몬의 일종으로, 신체가 최대의 에너지를 만들어 낼 수 있도록 하는 과정에서 혈압과 포도당 수치를 높기도 하여 글루코코티코이드(glucocorticoid)라고도 한다.

④ 성장호르몬: 혈당의 농도를 증가시키고 뼈의 형성과 성장을 촉진하여 인체의 성장을 촉진하는 호르몬이다.

⑤ 항이뇨호르몬: 뇌하수체에서 분비되는 호르몬으로 소동맥을 수축시켜 혈압을 상승시키고, 세뇨관의 수분 재흡수를 촉진시켜 혈액량을 증가시키고 소변 양을 감소시켜 혈액을 유지하는 호르몬이다.

37. 정답 | ⑤

혈당농도 상승 호르몬

가: 성장호르몬 - 뼈와 근육을 성장시키기 위해 혈당 상승

나: 코르티졸 - 부신 피질에서 분비되며 혈당 상승

다: 글루카곤 - 췌장에서 분비되며 혈당 증가

라: 에피네프린 - 부신수질에서 분비되며 심박동수 증가 위해 혈당 증가

마: 갑상샘호르몬 - 갑상선에서 분비되며 대사작용에 관여하며 혈당 상승

38. 정답 | ②

비뇨기계 배설과정

• 신장: 혈액을 여과하여 노폐물 배설(소변을 여과하는 사구체와 사구체낭 → 소변 재흡수와 분비하는 세뇨관 → 집합관 → 신우), 소변 형성

• 요관: 신우에서 방광으로 소변 이동

• 방광: 소변 저장(500 cc)

• 요도: 체외로 소변배출(남성요도: 21 cm, 여성요도: 4 cm)

39. 정답 | ②

소변의 성분

• 정상 소변: 요산, 요소, 크레아틴, 수용성 노폐물이 배설된다.

① 당뇨(혈당이 180 mg/dL 이상 시 소변 속에서 당 검출됨)

③ 소변 내에 백혈구는 요로 감염이다.

④ 소변 내의 적혈구는 요로계의 암, 결석 등 의미함. 여성은 생리 중인지 확인한다.

⑤ 단백질, 혈액과 같은 큰 분자는 여과되지 않는다.

40. 정답 | ⑤

신장의 기능

• 소변을 저장했다가 요도를 통해 배설하는 곳은 방광이다.

① 적혈구 조혈촉진 호르몬, 혈압조절 호르몬을 생성한다.

② (대사성 산이) 신장을 통해 배설되어 혈액을 pH 7.35~7.45 유지한다.

③ 요소, 요산 등 질소성 노폐물 배설한다.

④ 수분과 전해질 균형 유지시켜 몸의 체액을 일정하게 유지한다.

41. 정답 | ⑤

테스토스테론

; 고환에서 생성되는 남성호르몬이며, 생식기 발육에 도움을 주고 정자를 생산한다.

① 프로락틴: 뇌하수체 전엽에서 분비되는 유즙분비 호르몬

② 안드로겐: 부신피질에서 분비되는 성호르몬

③ 옥시토신: 분만 시 자궁벽을 수축해서 분만을 쉽게 하도록 도움을 준다.

④ 에스트로겐: 여성의 제2차 성징을 나타나는 호르몬

42. 정답 | ④

정자 성숙 – 부고환

②, ⑤ 정자의 생존 및 운동에 영향을 주는 정액 생산: 정낭, 전립선(정자활성화), 구 요도 샘
① 정자가 나오는 길: 정관
③ 정자 생성: 고환

43. 정답 | ④

시상하부

- 시상하부는 대뇌 하부에 위치하여 체온조절 중추가 있다.
- 수분, 전분, 지방대사에 관여하고 성장과 성적 성숙 및 체온, 맥박, 혈압, 수면에도 영향을 끼친다.
① 대뇌: 뇌중량의 7/8을 차지하고 있다. 지각, 시각, 청각, 후각 등의 중추와 운동중추가 있어 인체의 행동과 감정을 조절하는 기능을 한다.
② 소뇌: 대뇌와 척수사이에 위치하며 골격근의 활동을 조절하고 자세 및 근육의 평형과 긴장을 유지한다.
③ 중뇌: 전뇌와 뇌교 및 소뇌를 연결하는 뇌간의 잘록한 부위로 눈의 움직임과 청각에 관여하고 소뇌와 함께 몸의 평형 기능을 유지한다.
⑤ 간뇌: 대뇌반구와 중뇌 사이에 있는 부분으로, 사이뇌라고도 하며 시상, 시상하부, 시상후부로 구성되고 시상이 간뇌의 대부분을 차지하는 구조이다. 모든 감각이 시상에서 중계되어 대뇌피질로 전달된다.

44. 정답 | ④ 기출

연수

- 신경계의 분류: 중추신경계와 말초신경계
- 중추신경계는 뇌, 척수로 이루어져 있는데, 뇌는 그 위치나 기능에 따라 분류된다.
- 연수는 숨뇌로 뇌교와 척수 사이에 있으며 생명에 직접 관여하는 중추가 있는 뇌의 부분으로서 호흡, 심장박동, 위장 작용 등을 조절하는 자율신경계의 핵이 있다. 연수의 역할은 생명유지와 직결되는 일이라고 할 수 있다.

① 시상: 뇌간과 전뇌 사이에 위치하고 송과선을 포함하는 시상상부와 자율신경계와 연결된 시상하부로 이루어져 있다. 시장하부는 체온조절중추가 있다.
② 중뇌: 소뇌와 함께 몸의 평형기능을 유지하며, 숙련된 근육의 움직임을 조절하고, 눈의 움직임과 청각에 관여한다.
③ 소뇌: 대뇌의 운동중추를 도와서 골격근의 운동을 조절하고 몸의 평형을 유지하는 기능을 한다.
⑤ 뇌하수체: 내분비선으로 대뇌 가운데 밑면에 위치해 있다. 뇌하수체는 뇌의 시상하부에서 분비되는 방출호르몬에 의해 자극을 받아 분비되는 뇌하수체전엽 호르몬과 뇌하수체후엽 호르몬이 분비된다.

45. 정답 | ⑤

시상하부

; 체온조절 중추, 자율신경계 전반적인 관리
① 중뇌: 안구운동, 동공반사등 시각과 관련
② 소뇌: 평형감각, 대뇌에서 하지 못한 정교한 운동, 무의식적인 운동 조정과 억제
③ 연수: 호흡, 심박동, 위장운동, 혈관운동 중추
④ 뇌교: 소뇌와 대뇌를 연결, 호흡수 조절

46. 정답 | ⑤ 기출

뇌척수액

; 뇌와 척수를 보호하고 충격 흡수하며, 신경세포에 영양 공급하고 노폐물 제거

- 지주막하강: 지주막과 연막 사이에서 뇌척수액을 채우는 공간
① 연: 뇌의 가장 아래, 척수 위에 위치, 심장박동, 호흡 조절중추 등 생명과 관련된 중추
②, ③ 경막: 연막과 지주막 사이에 위치 → 뇌척수액(뇌실의 맥락총에서 생성)
 - 뇌척수액 순환경로 막히면 두개내압이 상승해 두통, 오심, 구토 증상이 나타나며 수두증이 발생
④ 지주막: 뇌와 척수를 싸고 있는 막은 안쪽에서부터 연막 → 지주막 → 경막

47. 정답 | ④

교감신경

; 신체가 응급상황 시 재빨리 반응할 수 있도록 돕는 신경

가: 상황판단을 위해 동공은 커진다.

나: 응급상황 시 작동하는 자율신경이므로 소화샘, 연동
　운동을 억제한다.

다: 혈관을 수축해 혈압을 높인다.

라: 누선(눈물샘) 분비가 감소된다.

마: 기관지를 이완한다(확장).

48. 정답 | ③

피부의 구조

- 표피: 가장바깥층, 자체적인 혈액공급이 없으며 진피
　의 확산작용에 의해 영양 공급

- 진피: 혈관, 신경, 감각 수용기 있음, 모낭과 피지선,
　한선이 위치 체온과 혈압조절에 도움

- 피하조직: 지방세포, 신체의 열 저장소, 충격 흡수하
　며 기계적인 손상 예방

49. 정답 | ②

이관의 기능

- 중이와 인두가 연결되어 고막내부와 외부 기압 조절
　해 고막파열 방지, 평소에는 닫혀 있다가 하품이나 연
　하 시 열린다.

① 중이를 고실이라고도 한다.

③ 이개: 귓바퀴

④ 이소골: 중이에 있는 뼈(추골, 침골, 등골)

⑤ 외이도: 2,5 cm 고막까지의 통로

제1장 | 약물의 이해

01. 정답 | ②

시럽

: 당, 당류, 감미제에 약물을 혼합해 단맛과 향이 나는 액상의 내복용제

① 산제: 분말, 파우더, 가루로 된 약제, 정제보다 흡수가 빠르고, 물로 된 약보다 변질이 안 된다.

③ 팅크제: 약물 또는 생약을 에탄올에 용해시킨 제제

④ 엑기스제: 약물의 유효성분을 삼출한 약액을 농축시켜 만든 약물

⑤ 함당정제: 원형, 난원형, 장방형의 약제. 입안에서 녹여 약효를 내고 빨아먹도록 만들어진 약

02. 정답 | ④

정제

: 일정용량의 분말 약제를 크기, 중량, 모양을 다양하게 만든 약

① 환제: 약을 둥글게 만들어 복용하기 용이하게 한 제제

② 연고: 한 가지 이상의 약물이 혼합된 반고형성 약제. 피부나 점막에 사용되는 외용약

③ 좌약: 체온으로 용해, 흡수 되는 삽입제로 상온에 보관 해야 하고 직장, 요도, 질 좌약이 있다.

⑤ 교갑제: 분말, 액상 형태의 약물을 젤라틴 성분의 용기에 넣은 약(캡슐)

03. 정답 | ③ 기출

산제

: 마른 약재를 균등한 세말로 하여 체로 쳐서 고르게 혼합한 형태

① 고제: 꿀이나 설탕 등의 보조물을 넣고 농축시킨 반유동의 상태

② 탕제: 약물을 넣고 물을 부어 가열하여 성분을 삼출시키는 방법

④ 주제: 약물을 알코올 용액이나 양조주 등에 담그고 유효 성분을 삼출시켜 복용하는 것

⑤ 좌제: 환제나 정제를 만들어 질내 또는 항문에 삽입하여 치료하는 약물의 형태

04. 정답 | ③ 기출

고제

: 약에 물을 가하고 달여서 찌꺼기를 제거하고 다시 진하게 달여 꿀이나 설탕 등으로 보조물을 넣고 농축시킨 반유동 상태

① 탕제: 약물을 놓고 물을 부처 가열하여 성분을 삼출시키는 방법

② 산제: 마른 약재를 균등한 세말로 하여 체로 쳐서 고르게 혼합한 것

④ 주제: 알코올 용액이나 양조주 등에 담고 유효 성분을 삼출시켜 복용하는 것

⑤ 시럽제: 약물을 탕전하여 찌꺼기를 제거시킨 농후액이나 분말에다 백당의 농후 용액을 넣어 만든 것

05. 정답 | ④

장용제

- 위에서 녹지 않고 장에서 녹을 수 있도록 만든 정제
  → 소화효소제
① 환제: 약을 둥글게 만들어 복용하기 용이하게 한 제제
② 시럽: 당, 당류, 감미제에 약물을 혼합해 단맛과 향이 나는 액상의 내복용제
③ 교갑제: 분말, 액상 형태의 약물을 젤라틴 성분의 용기에 넣은 약(캡슐)
⑤ 함당정제: 원형, 난원형, 장방형의 약제. 입안에서 녹여 약효를 내고 빨아먹도록 만들어진 약

06. 정답 | ②

위약(플라시보)

: 실제 약리 작용은 없으나 모양이나 색깔이 흡사한 약을 투여해 실제 약과 동일한 효과를 기대할 수 있는 약 (심리적인 효과 기대)

① 주약: 처방약이나 제제에서 주요 성분이 되는 약제
③ 부형약: 약을 먹기 쉽게 하기 위해 또는 어떤 필요한 형태를 만들기 위해 가하는 물질
④ 보조약: 약의 효과를 높이기 위해 보조적으로 첨가하는 약
   ex) 혈압조절을 위해 혈압약(암로디핀)에 이뇨제(다이크로짓=보조약)를 함께 사용
⑤ 교정약: 약의 쓴맛이나 불쾌한 냄새를 줄이거나 감추어 복용하기 쉽도록 섞어먹는 약물

07. 정답 | ⑤

약물의 표시

- 극약: 백지에 빨간 테두리와 이름 모두 빨간색으로 기재
- 보통약: 백지에 검정 테두리와 이름 검정 혹은 청색으로 기재
- 독약: 검은 바탕에 흰색 테두리와 이름 모두 흰색으로 기재

08. 정답 | ④ 기출

설하투여

- 니트로글리세린
- 평활근 이완과 관상동맥 확장에 효과
- 협심증의 예방 완화를 위해 처방
- 모세혈관이 분포된 혀밑(설하)점막으로 투여하여 20~30초 후에는 작용이 나타나 20~40분 동안 흉통을 억제

09. 정답 | ③

물약 투여방법

- 불쾌한 맛이 나는 약: 얼음조각을 주면(차게) 감각이 둔해져 먹기 쉽다.
- 쓴맛이 나는 약(lugol's 용액): 쓴맛을 희석해 투여하기 위해 우유나 과일주스에 희석 후 빨를 사용한다.

10. 정답 | ② 기출

길항작용

: 두 가지 이상의 약물을 병용했을 때 약효가 감소되거나 상쇄되는 것

- 약물의 병용효과에는 협동작용과 길항작용이 있다.
① 내성: 중독을 일으키지만 죽음에 이르지 않는 용량
③ 축적작용: 약물의 연용효과로 약물이 체내에 축적되어 중독 작용이 일어나는 것
④ 부작용: 약이 지닌 그 본래의 작용 이외에 부수적으로 일어나는 작용
⑤ 협동작용: 두 가지 이상의 약물을 병용하는 경우 약물의 효과가 상승되는 것

11. 정답 | ②

부작용

; 약물의 작용 중 질병 치료에 기대하지 않는 유해한 작용

① 내성: 계속 사용 시 같은 효과 얻기 위해 사용량을 증가해야 하는 현상

③ 금단작용: 의존성 약물을 중단 시 나타나는 극도의 신체적 증상(오심, 구토, 불면, 전신경련, 혼수상태, 혼돈 등)

④ 상가작용: 두 가지 이상의 약물을 같이 사용했을 때 그 두 약물의 작용이 합에 해당하는 것

⑤ 길항작용: 두 가지 이상의 약물을 같이 사용했을 때 각 약물의 작용이 감소 또는 상쇄

12. 정답 | ④ 기출

전신작용

; 약물이 흡수되어 순환계를 통하여 다른 작용부위에서 나타나는 작용

① 치료작용: 약물의 여러 작용 중에서 질병 치료에 필요로 하는 작용

② 국소작용: 약물을 투여한 후 국소에 나타나는 약리작용

③ 선택작용: 어떤 조직 장기와 특별한 친화성을 가지고 있어서 어떠한 방법으로 투여하든지 그 조직 장기에서 약리 작용을 일으키는 작용

⑤ 직접작용(1차작용): 약물이 직접 접촉한 장기에 일으키는 고유한 약리 작용

13. 정답 | ②

금단현상

; 의존성 약물을 중단시 나타나는 극도의 신체적 증상(오심, 구토, 불면, 전신경련, 혼수상태 등)과 정신적 증상(혼돈, 환각, 환청, 불안 등)이 동반되는 상태

① 저항현상: 약물을 계속 사용하면 점차 효과가 떨어져 처음과 같은 효과를 얻기 위해선 사용량을 늘려야 하는데 이것은 균이 약물에 대해 저항성을 가지게 되었기 때문

③ 전신증상: 약물이 생체에 작용할 때 적용부위에서 흡수되어 전신에 분포되어 필요한 각 장기에 도달해 약리 작용을 일으키는 증상

④ 상승현상: 두 가지 약을 병용시 약물작용의 효과가 증가하는 현상

⑤ 내성현상: 한 가지 약물을 계속 사용시 약리효과가 감소하여 처음과 같은 효과를 얻기 위해서는 사용량을 증가해야 하는 현상

14. 정답 | ⑤

약물작용에 영향을 주는 요소

• 용량, 연령, 체중, 하루 중 투약시기, 특이체질, 심리적 요인, 환경적 요인, 성별, 투여 경로, 약물 형태, 질병, 섭취음식에 따라 영향을 일으킨다.

가: 신생아, 영유아에서는 성인에 비해 약물에 대한 반응이 크므로 용량을 감하여 투여한다.

나: 소아에서는 체중과 체표면적 등을 고려하여 투여한다.

다: 여자는 남자의 2/3~3/4 정도가 적당한 용량이다.

라: 투여방법에 따라 작용 발현시간, 작용지속시간, 최대 효과 등이 달라진다.

마: 특이 체질의 경우 보통사람에게서 일어나는 효과와 다른 반응이 나타난다.

15. 정답 | ② 기출

약물의 부작용

① 코데인: 진통제, 진해제로, 모르핀에 비해 1/10 정도의 약한 진통작용의 효과가 있다.

② 아스피린: 해열, 진통, 소염제 뿐 아니라 혈전증치료제로 쓰이고 있어 부작용으로 위장출혈이 있다.

③ 나페디킨: 고혈압이나 협심증과 같은 관상동맥질환에서 사용되고 있다.

④ 겐타마이신: 오랫동안 우수한 항생제로 널리 사용되어 왔다.

⑤ 알루미늄 하이드록사이드: 위산을 중화하여 점막을 보호하기 위해 사용되는 제산제이다.

16. 정답 | ③

약물의 부작용

- 아스피린(aspirin): 소염해열진통제
- 부작용: 두드러기, 이명, 두통, 어지러움, 오심, 구토, 용혈성빈혈, 혈액응고시간 지연 등
- 주의점: 위장출혈을 일으키므로 위궤양 환자에겐 금기

17. 정답 | ③

등장성 생리식염수

- 0.9% 생리식염수: 사람 혈액의 삼투압과 똑같은 성질의 등장성 식염수는 표준액 L당 염화나트륨 9 g을 함유한 0.9% 용액
- ② 0.45% 식염수: 저장성 용액, Nacl 결핍과 체액량 부족 시 사용

제2장 | 약물 기전

18. 정답 | ④

힝생제

- 항생제, 항 결핵제, 인슐린 등은 처방된 투약시간을 반드시 지켜 혈중농도를 일정하게 유지해야만 치료효과를 높일 수 있기 때문

19. 정답 | ③ 기출

항생제

- 페니실린: 감염성 질환을 치료하기 위해 박테리아의 발육을 억제하거나 사멸시키는 항생제
- ① 디곡신: 울혈성 심부전과 빠른 심방 부정맥을 치료제
- ② 코데인: 마약성(아편계)진통제
- ④ 아스피린: 해열진통제
- ⑤ 옥시토신: 자궁수축제, 분만촉진제

20. 정답 | ④

항결핵제의 병행요법

- 결핵균은 병원균의 저항성(내성)이 강하므로 내성을 늦추고 약의 효과 증진, 부작용 감소, 균의 혼합감염을 치료하기 위해 병용투여 한다(한 번에 최대혈청 농도유지: 1일 1회 복용).

21. 정답 | ③

항결색제 1차약

- 1차약: 이소나이아지드(INAH), 리팜피신(RMP), 스트렙토마이신(SM), 에탐부톨(EMB), 피라진아마이드(PZA)
- 2차약: 가나마이신(KM), 파라아미노살리실산(PAS), 프로디나마이드, 사이클로세린
- ⑤ 이소나이아지드(INAH): 말초신경염의 부작용이 있으므로 비타민 B6와 함께 복용

22. 정답 | ④ 기출

혈압강하제

; 혈압을 떨어뜨릴 목적으로 사용하는 약물로 혈관확장제, α, β−아드레날린차단제, 교감신경기능억제제, 안지오텐신전환효소억제제제, 이뇨제, 칼슘실상세 등이 있나.

- 캡토프릴: 안지오텐신 전환효소 억제제로 고혈압과 심부전에 효능
- ① 헤파린: 항응고제 효능
- ② 에탐부톨: 항결핵균(항마이코박테리아) 작용
- ③ 리도카인: 국소마취제와 심실성 부정맥 치료제
- ⑤ 에피네프린: 기관지천식, 심정지, 심장수축력의 증가, 혈압상승 등의 작용

23. 정답 | ⑤ 기출

철분제

- 철분제 복용 시 변색이 검게 변하고 변비가 우려되므로 수분섭취를 권장하고, 치아변색의 우려가 있어 빨대로 복용하도록 권한다.

24. 정답 | ②

디기탈리스(디곡신)

- 심근수축력을 증가시키는 강심제(이차적으로 이뇨작용이 있으므로 식간에 투여할 것)
- 수축력이 증가되면서 심박동수를 느리게 하므로 반드시 투여 전에 맥박을 측정 → 60회/분 이하 투여 금지

25. 정답 | ⑤

제산제

- 분비된 위산을 중화하여 위나 십이지장의 점막을 보호해 치료 효과를 기대하는 약물(알루미늄 하이드로사이드, 미란타Ⅱ 등)

26. 정답 | ① 기출

인슐린

- 인슐린은 췌장의 베타세포 랑게르한스섬의 세포에서 분비되는 호르몬
- 글리코겐과 아미노산이 포도당으로 전환되는 것을 억제하고, 포도당을 세포 내로 이동시켜 혈당을 감소시키는 기능을 하는 호르몬
② 코데인: 진통제, 진해제의 효과를 나타내는 마약성(아편계) 진통제
③ 헤파린: 혈액의 응고능력을 감소시킴으로서 혈관 내에 비정상적으로 일어나는 혈전의 형성을 방지하는 항응고제
④ 디곡신: 심근 수축력을 증가시킴으로써 심박출량을 늘이고 비정상적인 심장 박동수를 조절하는 강심제
⑤ 리도카인: 국소마취제이자 부정맥 치료제

27. 정답 | ③

옥시토신

; 뇌하수체 후엽에서 분비되는 호르몬으로 자궁을 수축시켜 분만과 진통을 유발하는 작용을 하며, 유도분만이나 분만촉진 시에 모두 사용하는 분만촉진제
① 쿠마딘: 경구용 항응고제의 일종으로 판막수술 후나

혈전형성으로 인한 질환에 복용
② 모르핀: 마약성(아편계)진통제로 중추신경계에서 통증 자극을 전달하는 신경전달 물질의 분비를 억제하여 진통효과를 나타낸다.
④ 페니실린: 최초의 항생제로 세균에 의한 감염을 치료하는 약물
⑤ 푸로세미드: 고혈압과 부종치료에 사용되는 이뇨제

28. 정답 | ④ 기출

모르핀

; 중추적으로 작용하는 진통효과를 나타내며 부작용으로 호흡 억제가 초래될 수 있으므로 호흡부전이나 노인 환자에게 주의한다.

29. 정답 | ②

마약성 진통제

; 모르핀, 코데인, 데메롤
① 폰탈: 비스테로이드성 소염 해열진통제
③ 부스코판: 진경제. 위통, 위경련, 복통에 적용
④ 아스피린: 해열진통제, 혈전치료제, 소염작용
⑤ 타이레놀: 아스피린과 유사한 해열 진통제. 항염작용은 없다(아스피린 과민환자에게 투여).

30. 정답 | ④

코데인

- 모르핀과 유사한 구조를 가지고 있는 마약성 진통제
- 진통 작용은 모르핀보다 작고, 진해 작용이 더 강하여 심한기침과 마른기침에 사용
① 데메롤: 급성통증, 수술 전·후 통증에 사용되는 마약성 진통제
② 디곡신: 심근수축력을 증가시키는 강심제
③ 라식스: 신장에 작용하여 요량을 증가시키는 약물
⑤ 드라마민: 항히스타민제. 구역, 구토, 현기증에 주로 사용

31. 정답 | ④

페니실린 부작용(아나필락틱 쇼크)

- 에피네프린은 기관지확장제로 사용 시(피하 또는 근육으로 투여) 응급, 쇼크치료 시(에피네프린을 0.2~1 ml 피하 또는 정맥 투여)
- 효능: 교감신경흥분제, 강심제, 혈관수축제, 기관지천식, 기관지확장시 경련 완화
- 부작용: 불안, 심계항진, 빈맥, 호흡곤란, 요정체

32. 정답 | ⑤

리도케인

; 국소마취제, 부정맥 치료제
① 비스테로이드성 소염진통제
② 제산제
③ 부교감신경차단제, 수술 전 분비물 억제제
④ 항고혈압제(혈압 강하제)

33. 정답 | ④ 기출

에피네프린

- 에피네프린은 교감신경 흥분성 혈관수축제로 과민성 쇼크인 아나필락시스, 급성기관지경련 등에 사용되는 약물
① 모르핀: 마약성 진통제로 사용되는 약물
② 헤파린: 혈액 응고를 방지하는 약물
③ 디곡신: 울혈성 심부전과 부정맥을 치료하는데 효과적인 강심배장체 약물
⑤ 니트로글리세린: 협심증, 울혈성 심부전증 치료에 사용되는 강력한 평활근 이완제 약물

34. 정답 | ④

응급약

; 아트로핀, 리도케인, 소디움 바이카보네이트, 에피네프린 등
④ 클로르헥시딘(피부소독제): 일반 세균, 진균 등에 유효. 독성이 낮고, 피부 자극이 적다(0.02%: 방광 세척용, 0.1%: 구강 가글, 0.2~0.3%: 기구나 수술시 손소독).

① 아트로핀: 부교감신경차단제, 수술 전 분비물 억제제
② 리도케인: 부정맥 치료제, 국소마취제
③ 에피네프린: 교감신경흥분제, 강심제, 혈관수축제, 기관지천식, 기관지 확장의 경련완화
⑤ 소디움 바이카보네이트: 혈액의 산증 교정 시 사용

제3장 | 약물의 관리

35. 정답 | ④

냉장보관 약물

① 인슐린, ② 혈청, ③ 백신, ⑤ BCG(결핵예방접종)는 2~5 ℃ 냉암소 보관해야 약물 효과가 지속된다. 그 외 간장추출물, PPD용액, 헤파린, 알부민 등도 냉장 보관한다.
④ 좌약은 체온으로 용해, 흡수되는 약이므로 상온에 보관할 것

36. 정답 | ② 기출

마약류, 항정신성 의약품의 보관

① 혈청, 인슐린, 생균백신: 직사광선을 피해서 냉장상태(냉암소 2~5 ℃)에서 보관
③ 마약류는 별도의 장소에 이중 잠금 장치하여 보관
④ 항정신성 약물: 일반 약물과 분리하여 따로 보관
⑤ 니트로글리세린: 약효유지를 위해 습기를 피하여 차광 보관

37. 정답 | ①

냉장보관약물

- 간장추출물, PPD용액, 혈청, 인슐린, 백신, BCG, 헤파린, 알부민 등
- 2~5 ℃ 냉암소 보관해야 약물 효과가 지속된다.
② 다시 약병에 붓지 말고 버리며, 침전물이 있거나 변색된 약은 오염과 변질의 우려가 있어 사용하지 않는다.
③ 일반 약물은 30 ℃의 서늘하고 통풍이 잘되고 직사광

선을 피해서, 기름 약은 10 ℃ 전후로 보관한다.
④ 약물의 종류에 따라 보관법은 다르며, 약의 유효기간을 지켜서 사용한다.
⑤ 유통기한이 지난 약물, 라벨이 떨어져 약명이 확인되지 않는 약은 사용해서는 안 된다.

38. 정답 | ④

약물의 보관

가: 모든 약병은 언제나 뚜껑을 덮어 보관
나: 대부분의 약물은 30 ℃ 이하의 서늘하고 통풍이 잘 되고 직사광선을 피해서 보관
다: 내복약 또는 외용약은 종류별로 구분하여 각각 다른 칸막이가 되어 있는 곳에 약물을 보관
라: 혈청, 생균백신, 인슐린, 간장추출물, PPD, BCG 등은 2~5 ℃의 냉암소에 보관
마: 기름 약은 10 ℃ 전후로 보관

39. 정답 | ⑤

항정신성 의약품의 보관

: 별도의 장소에 이중 잠금 장치를 하고 반드시 열쇠로 잠그고 열쇠는 책임 간호사가 보관해야 하고(약의 오용을 방지하기 위해), 투약하지 않았거나 남은 경우 버리지 않고 약국에 반납한다.
① 독약보다는 작지만 미량만 사용해도 독작용을 일으킬 수 있는 약(흰색 바탕에 적색으로 테두리와 약품명을 '극'으로 표기)
② 미량으로도 독작용이 나타날 수 있는 약(검은 바탕에 흰색으로 테두리와 약품명을 '독'으로 표기)
③, ④ 혈청, 백신(2~5 ℃ 냉장 보관)

CHAPTER 04 기초영양

제1장 | 영양과 대사

01. 정답 | ③ 기출

기초대사량

- 혈액순환 및 호흡 유지를 위한, 즉 생명 유지에 필요한 최소한의 열량
- 기초대사량에 영향을 미치는 요인: 연령, 성, 체격, 계절, 호르몬, 수면 등
① 수면상태에서는 기초대사량이 감소한다.
② 체온을 올리기 위해 열의 생산이 활발하면 기초대사량이 증가한다.
④ 면역력이 떨어져 감염 시에 기초대사량이 증가한다.
⑤ 근육이 잘 발달한 근육질 형인 경우 열생산량이 많고 기초대사량이 크다.

02. 정답 | ⑤ 기출

탄수화물

- 소장에서 포도당, 과당, 갈락토오스 등의 단당류로 흡수 → 문맥을 통하여 간으로 가서 글리코겐으로 전환 → 간과 근육에 저장, 과잉 섭취할 경우 지방으로 전환
- 특히 뇌세포는 포도당만을 영양원으로 사용하므로 뇌의 기능 유지를 위해서 필수적으로 섭취되어야 한다.

03. 정답 | ④ 기출

단백질

- 단백질: 생물체의 구성성분으로 생명현상의 유지에 중요한 영양분
- 파괴된 조직에 새로운 조직을 형성하고, 근육, 내장, 기관 간, 피부는 물론 머리카락과 손·발톱 등의 조직을 형성하는 역할
① 지방: 탄수화물과 마찬가지로 중요한 열량원으로 체내의 신진대사를 조절하는 데 필요한 필수 지방산을 공급
② 무기질: 체내의 수분함량을 조절하고 체내 대사과정을 조절하며 체액의 산-염기 평형을 유지하는 역할
③ 비타민: 체내에서 에너지를 발생하지는 않으나 생물의 기능 유지나 생명 유지에 꼭 필요
⑤ 탄수화물: 생물체가 에너지를 발생시키는데 가장 우선적으로 활용되는 영양소로 흡수율이 높고, 섭취하여 이용될 때까지 시간이 짧아 매우 효율적인 에너지원

04. 정답 | ③

탄수화물

- 소장에서 포도당, 과당, 갈락토오스 등의 최종산물인 단당류가 되어 흡수
- 글루코스(포도당): 가장 기본적인 에너지원, 체내 당

대사의 중심 물질
① 락토오스(젖당)
② 말토오스(맥아당)
④ 셀룰로오스: 단순다당류
⑤ 수크로오스(자당): 이당류

05. 정답 | ②

단백질 분해 과정

- 단백질 → 아미노산 → 소장 → 문맥 → 간 → 혈액 → 각 조직 → 소변(배설)
- 단백질: 조직을 형성하고 파괴된 조직을 수선

06. 정답 | ③

신체의 생리적 기능조절에 관여하는 영양소 – 비타민, 무기질, 물

- 비타민: 체내에서 합성되지 않기 때문에 외부에서 공급해야 하는 영양소
- 무기질: 골격, 근육조직과 체액의 주요성분으로 신체의 기능조절 역할

07. 정답 | ④ 기출

요오드

: 갑상선 호르몬인 티록신의 주성분

08. 정답 | ③

철분

- 혈액의 구성성분으로 체내 저장이 되지 않기 때문에 음식물을 통해 충분히 보충하지 않으면 결핍 시 빈혈, 감염에 대한 저항력 감소 등이 나타난다.

09. 정답 | ④

비타민 K

- 프로트롬빈을 간에서 합성할 때 필수적
- 부족 시 혈액응고작용의 저하로 출혈 발생
① 비타민 E: 신생아 용혈성 빈혈 유발

② 비타민 A: 야맹증
③ 비타민 B6: 신경장애
⑤ 나이아신: 펠라그라(3D → 설사, 치매, 피부염)

10. 정답 | ③

지용성 비타민

- 지용성 비타민: 지방성 용매에 녹고 체내에 저장되어 쉽게 배설되지 않고 결핍증세가 서서히 나타나므로 매일 섭취하지 않아도 된다. → A, D, E, K, F
- 수용성 비타민: 물에 녹고 소변과 땀으로 쉽게 배설되며 결핍증세가 빠르게 나타나므로 필요량을 매일 공급해야 한다. → VB_1, VB_2, 나이아신, VB_6, VB_{12}, C

11. 정답 | ④ 기출

비타민 결핍증

① 비타민 A 결핍증: 야맹증과 안구건조증, 면역기능약화, 성장부진 등 / 구각염: 비타민 B_2의 결핍
② 비타민 B_1 결핍증: 각기병, 식욕 감퇴, 피로감, 불면 등
③ 비타민 C 결핍증: 괴혈병, 구강점막의 출혈, 빈혈증, 상처지유지연, 감염에 대한 저항력 감소
⑤ 비타민 E 결핍증: 빈혈과 적혈구 용혈 / 펠라그라: 니코틴산(니아신)의 결핍

12. 정답 | ① 기출

비타민 B_{12}(코발라민) – 악성빈혈

- 비타민 B_{12}(코발라민): 수용성비타민의 하나로 내적 요인과 결합해서 소장에서 흡수되고 조혈 작용에 관여하며 혈액순환과 혈액 생성을 조절
- 부족 시에 악성빈혈이 발생
- 악성빈혈은 일반적인 빈혈증세 외에 적혈구의 파괴가 왕성하여 특수한 혈액상을 나타낸다.

13. 정답 | ⑤

비타민 B12 (코발라민)

- 악성빈혈: 비타민 B_{12} (코발라민)
① 구각염: 비타민 B_2 (리보플라빈) 결핍증

② 각기병: 비타민 B₁ (티아민) 결핍증
③ 괴혈병: 비타민 C (아스코르빈산) 결핍증
④ 구루병: 비타민 D 결핍증

14. 정답 | ③ 기출

비타민 C

- 철분제 복용 시 주의사항으로는 철분의 체내 흡수율을 높이기 위해 비타민 C와 함께 복용하도록 하고, 액상 철분제 같은 경우는 치아의 에나멜을 손상시킬 수 있으므로 빨대를 사용하여 복용한 뒤 물을 마시게 하도록 한다.

제2장 | 식이

15. 정답 | ①

일반식

- 특별한 영양소의 제한이 없고 음식의 질감과 상관이 없는 식이
② 경식이는 연식이에서 일반 식이로 옮기기 전에 사용하는 형태로 일반 식이와 각 영양소가 동일한 비율로 함유되고 충분한 열량을 함유한다.
③ 연식이는 소화기능이 감소했거나 수술 후 회복기에 사용되는 액체와 반고형 식품으로 구성된다.
④ 유동식은 고형성분이 없으므로 씹지 않고 그대로 삼킬 수 있는 음식물의 형태를 말한다.
⑤ 유동식보다 묽게 만들어진 형태로서 맑은 국물의 형태를 말한다.

16. 정답 | ③ 기출

연식

- 소화기능이 감소했거나 수술 후 회복기에 사용되는 액체와 반고형 식품으로 구성된다.
① 경식이는 연식이에서 일반 식이로 옮기기 전에 사용하는 형태로 일반 식이와 각 영양소가 동일한 비율로

함유되고 충분한 열량을 함유한다.
② 유동식은 고형성분이 없으므로 씹지 않고 그대로 삼킬 수 있는 음식물의 형태를 말한다.
④ 일반식은 평소 건강인의 식사와 동일하다. 일반 식이에서 특별히 제한하는 음식은 없으나 소화하기 어렵고 기름에 튀긴 음식은 적게 준다.
⑤ 유동식보다 묽게 만들어진 형태로서 맑은 국물의 형태를 말한다.

17. 정답 | ③

지방조절식이

- 저지방, 저탄수화물(당질), 저열량식, 식염제한, 비타민, 무기질은 충분히 공급한다.
- 비만: 체지방량이 보통 체중보다 비정상적으로 축적되어 체기능이 방해를 받는 상태

18. 정답 | ①

고혈압 환자의 식이

: 저지방, 저염식, 저탄수화물, 고칼륨 섭취, 충분한 단백질 섭취

19. 정답 | ⑤

신장염 환자의 식이

- 신장의 부담과 부종 감소하여 치료효과를 높이기 위해
- 염분(소디움=나트륨): 신장에 부담 → 수분축적을 초래 → 혈액내 노폐물 축적 → 소변량 감소
- 부종과 고혈압, 수분과 전해질 불균형을 나타내므로 저염 식이

20. 정답 | ② 기출

간성혼수 환자의 식이

- 단백질의 배설물: 요소, 요산, 크레아티닌으로 분해 시 노폐물인 암모니아가 요소로 전환되어 배출

21. 정답 | ④

부종 환자의 식이

- 나트륨: 체액의 등장성 유지와 체내 수분함량조절에 중요한 무기질 성분으로 체내 산염기 평형유지에 관여
① 인(P): 전 조직에 있어서 필수 불가결한 구성소이고, 칼슘과 함께 뼈의 구성 성분으로 탄수화물 대사와 관여
② 철(Fe): 헤모글로빈의 구성 성분으로 비타민 C가 철의 흡수를 증가
③ 칼슘(Ca): 뼈와 치아의 구성성분으로 소장에서 흡수되어 혈액 내에 존재하면서 혈액응고에 관여
⑤ 마그네슘(Mg): 천연의 진정제로 항스트레스 무기질로 정신의 흥분을 가라앉히는 작용

22. 정답 | ③

고단백식이

- 단백질: 생체의 주성분으로 조직을 형성하고 파괴된 조직을 수선
- 부족 시 상처치유가 지연된다.
① 저단백식이: 간성혼수, 급성장염, 급성췌장염, 급성신부전 등
② 저지방식이: 간 질환, 비만, 황달 등
④ 저염식이: 신증후군, 급성신부전, 고혈압, 임신성 고혈압 등
⑤ 염분 제한: 복수, 부종, 심장질환, 고혈압, 만성 신부전증, 통풍 등

23. 정답 | ⑤ 기출

신부전증 환자의 식이

- 신부전 환자에게 저염식이가 권장되는 이유: 신장의 부담 감소와 부종을 감소시켜 치료의 효과를 높이기 위해
① 인의 섭취를 제한한다. 지나치게 많은 양의 인은 뼈에서 칼슘이 빠져나가게 하므로 적당량의 인 섭취가 필요하다.
② 필요 이상의 단백질, 지방섭취는 노폐물의 축척되고, 신장에 부담을 줄 수 있으므로 필요치 않다.
③ 부종을 예방하기 위해 수분섭취를 제한하고 섭취배설량을 확인하며 수분전해질의 균형을 유지한다.
④ 칼륨을 많이 섭취하면 근육마비, 심장마비, 부정맥 등이 유발되므로 이를 제한한다.

24. 정답 | ③

울혈성 신부전 환자의 식이

- 간의 부담을 덜기 위해 지방 제한, 불포화지방산의 섭취량은 증가
① 부종을 줄이기 위해 저나트륨 식사
② 수분 제한: 부종이 있는 경우 1일 소변량에 따라 수분섭취를 제한
열량 제한: 비만은 심장에 부담을 주므로 저칼로리식 (1,000~1,200 Kcal)
④ 심근의 보수와 강화 위해 양질의 단백질을 공급
⑤ 과량의 식사는 호흡곤란을 유발하므로 식사 양을 줄이고 횟수를 늘림

25. 정답 | ② 기출

요독증 신부전 환자의 식이

- 요독증: 다양한 원인 질환에 의해 신장기능이 감소하여 정상적으로 신장을 통하여 소변으로 배출되어야 할 노폐물(요독)이 배설되지 못하고, 체내에 축적되어 나타나는 다양한 증상
- 단백질 배설물에는 요소, 요산, 크레아티닌이 포함 → 필요 이상의 단백질 섭취: 노폐물이 몸 안에 많이 축적, 신장에 부담
- 칼륨 과다 섭취: 근육마비, 심장마비, 부정맥 등이 유발 → 말기 신부전 환자의 경우 혈액 내 전해질 불균형, 신장질환 시 제한

26. 정답 | ④

회복기 간염 환자의 식이

- 고열량식: 1일 3,000 Kcal 이상을 섭취
- 고단백식: 간세포의 재생과 지방간을 예방
- 중등지방: 황달과 위장 장애가 있는 급성 초기에만

제한하고, 회복됨에 따라 적당량을 증가

- 간장질환 식사요법: 고단백질, 고비타민, 저지방식
- 황달(저지방식), 복수 또는 부종(저염식, 고단백질), 간성혼수(저단백질)

27. 정답 | ⑤
편도선절제수술 환자의 식이

- 수술 후 가장 중요한 합병증은 출혈 → 얼음주머니 대어줄 것
- 구강열감 음식 피함(오렌지, 포도, 쥬스 등), 부드러운 식이로 자극을 주지 말 것
① (진밥)연식에서 일반식으로 전환하는 회복기 환자에게 공급
② 저염이식: 신장의 부담 감소와 부종 감소
③ 수술 후 회복기 환자, 고형 식품을 섭취할 수 없는 대상자
  - 맑은 유동식: 수분 공급 목적으로 끓인 액체, 보리차, 녹차 등
  - 전 유동식: 수분 공급 위한 미음식, 푸딩, 아이스크림, 미음
④ 특별한 식사 조절이나 소화기계 장애가 없는 환자

28. 정답 | ② 기출
유행성 이하선염 환자의 식이

- 유행성 이하선염 환자는 주로 타액선이 침범되어 이하선, 악하선, 설하선이 동반되어 침범되기도 한다.
- 타액선의 종창과 동통으로 인해 연하곤란 증상 → 부드러운 유동식을 섭취

① 타액선의 종창과 동통으로 연하곤란 증상이 있으므로 견과류 같은 거친 음식보다는 부드러운 음식을 섭취하도록 한다.
③ 발열로 인한 탈수와 염증완화를 위해 수분섭취를 격려한다.
④ 타액선의 종창과 통통이 있으므로 타액이 분비되는 경우 증상이 악화된다.
⑤ 타액분비가 되지 않도록 부드럽고 신맛이 없는 음식을 주도록 한다.

29. 정답 | ⑤
저잔사식이

- 잔사가 거의 없는 맑은 유동식을 공급(저잔사식)
- 차, 맑은 국, 과즙 등, 섬유소가 매우 적은 식품, 무자극성 연식
① 고혈압 환자: 저열량, 저지방 식이, 저나트륨, 고칼륨
② 신부전 환자: 저단백, 저나트륨, 고칼슘, 저칼륨식이
③ 당뇨병 환자: 저열량, 저나트륨, 단순당 제한
④ 위장관수술 환자: 저당질식이, 고단백식이

30. 정답 | ②
설사 환자의 식이

- 체내의 수분과 염분의 손실을 보충하는 것이 가장 중요하다.
- 전분질이나 설탕은 과량 복용 시 장내에서 발효를 일으킬 수 있다.
- 음료는 따뜻하게 → 섬유소는 어느 정도 제한한다.

CHAPTER 05 기초치과

01. 정답 | ③

법랑질

- 外 법랑질 → 상아질 → 치수 → 석회질 內
- 법랑질(에나멜층): 치아의 외면, 음식물을 자르고, 으깨고, 갈고, 씹기 위한 단단한 면을 제공한다.
- ① 치수: 치아의 내부 잇속 조직
- ② 상아질: 법랑질 안쪽, 경도가 약하므로 충치발생이 잘 확대된다.
- ④ 백악질: 치주인대가 부착되는 치근을 둘러싸는 석회화된 조직
- ⑤ 시멘트질: 치아뿌리가 묻혀 있는 뼈의 조직

02. 정답 | ③ 기출

법랑질

- 치아는 경조직인 법랑질, 상아질, 백악질과 연조직인 치수로 구성
- 법랑질: 치아의 맨 바깥층으로 인체조직 중 제일 단단하고, 먹거리를 씹는 기능을 하며, 치아우식증을 예방해야 하는 부위
- ① 치수: 치근의 가장 가운데 있으며 신경과 혈관이 존재하는 곳

- ② 근첨: 치아의 뿌리 끝부분
- ④ 상아질: 법랑질의 충격을 흡수하여 신경을 보호하는 완충지대
- ⑤ 백악질: 치근의 겉표면을 싸고 있으며, 치아를 악골에 고정시키는 역할

03. 정답 | ④ 기출

영구치의 맹출시기

- 영구치는 만 6세에서부터 나오기 시작하여 18세에 완전히 나오며 32개의 치열이 완성
- 생후 6살 정도면 영구치 하악 제1대구치가 입안으로 나오게 되는데, 제1대구치는 나오는 시기가 빨라 유치로 혼동할 수가 있다.
- ① 절치: 앞니
- ② 견치: 송곳니. 측절치와 제1소구치 사이에 있는 치아로 톱날모양으로 날카롭고 다른 치아보다 돌출해 가장 긴 치아
- ③ 구치: 어금니. 지치라고도 불리우며, 유치를 영구치로 바꾸는 소구치와 대구치를 총칭
- ⑤ 제3대구치: 사랑니. 아래위턱의 영구치열 치아 중 가장 안쪽에 나오는 세 번째 어금니. 영구치 중 가장 마지막에 나오는 치아

04. 정답 | ③

영구치열

- 유치열(20개의 치아로 구성): 생후 6~7개월에 아래쪽 2개의 앞니를 시작으로 맹출을 시작하여 2세 반~3세 발현이 되고, 영구치가 맹출하는 6세가 되면 탈락되기 시작한다.
- 영구치열: 마지막 남은 유치가 빠지는 시점인 12세 무렵부터 시작된다.

05. 정답 | ②

치아의 기능

- 구치(어금니): 음식을 잘게 부수고 갈아 씹는 역할
- 전치(앞니): 음식이나 실을 끊는 역할

06. 정답 | ④ 기출

견치의 특징

- 정중선에서 세 번째 위치한 치아, 음식물을 찢는 역할을 하고 모두 4개가 있다.
① 교합면은 씹는 면으로 음식물을 분쇄하는 역할을 하는 대구치가 교합면이 넓다.
② 영구치 중에 가장 마지막에 나오는 치아는 지치(사랑니, 제3대구치)이며, 영구치의 치배는 태생 20주에 형성된다.
③ 치아 앞면은 절치로 음식물을 절단하는 기능이 있다.
⑤ 견치는 생후 5개월 정도가 되면 영구치 견치의 싹이 생기고, 하악의 경우 10살에 견치가 나오고 상악의 경우 12살에 견치가 나온다.

07. 정답 | ⑤

치아의 기능

- 저작기능: 전치(음식을 자른다), 견치(음식을 찢는다), 소구치(음식을 부순다), 대구치(음식을 간다)
- 발음기능: 치아, 혀 등은 말을 할 때 발음을 형성해주는 역할
- 미적기능: 웃거나 대화를 할 때 미용 기능

08. 정답 | ③

유아의 구강관리

나: 유치가 완성되는 시기부터 규칙적인 치아 검사 실시

라: 6~8개월 이유식 후 미온수로 적신 거즈를 이용하여 치면을 닦아 준다.

마: 출생 6개월 이후 아기에게 불소시럽을 복용, 학령기(6~12세)충치를 예방(불소복용법, 학교 불소용액 양치법)

가: 유아기(1~3세)에 부모님의 도움을 받아 하루 2회 칫솔질과 치실 사용

다: 7~8세부터 혼자 칫솔을 사용할 수 있다.

제2장 | 치과 기본업무

09. 정답 | ③

가: 기구교환 시 기구의 사용 부위가 구강 내를 향할수 있도록 방향을 잡아 전달한다.

다: 의사가 앉은 채 기구를 순서대로 사용하기 쉽게 하기 위해서는 기구는 좌측에서 우측으로 배열한다.

10. 정답 | ④ 기출

핸드피스

; 절삭 기구, 구강 내에서의 치질 삭제, 치아의 썩은 부위를 깎아내는 기구

① 타구: 입안의 침과 물을 뱉는 곳
② 브래킷: 기구를 올려놓는 테이블
③ 흡입기: 진료 시에 환자의 구강에서 나오는 타액이나 구강내 불순물을 제거하는 기구
⑤ 센트럴 버큠: 진료 시 환자의 입안에 고이는 물과 침찌꺼기를 석선하는 힘을 제공하는 장비

11. 정답 | ③

치경(구강용 미러)

; 구강 안을 자세히 관찰하기 위한 소형 거울

① 커튼 플라이어: 보존치료시 구강내 소형재료의 삽입
또는 제거용 기구
② 탐침: 치아우식이나 치면 외형을 긁어보면서 확인하
는 기구
④ 스푼익스카베이터: 우식으로 파인 구멍이나 푸석하게
부드러워진 상아질 제거 기구
⑤ 진공흡입기: 환자의 구강내에 고인 물이나 타액을 빨
아들이는 기구

12. 정답 | ③ 기출

진공흡입기

- 진공흡입기를 사용하는 일은 진료 중에 간호조무사가
하는 역할 중에도 가장 기본적인 임무
① 진공흡입기 팁은 1회 사용
② 진공흡입기는 치료 중에 구강 내 고여 있는 물이나
침, 혈액 등 이물질을 흡입하여 제거하는 기구
③ 진공흡입기의 팁은 진료 의사가 사용하는 치경을 가
려 진료가 방해되지 않도록 한다.
④, ⑤진공흡입기의 팁을 치아에 가까이 대주어 혀와 뺨,
연조직이 빨려 들어가 흡인력이 감소되지 않도록
한다.

13. 정답 | ③

진공흡입기

; 물이나 이물질을 흡입 → 간호조무사의 기본업무이며
의사가 진료하는 손에 맞추어 왼손, 오른손 사용
① 진료용 기구, 장비 정돈, 소독 및 준비
② 진료실 관리 및 환자 안내와 준비
④ 환자 구강 높이: 의사의 팔꿈치 높이와 동일하게 하거
나 약간 하방에 위치
⑤ 구강점막의 소독

14. 정답 | ③

기구전달방법

- 의사와 보조자의 위치는 시술 부위에 따라 다르며, 간
호조무사는 환자(대상자)의 머리를 중심으로 시계방
향으로 위치한다.

15. 정답 | ⑤

기구전달방법

- 구강진료 기구접시를 미리 준비해 두었다가 사용하면
편리하다.
① 자주 쓰는 재료나 기구는 손을 뻗어서 닿을 수 있는
곳에 배치한다.
② 구강 속에 들어간 석션팁은 1회용과 멸균용 팁을 사
용한다.
③ 치과진료는 오랜 시간 이루어지기 때문에 환자가 편안
함을 느끼도록 한다.
④ 기구교환 시에는 사용 부위가 구강 내를 향하도록
한다.

16. 정답 | ①

방습법

; 치료하는 동안 치아에 얇은 러버댐을 정착하여 치아를
분리, 치아와 입 안으로 타액이나 물이 흘러 들어가지
않게 하는 방법
① 시술할 치아 이외 조직을 덮어 씌우고 해당 치아만 노
출시켜 시술하기 위한 것으로 통증 감소와는 관계
없다.

17. 정답 | ⑤ 기출

치과진료 시의 보조

- 기구는 고압증기멸균법으로 소독하고 사용하기 전까
지 자외선 살균기에 보관
① 세면대는 청소하기 쉽고 환자에게 안 보이는 곳에
설치
② 치과 시술 시의 조명은 환자의 눈에 조명이 직접 비추
지 않게 조절
③ 간호조무사의 의자는 입안을 잘 볼 수 있게 치과의사
의 의자보다 높게 위치
④ 진공흡인기를 사용하는 일을 진료 시 간호조무사가
하는 역할 중 가장 기본적인 임무

18. 정답 | ②

고압증기멸균법(증기소독)

: 132 ℃ 3~10분 정도, 치과기구(치경)의 소독에 가장 많이 이용되는 멸균법

① 약품소독: 소독력을 갖는 화학소독제로 소독하는 방법

③ 불꽃소독: 핀셋을 알코올 램프의 불꽃에 직접 소독하는 방법

④ 여과소독: 여과기를 이용, 혈청소독에 적합

⑤ 자비소독: 끓는 물 100 ℃에서 5~10분 또는 30분간 소독하는 방법

19. 정답 | ⑤ [기출]

고압증기멸균법

• 고압증기멸균: 120 ℃의 고온을 이용한 병원에서 가장 많이 쓰고 가장 이상적인 물리적 멸균 방법

• 침투력이 좋아 외과용 수술기구(금속수술기구)와 같이 열과 습기에 강한 물품 멸균에 이용

① 건열 멸균법: 고온 증기가 침투되지 않는 물품의 멸균에 사용

② 자외선 멸균법: 주로 저전압 수은 램프를 이용하여 살균력이 강한 전자파를 방사시켜 멸균하는 방법, 자외선의 결점은 내부 침투력이 약하다.

③ 자비소독: 감염병 환자의 식기 소독에 적합

④ 화학적 멸균법: 약품을 사용한 멸균법(가스멸균법 등)

20. 정답 | ⑤ [기출]

치주수술 환자의 교육

• 소량의 출혈과 약간의 통증은 2일간은 계속될 수 있으나 지혈이 되지 않거나 지속적인 통증이 있을 시에 병원을 방문한다.

① 2~3일은 냉찜질을 하여 부종과 출혈을 예방한다.

② 사우나, 찜질방은 일주일 동안 삼가고 비지근한 물에 간단한 샤워만 하도록 한다.

③ 치주수술 당일에는 출혈위험으로 칫솔질을 피하도록 한다.

④ 수술 당일 식사는 뜨겁고 단단한 음식, 자극적인 음식은 피하도록 한다.

21. 정답 | ③ [기출]

치아우식증

• 상아질은 법랑질에 비해 무르고 경도가 약해서 일단 충치가 발생하면 급속도로 확산된다.

① 치아우식증의 주요 요인: 구강내세균, 음식물의 종류와 당분의 섭취, 타액의 분비 / 부수적인 요인: 치면 열구, 소와 등의 매끄럽지 않은 표면에서 호발

② 치아표면의 열구, 소와에 고여 있는 찌꺼기와 물이 고여 치아우식증이 발생될 수 있는 환경이 된다.

④ 치은은 좁은 의미의 잇몸으로 음식물을 씹을 때 점막에 가해지는 마찰력에 저항하고 치아를 보호하는 역할을 한다. 치아의 법랑질, 상아질, 백악질을 공격하여 손상되어 생기는 치아우식증과는 다른 부위이다.

⑤ 치아우식증으로 파괴된 부위는 재생가능하지 않다.

22. 정답 | ⑤ [기출]

치아우식증의 예방

• 치아우식증 예방법: 올바른 칫솔질, 불소이용, 치아 홈메우기(치면열구·소와전색법), 식이조절법 등

23. 정답 | ⑤

치아우식증의 예방

• 치아우식증(충치): 구강내 세균 → 음식물(당분), 타액 → 산 생성 → 치수 침범 → 치수 감염

① 음료수, 불소도포, 불소 양치 사업, 치아 교합면에 바르는 방법

② 저탄수화물, 저당분식사(식이조절)

③ 칫솔질은 하루 3번 식후 3분 이내 3분 이상 실시

④ 삼킬 위험이 있으므로 어린이 불소치약은 완두콩 크기의 소량만 사용

⑤ 철분과 칼슘 섭취와는 관계없음

24. 정답 | ②

효과적인 칫솔질

• 하루 3회, 식후 3분 이내, 3분간 칫솔질을 한다.

• 가장 중요한 것: 식사 후, 잠자기 전에 반드시 이를 닦는 것이 가장 중요하다.

25. 정답 | ④ 기출

효과적인 칫솔질

- 앞니의 안쪽을 닦을 때는 칫솔을 수직으로 세우나 잇몸을 닦을 때는 45° 각도로 쓸어내리듯 닦는다.
① 치아를 닦을 때 위아래로 부드럽게 닦는다.
② 바깥쪽 먼저 닦고 어금니의 안쪽을 닦는다.
③ 이쑤시개를 사용하게 되면 치아 사이가 벌어지므로 치실을 사용하도록 한다.
⑤ 잇몸에서 치아방향으로 쓸어내리듯 닦도록 한다.

26. 정답 | ⑤

의치관리 방법

- 수술 시, 무의식 시, 경련 시에는 기도폐색의 원인이 되므로 제거한다.
① 파손되는 것을 막기 위해 세면대에 수건을 깔고 씻는다.
② 분실 우려가 있으므로 뚜껑이 있는 깨끗한 컵에 찬물을 부어 잠기게 보관한다.
③ 뜨거운 물은 의치를 변형시키므로 흐르는 찬물이나 미온수로 닦는다.
④ 의치제거 후 건조하게 보관하면 변형되므로 물 컵에 보관한다.

27. 정답 | ① 기출

의치관리 방법

- 의치 세척 시 뜨거운 물은 의치의 모양을 변하게 하므로 흐르는 찬물에서 세척하도록 한다.
② 빼낸 의치는 흐르는 찬물에서 세정제와 칫솔을 사용해 닦고, 닦는 동안 싱크대나 세면대에 수건을 깔아 놓아 떨어져도 파손되지 않도록 한다.
③ 의치를 사용하지 않는 동안은 맑은 찬물이 담긴 거즈나 솜이 깔린 뚜껑이 있는 컵이나 그릇 속에 넣어 안전한 곳에 보관한다.
④ 의치를 끼우기 전에 입안이 깨끗한지 확인하고 구강이 건조하면 잘 삽입되지 않으므로 물에 적셔서 끼우도록 한다.
⑤ 의치를 보관할 때에는 변형 예방을 위하여 찬물을 부어 축축한 상태로 뚜껑을 덮어둔다.

28. 정답 | ③ 기출

의치관리 방법

- 싱크대나 세면대에 수건을 깔아 놓아 떨어져도 파손되지 않도록 한다.
① 세정제를 묻힌 칫솔로 안쪽, 바깥쪽, 씹는 면, 의치판까지 깨끗이 닦고 물로 헹군다.
② 마모제가 들어있는 치약을 많이 사용하게 되면 치아의 법랑질에 스크래치가 많이 생길 수 있다.
④ 의치는 구강이 건조하면 잘 삽입되지 않으므로 물에 적셔서 끼우도록 한다.
⑤ 의치보관 시 변형을 막기 위해 뚜껑이 없는 깨끗한 컵에 찬물(미온수)를 부어 축축한 상태로 유지해야 한다.

29. 정답 | ① 기출

부정교합의 예방

- 부정교합: 아래·위턱의 치아가 가지런하지 못하거나 정상적으로 맞물리지 않는 상태
- 부정교합의 원인:
  - (일반적으로) 유전적인 영향
  - 치아의 모양이나 크기의 문제, 환경적 영향, 좋지 않은 습관, 잘못된 자세, 치아우식증, 구순구개열과 같은 선천성 장애 등
  - 흔하게 치아수의 이상, 치아의 맹출이상, 유치와 영구치의 조기 상실로 인해 발생
② 유치의 조기탈락하거나 유치의 병변을 방치하면 영구치의 위치가 비정상이 되면서 부정교합으로 이어질 가능성이 커진다.
③ 입으로 호흡을 유발하는 이비인후과적 질환이 있다면 원인을 찾아 치료하는 것이 좋다.
④ 영유아기에 구강과 연관된 좋지 않은 습관이 있을 경우 조기에 발견하고 습관을 고치도록 유도하거나 습관 억제 장치를 이용해서 부정교합으로의 이행을 막아준다.
⑤ 손가락 빨기, 입술 빨기, 혀 내밀기, 손톱을 이로 자르는 등의 유년기의 좋지 않은 습관이 영향을 줄 수 있다.

30. 정답 | ② 기출

발치 후 주의사항

- 발치 후 식사는 유동식이나 부드러운 음식을 권하며 딱딱한 음식은 제한한다.
- 3일간은 금주·금연을 권하며 더운물을 마시지 않도록 한다.
① 발치 부위가 있는 뺨에 10~20분 냉찜질을 한다(통증이나 부종 예방, 발치 당일 밤까지).
③ 발치한 후에 빨대를 사용하는 등 음압을 유발시키는 행동을 금한다.
④ 발치 당일에는 가능한 한 칫솔질을 하지 말고 구강소독제로 양치한다.
⑤ 발치 후 거즈를 물고 있을 때 침이나 혈액이 입안에 고이게 되더라도 삼키게 하여 지혈을 돕는다.

31. 정답 | ④

반상치

; 불소 이온이 2 ppm 이상 함유된 음료수의 과잉섭취로 인해 치아의 표면이 흰반점이나 연한 흑갈색으로 변색되는 것(반점치)
① 치석: 광질이 침착된 치면 세균막이 딱딱하게 굳어진 덩어리로 칫솔질이나 다른 관리 방법으로 제거되지 않고 치주병의 발생 요인이 된다.
② 우치: 불소량이 적을 때 나타나는 우식증(충치)
③ 치주염: 치은 열구내의 치태가 주원인으로 발생되는 염증
⑤ 구순염: 영양결핍, 비타민 부족, 만성적인 자극, 세균 감염 등에 의한 입술의 염증 반응

32. 정답 | ④

치과진료실에서의 감염관리

- 치면세마 시 구강 내에는 혈액과 타액이 있기 때문에 미생물의 노출이 반복되므로 환자를 진료하는 동안 병원내감염과 교차감염의 위험이 증가한다.
가: 손 관리, 보호용 장갑, 마스크, 보안경, 안면보호대, 가운 착용
나: B형간염, 인플루엔자 등의 예방접종을 실시
다: 외과기구, 치주기구, 칼, 주사바늘, 봉합침 등을 멸균
라: 컵, 보존기구, 발치겸자, 핀셋, 흡입기 팁 등은 1회용을 사용
마: 고형비누는 균이 비누에 묻으므로 감염예방을 위해 1회용 액체 비누를 사용

01. 정답 | ⑤ 기출

망진

: 눈의 색과 얼굴색은 오장의 기의 상태를 잘 나타내는 것으로 간주하므로, 오색이 눈이나 얼굴에 나타나는 상태를 보고 진단하는 것

① 절진은 맥진, 복진, 절경이 있다.

② 문진(聞診): (듣는 것) 오성, 오음, 오취 등이 대상이 된다.

③ 문진(問診): (묻는 것) 환자가 원하는 오미를 묻는 것이 중심이다.

④ 맥진: 심장박동에 의해 생긴 내압의 파동이 동맥파를 따라 말초로 전파하는 것을 지두로 촉지하여 질병 상태를 판단하는 진단 행위

02. 정답 | ⑤ 기출

사상체질

• 소양인은 손발이 항상 뜨겁고 피부는 땀이 적으며, 가슴이 넓고 하체는 약한 편으로 성기능이 쇠약하고, 비뇨생식기 및 내분비선 기능이 약하다.

① 히스테리 불면증의 증상이 있는 것은 소음인의 특징이다.

② 호흡기계, 순환기계가 약한 것은 태음인의 특징이다.

③ 피부에 습진, 두드러기 같은 피부질환 증상이 있는 것은 태음인의 특징이다.

④ 소화기계와 정신계 질환이 잘 발생하는 것은 소음인의 특징이다.

03. 정답 | ③

표리관계

: 각각의 장과 부는 서로 밀접한 관계가 있으며, 상호간에 영향을 주고 받는다.

① 폐(肺): 대장(大腸)

② 신(腎): 방광(膀)

④ 비(脾): 위(胃)

⑤ 간(肝): 담(膽)

• 오장: 간, 심, 비, 폐, 신

• 육부: 담, 소장, 위, 대장, 방광, 삼초

• 오축: 소, 양, 돼지, 말, 닭

04. 정답 | ⑤

어혈

: 외상, 타박상, 체내 장부의 손상에 의해 혈이 체외로 배출되지 못하거나 혈액의 운행이 순조롭지 못했을 때 생기는 멍

⑤ 어혈은 발생 부위에 따라 각기 다른 증상이 나타난다.

05. 정답 | ④

양생법

; 건전한 심신의 단련으로 질병을 예방하고 장수하기 위해 몸과 마음을 자연의 이치대로 살아나가는 방법이 다양하게 강구된 예방의학적 건강요법(음식절제, 기거유상, 감정조절, 기공, 운동단련 등)

- 올바른 섭생으로 질병이 생길 조건을 만들지 않는 질병의 치료가 아닌 예방 건강요법이다.
① 사계절의 기후와 한열 변화 등 자연계의 변화에 상응해야 한다.
② 갑작스런 분노나 기쁨은 음과 양이 상하므로 감정조절로 심신에 안정을 준다.
③ 너무 차거나 더운 음식은 피하며, 과다한 음주도 피해야 한다.
⑤ 일상생활에 규칙이 있어야 하고 거주, 휴식, 일, 장소의 절제가 있어야 한다.

제2장 | 한방 기본 업무

06. 정답 | ③

침 시술을 받은 환자의 간호

- 정확한 취혈을 위해 편안한 자세로 환자를 준비한다.
- 일반적으로 침 치료시 누운 자세를 유지한다.
- 침을 맞고 있는 상태에서 20~30분 정도 안정, 함부로 움직이지 않게 한다.
- 혈종이 생기면 지혈된 후 가벼운 마사지나 온찜질을 해준다.

07. 정답 | ③

침 시술을 받은 환자의 간호

① 침 치료 시 마음대로 몸을 움직이지 못하게 하여 침이 구부러지거나 부러지는 것을 방지한다.
② 정수리 부분은 머리카락에 가려 잘 안보이는 경우가 빈번하여 잘 확인하고 뽑아야 한다.

④ 일회용으로 사용한 침구는 알코올 솜으로 닦고 고압증기 멸균 소독을 한다.
⑤ 침 치료에 필요한 부위를 모두 노출되어 있으므로 방 안의 낮은 온도와 차가운 물은 체온유지에 방해요인이 된다.

08. 정답 | ② 기출

훈침

- 자침: 각종 침구를 사용하여 인체의 일정부위를 자극하고 각종 조작 방법을 운용해서 경기를 돌발시킴으로써 생체의 기능을 조정하고 질병을 치료
- 훈침: 침술 치료과정에서 침이나 뜸을 두려워해서 너무 긴장하거나 혹은 체질이 허약하고, 환자가 참을 수 없을 때 일어나는 부작용으로 다양한 증상이 일어남. 가슴이 번거롭고 답답하며 얼굴이 창백하고 입술색이 파래지는 증상
① 체침: 침을 꽂은 후 돌릴 수도 없고 뺄 수도 없을 때 나타나는 것
③ 절침: 자침한 후 침이 절단된 것
④ 혈종: 침을 뺀 후 그 자리에서 홍색의 작은 반점이 생기는 것
⑤ 만침: 침이 몸 속에 들어 갈 때 침체가 구부러지는 현상

09. 정답 | ④

침 시술을 받은 환자의 간호

- 훈침(운침): 초진환자에서 자침 도중 또는 자침 후에 발생할 수 있는 응급 상황으로 일시적인 뇌빈혈 증상(현기증, 오심, 구토, 식은땀, 안면 창백 등)이 나타난다.
마:증상이 가벼운 경우에는 따뜻한 물을 먹으면 곧 회복된다.

10. 정답 | ② 기출

침요법의 적응증

- 침은 경락상의 경혈점을 자극 치료하는 한방치료법으로, 가장 유효하다고 알려져 있는 분야는 중초신경

및 말초신경의 장애에 의한 마비질환이며, 두통, 편두통, 경기, 경련 등에 효과적이다.

①, ③, ④, ⑤ 침요법 금기사항

– 일반적 금기: 피로, 포만, 허기, 갈증이 심할 때

– 생리 해부 금기: 안구, 고막, 심장, 폐, 후두, 고환, 외생식기, 유두 등

– 병리적 금기: 급성 심장 질환, 출혈 시, 암조직

11. 정답 | ④

침요법의 적응증

④ 약물남용환자는 침요법이 가능한 대상자이다. 나머지는 침요법의 금기증에 해당한다.

① 임산부의 금기혈과 임신 중의 복부와 요선부의 침자극 등

② 피부감염증, 피부의 반흔(흉터)부위나 종양 부위

③ 출혈성 질환, 항응고제 사용자

⑤ 극심한 분노, 흥분, 놀람 등의 감정 상태

• 그 외 극심한 피로, 기아 상태, 극심한 부종, 음주 상태, 식사 직후

12. 정답 | ①

침요법의 금기증

• 급성출혈 시(위장관 출혈, 출혈환자), 극도로 쇠약한 자

• 화상환자

• 임신부, 급성심장질환

13. 정답 | ⑤ 기출

뜸(구법) 간호

• 임산부의 복부에는 뜸 치료를 금한다.

② 뜸을 뜬 후에는 수포가 생기므로 수포가 적은 것은 곪지 않고 저절로 말라 버리지만 수포가 크면 주사기로 뽑아낸 후 소독약을 바르고 붕대를 감는다.

③ 뜸을 뜨는 순서는 일반적으로 위에서부터 아래로, 등에서부터 배쪽으로, 머리와 몸통을 먼저 뜨고 사지는 뒤에 뜨는 순서로 한다.

④ 국소부위가 마비된 환자에게 시행할 수 있으나 뜨거운 감각에 둔하므로 특히 화상에 주의해야 한다.

⑤ 뜸을 뜨고 나면 창문을 열어 환기시킨다.

14. 정답 | ① 기출

뜸(구법)의 작용

• 주로 경혈을 많이 이용하는 구점에 쑥을 연소시켜 체표로부터의 온열적 자극을 생체에 미치게 하여 일정한 생체 반응을 일으켜 질병의 예방과 치료에 기여하는 한방 특유의 시술 방법

• 혈액순환, 면역, 신진대사, 중혈 작용 등의 효능

15. 정답 | ②

구법(뜸)

; 약쑥잎이나 마른 약초를 써서 체표의 일정 부위를 소작 또는 간접적으로 뜨겁게 함으로써 경락전도기능의 작용을 통하여 치료 효과를 얻는 것

① 흥분작용: 지각신경, 운동신경, 자율신경이 약화, 저하되었을 때 해당조직의 기능을 활성화한다.

③ 반사작용: 기혈을 자극하여 내장, 혈관, 선, 기관에 반사되는 영향을 준다.

④ 유도작용: 혈액 및 삼출물 순환과 대사산물의 배설을 촉진, 각 기관의 기능 조절 → 아픈 부위를 직접 자극하지 않고, 경혈이나 뜸으로 자극, 혈관확장, 수축을 유도한다.

⑤ 면역작용: 항체를 만들어 저항력을 갖게 한다.

• 그 외 억제작용: 체표에 강한 자극으로 진통, 진정작용을 준다.

16. 정답 | ③ 기출

뜸(구법)요법의 적응증

• 뜸: 온열성 자극으로 서증, 한증, 및 만성질환에 주로 사용

• 허증: 우리 몸에 필요한 물질이나 정기가 부족해져서 몸의 저항력과 면역력이 떨어지고, 생리적 기능이 약해지는 증상

①, ②, ④ 뜸요법의 금기사항

– 일반적 금기; 피로, 포만, 허기, 갈증이 심할 때

- 생리 해부 금기; 얼굴, 목, 심장부나 혈관이 드러난 곳, 임신부의 하복부, 관절내측이나 서혜부 등
- 병리적 금기; 급성 복막염, 열성 질환
⑤ 뜸 놓을 때 주의사항으로 얼굴에는 일반적으로 뜸을 뜨지 않는다.

17. 정답 | ③ 기출
부항요법

; 컵처럼 생긴 기구를 이용해 모세혈관을 팽창시키면서 혈액순환을 촉진하고 어혈(瘀血)을 제거하여 체액을 정화하는 역할을 한다.
① (뜸)혈위나 압통점에 뜸봉을 태워 열을 가해 기혈순환을 돕는 방법
② 손으로 대상자의 신체 표면을 자극하여 질병을 예방, 치료
④ 인간 생명을 유지하는 기본요소(정, 기, 신)를 조화롭게 함으로써 경락 소통, 저항력 강화, 체질을 증강하는 정신 수양 요법
⑤ 손으로 국소 혈위를 누름으로써 치료 효과를 거두는 방법

18. 정답 | ⑤
부항요법의 금기증

• 혈관이 많은 곳이나 눈, 코, 입, 귀 등은 피한다.
①, ② 타박상으로 인한 어혈제거, 근육통, 요통(근골격계 질환)
③ 류마티즘, 좌골신경통, 디스크, 치통(신경계 질환)
  - 변비, 장무력증, 하복부 냉감, 충수염(소화기 질환)
  - 고혈압, 동맥경화증, 중풍(순환기 질환)에도 응용
④ 월경통, 대하증, 근종, 불임증(부인과 질환)

19. 정답 | ③ 기출
부항요법 시 주의사항

• 부항요법: 경혈상의 피부에 음압을 작용시켜 비생리적인 체액인 담음과 어혈을 제거하여 체질을 정화시키는 원리의 치료법
• 저리고 아플 때 아픈 부위에 부항을 붙인다.

① 육식 또는 고칼로리의 산성식품 섭취 시 쉽게 피로하게 되고, 부항요법의 효과가 감소된다.
② 전체 치료시간은 약 5~10분 정도 시행한다.
④ 시술 후의 피로감이 심하면 2~3일 이상 휴식기를 가지도록 한다.
⑤ 출혈증상이 심한 사람이 정맥류 환자에게는 부항치료를 삼가한다.

20. 정답 | ④
부항요법의 금기증

• 고열, 경련, 인사불성, 정맥류, 심장부와 유두, 종양, 피부의 과민, 출혈성질환(혈액응고장애 등의 병증)에 금한다.
• 몸이 수척하고 피부가 탄력이 없으며 빈혈증이 있는 사람
• 임신부의 복부, 천골부, 요부 등에 금한다.
• 혈관이 많은 곳이나 눈, 코, 입, 귀 등은 피한다.

21. 정답 | ②
수욕요법의 작용

① 과잉된 당분이나 노폐물을 제거한다.
③ 혈액순환과 신진대사를 촉진하여 피로를 회복한다.
④ 세액을 중성이나 약알칼리성으로 개선한다.
⑤ 피부에 수분과 영양을 공급하여 피부가 매끄럽게 된다.

22. 정답 | ①
추나요법(수기요법) – 안마, 안교, 지압, 수기

• 효과: 음양의 평형, 혈액순환 활발, 저항력 증진, 신진대사 촉진, 진통효과, 관절운동범위의 개선
• 금기: 화농성 질환, 출혈성 질환, 관절염, 종양, 골절, 골다공증, 피부 손상부위, 공복 시나 식사 직후, 음주 상태나 흥분 상태, 임산부 등
① 혈액순환을 촉진하여 근육을 이완시켜 통증을 경감시킨다.

CHAPTER 07 성인간호

01. 정답 | ②

국소염증(어떤 유해한 자극에 대한 생체의 방어기전)의 4대 증상

- 국소염증의 5대 증상: 통증과 종창으로 인한 기능상실이 포함
- 괴저: 염증 후 상처가 감염되어 죽은 조직을 말한다.
① 발적: 혈관확장으로 인한 충혈
② 열감: 염증부위의 신진대사 증가
③ 통증: 삼출액에서 나온 화학물질에 의한 신경자극
④ 종창: 축적된 삼출액이 간질 강으로 이동

02. 정답 | ④

재활계획의 수립

- 의사에게 진단을 받을 때부터 재활계획을 세우므로 입원과 동시에 이루어져 기형발생을 미리 예방해야 한다.

03. 정답 | ④

절대안정 환자의 간호

- 에너지 소모량을 최소화하기 위함(지극히 적은 열의 소모도 하지 않도록), 식사, 돌아눕기, 이 닦기, 말하는 것도 제한
① , ② 침상에서 안정하고 모든 일을 의료 요원들이 해주는 것
③ 꼭 절대 안정 환자가 아니어도 휴식과 안정을 해야 하는 모든 환자는 방문객을 제한할 필요가 있다.
⑤ 절대안정은 어떠한 조건에도 안정하라는 것으로 샤워는 에너지 소모가 많이 되므로 안 된다.

04. 정답 | ③

발열 환자의 간호

; 열을 내리기 위해 냉요법 적용
① 신진대사가 증가하므로 휴식 취하여야 한다.
② 발열로 인해 입안이 마르므로 구강간호
④ 발열로 인한 수분손실 때문에 수분섭취를 권장한다.
⑤ 열을 내리기 위해 서늘한 환경 유지

05. 정답 | ① 기출

동통 환자의 간호

- 급성통증: 동통 지속시간이 6개월 미만의 교감신경계 자극 증상
- 증상: 동공확대, 혈압상승 혹은 저하, 맥박 상승, 호흡수 증가, 발한, 창백, 불안정, 집중저하, 두려움 등

06. 정답 | ④

탈수 환자의 간호

가: 체온을 유지하는 수분의 부족으로 체온이 상승한다.
나: 우리 몸의 수분이 상실되어 체액량이 줄어들어 소변량도 적다. 비중은 증가한다.
다: 수분 부족시 갈증중추를 자극해 갈증이 나타난다.
라: 수분의 부족으로 피부긴장도가 감소한다.
마: 탈수시 체액량이 감소되어 체중이 감소되며 부종시 체액량이 증가되어 체중이 증가된다.

07. 정답 | ⑤ 기출

수근관 증후군(손목터널 증후군)

- 손목 앞쪽의 작은 통로인 수근관이 좁아지면 여기를 통과하는 정중신경이 눌려서 정중신경 지배 영역에 이상 증상이 나타나는 질환
- 자가진단 법: 팔렌검사 – 양손을 90°로 꺾어 손등을 서로 마주 댄 후 약 40초~1분 동안 유지하는 동작 시에 통증의 강도에 따라 적절한 치료와 예방이 필요하다.

08. 정답 | ②

손목터널증후군(수근관증후군)

; 손목 앞쪽의 작은 통로인 수근관이 좁아지면 여기를 통과하는 정중신경이 눌려서 정중신경 지배 영역에 이상 증상이 나타나는 질환
- 시간마다 손가락 색깔, 모세혈관 충만, 온도감 측정하여 혈액순환를 사정한다.
① 통증 관리를 위해 얼음찜질을 한다.
③ 손과 팔을 24시간 동안 올리고 있는다.

④ 수술직후부터 손가락 운동을 실시한다.
⑤ 수술 후 4~6주 동안은 무거운 짐을 들거나 일을 금지한다.

09. 정답 | ② 기출

골관절염 환자의 간호

; 수영, 걷기, 체조 등의 관절에 부담을 주지 않는 규칙적인 운동을 격려

10. 정답 | ④ 기출

골관절염 환자의 간호

- 골관절염: 관절질환 중에 가장 흔하며, 나이가 들면서 증가하므로 퇴행성 관절염이라고 한다.
① 관절에 부담을 주지 않는 수영, 걷기, 체조 등의 규칙적인 운동을 하도록 한다.
② 계단을 오르내리기 운동은 관절은 싸고 있는 조직의 계속적인 마찰로 인해 악화될 수 있으므로 피한다.
③ 온냉요법, 마사지, 물리치료가 도움이 된다.
⑤ 관절에 부담을 주지 않도록 체중 조절하여 비만을 예방한다.

11. 정답 | ③

류마티스 관절염 환자의 간호

- 류마티스 관절염: 관절의 염증 및 그로인해 기형을 초래하는 자가면역질환
- 심할 경우 관절의 휴식과 근육이완을 하여 관절을 쉬게 하여 관절을 보호하고 치유 촉진시켜 점차 염증이 경감되면 다시 활동을 시작한다.

12. 정답 | ② 기출

골다공증

- 골다공증: 노화에 따라 척추, 대퇴 부위 뼈 조직에서 뼈세포가 상실되어 골밀도가 낮아지고 골절을 일으키기 쉬운 상태가 되는 대사성 질환
- 폐경기 이후 여성호르몬(에스트로겐)의 결핍으로 골다공증의 위험이 높아진다.

13. 정답 | ⑤ 기출

골다공증

; 노화에 따라 척추, 대퇴 부위 뼈 조직에서 뼈세포가 상실되어 골밀도가 낮아지고 골절을 일으키기 쉬운 상태가 되는 대사성 질환

• 충분한 칼슘을 섭취하고, 칼슘이 몸에 흡수되는 것을 돕는 비타민D를 섭취

① 골밀도가 낮으면 골절 위험도가 높다.

② 근육과 뼈여 힘을 주는 걷기와 같은 체중부하운동을 격려하되 부상의 위험을 줄이기 위해 등척성 운동을 권장한다.

③ 여성 호르몬이 감소하면 골다공증 위험도가 높다.

④ 3개월 이상 부신피질 호르몬 요법을 받았을 경우 골다공증의 원인이 된다.

14. 정답 | ② 기출

골다공증

; 노화에 따라 척추, 대퇴부위 뼈 조직에서 뼈세포가 상실되어 골밀도가 낮아지고 골절을 일으키기 쉬운 상태가 되는 대사성 질환

• 근육과 뼈에 힘을 주는 체중부하운동 특히 걷기를 격려한다.

• 체중부하운동에는 등장성, 등척성 운동 모두 포함되지만 골다공증은 골절에 취약하기 때문에 등척성 운동을 권장한다.

15. 정답 | ⑤

빈혈 환자의 간호

• 헤마토크릿(혈액 100 cc 당 녹아 있는 적혈구수를 표시, 36~52 %/mL)의 감소

①, ② 적혈구의 산소운반 부족으로 인한 청색증, 호흡곤란, 두통, 심계항진

③, ④ 빈혈은 헤모글로빈(12~16 gm%), 적혈구수(400~500만개)의 감소

16. 정답 | ① 기출

협심증 환자의 간호

• 니트로글리세린: 협심증, 울혈성 심부전증 치료에 사용되는 강력한 평활근 이완제로 관상동맥 확장에 효과

17. 정답 | ④

니트로글리세린

• 속효성 약물로 투여 1분 만에 작용

• 관상동맥을 이완시켜 심장으로 귀환하는 혈류량을 줄여 심장의 부담을 줄여 심장의 활동을 억제함으로서 흉통을 조절하는 약물(삼키지 말 것)

① 노발긴: 비스테로이드성 소염 진통제로서 설피린계의 약물

② 아스피린: 해열진통제, 혈전치료제, 소염작용

③ 에피네프린: 교감신경흥분제, 기관지 확장, 강심제, 혈관 수축제, 국소출혈 방지 목적으로 사용

⑤ 아세트아피노펜: 타이레놀로 많이 알려져 있는 해열진통제 → AAP는 소염작용이 없다.

18. 정답 | ⑤

협심증 환자의 식이

• 심장질환 시 심박출량이 감소하면 혈액이 정체되어 부종 발생

• 염분(나트륨)은 수분을 끌어당기므로 염분제한이 필요

19. 정답 | ⑤

심근경색증 환자의 간호

• 모르핀은 심근경색 통증을 완화하고 심근의 산소 요구도를 감소

• 주의사항: 모르핀을 근육주사할 경우 진단에 혼돈을 오게 함으로 정맥주입할 것

• 모르핀의 부작용: 호흡감소, 저혈압, 서맥, 심한 구토 → 호흡수 관찰할 것(투여전)

① 심장 펌프기능 저하로 산소공급(2~4 ℓ/분)

② 손상된 심장의 부담을 줄이기 위해 절대안정

③ 변비예방 위해 변 완화제 투여

④ 부정맥 측정하기 위해 EKG (심전도) 모니터

20. 정답 | ⑤

고혈압 환자의 간호

* 냉탕과 온탕을 교대로 들어가는 것은 혈액압력이 높은 환자에게 좋지 않다.
* 고혈압은 비약물적요법 후 효과 없으면 약물요법을 사용한다.

① 과체중환자가 체중을 줄이면 혈압이 떨어지고 심장의 부담이 감소한다.

② 규칙적인 운동은 혈압을 낮춘다.

③ 염분섭취 제한, 지방과 콜레스테롤 제한은 도움이 된다.

④ 혈압은 혈관벽에 부딪칠 때 나타나는 힘으로 활동과 휴식으로 조직관류를 유지한다.

21. 정답 | ② 기출

고혈압 환자의 간호

* 본태성 고혈압: 기호식품(차, 커피, 담배)의 남용, 육류의 과식, 정신적 과로 등으로 발생한 고혈압
* 치료 방법: 비약물적인 요법으로 식이·운동요법과 약물요법 등

① 염분섭취를 제한한다.

③ 포화지방의 섭취를 제한한다.

④ 비만인 경우 체중을 감소시켜 혈압을 조절한다.

⑤ 정상혈압이라도 임의로 약물을 중단하지 않도록 교육한다.

22. 정답 | ② 기출

동정맥루 환자의 간호

* 동정맥루: 만성신부전환자 등에서 혈액투석을 하는 경우에는 인공적으로 루(瘻)를 만드는 것
* 혈관통로는 수술을 통해서 동맥과 정맥사이에 인조혈관을 삽입하여 연결하기도 한다.
* 혈액 투석하는 환자의 동정맥루는 생명선과 같아서 관리방법을 잘 지켜서 오랫동안 사용할 수 있도록 해야 한다.

* 압박을 가하지 않는 간호가 중요. 예를 들어 동맥루가 있는 팔에 무거운 물건을 들지 않도록 하고 꽉 조이는 옷은 피하도록 하며 팔을 장시간 굽히지 않으며 팔베개는 하지 않도록 한다. 너무 차게 하거나 뜨겁게 하지 않으며 혈압측정을 하지 않는다.

23. 정답 | ① 기출

역류성 식도염

* 위의 내용물이 식도로 역류해 식도에 염증을 일으키는 질환으로 하부식도괄약근이 잘 조여지지 않는 경우 발생
* 하부식도괄약근의 약한 경우 식사 시 반듯하게 앉아서 먹도록 하며 식후에 바로 눕지 않도록 생활습관 교정

② 카페인, 술, 기름진 음식, 흡연, 커피, 초콜렛은 하부식도 조임근의 압력을 낮추는 원인이 된다.

③ 변비는 복압을 높여 위산 역류를 일으키므로 섬유질이 풍부한 식품을 자주 섭취하도록 한다.

④ 규칙적인 식사로 소량씩 자주 섭취하며 과식을 피하도록 한다.

⑤ 천천히 식사하도록 하며 식사 도중에 물을 마시지 않도록 한다.

24. 정답 | ⑤

구토 환자의 간호

* 구토 시 옆으로 눕히거나 상체 올려 토물이 기도로 흡인되는 것을 예방

① 구토 시 등을 두드려 자극하지 말 것

② 진통제는 통증을 완화하는 약이므로 관련이 없다.

③ 현재 토하고 있는 상태이므로 금식할 것

④ 구토 시 고개를 옆으로 돌려서 기도를 유지한다.

25. 정답 | ⑤

소화성 궤양 환자의 간호

* 소화성 궤양: 침범된 부위에 따라 구분되는 데, 십이지장 궤양이 가장 많고 그 다음이 위궤양, 가장 드문

것이 식도궤양이다.
- 원인: 스트레스, 자극성음식, 흡연, 카페인, 약물의 자극과 헬리코박터 파일로리 감염
① 우유나 크림은 산 분비 자극제가 되어 좋지 않다.
② 아스피린은 소화성 궤양을 유발하는 요인 중에 하나이다.
③ 맵고 짠 음식, 너무 차거나 뜨거운 음식, 탄산음료 등은 자극제가 되어 좋지 않다.
④ 소화성 궤양의 식이요법의 목적은 위산의 과다분비와 과잉작용을 피하는 것이므로 자극적이고, 불규칙적인 식사를 피하는 것이 중요하다.

26. 정답 | ② 기출
급속이동증후군(덤핑증후군) 환자의 간호
- 음식의 이동을 느리게 하기 위해 고지방식, 저탄수화물, 저수분식이
① 음식물을 될 수 있으면 천천히 내려가게 해야 된다.
③ 포도당의 섭취 후 더 잘 일어나므로 저탄수화물식이
④ 덤핑신드롬=급속이동 증후군이므로 음식물이 빨리 내려가면서 생기는 증상이므로 간호는 천천히 음식물이 내려가도록 횡와위로 누워서 식사하고 식후에도 20~30분 누워 있을 것
⑤ 위 배출속도를 늦추는 약 사용(소화제 복용시 음식물이 더 빨리 내려감)

27. 정답 | ④ 기출
급속이동증후군(덤핑증후군) 환자의 간호
- 덤핑증후군: 음식물이 위액과 잘 섞이지 않은 채 고농도의 당질이나 전해질 음식물이 위에서 바로 소장으로 통과할 때 발생
- 식사보조방법: 고단백·고지방식이로 위에 음식물이 머무르도록 한다.
① 식전 1시간 동안이나 식사 시, 또는 식후 2시간까지는 수분 섭취를 하지 않도록 한다.
② 위를 천천히 비울 수 있는 간호가 중요하므로 천천히 식사하도록 권장한다.
③ 식사와 동시에 수분이나 국물을 함께 섭취하지 않도록 한다.

⑤ 한 번에 섭취하는 음식물의 양을 줄이도록 한다.

28. 정답 | ⑤
위 천공 시 증상
- 소화성 궤양의 합병증: 출혈(흔함), 천공(사망), 폐색 천공은 갑자기 예고 없이 나타나며 복막강 내로 위 내용물이 들어가면 응급상황으로 즉시 수술해야 한다.
- 증상: 갑작스럽고 심한 상복부 통증의 강도가 강하고 지속적이다. 심한 통증과 함께 널빤지처럼 단단한 복부(복부강직)

29. 정답 | ⑤ 기출
간염환자의 간호
- A형 간염바이러스는 오염된 음식물에 의해 전파되고, 환자의 대변을 통한 경구 감염, 주사기나 혈액제제를 통한 감염으로 전파되므로 식기를 개별적으로 사용하도록 한다.

30. 정답 | ⑤
간염 환자의 간호
가: 전염을 예방하기 위해 칫솔과 면도기는 개인별로 사용할 것(B형 간염 바이러스는 주로 혈액이나 체액을 통해 전파되므로)
나: 바이러스가 원인이므로 예방접종을 실시하여 미리 예방하는 것이 중요하다(B형간염 백신접종).
다: 혈액으로 인한 전염을 예방하기 위해 주사기를 분리 처리한다.
라: 사용한 주사기 바늘에 뚜껑을 닫기 위해 찔리는 경우가 많으므로 주사기에서 바늘을 분리하여 손상성 폐기물 침통에 버린다.
마: 성 접촉(정액)을 통한 감염예방을 위해 콘돔을 사용한다.
- 손상성 폐기물(황색, 생물재해표시의 색상): 주사바늘, 봉합바늘, 수술용 칼날, 한방침, 치과용침, 파손된 유리제품의 시험기구가 포함된다.

31. 정답 | ①

B형 간염의 전염경로

- 오염된 혈액, 혈장, 혈청주사, 수혈, 혈액제제
- 오염된 주사기, 바늘, 의료기구
- 정액
- 수직감염(엄마가 뱃속의 아기에게)

32. 정답 | ③ 기출

간염 환자의 간호

- 급성 간염 시 고단백, 고탄수화물, 고비타민식이를 섭취하되 고지방식은 제한한다.
① 급성 시에 수분섭취를 강조하도록 한다.
② 급성기에는 절대안정을 하도록 한다.
④ B형 간염은 감염된 사람의 혈액이나 체액을 통해 전파된다.
⑤ 감염된 사람의 혈액이나 체액을 통해 전파되므로 면도기는 개인별로 사용하도록 한다.

33. 정답 | ⑤ 기출

황달 소양증의 간호

; 열로 인해 혈관이 확장되어 소양증을 증가시켜 자극할 수 있으므로 실내온도를 서늘하게 그 철하도록 한다
① 조이는 옷은 소양증을 자극할 수 있으므로 환기가 잘 되고 정전기가 발생하지 않는 면소재의 편안한 옷을 입도록 한다.
② 무거운 침구는 소양증을 자극할 수 있으므로 가볍고 통풍이 잘되는 소재의 침구를 사용하도록 한다.
③ 커피, 홍차, 초콜렛 등의 카페인과 술, 탄산음료 등은 소양증을 악화시킨다.
④ 뜨거운 물은 피부를 건조하게 할 수 있으므로 전분
· 중조 또는 과망산칼륨 목욕을 하도록 한다.

34. 정답 | ⑤

충수돌기염 환자의 간호

- 염증의 확산 막기 위해 얼음주머니 대주고 수술할 때까지 관찰한다.

①, ④ 관장과 하제는 염증 자극 해 천공을 유발하므로 금한다.
② 진통제는 증상을 은폐하므로 확진 후 사용한다.
③ 더운 물주머니는 화농을 촉진하므로 금한다.

35. 정답 | ②

충수돌기염 환자의 간호

- 충수돌기염 환자의 치료는 수술이므로 장의 휴식을 위해 금식, 정맥 내 수액공급
① 급성염증으로 진행이 빨라 수술 전까지는 화농을 지연시키기 위해 얼음주머니 대준다.
③ 수술을 빨리하는 것이 치료이므로 금식할 것
④ 관장, 완화제는 염증을 자극해 천공 유발하므로 사용하지 말 것
⑤ 더운 물주머니는 화농을 촉진하므로 터지면 복막염으로 발전하여 절대 안 된다.

36. 정답 | ④

기관지경 검사 직후의 간호

- 검사 후 후두경련, 후두부종이 나타나므로 호흡곤란이 있는지 잘 관찰할 것
① 기관지 검사로 인해서는 절대 안 움직일 필요는 없다.
② 객담에 피가 많이 섞여 나오는지 관찰, 기관절개할 필요까지는 없다.
③ 구토반사로 인해 기관지에 마취 후 검사를 시행하므로 검사 전후 금식 할 것, 구토반사가 돌아 왔는지 확인 후 섭취-검사가 끝난 후 2시간이면 돌아온다.
⑤ 체위를 이용하여 분비물 배출에 도움되는 체위배액은 객담은 많은데 배출이 안 되는 환자에게 많이 사용하며 기도유지가 된 환자에게 시행할 것

37. 정답 | ⑤

기관지 천식 환자의 간호

; 차고 건조한 공기는 천식발작을 유발한다.
① 에너지 소모가 많으므로 안정을 취하도록 한다.
② 호흡 곤란 시에는 상체를 올린체위가 편안하다(파울러식 체위, 반좌위).

③ 호흡곤란 시 수분상실이 많이 일어나므로 수분공급을 충분히 할 것
④ 온도와 습도를 조절할 것

38. 정답 | ⑤ 기출

흡인성 폐렴

- 폐안으로 음식물과 구토물이 들어가 발생되는 질환
- 원인: 영아기 시 부적절한 포유 방법, 약물 투약, 빈호흡 영아, 자극성 이물 흡인 등
- 수유 후에는 복와위(엎드려 눕히거나)나 우측위로 눕혀 구토 시 흡인 방지
① 폐렴: 폐렴구균에 의한 폐포 경화와 관련된 폐실질의 급성염증
② 천식: 기관지 수축, 기관지 과민반응을 특징으로 하는 만성 폐쇄성 기도질환
③ 폐결핵: 비말감염를 통한 결핵간균에 의한 폐의 감염질환
④ 세기관지염: 바이러스에 의한 세기관지의 급성감염

39. 정답 | ⑤ 기출

만성 폐쇄성 폐질환 환자의 간호

- 만성 폐쇄성 폐질환(COPD): 만성 기관지염이나 폐기종으로 인해 초래되는 환기 장애
- 사람들이 많이 모이는 곳은 피하고, 폐렴 예방접종과 매년 인플루엔자 백신을 접종
① 급성호흡곤란을 조절하기 위해 코로 흡기하고 입으로 길게 호기하도록 복식호흡을 교육한다.
② 식사량을 줄여야 한다. 많은 양의 음식을 소화하려면 더 많은 에너지가 필요하고 산소가 필요하게 된다. 호흡이 힘들면 칼로리와 단백질 필요량이 증가한다.
③ 만성 폐쇄성 폐질환(COPD) 환자의 호흡은 산소 요구도에 의해 자극될 수 있는데 고농도의 산소 공급은 점진적으로 호흡기계를 억제하여 이산화탄소 중독증, 혼수 또는 사망을 일으킬 수 있으므로 저농도 산소를 공급해야 한다.
④ 호흡곤란을 완화시키기 위해 반좌위 자세를 취해주도록 한다.

40. 정답 | ③ 기출

농흉 환자의 간호

- 농흉: 흉막강의 감염으로 인해 고름이 차는 질환
- 삼출물이 배출되어야 하는 이환된 쪽이 아래로 가게 눕도록 한다.

41. 정답 | ② 기출

객담분비가 많은 환자의 간호

- 폐의 기능 저하, 기관지 문제, 횡경근막의 근력 약화 등으로 인해 기관지의 분비물이 배출되지 않고 남아 있으면 오염, 감염 등의 문제가 발생한다.
- 객담 배출을 위한 간호보조 활동으로 기침, 심호흡 등의 객담배출 훈련과 객담배출하기 쉬운 체위를 취하여 체외로 배출을 촉진하는 체위배액, 손을 컵처럼 쥐고 흉부를 가볍게 두들겨서 진동을 주어 객담의 유출이 쉽게 하되, 약해진 환자에게 스트레스가 될 수 있으므로 주의하여야 하고, 통증이나 호흡곤란이 나타나면 중단해야 한다.

42. 정답 | ① 기출

객혈 환자의 간호

- 객혈이란 기침을 할 때 혈액이 섞인 객담 또는 혈액을 객출해 내는 것
- 선홍색이며 거품이 섞여 있어 소화기 계통에서 나오는 토혈과 구분
- 객혈 간호 시 가장 주의할 점은 기도폐쇄로 인한 질식이므로 잘 관찰하도록 한다.
② 큰기침을 삼가고 기침이 나올 때는 잔기침하게 한다.
④ 얼음주머니를 흉부에 대주면 기침이 줄어 안정을 취할 수 있다.
③ 병실 문을 모두 개방하면 외부공기로 기침이 자극될 수 있다.
⑤ 음식물이 기도를 자극하여 기침이 자극되고, 기도폐쇄 위험성이 있으므로 당분간 구강으로 아무것도 먹지 않도록 한다.

43. 정답 | ⑤

당뇨병 환자의 간호

- 당뇨병은 췌장에서 인슐린 분비가 적어 혈당이 상승하는 질환
- 캔디, 초코렛 등 섭취 후 혈당이 급격히 올라가는 식품은 피할 것(당 지표 100에 가까울수록 혈당 상승)
① 식이요법: 당 60%, 지방 20%, 단백질 20%, 저혈당을 예방하기 위해 적절한 탄수화물은 필요하다.
② 식이요법과 운동요법을 실시하고 필요 시 약물과 인슐린 치료를 시행한다.
③ 1일 총열량은 체중, 활동량에 기준으로 칼로리 계산하여 식이요법 할 것
④ 합병증이 없어도 고혈당이 특징이므로 당질대사에 대한 부담을 줄이기 위해 고열량식이는 안 된다.

44. 정답 | ④ 기출

당뇨병 환자의 간호

- 저혈당 발생 시의 처치
– 초기치료는 혈당을 속히 올릴 수 있는 단당류(오렌지주스, 설탕물, 사탕) 섭취
– 인슐린 쇼크 시에는 글루카곤주사, 포도당 수액 정맥주사 투여
① 운동이나 노동 등 에너지 소모는 저혈당을 익회시킨다.
② 저혈당증상으로 의식이 혼미할 경우에는 복위보다 기도유지와 편안한 체위를 위한 앙와위 체위가 적합하다.
③ 저혈당 상황 시에 수분 섭취보다 혈당을 올리는 처치가 가장 우선시되는 처치이다.
④ 오렌지주스는 단당류로 단시간내 혈당을 높일 수 있어 저혈당증상을 호전시킬 수 있다.
⑤ 섭취량과 배설량 측정은 저혈당 증상호전을 위한 우선순위 높은 간호가 아니다.

45. 정답 | ④

당뇨병 환자의 간호

- 인슐린 부족으로 오는 고혈당이 특징이지만 식사시간이 늦어진다던가, 과도한 운동 시, 영양섭취 불량 시

저혈당이 온다.
- 뇌는 단지 몇 분 동안만 사용할 수 있는 당분 외에는 저장할 수 없음으로 저혈당 증상 시 즉각 치료해야 한다.
- 저혈당 시 증상: 두통, 허약감, 흥분, 불안, 발한. 심하면 혼수상태가 된다.
– 초기치료는 오렌지 주스, 설탕물, 사탕을 먹을 수 있도록 항상 준비한다.
– 심한 저혈당 무의식시(인슐린쇼크)는 포도당정맥주사를 투여 한다.

46. 정답 | ④

당뇨병 환자의 간호

- 갈증, 탈수는 고혈당의 증상(다뇨, 다음, 다식)
- 당분 감소로 인한 신경계증상과 자율신경계증상
- 인슐린 자가주사 후 문지르지 않는다. → 문지르면 너무 빨리 흡수되는 원인이 되고 피부를 자극하기 때문이다.
① 저혈당 시 발한(식은땀)이 나고 허기(공복감)가 있다.
② 뇌의 포도당 부족으로 과민, 정서불안, 혼돈, 행동의 변화
③ 뇌의 저혈당으로 기억력 저하, 의식상실
⑤ 자율신경계증상으로 빈맥, 심계항진

47. 정답 | ① 기출

당뇨병 환자의 간호

- 당뇨환자는 상처가 나면 잘 치유되지 않으므로 상처가 생기지 않도록 조심하고, 특히 발의 상태를 매일 확인하도록 한다.
② 티눈은 발견되면 병원치료를 하도록 한다.
③ 상처 난 발가락 사이에 짓무름이나 곰팡이 등의 세균에 의한 무좀의 원인이 되기 때문에 로션이나 보습제를 바르지 않는다.
④ 발을 보온하기 위한 뜨거운 열패드는 화상의 위험으로 상처가 발생하기 쉽다.
⑤ 새 신발을 구입할 때는 여유로운 사이즈를 선택하거나 부종이 발생할 수 있으므로 오후에 구입하는 것이 좋다.

48. 정답 | ⑤ 기출

당뇨병 환자의 간호

- 당뇨환자는 피부를 깨끗하게 유지하고, 상처가 나면 잘 치유되지 않으므로 상처가 생기지 않도록 조심하고, 특히 발의 상태를 자주 체크하여 상처가 나지 않도록 주의한다.
① 말초신경염 장애를 갖고 있는 당뇨병환자에게 뜨거운 물은 화상으로 상처를 입을 수 있으므로 미지근한 물로 씻도록 한다.
② 당뇨병은 말초순환부전을 진전시킬 수 있으므로 발간호를 잘 해야 하고 다리의 혈액순환을 증진시키는 방법으로 간호해야 한다.
③ 발이 건조하지 않도록 바셀린 연고나 보습제를 발라준다.
④ 발가락이 노출되는 신발은 상처가 나기 쉬우므로 피한다.

49. 정답 | ④

갑상선절제술 환자의 간호

- 갑상선절제술 후 후두신경의 절단, 부종, 외상으로 온다. → 수술 후 말을 시켜 목소리를 확인한다.
① 가장 경계해야 할 출혈의 징후로 맥박이 빠른지, 혈압 하강되는지 확인한다. → 목뒤로 손을 넣어보아 확인하고 드레싱 주위에 부종이 있는지 관찰한다.
② 호흡곤란으로 무산소증과 심장 정지 시 의식이 없을 수 있다. → 기관절개세트 준비한다.
③ 수술부위의 부종으로 연하(삼키는 것) 곤란이 올 수 있다.
⑤ 출혈과 부종으로 인한 기관의 압박 때문에 올 수 있고 호흡곤란, 청색증이 있는지 관찰한다. → 좌위를 취해주고 산소를 공급한다.

50. 정답 | ③

요로감염 환자의 간호

- 혈뇨나 단백뇨의 경우 신장의 손상으로 인한 증상일 수 있으므로 수분섭취를 자주하면 신장에 부담이 되어 제한해야 한다.
① 소변 속에 있는 세균을 배설하여 세균증식을 예방한다.
② 배뇨느낌이 있으면 즉시 배뇨하도록 하여 세균을 외부로 배설시킨다.
④ 요로 감염은 상행성 감염으로 요도 → 방광 → 신우까지 감염되므로 소변을 자주 배설하여 역류를 방지한다.
⑤ 배뇨하고 싶은 느낌이 없더라도 규칙적으로 방광을 비워 과도신장이 되지 않게 한다.

51. 정답 | ② 기출

전립선절제술 환자의 간호

- 요도구를 통해 수술하게 되면 요도 손상으로 출혈이 있어 혈액이 응고되기 때문에 관찰해야 할 증상이므로 보고하고 혈액응고를 막기 위해 충분한 수분섭취를 격려하며 소변배출을 돕는다.
① 전립선 절제술 후 24시간 침상안정 후 조기이상 하도록 격려한다.
③ 섭취량과 배설량을 정확하게 기록하여 세척을 위해 주입된 액도 정확하게 계산하도록 한다.
④ 계속적인 세척을 하는 경우는 맑은 소변을 유지하거나 분홍색을 유지하도록 한다.
⑤ 세척액은 전해질 결핍이나 수분 중독증이 유발되지 않도록 멸균생리식염수를 사용한다.

52. 정답 | ③

전립선절제술 환자의 간호

- 체액과 똑같은 농도를 가진 생리식염수를 사용하여야 수분의 이동이 없다.
- 수분의 이동은 염분에 의해 이루어지며
- 염분 농도가 낮을 때: 세포 안으로 수분이 흡수 → 부종 발생
- 염분 농도가 높을 때: 세포 밖으로 수분이 빠져 → 탈수 유발
① 100 cc당 5 g의 포도당이 녹아 있는 설탕물, 칼로리 보충 시 사용한다.
② 순수한 물, 어떤 성분도 포함되어 있지 않은 물

④ 산화성 살균제로 상처소독에 쓰인다.

⑤ Nacl, Ca, K 등이 포함되어 있는 수액으로 전해질 손실 시 사용한다.

53. 정답 | ④
유방절제술 환자의 간호

- 유방절제 후 운동: 수술 후 사지운동과 더불어 손가락운동을 해야 한다.
  - 운동을 하지 않은 경우 환측 팔이 몸에 붙고 머리가 기울어지는 기형적 체위 유발
  - 운동: 혈액순환증진, 근육강화, 관절강직 예방하기 위함
  - 방법: 손 운동, 머리 빗기, 세수하기, 어깨운동, 벽 오르기, 줄 돌리기, 도르래 끌기, 막대올리고 내리기 등
  - 액와 림프절의 절제로 림프부종이 발생하고 부종은 감염으로 이어질 수 있으므로 수술한 쪽 팔에서 혈액채취, 혈압측정, 무거운 물건 드는 것은 금지

54. 정답 | ④
유방절제술 환자의 간호

- 액와 림프절과 림프관의 제거로 림프부종이 발생하고 부종은 감염으로 이어질 수 있으므로 발적, 발열, 부종, 심한 불편감, 악취를 관찰하고 환측 팔에 정맥주사, 무거운 물건을 들지 않도록 하며 힘이 가해지는 활동도 피한다.

55. 정답 | ②
뇌 손상 환자의 간호

가: 두개강내압(뇌내압)이 상승하므로 움직이지 않아야 한다.

나: 출혈로 인한 두개내 압력이 상승하므로 시신경에 압력이 가해질 수 있으므로 관찰한다.

다: 두개강내압이 올라가면 고혈압, 느린 호흡이 올 수 있으므로 자주 측정한다.

라: 두개강내압 상승을 예방하기 위해 머리를 상승시켜 정맥배액이 적절히 이루어지도록 한다.

마: 두개강내압이 상승하므로 수분을 제한하고 약간 탈수상태를 유지할 것

56. 정답 | ⑤ 기출
뇌압 상승 시 간호

- 뇌압 상승 시 절대 안정시키고, 의식과 활력 징후, 동공크기와 대광반사를 수시로 확인하고, 상체를 15~30° 정도 머리를 상승시킨다.

57. 정답 | ②
머리 수술 환자의 간호

- 두개내 압력은 세 가지 성분에 영향을 받는다. → 뇌조직. 뇌 척수액, 혈액이 일정하게 유지되어야 한다.
- 두개조직은 압력에 예민하며, 다양한 이유로 압박을 받으면 뇌의 압력이 상승되고 국소빈혈이 오고, 이로 인해 괴사까지 진행되어 뇌에 영구적인 손상이 온다.
- 수술 후 일시적인 두개내압의 상승을 예방하기 위해 침상머리를 올려 정맥 배액이 원활히 이루어지도록 하여 뇌압상승을 예방할 것

58. 정답 | ②
뇌수종 환자의 간호

- 뇌수종은 뇌척수액의 흐름이 막히어 뇌 척수액이 두개강이나 척수강에 축적되어 뇌압 상승이 되며 뇌 발달의 장애를 일으킨다.
① 뇌졸중: 뇌의 혈관이 손상되어 뇌조직의 허혈현상으로 뇌기능이 손상되는 것. 뇌경색의 원인, 종류에는 허혈성(뇌혈전, 뇌색전), 뇌출혈이 있다.
③ 뇌경색: 뇌혈관이 막혀 뇌조직의 손상을 일으킨다(허혈성 뇌질환).
④ 뇌출혈: 뇌를 싸고 있는 공간에 출혈이 발생하는 것
⑤ 뇌종양: 종양이 두개골안의 공간을 차지하고 있어 두개 내압이 상승한다.

59. 정답 | ② 기출

뇌졸중(중풍) 환자의 간호

- 뇌졸중(중풍): 뇌에 혈액을 공급하는 혈관이 막히거나 터져서 뇌 손상이 오고 그에 따른 신체 장애가 나타나는 뇌혈관질환
- 간호: 팔, 다리를 움직이게 하는 운동신경은 대뇌에서 내려오다가 뇌간의 아래 부분에서 교차하여, 한쪽 뇌에 이상이 생기면 대개는 그 반대쪽에 마비가 오게 되므로 호출벨과 침상 난간을 올려주는 등의 안전에 유의
① 편마비 대상자 식사 시는 마비된 쪽을 지지하여 앉거나 누워있는 경우라도 건강한 쪽을 밑으로 하여 옆으로 누운 자세로 식사하도록 하여 저작이 편한 쪽으로 식사를 하게 한다.
③ 욕창예방을 위해 체위변경은 2시간마다 하도록 한다.
④ 감각이 없는 마비된 쪽에 온찜질은 화상의 위험이 있음으로 주의해서 사용한다.
⑤ 대전자 두루마리를 대어 주는 목적은 다리나 고관절의 외회전을 방지하기 위하여 사용한다.

60. 정답 | ② 기출

뇌졸중(중풍) 환자의 간호

- 뇌졸중(중풍): 뇌의 일부분에 혈액을 공급하는 혈관이 막히거나(뇌경색) 터넘(뇌출혈)으로써 그 부분의 뇌가 손상되어 나타나는 신경학적 증상
- 뇌졸중의 증상 중에 시야, 시력 장애로 갑자기 한쪽 눈이 안 보이거나 시야의 한 귀퉁이가 어둡게 보이게 된다. 우측시야장애가 있는 환자에게는 물건을 좌측에 두어 일상생활과 안전을 유지하도록 한다.

61. 정답 | ③ 기출

녹내장의 증상

- 녹내장: 안구의 안압이 병적으로 상승하는 질환
- 증상: 시신경이 손상되어 시야가 좁아지고, 사물이 뿌옇게 보이며 시력감퇴, 무지개 잔상, 두통과 안구 통증 등 발생

62. 정답 | ③

백내장 환자의 간호

- 안압상승을 예방하기 위해 기침 및 코풀기를 제한하며, 배변시 힘을 주지 않도록 한다.
① 수술한 부위 안압상승 예방을 위해 머리를 올려 누워 있는다.
② 침대난간을 올리고 있다면 안전한 상황이다.
④ 안압상승을 예방하기 위해 무거운 물건을 들거나 과도하게 힘을 쓰지 않고 머리를 천천히 움직인다면 안전한 상황이다.
⑤ 수술한 눈에 안구운동을 최소화하기 위해서 보호용 안대를 사용하며, 눈꺼풀 위에 밀착하여 붙인다.

63. 정답 | ② 기출

백내장 환자의 간호

- 무거운 물건을 잡을 때도 허리는 펴고 무릎을 구부리도록 함. 안압상승 예방 위해 머리를 숙이지 않도록 한다.
① 안압상승(주요합병증)을 최소화하기 위해 활동제한, 직후는 절대안정을 취한다.
③ 환측이 위로가게 누워 수술부위에 대한 압박을 금지한다.
④ 오심, 구토를 동반한 통증 시 보고하도록 교육한다(안압상승을 유발하므로).
⑤ 수술초기의 통증은 안압상승이나 출혈과 같은 합병증을 의미한다.

64. 정답 | ④ 기출

귀 수술 환자의 간호

- 이압이 올라가지 않도록 침상안정, 재채기나 기침, 코풀기를 금지한다.
① 수술 후 평형 장애가 있으므로 혼자 침대에서 일어나지 않고, 24~48시간 정도 침상안정을 하도록 한다.
② 머리는 갑자기 움직이거나 이압이 올라가지 않도록 고개를 숙이지 않도록 하고, 2주일간은 머리도 감지 않는다.
③ 두통이나 이명 증상이 있을 시에 보고하도록 한다.

⑤ 빨대를 사용하면 이압이 올라갈 수 있으므로 물은 조금씩 마시도록 한다.

65. 정답 | ⑤ 기출

귀 수술 환자의 간호

① 수술 후 일주일은 코풀기, 재채기, 기침을 금한다.
② 일반적 수술 후 간호로 객담배출을 위해 수분섭취를 권장하므로 제한할 필요는 없다.
③ 입을 다물고 재채기 시에 이압이 상승될 수 있으므로 기침, 재채기 시에는 입을 벌리게 한다.
④ 이압 상승을 막기 위해 고개를 숙이거나 수술 후 2주간은 머리도 감지 않는다.
⑤ 수술 후 감염증상을 세밀히 관찰하고 감기로 감염증상이 악화되지 않도록 주의한다.

66. 정답 | ①

암 환자의 간호

• 암 환자 간호 시 골수기능저하로 인한 감염(백혈구 감소)은 인체에 치명적인 위험을 준다. → 출혈 → 빈혈의 위험

② 오심과 구토 설사를 유발하므로 충분한 수분섭취 제공
③ 위장관의 독작용으로 체액과 전해질 불균형이 오므로 환자상태를 고려할 것
④ 오심과 구토를 일으키므로 소화되기 쉬운 죽을 제공
⑤ 탈모를 일으켜 모발상실의 변화로 우울증이 나타날 수 있다.

67. 정답 | ①

암 환자의 간호

가, 다: 암 예방 위해 표준체중을 유지하며 과식하지 않고 저지방식이 권장, 태양광선 특히 자외선 과다 노출을 피한다.
나: 생리시작 5일~7일이거나 월경이 끝난 후 유방크기가 가장 작을 때 자가검진을 실시한다.
라: 곡물 등 섬유소가 많은 음식을 섭취한다.
마: 편식하지 않고 골고루 균형 있게 섭취하며 과일과 녹황색 야채가 풍부한 식이를 섭취한다.

CHAPTER 08 모성간호

제1장 | 임신

01. 정답 | ⑤

외(바깥)생식기관

: 치구, 대. 소음순, 음핵, 질전정, 처녀막, 스켄샘, 바르톨린샘(임균, 다른세균의 서식처) 등

①, ②, ③, ④ 여성의 내생식기: 질, 자궁, 난관, 난소

02. 정답 | ④

여성생식기

가: 질강 내에는 정상세균, Doderleins 간균이(질강유산균) 많아 산성도를(강한 산성, pH 4~5) 유지하여 세균이 자궁내부 침입을 막는다(외부의 감염방지).
  – Doderleins 간균(질강유산균): 질분비물을 산성으로 유지
나: 호르몬분비기능(에스트로겐, 프로게스테론 분비)
다: 성숙된 난자는 인체구성 세포 중 가장 크다.
라: 60~70 gm, 태아의 발육 장소(수정란 착상)
마: 8~10 cm의 가는 관, 난자와 정자의 통로, 수정이 이루어지는 곳

03. 정답 | ⑤

난관

: 난자를 난소로부터 자궁으로 운반하는 역할을 하며, 정자와 난자가 수정이 이루어지는 곳

① 배란이 일어나는 곳은 난소이다.
② 태아가 발육하는 장소는 자궁이다.
③ 자궁에서는 호르몬의 영향을 받아 내막이 주기적으로 일정한 변화를 일으킨다.
④ 난소는 배란과 내분비작용이 일어나 난포호르몬과 황체호르몬을 생성한다.

04. 정답 | ②

여성생식기 검진

가: 검사 동안 천천히 심호흡하여 이완시켜 진찰을 촉진한다.
나: 부인과 진찰 시 하는 쇄석위(절석위)를 취한다.
다: 자궁경부암 검사 파파니콜라우 검사를 시행시 검사물을 채취하기 위해 질을 벌리는 질경, 면봉, 압설자, 슬라이드, 윤활제, 장갑이 필요하다.
라: 검진 전에 방광을 비우도록 한다.
마: 생식기 검진이므로 금식은 필요 없다.
  – 윤활제는 수용성을 사용한다(자극이 없고 사용 편리, 세척용이, 감염가능성이 적으므로).

05. 정답 | ⑤

파파니콜라우스 도말검사

- 질에 투약이나 세척을 하지 않도록 하고 월경시기를 피해 오도록 한다.
① 생식기의 정확한 검사를 위해 결과에 영향을 주는 행위는 금한다.
② 24~48시간 내의 성교는 피한다.
③ 정확한 검사물을 채취하기 위해 월경기간은 피하고 질내, 외부 및 후원개(뒷부분)에서 채취한다.
④ 검사 시행 전에 방광을 비우면 된다.

06. 정답 | ②

배란

- 배란기: 다음 월경예정 첫날로부터 12일~16일전
- 정자: 1회 사정 시 2~3억 개 배출, 난자는 한 달에 1번 배출
- 임신 가능 기간: 배란일을 중심으로 정자생존기간(3일) + 난자생존기간(1일)을 합친 전후의 기간

07. 정답 | ②

분만 예정일(EDC)

- 마지막 월경 월수에+9(12개월이 넘으면 −3), 일수에+7
− 월 계산: 5월+9=14(12가 넘으므로 −3) → 5월−3=2월
− 일 계산: 20일+7=27일
  즉, 2월 27일

08. 정답 | ⑤

임부의 생리적 변화

- 증가된 혈액 1,500 ml = 혈장 1,000 ml+적혈구 450 ml → Hb의 농도가 저하되어 임신성 생리적 빈혈을 초래한다.
① 임신 중 심장은 혈액량과 심박출량 증가로 부담이 커진다.
② 임신초기와 분만이 가까워 졌을 때 야뇨증, 빈뇨와 핍뇨가 나타난다. 이는 자궁이 골반 위로 올라가며 방광을 압박하고 분만이 가까우면 태아가 골반내로 진입 하강하기 때문이다.
③ 호르몬의 증가로 연동운동이 감소되어 변비가 있다.
④ 자궁이 커지면서 폐를 위로 들어올리므로 과호흡과 짧은 호흡을 한다.

09. 정답 | ①

임신 중 요통

- 임신으로 인한 자궁 무게의 증가로 인해 요추만곡증이 신경에 영향을 미쳐 요통이 발생할 수 있다.
② 분만 후 산도내의 세균성 감염을 말한다.
③ 자궁의 압박에 의해 골반신경이나 혈관의 압박으로 다리의 감각변화를 일으킨다.
④ 장내세균작용과는 거리가 멀다.
⑤ 산욕기가 아니라 임신 중에 나타날 수 있는 정상반응

10. 정답 | ⑤

임신 중 불편과 피로

- 질 분비물은 에스트로겐의 영향으로 탈락된 상피세포를 많이 포함하고 있어 진하고 하얀색을 띤 백 대하 상태가 되고 배설물이 증가
① 요통: 임신후반기에 균형을 유지하기 위해 요추만곡이 심해져서
② 빈뇨: 방광에 증대된 자궁의 압력이 가해져서
③ 변비: 장에 가해지는 태아의 압력 때문에 연동운동 감소
④ 정맥류: 자궁의 무게로 하지정맥 울혈과 증대

11. 정답 | ⑤

임신 중 변비

- 자궁이 커지면서 위와 장은 위쪽으로 밀리고 태아의 압력 때문에 연동운동이 감소되어 변비가 일어나기 쉽다.
- 변연화제나 미네랄 오일 복용 시 장의 연동운동이 촉진되어 태아를 압박할 수 있으므로 금지한다.
① 이완요법과 심호흡으로 근긴장 감소로 배설문제를 해

결할 수 있다.

② 수분섭취가 부족하면 변비가 심해지므로 수분섭취를 충분히 할 것

③ 일정시간에 규칙적으로 배변하는 습관을 유지한다.

④ 섬유소가 많은 음식을 섭취하여 변비를 예방한다.

12. 정답 | ③

임신 중 변비

- 의사의 지시 없이 변비완화제, 설사제, 관장금지
- 프로게스테론에 의해 임신 중에는 장의 연동운동 저하와 증대된 자궁이 장을 압박하고 임신 말기 태아 선진부의 압박을 받고 철분제제의 복용으로 변비가 유발된다.
① 적당한 운동을 하여 장의 연동운동을 촉진한다.
②, ⑤ 충분한 수분섭취와 섬유소가 많은 음식을 섭취하여 변이 딱딱하지 않게 한다.
④ 규칙적인 배변습관은 변비 예방에 좋다.

13. 정답 | ⑤

입덧 완화 방법

- 기상 전 마른 탄수화물을 섭취한다(마른 크래커나 토스트).
① 위의 공복상태나 과식을 피한다.
② 자극적인 음식 피한다.
③, ④ 아침식전에 유동식은 피한다.

14. 정답 | ④

양수

; 태아 보호, 태아 운동, 체온 유지, 분만 시 파수되어 산도를 윤활하게 해준다.
① 난막: 태아와 양수를 둘러싸고 있다.
② 태반: 내분비기능(호르몬), 신진대사(호흡, 영양, 노폐물배설), 면역, 보호
③ 제대: 태아와 태반을 연결해주는 생명선
⑤ 융모막: 태아를 싸는 외측의 막

15. 정답 | ⑤ 기출

태반호르몬(융모성선자극호르몬)

; 임신 8~10주에 최고에 달한 후 임신이 진행됨에 따라 감소하여 임신 20주에 이르면 최저치에 이른다. 소변이나 혈액에서 이 호르몬을 검사하여 임신여부를 진단하게 된다.
① 에스트로겐: 임신 6주에서 12주 사이에 태반과 태아로부터 분비되어 말기까지 계속되고 태반의 만출과 동시에 소실
② 프로게스테론: 임신 초기에는 주로 황체에서 형성되며 임신 7~12주가 지나면 태반에서 생산되며 임신이 진행됨에 따라 혈장 내 농도가 더 증가하여 임신을 유지시켜 주는 기능
③ 안드로겐: 성 스테로이드 호르몬으로 남성 생식계의 성장, 발달 그리고 기능에 영향을 미치는 모든 남성 호르몬
④ 프로락틴: 뇌하수체 전엽에서 분비되는 유즙 분비 자극 호르몬

16. 정답 | ③

두정위

- 태아는 완전 굴곡된 상태에서 머리가 아래쪽을 향해야 정상 분만이 가능하다.
① 횡위: 태아가 옆으로 누워있는 자세
② 족위: 태아의 발이 먼저 진입하는 자세
④ 골반위: 태아의 골반이 아래에 있는 자세
⑤ 안면위: 태아가 얼굴을 든 채 진입하는 자세

17. 정답 | ① 기출

산전관리

- 산전관리: 건강한 임신과 분만이 되도록 돕기 위해 임부를 관찰, 교육하고 필요한 의학적 조치를 하는 것
- 산모 측면에서 볼 때 안전한 분만 및 산후건강, 신체적·정신적 건강유지증진, 임신 중 합병증 최소화하여 모성사망을 저하시키는 목적
- 태아 측면에서 볼 때 저체중아·사산·유산 등 신생아 사망률을 저하시키고, 신생아의 건강을 유지시키는 데 목적

18. 정답 | ① 기출

산전관리

- 산전관리: 철저한 임신부 관리를 통하여 건강한 자녀 출산과 분만 후 합병증 없이 회복하도록 도와주는 것을 의미하는 것
- 늦어도 20주 이내에 산전관리를 받도록 한다.
- WHO(세계보건기구)에서 임신 중의 정기적 산전 관리는 임신 7개월까지 매월 1회, 임신 8~9월까지는 월 2회, 이후 분만까지는 월 4회를 받는 것이 이상적이라고 제시한다.

19. 정답 | ② 기출

산전관리

- 산전관리: 건강한 자녀 출산과 분만 후 합병증 없이 회복하도록 도와주는 것
- 특히 임신성 출혈성 합병증과 임신관련 고혈압성 장애, 임신관련 질환(당뇨병, 심장질환, 감염성질환, 혈액질환 등)의 정기적인 관찰과 교육이 필요
- ① 고위험산모: 35세 이상의 산모
- ③ 풍진: 태반을 통해 태아감염으로 선천성 기형(심장질환, 백내장, 청각상실 등)을 발생시키므로 가임기 여성에게 예방접종으로 항체형성이 필요하다.
- ④ 피임약 복용: 단기간, 장기간 생식능력에 부성직인 영향을 미치지는 않는다.
- ⑤ 체질량지수(BMI): 몸무게와 키를 고려해 비만도를 평가하는 기준을 말하며, 성인기준 체질량지수가 25 kg/㎡인 경우 비만으로 진단한다.

20. 정답 | ② 기출

산전관리

- 세계보건기구(WHO)에서 임신 중의 정기적 산전관리는 임신 7개월까지 매월1회, 임신 8~9개월까지는 월 2회, 이후 분만까지는 월 4회 받는 것이 이상적이라고 제시한다.

21. 정답 | ② 기출

산전관리

- 세계보건기구(WHO)에서 임신 중의 정기적 산전관리는 임신 7개월까지 매월 1회, 임신 8~9월까지는 월 2회, 이후 분만까지는 월 4회를 받는 것이 이상적이라고 제시

22. 정답 | ④

태아의 사산

- 사산: 일반적으로 임신 28주 이후의 사산아 출산

23. 정답 | ⑤

흉부 X-ray 촬영

; 초기에 시행하면 태아의 기형을 유발할 가능성이 있다.

24. 정답 | ④ 기출

임신중독증

- 임신중독증 3대 검사: 혈압 측정(고혈압 검사), 소변 검사(단백뇨 검사), 체중 측정(부종 확인)

25. 성납 | ④

임신중독증

- 산전관리에서 혈압 측정 이유: 모체의 임신성 고혈압 유무를 파악하고 임신중독증 조기발견 목적

26. 정답 | ① 기출

임신중독증

; 임신 20주 이후 발생하는 임신관련 장애로 단백뇨, 부종, 고혈압의 증상이 나타난다.

27. 정답 | ⑤

임신중독증

- 임산부 3대 사망원인 중 하나인 임신중독증(=임신성 고혈압)을 예방하기 위해 혈압, 소변, 체중을 산전 진

찰시마다 검사할 것, 증상만으로 발견하기 어려워 철
저한 산전관리로 조기발견 가능

28. 정답 | ①
임신성 고혈압

- 임신성 고혈압: 임신 중의 고혈압과 그에 따른 증상으로 인해 모체나 태아에게 위험한 상태를 초래한다.
- 임신기간 중에 수축기 혈압이 140 mmHg 이상, 이완기 혈압이 90 mmHg 이상으로 상승한다.
- 분만 후 12주 이내에 정상혈압이 되는 경우

가: 신장의 손상으로 단백뇨가 배설된다.
다: 발 → 하지 → 전신(눈이나 얼굴, 손가락) 심한 경우 폐부종까지 올 수 있다.
나: 임신 중 호르몬의 변화와 자궁이 커짐에 따라 초래되는 증상이다.
라: 커진 자궁에 의한 골반신경이나 혈관의 압박, 요추 만곡증으로 요통이 생길 수 있다.
마: 체위성 저혈압은 산모가 앙와위로 누울 경우 증대된 자궁으로 하대정맥과 동맥을 압박하여 혈압이 하강하는 것을 말하고 체위를 측위로 취하면 된다.

29. 정답 | ①
임신성 고혈압

- 임신성 고혈압의 증상인 혈압 상승을 확인하기 위해 혈압 측정
- 임신 중 고혈압성 장애는 증상이 서서히 나타나거나 증상이 없이 나타날 수 있고 원인과 예방이 규명되지 않았으므로 치명적인 결과를 막기 위해 질병의 조기발견이 주목표이다. 이를 위해 임부의 신전방문시마다 체중, 소변검사, 혈압을 측정한다.
② 정상분만 시 협골반일 때 분만과정이 지연되므로 필요 시 골반측정을 한다.
③ 임신성 고혈압의 증상인 체중증가를 확인하기 위해 체중 측정해야 한다.
④ 소변량이 아니라 단백뇨가 배출되므로 소변검사를 해야 한다.
⑤ 융모성선자극호르몬으로 소변을 이용한 임신 진단하는 호르몬

30. 정답 | ③
자간증

- 임신성 고혈압이 심해지면 경련이 동반 → 자간증
- 자간증 임부는 경련과 혼수가 나타나므로 절대안정, 조용한 방, 방안을 어둡게, 자극을 최소화 할 것
- 경련의 조절: 황산마그네슘을 투여하여 예방, 항경련제, 진정제, 항고혈압제를 투여

31. 정답 | ①
임신성 고혈압 환자의 식이

- 부종이 유발되는 임신성 고혈압환자에게 저염식이
  – 임신성 고혈압의 3대 증상: 고혈압, 부종, 단백뇨
②, ④ 고탄수화물, 고단백, 섬유소가 풍부한 식이
③ 균형식(단백질 60~70 g, 칼슘 1,200 mg, 적당량의 아연, 비타민) 섭취, 고혈압이므로 저염, 저지방식이
⑤ 부종으로 인한 수분제한식이

32. 정답 | ②
매독

: 태반을 통해 16~20주 후에 감염되어 선천성 매독을 일으키거나 유산이나 사산을 일으키므로 16주 이내 치료를 해야 한다.

33. 정답 | ② 기출
매독

: 트레포네마 팔리둠에 의한 복합 감염성 질병, VDRL 혈청검사를 통해 진단

34. 정답 | ③
매독

: 임신 16~20주 이후에 태반을 통해 태아에게 감염되므로 이전에 치료할 것
- 태아에게 기형, 유산, 조산 등 무서운 결과를 가져온다.
- 임산부는 반드시 혈청검사(왓셀만 테스트, VDRL 검사)할 것

① 임질은 성 접촉에 의한 질부위의 감염이므로 질식 분만시 신생아에게 임균성 안염을 유발한다.
② 결핵은 호흡기 감염성 질환
④ 신장병은 사구체 신염과 신우신염으로 직접적으로 영향이 없다.
⑤ 당뇨병은 췌장의 인슐린부족으로 오는 질병

35. 정답 | ①
풍진

- 풍진은 증상도 경미하고 모체에 대한 영향도 거의 없으나, 초기의 감염(임신 후 90일 이내)이 태아의 기형, 청각상실(농아), 심장질환, 백내장(맹아), 뇌 기형 발생의 원인이 된다.

36. 정답 | ④
임부의 주의사항

- 임신 말기엔 복부 증가로 몸의 균형에 영향을 미치고 질 출혈이나 파막 후 통목욕은 감염우려가 있으므로 제한한다.
①, ⑤ 밤에 충분한 수면, 오전 오후 약 30분간의 휴식과 낮잠
② 장시간의 여행은 피한다.
③ 가벼운 걷기와 산책을 한다.

37. 정답 |
임부의 정맥류 방지

가: 다리를 규칙적으로 상승시키거나 신축성 있는 탄력양말이나 붕대를 사용한다.
나: 조이는 스타킹, 옷을 피하고 다리를 꼬지 않는다.
다: 복대를 사용하여 배를 지지한다.
라: 정맥류는 자궁의 무게로 하지정맥울혈 때문에 생기는데 다리의 혈액이 심장으로 돌아올 때 서 있는 자세로 오래 있으면 부종과 정맥류가 심해진다.
마: 굽이 낮은 편하고 넉넉한 신발을 신는다.

38. 정답 | ④
임신 전반기 출혈

; 유산, 포상기태, 자궁외 임신, 자궁 경관 무력증 등 위험한 증상이므로 병원 방문할 것
① 빈뇨: 방광에 증대된 자궁의 압력이 가해져서 나타난다.
② 속쓰림: 태아성장에 따른 위의 위치변화로 분문괄약근의 이완함으로 인해 발생한다.
③ 유방통: 유방의 혈액흐름의 증가로 커지고 예민해지며 찌르는 듯한 통증과 무거움이 발생한다.
⑤ 심계항진: 심박출량의 증가로 인해 발생한다.

39. 정답 | ③ 기출
포상기태

; 임신 융모성 질환으로 영양배엽이 비정상적으로 증식을 일으켜 작은 낭포를 형성하는 질환
- 융모상피암으로의 전이여부를 확인하기 위해 흉부 X-선 촬영을 한다.
① 화학요법은 검사결과 악성세포가 발견되거나 융모성선 자극호르몬이 3주 이상 높을 때 또는 정상으로 돌아온 후 다시 상승할 때 실시한다.
② 치료는 소파술 및 자궁절출술을 시행하고, 정상 융모선 자극호르몬의 수치를 보일 때에는 1년간 피임하도록 한다.
④, ⑤ 주기적인 융모성선자극호르몬 검사를 한다. 주1회씩 3회 → 1개월에 1회씩 6개월 → 2개월에 1회씩 6개월 → 6개월에 1회씩 검사하도록 한다.

40. 정답 | ① 기출
임신 후반기 출혈성 합병증

; 전치태반과 태반조기박리
②, ③, ④, ⑤는 임신 전반기 출혈 합병증에 해당한다.

제2장 | 분만

41. 정답 | ④

조기파막

; 난막이 분만개시 전에 파열되는 것

- 분만1기말, 2기초에 양수가 파열(=파수)되면서 아기가 잘 나올 수 있게 한다.
- 미리 파수가 된 경우에는 태아를 보호하는 양수가 파수에 의해 밖으로 흘러나오면 태아의 머리 주위에 양수가 빠져 위험해지므로, 양수가 많이 흐르지 않도록 들것으로 눕혀 옮긴다.
- 양막파열은 ① 분만이 임박했음을 알려주는 징후 → ② 파막 후 선진부 하강이 없으면 제대탈출 가능성 증가 → ③ 파막 후 24시간 이상 분만 지연되면 자궁 내 감염 위험성 증가

42. 정답 | ④

조기파막

; 재태기간과는 관계없이 분만이 시작되기 전에 양막이 파열되는 것

- 임신 37주 전에 양막이 파열될 때를 만삭전 조기파막이라 한다.
- 38주된 임산부의 파막이므로 파열부위를 재봉인할 필요가 없이 분만을 진행하면 되는 상황으로 24시간 지연의 경우 감염의 위험이 있다.
- ① 빈뇨는 임신 초기의 증상으로 방광이 자궁의 압박을 받아 빈뇨가 발생된다.
- ②, ⑤ 임신 36주 자궁저부가 가장 높이 올라와서 검상돌기에 이르게 되고 그 이후 태아의 머리가 골반강 쪽으로 내려온 후 태동이 감소되는데 이것을 태아하강감이라 한다.
- ③ 임신부의 체중은 임신초기 입덧으로 인해 감소될 수 있으나 임신부의 실제적인 체중 증가가 오는 시기는 임신 4개월부터이다.

43. 정답 | ③ 기출

이슬

- 이슬: 소량의 피가 섞인 점액으로 경관을 막고 있던 점액과 경부가 개대될 때 피가 섞여 나오는 것
- 24시간 내에 분만이 시작
- ① 태반은 모체와 태아사이의 물질교환이 일어나는 장소로 영양공급, 가스교환, 노폐물 배출의 기능을 담당하고, 분만3기에 배출된다.
- ② 오로는 산욕 중 자궁 및 질에서 배출되는 분비물로 알카리성의 독특한 냄새를 풍긴다.
- ④ 난막은 자궁 내에서 태아를 싸는 막으로 탈락막, 융모막, 양막 등이 있다.
- ⑤ 혈뇨는 소변으로 비정상적인 양의 적혈구가 섞여 배설되는 것을 말한다. 육안적 혈뇨와 현미경적 혈뇨로 구분된다.

44. 정답 | ②

분만의 전구증상

; 태아 하강감, 가진통, 이슬, 태동감 감소, 빈뇨, 체중감소, 양막의 자연파열

- 자연파막 후 대부분 산모들은 21시간 이내 분만하나 그렇지 못한 경우 자궁내감염으로 진행될 위험이 크다.
- ① 배림은 분만 2기 아두의 머리가 들어갔다 나왔다 하는 것을 말한다.
- ③, ④ 자궁경부개대는 분만 1기, 배림은 분만 2기, 파수는 분만 1기말~2기초
- ⑤ 자궁경부소실은 분만 1기, 자궁수축은 분만 전에도, 분만 시에도 나타날 수 있다. 자궁출혈은 원인에 따라 다르다.

45. 정답 | ③

분만 1기

- 분만 1기는 자궁 문이 열리고 아기가 나오는 시기이므로 분만 2기에 복압을 줘야 한다.
- ① 관장을 실시하여 산도오염방지와 자궁수축작용을 촉진한다.

② 방광팽만 시 아두의 하강을 방해하고 자궁수축에 영향주므로 배뇨를 2시간 간격으로 할 것
④ 활력징후을 측정하고 칫솔로 구강간호 실시
⑤ 소화 잘 되고 빨리 흡수되고 구토를 예방하는 유동식 섭취

46. 정답 | ⑤ 기출

분만 1기

- 자궁태반 관류를 촉진하기 위해 태아곤란증을 예방하기 위해 임부의 체위를 측위로 취해준다.
① 배뇨는 충분히 하도록 한다. 소변 정체 시에 비뇨기 감염을 일으킬 수 있고 태아 하강이 지연될 수 있다.
② 분만통증으로 땀이 젖어 있을 경우 체온이 떨어 질수 있으므로 갈아입히도록 한다.
③ 자궁수축을 위한 자궁저부 마사지는 태아만출 후 자궁수축을 위한 처치이다.
④ 분만1기 안정 시에 불편감을 완화하고 태아순환과 태아곤란증을 예방하기 위한 호흡법을 가르친다.

47. 정답 | ② 기출

분만 1기

- 분만초기에 관장하여 배변하게 함으로써 산두의 오염을 방지하고 자궁 수축작용을 촉진하도록 한다. 단, 진행이 많이 된 사람은 관장을 하지 않도록 한다.

48. 정답 | ⑤ 기출

진진통

- 가진통은 분만이 시작되기 전에 발생하는 통증으로 일종의 준비운동과정인 반면, 진진통은 출산이 임박했음을 알리는 신호와도 같다.
- 진진통은 허리부분에서 시작하여 복부로 방사되나 가진통은 주로 복부에 통증부위가 국한된다.
① 자궁경부의 개대와 소실에 변화가 없는 경우는 가진통이다.
② 통증의 주기가 짧아지면서 통증의 강도가 커지고 지속시간이 길어지는 경우는 진진통이다.

③ 통증의 간격이 불규칙하는 경우는 가진통이다.
④ 걸어다니면 통증이 없어지는 경우는 가진통이다.

49. 정답 | ⑤

분만 1기

가 : 산모가 편한 자세를 취하고 분만 시에는 자주 자세를 바꾸는 것이 좋다. 태아의 심박동이 감소될 때 왼쪽으로 돌아눕게 하여 하대정맥과 하행 대동맥에 가해지는 압박을 감소시킨다.
나 : 호흡의 억제는 성문폐쇄가 나타나 태반으로 가는 산소공급이 감소되어 저산소증을 초래하므로 수축 후에는 심호흡을 하도록 한다.
다 : 자궁수축과 수축 사이에 태아의 심음을 측정한다.
라 : 분만 2기 동안 자궁수축빈도, 강도 및 지속기간을 사정하고 자궁수축(진통 시) 계속적으로 지지해준다.
마 : 태아심음은 수축과 수축 사이 태아의 등이나 어깨가 위치한 모체의 복부에서 청취한다.

50. 정답 | ② 기출

분만 2기

- 분만의 과정은 분만 1~4기로 구분한다. 단계 과정 중 분만2기(태아 만출기)는 태아만출단계로 자궁경관이 10 cm 완전 개대된 후부터 태아 만출이 끝날 때까지를 말한다.
① 분만 1기(개구기): 규칙적인 자궁수축부터 경관이 완전개대(10~11 cm)될 때 까지를 말한다.
③ 분만 3기(태반 만출기): 태반과 탈락막의 분리 및 기타 부속물이 배출되는 시기를 말한다.
④ 분만 4기(회복기): 분만 후 출혈이 중지되고 회복되는 기간을 말한다.
⑤ 산욕기: 임신과 분만에 의하여 생긴 변화가 임신 전의 상태로 복귀되는 기간으로 6~8주간이다.

51. 정답 | ②

분만 2기(태아 만출기)

; 자궁경관이 10 cm~태아 만출이 끝날 때까지

① 분만 3기: 태아 만출 이후 태반 만출까지
③ 분만 1기: 완전 개대(10 cm)까지
④ 분만 4기: 태반 만출 이후 분만 첫 1~2시간
⑤ 분만 1기: 진진통(규칙적인 자궁수축)의 시작에서 자궁경관이 완전개대

② 방광팽만은 선진부의 하강을 방해하고 방광무력증과 손상 우려로 방광비우고 선진부가 직장을 압박할 때 배변감으로 착각할 수 있으므로 관장을 한다.
③ 내진으로 자궁개대 여부를 확인하고 완전 개대 시 분만실로 옮긴다.
④ 분만 2기 진통이 시작되면 복압을 주도록 격려한다.

52. 정답 | ① 기출

회음부 간호

- 회음절개술: 분만 2기에 아두의 진출이 시작되면 질 입구와 항문 사이인 회음부를 가위로 절개하는 것
- 분만 후 절개부위의 감염을 막기 위한 간호 실시

53. 정답 | ①

회음절개술

- 회음절개술은 아두가 3~4 cm 보일 때 회음부 보호를 위해 하므로 분만2기에 실시
② 분만2기가 단축
③ 아기가 나오는 길이 넓어지므로 신생아의 뇌손상을 방지한다.
④ 항문까지 열상되는 것을 방지한다.
⑤ 불규칙한 열상보다는 깨끗한 절개가 되므로 회복이 용이하다.

54. 정답 | ④

분만실로 옮기는 시간

- 초산부: 경관 완전개대(10 cm)나 회음부가 팽륜되기 시작할 때
- 경산부: 경관이 7~8 cm 개대될 때 옮긴다.

55. 정답 | ⑤

분만실로 옮기는 시간

- 초산부는 경관 완전개대(10 cm)나 회음부가 팽륜되기 시작할 때 분만실로 옮긴다.
① 진통과 진통 사이 태아심음을 청취하여 태아의 건강 상태를 확인한다.

56. 정답 | ③ 기출

분만 3기

- 분만과정: 자궁경관이 열리는 개구기(1기)부터 태아 만출기(2기), 태반 만출기(3기), 회복기(4기)로 나누고, 임신과 분만에 의해 생긴 변화가 임신 전의 상태로 복귀되는 기간(6~8주간)을 산욕기라고 한다.

57. 정답 | ③

분만 3기

- 태아 만출 이후 태반 만출까지이므로, 태반박리 후 혈액이 분출되어 출혈이 일어나는데 자궁저부의 강한 수축으로 정상적인 출혈이 있지만 자궁이완, 자궁강 내에 남아 있는 태반조직은 산후 출혈을 일으키므로 출혈을 주의깊게 사정해야 한다.

58. 정답 | ③

분만 4기(회복기)

- 모유는 산후 2~3일에 분비되므로 나중에 확인할 것
① 분만직후 출혈로 인한 합병증이 발생할 수 있으므로 혈압하강과 맥박상승 확인
② 회음절개부위의 출혈도 산후출혈의 원인이 될 수 있으므로 관찰
④ 자궁 수축 잘 되면 지혈이 잘 되므로 사정할 것
⑤ 분만 직후~3일까지는 적색오로이므로 양과 색깔을 관찰할 것

59. 정답 | ②

좌욕

- 좌욕으로 회음부 세척하면 된다.
① 끓여서 식힌 따뜻한 물(대야 채 끓임)을 사용하여 15~20분 정도 좌욕
③ 물의 온도는 약 38 ℃~41 ℃
④ 생식기 부분이므로 환자의 프라이버시를 지켜준다.
⑤ 좌욕 후에는 소독패드를 대거나 회음 열을 쬐게 한다.

60. 정답 | ④

분만직후 산모 사정

- 수축기압이 100 mmHg 이하, 맥박 100/분 이상시 출혈과 쇼크를 의심한다.
①, ② 분만 직후는 출혈예방, 방광팽만예방, 안위와 청결유지, 수분과 영양공급유지, 모아 애착 증진 시키는 것이 중요하다.
③ 자궁 수축되지 않으면 자연적인 혈관결찰이 안 되어 출혈의 원인이 되므로 자궁저부 수축 여부를 확인한다.
⑤ 분만 직후에는 출혈에 대한 것을 관찰해야 하고, 산후통은 자궁이 원래대로 되돌아오려는 작용으로 정상적이고 자궁 저부 마사지하고 조기이상하며 심하면 진통제를 투여한다.

61. 정답 | ①

분만 4기(회복기)

- 분만 4기의 일차적인 잠재적 요소는 출혈
- 출혈로 인한 쇼크 시 우선적으로 하지를 올리고 의사에게 보고한다.
② 출혈로 인한 쇼크이므로 응급처치가 먼저이다.
③ 출혈량에 따라 헤모글로빈 체크 후 의사의 처방에 따른다.
④ 자궁저부를 부드럽게 마사지 하는 것도 좋다.
⑤ 쇼크 시 소화기능이 떨어지므로 금식 후 정맥으로 수액 공급할 것

제3장 | 산욕

62. 정답 | ②

산욕기 간호

- 산욕기 감염 위험 있으므로 질 세척은 하지 말 것
① 부부관계는 전신적인 회복에 따라 다르지만 6~8주 후 마지막 신체검진으로 회복을 확인한 후 신체적, 정서적, 환경적 준비가 완료된 후 시작한다.
③ 상처회복을 촉진시키고 열량증가를 위해 고단백, 비타민 C, 식이섬유, 충분한 수분과 고열량식이를 제공한다. 혈액의 점도가 높아지는 산욕기에 기름진 음식은 좋지 않다. 또한 미역에는 과산화지질의 생성을 억제하고 혈류를 개선하는 성분이 있다.
④ 다량의 출혈은 위험한 증상일수 있으므로 즉시 보고한다.
⑤ 신체 조직이 회복되는 것을 돕기 위해 휴식을 취하고 서서히 활동량을 증가한다.

63. 정답 | ⑤

산욕기 간호

- 좌욕: 혈액순환 촉진시켜 상처치유와 오로를 깨끗이 씻어 냄새를 감소하게 한다.
① 자궁은 초산부가 자궁저부가 견고하고 자궁근 긴장도 증가로 회복이 잘 된다.
② 수유부는 젖을 먹일 때 자궁수축이 촉진되므로 산욕 기간이 짧다.
③ 산후통은 경산부가, 수유부가 심하다.
④ 산욕기 오로는 3일까지는 적색, 10일까지는 갈색, 1~3주까지는 백색

64. 정답 | ②

산욕기 오로

- 오로: 분만 후 자궁내막이 치유되면서 나오는 분비물
- 분만 직후~3일: 적색 오로, 4~10일: 갈색 오로, 10일~3주: 백색 오로
① 산후에 조기 이상은 오로배출과 자궁 치유촉진을 도

와준다.
③ 회음부 간호에는 좌욕, 열 요법, 케겔 운동이 있다.
④ 냄새가 난다는 것은 감염을 의미한다.
⑤ 산후통은 경산부가 초산부보다 더 심하다.

65. 정답 | ③

슬흉위

; 무릎을 꿇은 자세에서 대퇴와 다리는 직각이고 머리와 가슴은 바닥에 닿은 자세
• 산후 자궁후굴예방, 생리통 완화
① 측위: 옆으로 누워 있는 자세
② 절석위: 배횡와위 자세에서 다리를 발걸이에 올려 고정시키는 자세, 부인과 진찰 시
④ 앙와위: 누워 있는 자세로 유방과 복부 평가
⑤ 배횡와위: 누운 자세에서 다리를 세운 자세, 복부 진찰 시

66. 정답 | ①

산후유방관리

• 비누를 사용하면 유륜 피부를 건조시키므로 비누 사용 금지
② 수유 전 온찜질, 수유 후 냉찜질이 도움이 될 수 있음
③ 유두균열: 24~48시간 동안 수유를 금할 것
④ 3~4분씩 유방에 찬물찜질 후 더운물찜질을 하면 유즙분비가 잘됨
⑤ 상처가 나을 때까지 3시간마다 규칙적으로 젖을 짜내 분비가 중단되지 않게 함

67. 정답 | ②

산후유방관리

가: 초유는 태변을 빨리 배출시키고 풍부한 단백질과 뇌 발달에 영향을 주는 물질로 신생아에게 꼭 먹여야 하며, 대략 2~3시간마다 규칙적으로 수유한다.
나: 수유 후 남은 젖은 모두 짜서 유방을 비운다. 젖을 짜내지 않고 그대로 두면 유즙분비가 정지되기도 한다.
다: 충분한 수분(3000 cc 이상)과 영양섭취를 못한 경우 모유생산을 하지 못하며 임신 중 영양상태가 모유 수

유를 결정하는 중요한 요소가 된다.
라: 수면과 휴식을 적절히 취한다.
마: 산후 배란과 월경은 수유 여부에 따라 크게 영향을 받는다. 출산 후 첫 월경은 무 배란인 경우가 많으며, 수유부의 경우 10주 이전에는 보통 배란이 없지만 그 후 월경이 있을 수 있다. 비수유부는 빠르면 분만 후 27일에도 배란이 가능하다.

68. 정답 | ⑤ 기출

유방울혈

• 수유부의 울혈된 유방은 자주 모유수유를 하도록 격려하도록 하고, 2~4시간마다 유륜을 짜거나 유축기를 사용하여 비워주도록 한다.
① 유즙을 짜내지 않으면 모유의 양이 줄어들거나 유방울혈이 심해져 유방염이 생길 수 있으므로 2~4시간마다 유즙을 짜주도록 한다.
② 유두를 비누로 씻으면 유두의 피지가 과도하게 제거되어 유두균열이 나타날 수 있다.
③ 유방을 탄력붕대로 단단하게 감아주면 모유의 양이 줄어들어 모유수유가 어렵게 된다.
④ 자주 모유수유를 격려하면 유방울혈이 완화되어 수유가 가능하고 설명한다.

69. 정답 | ② 기출

유방울혈

• 모유수유를 결정한 산모에게 울혈된 유방은 자주 수유하도록 하여 모유생성이 촉진되도록 하는 간호가 중요하다.
• 대게 분만 2~3일 후에 나타나며, 자주 모유수유를 하도록 격려하는 것이 중요하다.
• 2~4시간마다 손으로 유륜을 짜주든가 유방 펌프로 짜주어 감염된 유방을 비워주면 울혈이 완화되고 모유생성은 원활해진다.
① 유두를 비누로 닦아주면 유두 피지가 과도하게 제거되면 건조해져서 유두균열이 일어나기 쉬우므로 물과 깨끗한 수건으로 닦는 것이 좋다.
③ 유방을 너무 자극하거나 마찰하지 말고 약간의 유두 자극을 하여 산모용 브래지어로 받쳐 주면 편하다.

④ 3~4분 정도씩 유방에 찬물찜질 후 더운물 찜질을 하면 유즙 분비가 잘 된다.

⑤ 찬 물수건으로 찜질한 후 젖은 상태로 두면 체온을 빼앗길 수 있다.

70. 정답 | ①

유방울혈

- 수유를 중단하면 유즙분비도 중단된다.
- 계속 수유하려고 하면 젖을 짜내야 새로운 젖이 생산된다.
② 만일 젖을 주지 못한 경우 짜낸다.
③ 유륜을 짜주던가, 유방펌프로 짜주고 아기에게 빨린다.
④ 3~4분씩 유방에 찬물 찜질 후 더운물 찜질하면 유즙 분비가 잘 된다.
⑤ 산모용 브래지어로 적절하게 지지해준다.

71. 정답 | ①

유두균열

가 : 24~48시간 동안은 수유를 금할 것, 유두통증이 심하면 유두보호덮개를 사용한다.

나 : 마셀린이 섞인 비타민 A 연고를 발라주면 상처에 좋다.

나 : 수유하는 산모는 깨끗한 물로 유두를 청결하게 하되 비누, 알코올을 사용하는 것을 피해야 한다.

라 : 상처가 나을 때까지 3시간마다 규칙적으로 손이나 유축기로 짜내야 젖 분비가 중단되지 않는다.

마 : 유두는 건조 시 균열이 잘생기므로 비누로 씻지 않고 수유 전후 미지근한 물로 씻는다.

72. 정답 | ⑤

산후출혈

- 자궁출혈이 심할 경우 제일 먼저 하지를 올리고(트렌델렌버그 = 쇼크체위 = 골반고위) 의사에게 보고한다.
① 의사에게 보고 후 지시에 따라 자궁의 긴장도를 촉진하는 자궁수축제를 투여한다.

② 먼저 하지를 올리고 의사에게 보고한다.
③ 유도분만이 아니라 태반조직의 잔류가 원인일 경우 소파술로 자궁잔여물을 제거한다.
④ 더운물 주머니는 출혈을 촉진하므로 금할 것

73. 정답 | ② 기출

산후출혈

- 산후출혈은 산욕기 사망 원인 중 가장 높은 비율을 차지한다.
 - 원발성 산후출혈 : 태반만출 후 24시간 내에 일어나는 산도에서의 출혈
 - 속발성 산후출혈 : 산후 24시간 이후부터 산후 28일까지 일어나는 출혈
- 산후의 자궁저부의 위치와 자궁저의 단단한 정도가 중요한데, 잘 수축된 자궁저는 단단하고, 자궁저가 부드럽고 물렁물렁할 때는 자궁이 제 위치에 있다하더라도 수축이 제대로 일어나지 않는 것이므로 출혈이 일어날 수 있다.
① 산후출혈 시 가장 먼저 처치해야 할 사항은 일단 하지를 올려주고(트랜델렌버그 체위, 골반고위) 간호사나 의사에게 보고해야 한다.
③ 지혈될 때까지 안정을 취하는 것이 좋다.
④ 혈관수축을 위해 자궁저부에 얼음주머니를 적용한다.
⑤ 수술이 요구되거나, 의식저하시의 기도유지를 위해 구강으로 물이나 음료수를 주는 것은 위험하다.

74. 정답 | ⑤

산후출혈

가 : 출혈 시 자궁저부에 얼음주머니를 대주어 지혈을 돕는다.

나 : 자궁 이완 시 간호사는 즉시 의사에게 도움을 요청하고 자궁저부 마사지를 시작한다.

다 : 자궁출혈의 가장 흔한 원인은 자궁이완, 생식기 열상, 태반조직의 잔류이다.

라 : 분만3기 태반이 박리된 부위에서 혈액이 흐르는데 정상출혈은 200~300 cc이다. 산후출혈은 산욕기 사망 원인 중 가장 높은 비율을 차지하며 500 cc 이상 출혈

마: 조기산후출혈의 대부분은 자궁무력증, 산도의 열상이 주원인이고 후기 산후출혈은 태반부위의 퇴축부전, 태반 조직 잔류, 감염이다

75. 정답 | ③
산후감염

• 체온상승은 대부분 산욕기 감염의 중요한 지표이다.
• 산후 첫 24시간은 분만으로 인한 탈수로 38 ℃ 정도까지 상승 → 24시간 이후부터 10일 이내에 2일간 계속해서 38 ℃ 이상인 경우 → 감염 의심 → 간호사에게 보고
① 산후 일주일 정도 자주 아랫배가 아픈 증상으로 자궁이 수축됨에 따라 그 속에든 불필요한 물질을 내보내고 원위치로 돌아오려는 작용으로 정상적이다.
② 유방 종창은 유방의 림프와 혈액의 팽창으로 유즙분비가 왕성하게 되어 나타나는 증상으로 젖을 비우면 되는 것으로 정상적이다.
④ 산욕기 오로는 자궁내의 잔여 분비물이 나오는 것으로 정상이다.
⑤ 산욕기 우울은 호르몬의 변화, 신체적인 변화로 겪는 것으로 대개 산후 4~5일경 없어진다.

76. 정답 | ④ 기출
산후감염

• 파울러스씨 체위: 자궁의 오로와 질 분비물 배출을 촉진시키기 위해서 반좌위 자세를 취해준다.

77. 정답 | ④
산후감염

• 분만 후 첫 24시간을 제외한 산후 10일 이내 2일간 계속하여 38 ℃ 이상의 체온상승이 있을 때 감염을 의미
①, ③ 출혈이 심할 때 혈액이 부족하여 쇼크가 오면 혈압은 하강하고 체온은 떨어지고 맥박과 호흡은 약하고 빨라진다.
② 탈수 시 혈압이 하강한다.
⑤ 분만 24시간 이내 체온상승은 정상이나 분만 3일째이므로 체온상승은 비정상적인 산욕기 반응이다.

78. 정답 | ⑤
모성사망의 원인

• 임신과 분만으로 인한 사망이므로 임신 중 흔한 불편감, 임신과 상관없이 걸릴 수 있는 질병은 제외할 것
• 모성사망 원인: 임신중독증, 산후출혈, 산후감염 등이 주로 많고 자궁외임신 시 자궁밖에 착상한 수정난이 파열 시 출혈로 인해 사망할 수 있으므로 모성사망의 원인이 될 수 있다.
① 결핵은 임신과 관련이 없고 호흡기로 감염되는 질환
② 유방종창, 정맥류는 임신으로 인한 불편감
③ 임신으로 인한 임신성 당뇨가 있지만 조절 가능
④ 생리적 빈혈은 임신으로 인한 증상

CHAPTER
09   아동간호

제1장 | 아동 발달단계별 간호보조

01. 정답 | ②
영유아의 성장과 발달

가: 두부(머리쪽)→ 미부(아래쪽)로 발달한다.

나: 계속적, 순서적, 진행적으로 일정한 방향성을 갖고 일어난다.

다: 일반적 (단순함) → 구체적(복잡함), 중심부(근위, 몸통, 팔 등) → 말초(원위, 손가락 등) 부위로 발달한다.

라: 정확한 순서가 있지만 같은 비율이나 속도로 진행되지 않고 개별적, 결정적 시기가 있다.

마: 일반적 운동 → 특수운동(손 전체 → 손가락)으로 손가락 근육보다 팔 전체 근육이 먼저 발달한다.

02. 정답 | ①
영유아의 성장과 발달

• 생후 6개월이면 혼자 앉을 수 있다.

② 흉위: 전후 지름보다 좌우 지름이 커진다(생후 1년이면 두위와 흉위가 비슷).

③ 체중이 12개월: 출생시 3배(체중 → 영아의 건강상태 및 신체발달 상태의 지표).

④ 생후 3개월: 16시간, 6개월: 12시간 정도 잔다.

⑤ 2~3개월: 옹알이, 7~9개월: 다른 사람에게 이야기 한다. 10~12개월: 다른 사람 말을 따라 한다.

03. 정답 | ② 기출
영유아의 성장과 발달

• 영아기 대근육 발달은 목 가누기(생후 약 3개월) → 뒤집기(생후 약 4개월) → 도움 없이 앉기(생후 약 6개월) → 기기(생후 7-9개월) → 걷기(생후 7개월 붙잡고 서기 → 10개월 혼자 서기 → 12개월 혼자서 걷기 시작) 순서로 발달

04. 정답 | ③
대천문

• 천문은 두개골이 연결되는 곳의 부드러운 막성 부위를 말한다.

  – 소천문(시상봉합과 인자봉합사이, 삼각형): 6~8주(2개월)에 닫힘

  – 대천문(시상봉합과 관상봉합 사이, 마름모꼴): 12~18개월 후 닫힘

• 천문이 부풀어 오른 것은 두개내압 상승을 의미, 들어간 것은 탈수를 의미

05. 정답 | ⑤

영유아의 성장과 발달

- 목가누기: 생후 약 2~3개월
- 뒤집기: 생후 약 4개월 정도
- 앉기: 생후 6개월 정도
- 기기: 7~9개월 정도
- 잡기: 8~9개월 정도
- 걷기: 10개월 정도

06. 정답 | ③ 기출

영유아의 성장과 발달

- 일정한 시간에 배변을 보도록 교육한다.
① 유아의 대소변 훈련과정은 전적으로 유아의 발달 상태가 준비되어 있을 때 하는 것이 바람직하다.
② 배변 시기는 아동이 소변을 참고 어머니의 말에 협조할 수 있는 시기로 발달과정에는 개인차가 있으므로 시기가 동일하지 않다.
④, ⑤ 배변의사를 보여 변기에 앉더라도 아이가 싫어하거나 5분 안에 변을 보지 않으면 재촉하거나 오랫동안 앉아 있게 하지 말고 다음에 다시 시도해보는 것이 좋다.

07. 정답 | ③

영유아의 성장과 발달

나: 대변훈련은 18개월, 소변훈련은 24개월까지 완성시키는 것이 효과적
라: 항문과 괄약근은 18~24개월에 수의적으로 조절, 대변가리기 훈련 먼저 시작
마: 벌이나 강압으로 하는 경우 유아에게 수치심과 열등감을 줄 수 있으므로 배설을 조절할 수 있고, 유아가 앉고 걸을 수 있을 때 훈련을 시작
가: 대소변 가리기 훈련은 신체적·정서적 준비가 되었을 때 시작
다: 밤에 소변가리기는 4~5세가 되어야 가능

08. 정답 | ⑤ 기출

에릭슨의 심리사회적 발달

- 에릭슨은 심리사회적 측면에서 인간의 발달이 이루어진다고 설명하였다. 사회적 환경과 상호작용하며 8단계의 발달단계를 거친다.
  - 1단계(영아기): 신뢰 대 불신 단계로 유아가 세상에 대한 신뢰 관계를 수립하는 시기
  - 2단계(유아기): 자율성 대 수치 단계로 자신의 의지와 통제력 발달
  - 3단계(학령전기): 주도성 대 죄의식 단계로 주도적으로 자신의 삶에 관여함으로써 목표감과 가치를 추구
  - 4단계(학동기): 인지적, 사회적 기술을 연마하여 역량감을 키우는 근면성 대 열등감 단계
  - 5단계(청소년기): 다양한 실험을 통해 자신의 위치를 파악하는 자아 정체감 대 역할 혼미의 단계
  - 6단계(성인기): 친밀한 대인 관계를 형성하는 친밀감 대 고립감 단계
  - 7단계(중년기): 다음 세대를 위해 생산을 하고 희생을 하는 생산성 대 자기 침체의 단계
  - 8단계(노인기): 자신의 인생을 평가하고 삶이 의미 있었음을 인식하는 자아 통합 대 절망의 단계

09. 정답 | ② 기출

에릭슨의 심리사회적 발달

- 에릭슨은 프로이드의 심리성적발달의 기본개념을 받아들이면서 인생의 8단계 동안 자아에게 미치는 심리사회적 영향을 강조하였다.
① 영아기는 신뢰감을 형성되는 시기로 인격형성을 위해 가장 초기에 이루어져야 할 요소라고 설명하였다.
③ 학령전기는 자발성(주도성)을 형성되는 시기로 사회화가 활발히 이루어진다.
④ 학령기는 근면성을 형성해가는 시기로 학교사회를 경험하고 세상과 문화를 접하는 시기이다.
⑤ 청소년기는 이차성징이 나타나는 시기로 자아정체감을 형성하는 시기이다.

10. 정답 | ③ 기출

에릭슨의 심리사회적 발달	
영아기	신뢰감 대 불신감
유아기	자율성 대 수치감
학령 전기	자발성(주도성) 대 죄책감(죄의식)
학동기	근면성 대 열등감
청소년기	자아정체감 대 역할혼돈
성인 초기	친밀감 대 고립감
중년기	생산성 대 침체성
노년기	자아통합감 대 절망감

11. 정답 | ①

에릭슨의 심리사회적 발달

- 유아기(자율감/수치심과 의심)
② 영아기(신뢰감/불신감)
③ 학령기(근면감/열등감)
④ 학령 전기(솔선감/죄책감)
⑤ 청소년기(자아정체감/정체감혼돈)

12. 정답 | ②

에릭슨의 심리사회적 발달

- 생후 2주 내지 4주~1년 : 영아기
① 출생~4주: 신생아기
③ 1~3세: 유아기
④ 3~6세: 학령전기
⑤ 6~12세: 학령기

13. 정답 | ⑤ 기출

발달단계에서 놀이의 특성

- 4세 유아기의 놀이는 성장 발달의 전반을 자극한다. 친구들이 옆에서 놀고는 있지만 따로 장난감을 가지고 혼자 노는 시기로서, 비록 혼자 독립적인 놀이를 하는 경우가 대부분이지만 점차적으로 곁에서 놀고 있는 친구에 대해 관심을 가지게 된다. 상징적 사고를 통해 소꿉놀이나 병원놀이 등 가상놀이를 하게 된다. 가상놀이는 유아기 동안 더 빈번해지고 복잡해진다.

14. 정답 | ⑤ 기출

발달단계에서 놀이의 특성

- 친구 옆에서 장난감을 가지고 혼자서 노는 시기로서 비록 혼자 독립적인 놀이를 하는 경우가 대부분이지만 점차적으로 주변 친구에 대해 관심을 가지게 된다 (1~3세).
① 도움 없이 한발로 뛰어다니기 가능: 4세~4세 6개월
② 신발끈을 스스로 매기 가능: 3~4세
③ 가위로 도형 모양 자르기 가능, 선을 따라서 가위질 가능: 30~36개월
④ 머리 위로 공을 던져 잡기 가능: 6개월경에 공을 던지기 시작, 3세 이전에는 주로 팔의 힘만을 이용해서 던진다.

15. 정답 | ① 기출

생리적 체중감소

; 출생 후 3~4일에 신생아의 체중이 5~10%를 소실되었다가 8~9일에 회복되는 현상

- 모체로부터 공급받던 호르몬이 없어지고, 수분공급이 억제되며, 대소변이 배출되는데 비해 먹는 양이 적기 때문에 생길 수 있는 회복 가능한 현상
② 격리가 필요한 감염 증상에 해당하지 않는다.
③ ⑤ 선천적이고 유전적인 체중감소가 아니고 회복 가능한 현상이므로 지켜볼 수 있다.
④ 신생아는 생후 수분섭취가 적고, 수분상실이 있고, 수분대사가 많기 때문에 체중감소가 발생하나 8~9일 후 회복 가능하다.

16. 정답 | ⑤ 기출

신생아 반사운동

- 신생아는 자극에 대해 본능적인 반사운동을 보인다. 이런 반사가 제대로 나타나지 않는 경우에는 신경계 손상을 의심해 볼 수 있다.
- 긴장목 반사: 긴장성반사로 생후 2~3주부터 나타나 점차 소실되어 4~5개월 후에 없어진다.
① 모로 반사: 조용한 상태에서 자극을 주면 손바닥과 손가락을 펴 포옹하는 자세

② 빨기 반사: 무엇에나 입술이 닿게 되면 빠는 동작
③ 움켜잡기 반사: 파악반사로 손안에 어떤 물체라도 놓아주면 꼭 쥐었다가 놓는 반사
④ 바빈스키 반사: 발바닥의 외면을 발꿈치에서 발가락으로 자극하면 발가락을 폈다가 다시 오므리는 반사

17. 정답 | ④

Apgar score (아프가 점수)

- 신생아의 자궁외 생활에 대한 최초의 적응을 사정하기 위해 출생 1분, 5분에 심박동수, 호흡노력, 자극에 대한 반응, 근력, 피부색을 평가하여 점수를 내는 방법
  - 0~3점: 심한 곤란
  - 4~6점: 중등도의 곤란
  - 7~10점: 양호함을 의미

18. 정답 | ④

신생아 간호

- 기도유지가 가장 중요: 먼저 머리 낮추고 고개를 옆으로 하여 분비물 배액 촉진한다.

19. 정답 | ①

신생아 간호

- 신생아는 자궁 내와 비슷한 굴곡자세로 손은 주먹을 쥐고 있다.
② 모로반사는 중추신경계 상태를 표시할 수 있는 중요한 지표이다.
③, ⑤ 뇌손상의 심각성과 특정 병리에 따라 다양한 증상이 나타난다.
④ 신경학적 검사에서 날카로운 울음은 두개내 손상을 의미한다.

20. 정답 | ④ 기출

태변

- 태변은 출생 후 처음 보는 변으로 끈적끈적하고 냄새가 없으며 암록색이나 암갈색이고 생후 8~24시간 후 배출된다.

21. 정답 | ⑤

수정체 후부 섬유증식증(미숙아 망막증)

; 실명의 원인 → 산소 과잉공급 막으면 예방이 가능하다.
① 보육기내의 산소과잉으로 온다(적당한 산소농도: 30~40%).
② 청소: 매일(소독수)
③ 습도: 55~65%
④ 온도: 30~32.2 ℃

22. 정답 | ⑤ 기출

신생아 임균성 안염 예방

- 자연분만으로 출생한 신생아의 경우 산도를 지나면서 임균에 노출될 수 있으므로 임균성 안염을 예방하기 위해 1% 질산은(AgNO3), 1~2방울 또는 1% 테트라사이클린을 사용한다.

23. 정답 | ⑤

아구창

- 분만 산도를 통해 감염되거나 오염된 손, 젖병, 젖꼭지 등에 감염된다. 구강과 기저귀 부위가 국한된다.
- 칸디다 알비칸스에 의해 발생한다.
- 니스타틴을 경구투여한다.
① 아구창: 1% 겐티안 바이올렛을 하루 1~2회 도포
② 선천성 기형: 토순, 구개파열, 무항문, 난쟁이, 소두증 등
③ 모로반사: 자극주면 발바닥은 안쪽으로 발가락이 닿고 손바닥과 손가락은 활짝 펴며, 팔은 포옹하는 자세가 된다. 생후 1주일에서 시작하여 6개월 이후 소실되고 출생 시 뇌손상, 두개내 이상, 쇄골골절 시 반사는 없다.
④ 두개출혈, 두혈종, 안면신경마비, 쇄골골절: 난산으로 인한 분만 손상

24. 정답 | ②

태아적아구증

산모와 신생아간의 혈액형 RH 인자의 부적합에 의한 항원 항체의 결과로 나타난다.

- 부 RH (+), 모 RH (−), 태아 RH (+)인 경우

25. 정답 | ③

ABO 부적합에 의한 용혈성 빈혈

- ABO 부적합증은 산모의 혈액형이 O형이고, 아기가 A형 또는 B형일 때, 첫 분 만에서 발생가능
- 심한 경우: 즉시 제대정맥을 통해 교환수혈
- 태아적아구증(Rh 부적합): 어머니가 (Rh−) 음성이고 영아가 (Rh+) 양성인 경우 발생

26. 정답 | ①

신생아 간호 시 보고상황

가: 24시간 이내의 황달은 혈성 질환, 감염, 대사장애로 병리적 핵황달임 → 보고

다: 24시간 이내에 제대출혈 → 보고

나: 3~4일까지 체중의 5~10% 감소는 정상적 과정

라: 모체 에스트로겐 감소 결과로 질분비물 (가성월경) 2~4주에 사라지는 정상 반응

마: 태변은 출생 후 처음보는 변, 끈적끈적 냄새가 없으며 암록색, 암갈색, 붉은변은 출혈을 의미

- 호흡 시 흉곽함몰은 비정상이므로 보고

27. 정답 | ④ 기출

황달 환아의 간호

- 신생아 황달은 신생아기에 혈중 빌리루빈의 증가로 황달을 나타내는 질환을 총칭한다.
- 신생아 황달 치료를 위해 인큐베이터 안에 형광요법/광선요법으로 빌리루빈이 많이 흡수하는 파장의 광선을 쪼여서 빌리루빈을 변형시켜 간의 대사를 거치지 않고 위장관과 콩팥으로 배설하도록 하는 치료이다.
- ① 구강으로 수분을 보충해주고, 광선으로 피부증발로 탈수 증상을 관찰하도록 한다.

②, ④ 옷을 벗기고 광선을 온몸에 골고루 쪼이기 위해 체위변경을 하되 생식기 부위는 가려준다.

③ 수유 시에는 광선요법을 중단하고 수유한다.

⑤ 빛과 열로 인한 눈의 손상 방지를 위해 눈가리개를 하여 보호해준다.

28. 정답 | ③

생리적 황달

- 생리적 황달에 대한 치료는 필요 없으며, 저체중아나 미숙아인 경우는 형광요법 실시
- ①, ④ 수명이 다한 적혈구의 결과물인 빌리루빈을 제때 처리하지 못해 생긴다(간기능의 미숙과 효소의 활성 부족: 빌리루빈 처리 미숙).
- ⑤ 24시간 내에 나타나는 황달은 핵황달이라 하여 위험 → 의사에게 보고

29. 정답 | ④

형광(광선)요법

가: 탈수를 방지하기 위해 수분을 공급하고 오한이 나지 않도록 온도를 조절한다.

나: 모든 신체 표면이 빛에 노출되도록 매 2시간마다 체위를 변경

다: 목욕은 시킬 수 있고 보육기에서 꺼내 수유시킨다.

라: 망막보호를 위해 안대를 착용한다.

마: 윤활용 기름이나 로션은 피부를 태우므로 금지한다.

30. 정답 | ④ 기출

신생아 목욕

- 신생아 목욕 시에 체온이 급격히 떨어질 수 있으므로 가능한 5~10분 안에 목욕을 마치며 물기를 잘 닦아야 한다.
- ① 목욕 시 얼굴을 씻기고 아기 목뒤, 왼손과 왼쪽 전박으로 견고하게 잡고 놀라지 않도록 다리부터 통속으로 천천히 넣어서 물을 끼얹는다.
- ② 신생아 목욕은 자극성 있는 비누보다 미지근한 물로 씻어 주는 것이 좋고, 피부가 연약하므로 얼굴은 비누를 쓰지 않는 것이 좋다.

③ 미숙아는 체온유지가 중요한 간호이다. 미숙아는 체온조절중추가 미숙하며 피부 밑 지방조직이 결여되고 피부 표피가 매우 얇기 때문에 체온을 보존하기 힘들기 때문에 통목욕은 삼간다.

⑤ 신생아 목욕물의 온도는 체온보다 높은 온도로 40~42 ℃가 적당하다.

31. 정답 | ⑤

신생아 목욕

- 기저귀 발진 예방을 위해 생식기, 엉덩이, 항문 주위는 청결, 건조를 유지한다.

① 목욕시간은 5~10분 정도이고 매일 같은 시간, 수유 전 실시(수유 직후는 피함)

② 태지는 일부러 제거하지 않는다.

③ 목욕물의 온도는 팔꿈치를 담궈서 확인한다(40 ℃ 전후).

④ 목욕 순서는 머리에서 발 방향으로 한다.

32. 정답 | ⑤

신생아 제대 간호

- 제대는 소독된 제대사로 묶고 소독가위로 절단하고 70% 알코올로 소독
- 제대를 깨끗하고 건조하게 유지: 홍반, 악취, 농성 분비물(감염 증상)과 출혈 잘 관찰
- 제대는 10~14일 이내에 건조 탈락

33. 정답 | ④ 기출

초유의 특징

- 모유는 분비되는 시기에 따라 초유와 성숙유로 구분된다. 모유수유로 유두가 자극되어 자궁 수축이 잘되어 산욕기가 단축되고 모체의 건강 회복을 빠르게 한다.

① 초유는 끈적끈적하고 비중이 무거우며 색깔은 성숙유보다 색깔이 진하며 황색이다.

② 모유는 성숙유보다 탄수화물과 지방 및 열량은 더 적다.

③ 모유는 성숙유보다 단백질과 무기질, 비타민A가 더 많다.

⑤ 초유는 분만 후 2~3일 동안에만 분비된다.

34. 정답 | ⑤

모유와 우유의 성분 비교

- 모유에 많은 것: 당분과 비타민
- 우유에 많은 것: 단백질과 무기질

① 열량은 같다.

② 수분량은 같다.

③ 우유에 비해 적절한 양의 비타민 A와 당질이 함유되어 있어 적합하다.

④ 모유에는 세균과 바이러스의 번식을 억제하는 장의 점막상피세포의 성숙에 중요한 항체가 함유되어 있어 소화가 잘된다.

35. 정답 | ②

모유의 장점

가, 나: 우유에 비해 당질과 비타민 A가 함유되어 있어 영양적으로 적합하다.

다: 모유는 소화가 잘되며 구토, 설사, 변비, 알러지의 가능성이 적다.

라, 마: 단백질과 무기질은 우유에 많다.

36. 정답 | ④

모유수유의 금기

- 간 기능 미숙으로 빌리루빈을 처리하지 못해 신생아 55~70%에서 나타나는 생리적 황달은 생후 2~3일경 나타났다가 약 7일 후에 없어지므로 특별한 치료가 필요 없으나 미숙아나 저체중아는 광선요법을 실시한다. 이때 수유 시에는 광선요법을 중단하고 실시한다.

① 만성빈혈 시 혈액이 부족하므로 금할 것

② 아기측 원인으로 구개파열이나 토순, 조산아 또는 심한허약아, 구내염, 혀의 이상 모유에 대한 알러지 체질이 있는 경우 금할 것

③ 모체가 만성질환 시(심한당뇨, 폐결핵, 신장염, 심한 빈혈, 영양장애) 금할 것

⑤ 모체의 원인 중 유선염, 급성간염, 산욕기 염증, 정신질환, 패혈증, 산모의 약물중독이 있을 시에는 금할 것

37. 정답 | ④

신생아실 온도

; 24 ℃, 습도: 50~60%

38. 정답 | ④ 기출

미숙아 간호

- 조산아(미숙아)는 출생체중에 관계없이 임신 37주 미만에 출생한 신생아를 말한다.
- 미숙은 영아사망률의 중요한 원인이 된다.
- 미숙아로 출생한 신생아가 정상아와 다르게 보이는 신체적 특징이 있다.

① 조산아는 피하지방이 적거나 없어 피부에 주름이 많고 피부 밑으로 정맥이 비쳐 보인다.

② 조산아는 솜털이 많은 것이 특징이다.

③ 조산아는 손바닥과 발바닥에 주름이 적은 것이 특징이다.

⑤ 남아의 경우 음낭 발달이 미약하고 고환이 하강이 안 된 것이 특징이다.

39. 정답 | ①

미숙아 간호

- 체중 잴 때는 보육기 안에 넣은 채 재도록 하고 생후 24~72시간은 금식

40. 정답 | ③ 기출

미숙아 간호

- 미숙아란 출생체중에 관계없이 임신 37주 미만에 출생한 신생아
- 신생아는 자극에 대해 본능적인 반사운동을 보이는데 반사가 제대로 나타나지 않은 경우에는 신경계 손

상을 의심할 수 있다.

- 32주 이하의 미숙아는 연하반사가 미숙하고 수유 중 쉽게 지칠 수 있으며 흡인성 폐렴의 위험이 있으므로 가능한 위관 영양을 실시하도록 한다.

① 미숙아는 위장 기능이 미숙하여 장 괴사가 쉽게 올수 있으므로 갑자기 우유 농도를 높이는 것은 바람직하지 않다.

② 신생아 황달로 인해 광선 요법을 실시할 경우는 옷을 벗긴 채 신체 표면이 빛에 노출되도록 자주 체위변경을 하되 신생아를 보호하기 위해 눈을 불투명 안대를 해주고 기저귀를 채워주도록 한다.

④ 보육기 내 고농도 산소를 장기간 투여할 시에 수정체 후부 섬유 증식증(미숙아 망막증)이 발생할 수 있다.

⑤ 보육기와 신생아 집중치료실의 실내 온도는 22~26 ℃가 적당하며, 보육기 내의 온도는 30~32 ℃를 유지한다.

41. 정답 | ③ 기출

미숙아 간호

- 미숙아에게 체온유지는 생명보존을 위한 3대 간호 중 하나로 체온조절중추가 미숙하고 피부표피가 매우 얇아 체온을 보존하기 어려워 미리 보온해 두면 체온유지가 된다. 체온의 저하는 산소 소모량을 증가시켜 미숙아 상태를 악화시킬 수 있다.

① 보육기 안의 미숙아 간호 시 되도록 문을 최소한으로 열고 미숙아를 만지는 횟수를 적게 하여 조심해서 다루어야 하므로 보육기 안에서 측정한다.

② 보육이 안의 습도는 대체로 55~65%가 적당하고 복사 가열기를 사용하는 경유 불감성 수분상실량이 증가할 수 있으므로 충분한 수분공급을 고려한다.

④ 신생아 피부 온도 감지기와 공기온도감지기를 이용한 온도 자동조절 보육기가 있다. 신생아의 체온을 계속 관찰하기 위해 체온 감지기를 부착할 때 앙와위인 경우는 검상돌기와 제대의 중간 부위 목부에 부착하고, 복위인 경우는 신장 부위에 부착한다. 방사선 가온기 감지기 부착 시 신생아의 몸 아래 쪽에 붙게 되면 고온으로 잘못 판독의 위험이 있다.

⑤ 보육기의 문을 최소한으로 열어 보육기의 온도를 유지하도록 한다.

무엇이든 집어넣으며 먹을 수 없는 물건을 삼키므로
발생).

42. 정답 | ④

신생아 구토

- 입안의 내용물과 기도내의 점액을 제거하는 것이 중요
- 아이를 엎어(복위) 머리가 몸통보다 아래로 가도록 등
  을 두드려 이물질이 나오도록 한 후 도움을 요청

43. 정답 | ⑤ 기출

이유식

- 소화상태, 대변의 상태, 알러지 여부를 파악하기 위해
  4~7일 정도의 간격을 두고 1가지씩 소량씩 주다가 점
  차 양을 늘리도록 한다.
① 일반적으로 가장 좋은 이유 시기는 생후 6~12개월
  이다. 4개월 곡물을 시작으로 야채 → 과일 → 고기
  순으로 먹인다.
② 젖꼭지 구멍이 클수록 양이 많이 나오고, 기도흡인 될
  수 있으므로 발달과정에 맞추어 크기를 늘리도록
  한다.
③ 양을 점차 늘려가기 위해 우유, 모유를 먹이기 전에
  이유식을 먼저 제공한다.
④ 한 가지 내료로 차근차근 시작하도록 한다. 미각자극
  으로 뇌발달 촉진, 맛의 즐거움을 이해하도록 한다.

44. 정답 | ③

이유식

- 이유식은 싫어하는 것을 억지로 먹이지 말고, 처음 주
  는 음식은 적은 양부터 점차 늘린다.
① 한 번에 한 가지 음식만 2~7일간 주어 알레르기 반응
  이 나타나는지 살펴본다.
② 4시간 간격으로 이유식을 먼저주고 나중에 젖을
  준다.

45. 정답 | ⑤

이물질 흡인

- 이물질 흡인은 6세 이하 아동의 사고사의 주원인이므
  로 영아에게 이물질 흡인은 특히나 위협적이다(입에

46. 정답 | ① 기출

신생아 출생 후 예방접종 순서

; B형간염 → 결핵 → DTaP, 소아마비, b형 헤모피루스
인플루엔자, 폐렴구균 → MMR, 수두 → HPV, A형간
염 → 일본뇌염
- B형간염은 출생~1개월 이내 접종하는 백신이다.
② MMR의 기본접종은 12~15개월에 / 추가 접종은
  4~6세
③ DTaP의 기본접종 2.4.6개월에 / 추가접종 15~
  18개월
④ 수두는 MMR 접종시기와 동일
⑤ 폴리오는 DTaP 접종시기와 동일, 혼합백신으로 접종
  가능

제2장 | 환아의 간호보조

47. 정답 | ①

고열 환아의 간호

; 30~50% 알코올을 사용하여 얼굴을 제외하고 마사지
실시
② 얼음물이 아닌 체온보다 2 ℃ 정도 낮은 미온수로
  15~20분 닦아준다.
③ 옷을 적게 입히거나 벗기고 창을 위 아래로 열어 환기
  를 시킨다.
④ 미온수나 얼음을 대주고 급격한 체온하강을 예방하기
  위해 발은 따뜻하게 유지한다.
⑤ 탈수 증상을 체크하고 수분을 경구적, 비경구적으로
  충분히 공급한다.

48. 정답 | ②

기관지 천식 환아의 간호

- 기관지 수축, 기관지 과민반응을 특징으로 하는 만성 폐쇄성 기도질환
- 호흡곤란 시: 반좌위(=파울러식위) → 상체를 올려주는 자세
① 천식은 호기성 천명음, 만성기침, 호흡곤란 증상을 보이므로 지속적인 관찰과 평가 필요
③ 호흡곤란 시 산소투여, 아동에게 휴식의 기회를 제공
④ 알레르기원을 피할 수 있도록 한다(음식, 환경, 날씨, 의복 등).
⑤ 규칙적인 생활, 균형 잡힌 영양, 휴식, 아동과 가족(천식 자기관리 교육)에 대한 지지가 필요

49. 정답 | ③

기저귀발진 환아의 간호

- 가장 중요: 청결과 건조(기저귀를 자주 교체, 공기노출, 물을 이용하여 씻어줌)
- 영아에게 가장 흔한 급성·염증성 피부질환. 9~12개월에 호발
가 : 향료가 섞인 비누나 수건은 자극을 줄 수 있으므로 물로 씻어준다.
다 : 피부 보호를 위해 보호연고나 크림 zinc oxide (산화아연)이나 바셀린을 발라준다.

50. 정답 | ①

백혈병 환아의 간호

- 소아기 암 중 가장 빈도가 높은 혈액 생산조직의 암, 2~6세에 가장 많다.
- 가장 중요(합병증 예방): 감염예방(특수 무균 환경)
- 장갑, 마스크, 가운 착용, 환아 접촉 전후에 손 씻기 등

51. 정답 | ④

분노발작 환아의 간호

- 분노발작: 주의를 끌려는 행동으로 유아기에 특징적

으로 나타나는 정상적인 양상
- 정상적인 양상, 가장 좋은 방법은 아동의 행동을 무시하고 일관된 태도 유지
② 소리를 지르고, 발로 차고, 물건을 던지고 몸을 상하게 하며 숨을 멈추기도 한다.

52. 정답 | ③

발작 환아의 간호

- 혀를 깨물고 기도가 막히는 것을 방지하기 위해 치열 사이에 설압자를 물려준다.
① 발작 시에는 환아가 상처받지 않도록 안전한 환경을 제공한다. → 외상 방지가 중요
② 의복 끈, 허리띠, 단추를 풀어 눕힌다.
④ 자극을 주지 않는다.
⑤ 어둡고 조용하게 유지한다.

53. 정답 | ④ 기출

분리불안 환아의 간호

- 유아가 의존 대상으로부터의 분리 시에 발생하는 분리불안은 발달과정 중에 나타날 수 있는 정상적인 것이지만 너무 강하게 나타나는 경우도 있다.
① 퇴행은 유아기에 나타날 수 있는 특성으로 스트레스 상황에 대처 시에 발생할 수 있다.
② 일반적으로 유아는 타인과의 관계에서 거절증을 나타낸다.
③ 주의산만함은 아동기에 많이 나타나는 장애로 개인차가 있으나 과다한 경우에는 상담검사를 통해 주의력 결핍 과잉행동장애를 진단할 수 있다.
⑤ 분노발작은 아이가 무엇인가 불만이 있거나 불안을 나타내는 현상으로, 관심을 끌기 위한 것으로 잘 관찰한다.

54. 정답 | ①

분리불안 환아의 간호

- 분리불안: 학령전기 아동들은 부모와의 격리, 낯선 사람들, 바뀐 일상생활, 공포 등으로 분리의 스트레스를 이기는 힘이 결여된다.

- 양육자와 떨어질 때 일어나고 6~30개월된 유아에게 가장 큰 스트레스이다.

55. 정답 | ② 기출
설사 환아 간호

- 탈수: 아동의 흔한 건강문제로 어떤 원인으로 체내수분이 상실되어 혈관내액, 간질액, 세포내액 등의 감소가 일어난 상태
- 주요 원인: 수분섭취부족과 발열·설사·구토 등에 의한 체액 상실. 아이가 탈수상태로 되면 기면상태가 되고 창백해지며 점막이 거칠어지고 체중이 줄어든다.
① 탈수가 되면 체온이 상승하게 되어 피부가 붉고 건조해 진다.
③ 탈수가 되면 빠르고 약한 호흡이 된다.
④ 탈수가 되면 피부긴장감이 적어 근육의 탄력성이 약해진다.
⑤ 탈수가 되면 빠르고 약한 맥박이 된다.

56. 정답 | ④
설사 환아의 간호

- 설사의 주요 합병증은 탈수와 전해질 불균형이므로 우선적으로 수분과 전해질을 공급
- 고당, 고지방은 중단, 과일, 채소 섭취는 설사를 유발하므로 피할 것
- 설사 시 탈수상태가 되어 위험: 비경구적 수액요법 실시
- 설사 심하면 금식하고 증상 호전 시 맑은 액체로 식이 시작

57. 정답 | ⑤ 기출
사구체신염 환아의 간호

- 사구체신염은 신장의 사구체 여과를 방해하는 염증성 질환
- 가장 흔한 원인: 인두나 편도의 선행감염이므로 상기도 감염 환자와 접촉 금지
① 식욕부진의 증상이 있을 수 있고, 적은 양을 자주 식

사를 제공하여 영양을 증진시켜 질병을 견딜 수 있도록 한다.
② 염분을 많이 섭취하면 갈증으로 인해 물을 많이 섭취하여 부종과 혈압 상승이 유발되므로 염분 섭취를 제한하여 부종을 감소시키는 치료효과를 높인다.
③ 필요이상의 단백질 섭취는 노폐물이 몸 안에 많이 축척되게 되고, 신장에 부담을 주게 한다.
④ 신장기능장애로 소변량이 감소하고 체중의 증가와 부종이 나타날 수 있어 하지부종을 예방하기 위해 심장보다 높게 올려준다.

58. 정답 | ①
사구체신염 환아의 간호

- 신장 내 사구체의 갑작스런 감염으로 체중과 혈압조절을 위해 소변배설량에 따라 수분섭취를 제한
② 발열, 상기도 감염, 기타 감염성 질환에 이환되어 있는 환자의 병실에는 입원이 안 된다.
③ 매 2~4시간마다 소변비중을 측정한다.
④ 혈압을 자주 체크하고 매 2~4시간마다 섭취량과 배설량을 측정, 그리고 매일 체중을 측정한다.
⑤ 혈압조절과 부종을 경감시키기 위해 염분, 칼륨, 수분을 제한

59. 정답 | ③
신경성 식욕부진 환아의 간호

- 의도적으로 먹기를 거부, 심각한 체중 감소를 나타내는 정신 식이장애
- 정신적 사고의 왜곡 교정, 자존감과 자기 가치감 증진, 개인 심리치료 중요
① 항우울제나 선택적으로 세로토닌 재흡수 억제제는 효과적이었다.
② 상호작용 유형의 장애를 교정하기 위한 가족치료가 포함된다.
④ 부드럽고, 교육적이지만 단호한 태도로 임해야 한다 (행동수정요법).
⑤ 감정과 욕구를 보다 직접적으로 표현할 수 있도록 허용한다.

60. 정답 | ③ 기출

열경련 환자의 간호

- 일반적으로 고열 시에 경련이 일어나는데, 경련 시 발작한 시작이나 양상들을 잘 관찰하고 일단 혀가 기도 뒤로 말려들어 기도를 막을 수 있으므로 손수건이나 거즈로 말아둔 압설자 등으로 혀를 눌러 기도를 유지하는 것이 가장 우선적이다.
① 관장은 경련을 자극하여 악화시킬 수 있다.
② 열성경련을 예방하기 위해 체온이 38 ℃ 이상이면 미온수 목욕을 실시한다. 얼음을 목욕은 열성경련을 악화시킬 수 있다.
④ 30~50% 알코올로 치료적 목욕 혹은 마사지를 통해 열을 떨어뜨린다.
⑤ 경련을 자극하지 않도록 병실을 어둡고 조용하게 해준다.

61. 정답 | ①

중이염 환아의 간호

- 인두와 중이가 중이관을 통해 연결되어 있어 중이염에 걸릴 수 있다.
- 아동은 성인에 비해 이관이 넓고, 짧으며, 곧고 수평으로 위치하기 때문에 이물질이 쉽게 통과하고, 체액 방어기전의 미숙으로 감염 가능성이 증가한다.

62. 정답 | ⑤

파상풍 환아의 간호

- 가정분만 시 제대 절단용 가위를 소독하지 않고 사용했을 경우 발생 가능성이 높은 질환
- 경련 방지를 위해 어둡고 조용한 환경을 제공하여 자극을 최소화

63. 정답 | ③

풍진 환아의 간호

- 12~15개월에 혼합 접종 실시(MMR → 홍역, 볼거리, 풍진)
① 풍진 바이러스, 3일 후 열이 떨어지고 발진이 소실, 피

부낙설이 생긴다.
② 임산 3개월 내에 감염되면 태반을 통해 태아기형을 유발한다.
④ 얼굴 → 상지, 몸통, 다리 → 24시간 안에 전신에 나타난다.
⑤ 직접 접촉, 간접 접촉(비인두 분비물, 혈액, 대소변)

64. 정답 | ④ 기출

화상 환아의 간호

- 얼굴과 가슴부위의 화상은 기도부종과 호흡근육손상 위험으로 호흡곤란의 징후를 잘 살피는 것이 가장 중요한 간호
① 수포는 터뜨리지 말아야 하며 화상 부위의 수포나 조직손상부위를 제거해서는 안 된다.
② 화상 부위를 멸균된 천으로 덮어서 상처를 보호하도록 한다.
③ 화상부위에 연고나 오일은 열의 방출을 막기 때문에 화상부위에 바르지 않도록 한다.
⑤ 화상 부위에 달라붙은 의복은 억지로 떼어 내지 말고 얼음보다는 흐르는 물을 사용하는 것이 좋다.

65. 정답 | ① 기출

홍역

- 호흡기 바이러스 질환
- 증상이 전구기(카타르기), 발진기, 회복기로 나뉘어 진행되는 질환
- 전구기(카타르기)는 전염력이 가장 강한 시기로 발열, 기침, 결막염, 구강점막에 모래알크기의 반점이 나타나는 코플릭반점(Koplik's spot)이 특징적인 증상

66. 정답 | ① 기출

홍역

- 호흡기 바이러스 질환
- 증상이 전구기(카타르기), 발진기, 회복기로 나뉘어 진행되는 질환
- 전구기(카타르기)는 전염력이 가장 강한 시기로 발열, 기침, 결막염, 구강점막에 모래알크기의 반점이 나타

나는 코플릭반점(Koplik's spot)이 특징적인 증상

67. 정답 | ③

홍역 환아의 간호

나: 비말감염되는 바이러스질환, 발진 후 5일까지 호흡기 격리(마스크를 착용)

라: 발진 5일째까지 격리 → 직사광선 피하고 색안경 착용, 미지근한 생리식염수로 눈 세척

마: 피부간호 → 미온수 목욕, 중조수, 전분수, 황산마그네슘

가: 발진순서: 귀뒤 → 얼굴 → 목 → 팔 → 몸통 순이다.

다: 발진 4일 전~5일 후까지 감염 → 감염 후 3일 내 감마 글로불린을 투여하면 발병을 피할 수 있다.

– Koplick(코플릭) 반점: 발진 2일 전 관찰, 구강 점막 가운데 흰색, 불규칙한 홍색 반점

68. 정답 | ④

환아의 경구투약 방법

• 약을 거부할 경우 싫어하는 것을 강제로 먹이지 말고 시기를 기다린다.

① 투약 후 항상 칭찬을 해주고 가능한 어린이 스스로 삼키도록 도와준다.

② 영유아는 점적기로 주는 것이 좋다.

③ 반드시 상체를 상승시켜 먹이고 토하면 다시 처방을 받아 먹인다.

⑤ 쓴 약은 과즙이나 꿀물에 섞어 먹인다.

69. 정답 | ④ 기출

아동학대 환아의 간호

• 아동학대: 아동의 건강 또는 복지를 해치거나 정상발달을 저해할 수 있는 신체적·정신적·성적 폭력이나 가혹행위를 하는 것과 아동의 보호자가 아동을 유기하거나 방임하는 것

① 아동을 시설에 버리는 행위는 아동학대의 유형 중에 유기에 해당하며, 이는 스스로 독립할 수 없는 아동을 격리·방치하는 것을 의미한다.

② 아동을 성적으로 추행하는 행위는 아동의 성적 폭력이나 가혹행위를 뜻하는 성적학대에 해당한다.

③ 아동에게 언어폭력을 가하는 행위는 정신적 폭력이나 가혹행위를 뜻하는 정서적(심리적)학대에 해당한다.

⑤ 아동을 불결한 환경에 방치하는 행위는 아동학대 유형 중에 방임에 해당한다.

CHAPTER 10 노인간호

제1장 | 노인문제

01. 정답 | ①

우리나라 노인인구의 특성

- 우리나라는 이농현상으로 도시보다 농촌 지역의 노령화가 가속화 현상을 나타내고 있어 의료기관이 도시에 집중되어 있어 농촌 노인인구가 양질의 건강관리를 제공받는 데 어려움이 따른다.
② 독신 가구가 많아 여자노인이 사회적인 문제가 된다.
③ 남자노인의 유배우자율이 여자노인보다 약 3배 가량 높다(여자노인 수명이 높음).
④ 노인인구의 성비는 연령이 높아질수록 낮아져 여자 노인의 과다현상을 나타내고 있다.
⑤ 여자노인의 평균수명은 82.7년으로 남자노인(76.1년)보다 6.6년이 더 길었다.

02. 정답 | ②

고령화 현상

- 우리나라는 2000년에 7.2%로 이미 고령화 사회로 진입하였다.
④ 고령사회: 14.2% → 2017년 8월 → 고령 사회
⑤ 초고령사회: 20% 이상 → 2026년으로 예상

03. 정답 | ⑤

고령화 지수

- 고령화지수는 인구 구성의 고령화를 나타내는 지표로 유년인구에 대한 노인인구의 비율을 나타내므로 고령화 지수의 증가는 노년인구의 증가를 의미한다.

04. 정답 | ③

부양비

나: 노년부양비 $= \dfrac{65\text{세 이상 인구}}{15 \cdot 64\text{세 인구}} \times 100$

[생산가능인구(15~64세) 100명이 부양해야 할 노년인구의 수를 의미]

라: 부양비 $= \dfrac{\text{비생산 인구}\ (0\sim14\text{세 유년 + 65세 이상 노인})}{\text{생산가능인구}(15\sim64\text{세})} \times 100$

마: 총부양비 = 유년부양비 + 노년부양비
가: 총부양비가 높을수록 경제발전이 용이하지 않다.
다: 분자는 65세의 인구수이다.

05. 정답 | ②

고령화 지수

- 고령화 지수: 인구 구성의 고령화를 나타내는 지표로 유년인구에 대한 노인인구의 비율을 말한다.

$$\text{고령화 지수} = \frac{\text{65세 이상 인구}}{\text{0~14세 인구}} \times 100$$

06. 정답 | ①

노년부양비

- 노인복지법 및 국민기초생활보장법: 65세 이상인 자를 노인으로 규정
- 노년부양비: 생산력이 있는 인구 대비 부양을 받아야 하는 노인 인구의 비율을 말한다.
- 노년부양비 $= \dfrac{\text{65세 이상 인구}}{\text{15~64세 인구}} \times 100$

07. 정답 | ③ 기출

노인성 질환

- 노인성 질환은 원인과 증상에 따라 복합적인 문제이다. 질환의 원인이 명확하지 않아 치료가 어렵고, 만성질환이 대부분이어서 지속적인 관리가 필요하다.
① 노인성 질환은 원인이 명확하지 않고 다양하며, 동시에 여러 가지 질병을 보유하고 있다.
② 노인성 질환은 질환의 경과가 길고 재발률도 높다.
④ 노인성 질환은 특정 질병에 수반되는 증상이 없거나 비전형적인 경우가 많다.
⑤ 질병의 경과가 길어지고 재발되기 쉽고 노화와 함께 진행되므로 완치를 목표로 두고 있지 않고 예방과 재활간호가 필요하다.

08. 정답 | ③

우리나라 노인문제의 특징

- 연령이 높을수록 간병 서비스, 목욕 서비스, 식사 제공, 이야기 상대의 욕구가 높아진다.
① 만성적이고 퇴행적이다.
② 만성 퇴행성 질환이라는 특성상 장기간의 관리가 필요하다.
④ 만성질환 증가로 의료 이용률은 증가되었으나 의료비 부담능력은 낮다.
⑤ 다른 연령층에 비하여 상대적으로 질병에 이환될 확률이 높다.

제2장 | 노인 복지

09. 정답 | ③

노인복지정책

- 노인의 질병은 급성질환보다 만성질환이 2배 많으므로 만성질환 증가에 따른 정책이 필요하다.
- 노인복지정책의 목표: 국민적 최저 수준의 생활유지, 사회적 통합, 개인의 성장 욕구 충족
①, ②, ④, ⑤ 2008년 7월 1일부터 실시되고 있는 노인장기요양보험제도를 통해 정부는 노인 의료비 사용의 효율성 제고와 요양보호사 등 사회적 일자리 확대, 고령친화사업 및 지역경제 활성화를 가져오게 되었고, 가정 및 대상 노인은 삶의 질 향상과 가족 부양 부담 경감 등의 효과를 꾀할 수 있게 되었다.

10. 정답 | ②

노인보건의 중요성

- 정년퇴직이나 실직 등으로 정규적인 수입원이 단절될 경우 노후 생활에 경제적 보장이 필요하다.
- 노인보건의 목적: 당뇨병, 고혈압, 뇌졸중, 치매와 같은 만성 퇴행성 노인성 질환의 예방관리 및 합병증을 예방하는 것
① 노령화에 따른 만성퇴행성 질환 등으로 장기요양과 관련된 보건문제가 심화된다.
③ 만성 퇴행성 질환으로 인하여 노인의료비가 해마다 증가하고 있다.
④ 노인인구 증가로 인한 노년부양비의 급증으로 사회적 부담이 증가된다.
⑤ 연령이 증가할수록 유병률이 증가하고 있다.

11. 정답 | ⑤

노인요양공동생활가정

- 공동노인요양보호서비스: 그룹홈(노인의료복지시설에 속함)
- 재가노인복지시설: 정신적·신체적인 이유로 일상생활을 수행하기 곤란한 수급자에게 필요한 각종 서비스

를 제공함으로써 노인의 안정된 노후생활을 영위할 수 있도록 함과 동시에 노인부양으로 인한 가족의 부담을 덜어주기 위한 시설이다.

① 방문요양서비스: 1일 중 일정기간 동안 가정을 방문하여 서비스

② 방문목욕서비스: 목욕장비를 갖추고 가정에서 목욕 서비스

③ 주·야간보호서비스: 주간, 야간 동안의 보호 서비스

④ 재가노인지원서비스: 상담, 교육, 정서지원 등 서비스

12. 정답 | ①

노인주거복지시설

• 양로시설: 노인을 입소시켜 급식과 그 밖의 일상생활에 필요한 편의를 제공함을 목적으로 하는 시설

② 노인요양시설: 치매·중풍 등 노인성 질환 등으로 심신에 상당한 장애가 발생하여 도움을 필요로 하는 노인을 입소시켜 급식·요양과 그 밖의 일상생활을 제공함을 목적으로 하는 시설

③ 노인전문병원: 주로 노인을 대상으로 의료를 행하는 시설

④ 소규모요양시설: 치매·중풍 등 노인성 질병으로 수발을 필요로 하는 노인에게 입소보호 및 재가보호 서비스를 제공하는 복합시설로, 탈시설화 이념을 바탕으로 지역사회에 설치하여 가족, 지역사회, 국가가 노인부양을 분담하는 시설

⑤ 노인요양공동생활가정: 치매·중풍 등 노인성 질환 등으로 심신에 상당한 장애가 발생하여 도움을 필요로 하는 노인에게 가정과 같은 주거 여건과 급식·요양과 그 밖의 일상생활에 필요한 편의를 제공. 타인들과 공동생활을 통해 치매 노인들의 문제행동, 행동장애 완화를 목적으로 하는 시설

제3장 | 노인환자 간호

13. 정답 | ⑤

노인의 환경간호

• 욕실바닥의 물과 타일을 잘 닦아내고 낙상방지를 위해 미끄럼방지 매트를 설치한다.

① 팔걸이가 있는 딱딱한 의자는 앉거나 일어설 때 충분히 지지해 줄 수 있으나 낮고 푹 들어가는 쿠션 소재 의자는 노인들이 사용하기에는 어렵다.

② 노인들이 쉽게 인식하는 데 도움이 되는 실내에 주로 사용된 색과 대비되는 색으로 문, 계단, 공간 변화의 경계선을 표시한다.

③ 낮은 실내온도는 저체온증을 유발할 수 있으므로 24℃ 정도 유지한다.

④ 눈의 피로와 눈부심을 방지하기 위해 간접조명을 제공하고, 야간조명은 밤에 지남력 유지와 충분한 시야를 제공하므로 소등은 안 되고 조도를 낮추어 사용한다.

14. 정답 | ⑤

노화현상 – 눈의 변화

가: 눈선의 기능 이상, 점액 부족 등으로 안검 구조의 이상이 발생하고, 안구돌출로 인해 안구 표면에 골고루 퍼지지 못함에 따라 안구건조증이 발생한다.

나: 수정체의 황색화 및 불투명이 발생하고 탄력이 감소한다.

다: 동공크기가 감소하고 수축력 감소, 눈으로 들어오는 빛의 양이 제한된다.

라: 전방으로부터 눈방수(안구방수) 흐름의 비정상화로 인해 안구내 압력이 증가한다.

마: 시야의 크기가 제한되고 깊이의 지각에 변화를 일으킨다.

15. 정답 | ④ 기출

노화현상 – 신체 변화

• 혈관내 표면을 따라 칼슘과 지방의 침착이 증가하여

동맥 협착이 생기고, 혈관의 탄력성이 감소하고 조직의 요구에 따른 동맥의 팽창 능력이 감소되어 말초혈관저항이 있다.

① 나이의 증가와 함께 뼈 광물질의 소실과 골격량의 감소로 골다공증의 발생 빈도가 높다.

② 폐조직이 섬유조직으로 대체됨에 따라 폐가 강직되어 폐활량이 점차적으로 줄어든다.

③ 심박출량은 노화에 따라 심근의 강도와 효율성이 감소됨에 따라 감소한다.

⑤ 나이의 증가와 함께 기초대사량이 감소한다.

16. 정답 | ② 기출

노화현상 – 신체 변화

• 노화될수록 폐조직이 섬유조직으로 대체됨에 따라 폐가 강직되어 폐활량이 점차적으로 줄어든다.

① 노화로 이해 폐섬유증으로 산소의 확산이 감소되어 산소분압이 떨어지고 호흡조절에 있어 민첩성이 감소되어 운동을 하거나 산소요구도가 증가된다.

③ 노화에 따라 뼈 광물질의 소실과 골격량의 감소에 의해 중년기 이후 골다공증 발생빈도가 높다.

④ 혈관의 탄력성이 감소하고 확장된 상태로 늘어져 있어 정맥류의 발생 빈도가 증가하고, 조직의 요구에 따른 동맥의 팽창 능력이 감소되어 말초혈관과 저항이 있을 때 약간의 혈압 증가가 있다.

⑤ 심박출량은 노화에 따라 심근의 강도와 효율성이 감소됨에 따라 감소한다.

17. 정답 | ④

노화현상 – 신체 변화

가: 신 혈류량 감소, 회음근, 방광과 요도 근육 탄력성 감소로 요실금, 빈뇨, 야뇨 발생

나: 땀샘과 피지선의 분비가 저하되어 피부가 건조, 피부반점, 주름살, 피부소양증 등

다: 호흡근 약화, 흉곽의 신장성 감소, 방어능력 감소 등으로 감염에 취약

라: 뉴런(신경원)감소로 감각운동기능, 기억력, 인지기능 등이 감퇴, 사고발생 증가(화상)

마: 맛봉우리(미뢰) 감소로 식욕에 변화가 온다.

18. 정답 | ⑤ 기출

변비 예방

• 변비의 원인: 활동부족과 잘못된 식습관 → 식이섬유 섭취

①, ④ 변비 예방을 하기 위해서는 수분섭취를 늘리고 규칙적인 식습관을 갖는다.

② 노인 연령증가에 따라 활동이 저하되어 변비가 생기기 쉽다.

③ 과식과 금식을 반복하거나 금식이 잦으면 원활한 장운동을 유지하는데 나쁜 영향을 미치므로 규칙적인 식습관을 갖는다.

19. 정답 | ⑤

노인의 피부간호

• 뉴런(신경원)감소로 통증감각이 둔화되므로 뜨거운 물보다는 따뜻한 물 사용

② 전신 목욕은 주 1회(젊은 층보다 피부가 건조하므로 목욕횟수를 줄임)

③ 목욕 직후 습윤제를 발라 습기를 유지할 것

20. 정답 | ②

노인의 피부간호

• 피부가 건조하므로 매일 통목욕은 금한다.

① 피부가 건조하므로 습윤제를 바른다(로션, 크림, 오일 등).

③ 맑은 공기를 유지하기 위해 간접적으로 환기시킨다.

④ 고음감지장애 난청이 있으므로 주위소음을 줄인다.

⑤ 골다공증 예방을 위해 충분한 칼슘을 섭취한다(1,500mg/일).

21. 정답 | ②

욕창

• 욕창: 뼈 돌출된 피부 → 지속적인 압력 → 혈액순환장애 → 조직손상(발적, 피부 벗겨짐, 궤양 등)

• 체위를 자주 변경하여(1~2시간마다) 더 진행되는 것을 방지해야 한다.

① 마사지는 이미 있는 연조직의 손상을 악화시키므로 금지한다.

③ 욕창부위를 압박하면 순환장애로 더 악화될 수 있다.

④ 정맥충혈과 부종을 야기하여 욕창 위험을 높이므로 사용하지 않는다.

⑤ 부동환자 대퇴 대전자가 직접 닿지 않도록 30°로 비스듬히 측위를 취하게 한다.

22. 정답 | ⑤

여성노인의 질염

- 폐경이 되면 난소의 여성호르몬(에스트로겐) 생산 중지로 질벽이 얇아지고 탄력성 상실, 질분비물 감소로 질의 건조, 질염(헤모필루스질염)이 생긴다.

  : 여성호르몬, 연고, 질정 사용

23. 정답 | ② 기출

노인환자의 등 마사지

- 등 마사지는 체온을 뺏길 수 있으므로 15~20분이 넘지 않도록 하는 것이 중요하다.

① 자세는 복위가 가장 좋지만, 이 체위가 어려우면 측위도 가능하다.

③ 경찰법, 유날법, 지압법, 경타법을 반복하며 마사지한다.

④ 염증이나 악성종양 세포가 주위조직으로 퍼질 염려가 있을 때 마사지를 해서는 안 된다.

⑤ 뼈가 돌출된 부위나 천골부위가 붉게 변할 경우 조직 손상을 막기 위해 마사지를 중지해야 한다.

24. 정답 | ① 기출

노인환자의 등 마사지

- 등 마사지 자세는 복위를 취한다.

② 긴장을 이완시키고 체온유지를 위해 미리 따뜻하게 하여 차가움을 느끼지 않도록 한다.

③ 알코올 제제는 피부를 건조하게 하는 경향이 있으므로 노인, 탈수, 영양부족한 대상자, 건조한 피부에는 피한다.

④ 혈전성 정맥염, 심근경색증, 고혈압환자는 혈전이 떨어져 혈관의 흐름을 방해할 수 있으므로 장기적으로 마사지 받는 것을 피한다.

⑤ 뼈의 돌기 위를 마사지하는 것은 영양이 부족한 조직에 손상을 증가시킬 수 있으므로 피한다.

25. 정답 | ② 기출

낙상 예방

- 낙상 경험이 있는 노인에게서 다시 낙상이 발행하는 경우가 많다.

①, ④, ⑤ 환경요인을 정비하고 일상생활에서 예방할 수 있다.

③ 규칙적인 운동으로 뼈와 근육을 강화시키면 낙상을 예방할 수 있다.

26. 정답 | ⑤

낙상 위험 요인

- 낙상: 노인의 기동력에 장애를 초래하고 심하면 사망에 이르게 할 수도 있다.

가: 투약은 진정, 반응시간 지연, 균형의 결함을 일으킬 수 있으므로 낙상의 위험을 증가시킨다.

→ 향정신성 약물, 항고혈압제, 저혈당제, 항우울제, 최면제, 이뇨제 등

나: 시력 감소와 깊이에 대한 지각의 변화로 유해환경을 식별하지 못하기 때문에 낙상이 올 수 있다.

다: 화장실에 빨리 갈 수 없는 노인의 요실금 및 배뇨장애는 낙상 유발 요인이다.

라: 항경련제, 정신병치료제 등에 부작용인 현기증도 낙상의 원인이 될 수 있다.

마: 75세 이상 노인의 ⅓에서 낙상경험이 있으며, 낙상 경험자 중 과반수가 다시 낙상이 발생한다.

환경적 요인: 미끄러운 마루바닥, 어두운 조명, 고정되지 않은 목욕실 깔개 등

27. 정답 | ② 기출

낙상 예방

① 낙상위험이 있는 환자나 수면 시는 반드시 침상 난간을 올려놓도록 한다.

③ 이동바퀴는 안전사고예방을 위해 늘 잠금장치를 잠근다.

④ 신체역학의 원리를 이용하기 위해 의료인은 침상을 허리 높이와 같게 하여 허리높이에서 일하도록 하고 낙상예방을 위해 위치를 낮게 한다.

⑤ 자주 쓰는 물건은 환자의 손에 잘 닿는 곳에 두도록 하여 안전사고를 예방한다.

28. 정답 | ④ 〔기출〕

낙상 예방

* 노인은 노화로 인해 시각·청각 등의 감각이 둔하고 공간 지각력, 운동감각이 떨어져 낙상사고에 취약
* 골다공증으로 인해 뼈밀도가 약해 쉽게 골절될 수 있어 보행기나 지팡이 등의 보조기구가 필요

① 옷을 입을 때 서서 입을 시에 균형 감각이 떨어지는 노인에게 안전사고가 발생할 수 있으므로 앉아서 옷을 갈아입도록 한다.

② 뒷굽이 낮고 폭이 넓으며, 미끄러지지 않는 신발을 착용하여 낙상으로 인한 안전사고를 예방하도록 한다.

③ 앉고 일어날 때 천천히 움직여 직립성 저혈압, 순환장애를 가진 노인들의 낙상사고로 인한 안전사고를 예방하도록 한다.

⑤ 실내 조명을 개선하여 낙상으로 인한 안전사고를 예방하도록 한다.

29. 정답 | ② 〔기출〕

낙상 예방

* 병실 안전사고 예방을 위해 환자 발이 걸려 낙상하지 않도록 병실 바닥의 전선을 정리한다.

① 환자 낙상예방을 위해 침대 난간을 늘 올려두도록 한다.

③ 낙상예방을 위해 침대 높이를 낮게 하되 처치 시는 침대를 처치자의 허리높이로 올리도록 한다.

④ 침대 바퀴의 잠금장치를 풀어둔다.

⑤ 야간에는 병실 내 간접 야간조명을 켜두도록 한다.

30. 정답 | ⑤

낙상 예방

* 휠체어 이동 시 가장 먼저 할 일은 낙상예방을 위해

바퀴잠금장치를 고정하는 것이다.

* 낙상: 노인의 안전사고에서 가장 흔히 발생하는 것으로, 노인의 기동력을 손상시키고 사망에 이르게 하는 중요한 건강문제이다. 낙상 예방은 신체적 기능, 독립성 및 삶의 질을 유지시키고 건강소요 비용절감의 효과가 있다.

① 침대에서 떨어지는 것을 방지하기 위해 침상난간을 항상 올려준다.

② 뼈와 근력강화를 위해 규칙적으로 운동을 한다.

③ 욕실이나 기타 필요한 곳에 손잡이를 설치하고 미끄러운 곳에 미끄럼방지 매트를 깐다.

④ 바닥의 장애물을 제거하고 미끄럽지 않도록 하며 조명을 밝게 한다.

그 외

– 정상보행이 어려울 때에는 보행기나 지팡이를 사용한다.

– 앉고 일어설 때 천천히 움직인다(체위성 저혈압 예방).

– 뒷굽이 낮고 폭이 넓으며 미끄러지지 않는 편안한 신발을 착용한다.

– 신체억제대를 사용하지 말고 그 대안이 되는 방법을 취한다.

31. 정답 | ①

노인의 수면

* 총 낮 수면시간이 길어지고 수면이 시작된 후 깨어나는 빈도가 증가하는 경향
* 노인들에게 에너지를 충전시키고 신체기능 증진을 위해 낮잠을 자는 것이 필요

②, ③, ④, ⑤ REM 수면은 일정하나 NREM 수면(3~4단계)이 짧아지므로 깊은 수면의 감소 등으로 잠들기도 어렵고, 일단 잠이 든 후에도 자주 깨므로 수면의 질이 떨어지고 숙면이 어렵다.

32. 정답 | ① 〔기출〕

노인의 수면

* 노인은 수면장애에 어려움을 호소
* 수면장애를 간호하기 위해 수면을 방해하는 성분 특히 이뇨제가 들어있는 지 확인하고, 취침 전에 소변을

볼 수 있도록 격려
② 과도한 카페인, 알코올, 담배를 제한
③ 부족한 수면을 낮잠으로 보충하게 되면 수면주기에 방해를 받으므로 낮잠을 피하도록
④ 취침 전 고강도의 운동은 수면주기에 방해를 받으므로 잠자기 전에 운동하는 것을 피한다.
⑤ 배가 고파 잠이 오지 않을 경우에는 간단한 먹거리를 제공

33. 정답 | ⑤ 기출

노인의 수면

① 낮잠을 자지 않고, 낮에 활동을 많이 할수록 대상자의 숙면에 도움이 된다.
② 대상자의 숙면에 도움이 되는 방법은 직접조명보다는 간접조명을 활용한다.
③ 잠자는 동안의 소음은 숙면에 방해가 될 수 있다.
④ 커피, 홍차, 초콜렛 등의 카페인과 알코올, 매운 음식 등과 같은 수면을 방해하는 음식을 금하도록 교육한다.

34. 정답 | ⑤

노인의 수면

가: 어둡고, 조용하고, 환기가 잘 되고, 편안한 실내온도가 유지되도록 한다.
나: 부드러운 음악, 점진적 근육이완법 등을 적용한다.
다: 취침시간이 길지 않도록 일주기 리듬을 교정한다(수면횟수, 길이, 시간 등을 사정함).
라: 낮 동안의 활동을 강화하고 낮잠을 제한한다.
마: 식사나 간식에 수면을 돕는 음식(우유, 상추, 호두, 아몬드 등)을 제공한다.
− 침실조도 낮추고(간접조명) 환경자극 최소화하여 수면을 유도한다.
− 과도한 카페인, 알코올, 담배, 수분섭취, 잠자기 3시간 전에 음식섭취를 제한한다.
− 수면시간을 일정하게 조절한다.

35. 정답 | ⑤ 기출

노인 우울증

• 자살하려는 의도를 보이면 구체적으로 단도직입적으로 묻는 것이 좋다. 구체적인 방법이나 시기 등을 구체적으로 질문하도록 한다.
① 자살 생각이 있다는 것을 알게 되면 가족이나 친지들에게 알려야 한다.
② 자살은 철저하게 혼자하는 행동으로 주변에 누군가 있다면 시도하기 어려우므로 절대 혼자두지 않는다.
③ 잘못된 생각이라고 옳고 그름을 섣부르게 판단하지 않는다.
④ 의미 있는 물건을 정리한다면 자살의 신호라 감지하고 마음을 이해하고 공감하고 경청하도록 한다.

36. 정답 | ③ 기출

노인 우울증

• 노인성 우울증과 치매를 감별하는 것은 중요
• 치매환자에서 우울증상과 유사한 증상들이 나타나는 경우가 흔하다.
• 많은 환자에서 치매와 우울장애가 동반될 수 있으며, 비록 치매가 없다 하더라도 주요 우울장애 환자들은 인지기능의 손상을 보일 수 있으며, 이를 가성치매로 부르기도 한다.
① 노인성 우울증은 신체적 질환과 동반될 가능성이 높아 진단적 평가를 철저하게 해야 하므로 진단과 치료가 쉽지 않다.
② 우울 장애는 남자보다 여자에게 더 많이 나타난다.
④ 노년기에 오는 여러 생리적 변화와 신체적 건강상태의 저하는 노인 우울의 원인이 되며, 심신기능 저하와 더불어 우울감이 증가한다.
⑤ 우울증은 노인에게 흔히 나타날 수 있는 질환이기는 하지만 정상적인 노화 과정은 아니며, 정상 노화 현상과 구별되기 어렵다.

37. 정답 | ② 기출

노인성 우울증

• 우울증은 자살의 위험성이 매우 높은 정신질환으로

우울증은 성별과 나이를 초월해 자살의 가장 큰 요인으로 꼽힌다. 우울증 환자에게 자살의 징후를 읽고 주의를 기울여야 한다.

38. 정답 | ④ 기출

노인성 치매

① 잘못된 행동이나 반복적인 질문이나 행동은 관심을 얻기 위한 행동이거나 치매 증상으로 인식하고 친절하게 말한다.
② 반복질문이나 행동을 할 경우 콩 고르기, 빨래대기 등의 단순한 일거리를 제공한다.
③ 석양증후군은 불안정하게 의심 및 우울증상을 보이는 것으로 해질녘에는 충분한 시간을 가지고 치매노인과 함께 있고 소일거리를 제공하거나 산책을 하도록 한다.
⑤ 잃어버린 물건에 대한 의심을 부정하거나 설득하지 말고 함께 찾도록 한다.

39. 정답 | ④ 기출

노인성 치매

• 치매 노인의 반복적인 질문이나 문제행동 간호: 단순하게 할 수 있는 일거리를 제공, 좋아하는 노래를 함께 부르기, 과거의 경험 이야기 나누기, 좋아하는 음식 제공 등 환기를 시킨다.
• 반복 질문이나 문제행동의 이유: 관심받기, 주변 상황 인식의 어려움으로 안전을 확인하고 싶어 하는 행동, 논리적 사고의 어려움으로 자신이 가진 의문에 답을 구하지 못했다고 생각하여 나타나는 행동일 수 있다.

40. 정답 | ④

노인성 치매환자의 약물투여

• 인지능력이 없는 치매노인의 경우는 화학 약물 및 잠재적으로 섭취할 수도 있는 것들을 안전을 위해 환자로부터 멀리 해야 하고, 노인의 약물에 대한 자기관리 능력과 지적 능력 저하를 고려하여 가족이나 간호자에게 설명해 주어 투약해야 한다.

41. 정답 | ① 기출

파킨슨 질환 환자의 간호

• 파킨슨은 점진적인 중추신경계의 퇴행성 변화로 인해 발생하는 질환으로, 원인은 불명확하나 신경전달물질인 도파민을 만들어내는 특별한 신경세포들이 파괴되는 것으로 알려져 있어 신경계증상으로 무표정, 운동완만, 근육경직, 굽은 자세, 얼어붙는 현상, 균형감각의 소실, 안정시 떨림 등의 증상이 있다. 그렇기 때문에 안전사고 예방 간호가 중요한 부분을 차지한다.
• 파킨슨 질환을 앓고 있는 노인은 사고의 느림과 인지능력의 감소되므로 계획된 일과 안에서 활동하도록 한다.
② 과일, 야채 섭취를 제한할 필요가 없어 해당하지 않는다.
③ 근육의 경직과 안정시 진전의 증상으로 세밀한 소근육 운동이 어려우므로 스스로 옷을 입게 하기 위해서는 단추 옷을 피하도록 한다.
④ 종종거리는 걸음과 자세 반사의 소실로 자주 넘어지거나 균형감각의 소실로 큰 신발은 안전사고의 위험이 커지므로 알맞은 신발을 신도록 한다.
⑤ 근육의 경직과 안정 시에도 떨리는 증상으로 쥐기에 편리하고 손잡이가 긴 숟가락 혹은 특수 제작 숟가락을 사용하도록 한다.

PART

02

보건간호학

파워 간호조무사 **국가시험 해설 및 정답**

CHAPTER 01 보건교육

제1장 | 보건교육의 이해

01. 정답 | ④ 기출

보건교육의 특성

- 지역사회 간호업무 중 보건교육은 가장 포괄적이고 중요하다.
① 보건교육내용 선정 시 고려할 사항은 피교육자의 흥미 및 관심, 사전 경험이나 지식, 피교육자의 교육수준, 피교육자의 요구 등이다.
② 보건교육은 교육실시 장소 및 시설을 고려하여 교육방법을 선정하여 실시 가능하므로 장소에 한정되어 있지 않다.
③, ⑤ 교육내용 선정 시 피교육자의 교육수준에 맞게 실시해야 한다.

02. 정답 | ① 기출

보건교육의 원칙

- 지역에 맞는 요구를 파악하여 문제해결방법을 계획함에 있어 주민의 의사를 반영하는 등 계획 단계에서부터 지역주민과 함께 했을 때 주민의 적극적 참여를 유도할 수 있어 보건교육의 목적을 달성시킬 수 있다.

03. 정답 | ⑤ 기출

보건교육 내용선정 시 고려사항

- 보건교육 시 가장 중요한 것은 대상자와 함께 계획하는 것
- 보건교육 내용 선정 시 대상자의 요구와 수준에 부합하는 내용으로 피교육자의 흥미와 관심, 사전지식과 경험 등을 고려

04. 정답 | ④

보건교육 대상자

- 보건교육: 지역사회의 보건을 위한 지식, 태도, 실천에 영향을 주는 것
①, ②, ③, ⑤를 포함한 지역주민전체의 적정기능 수준 향상이 목적이므로 대상자는 항상 지역주민 전체이다.

05. 정답 | ③

보건교육의 목적

- 보건교육을 통한 지식 습득 → 바람직한 태도 변화 유도 → 올바른 건강 행위를 습관화하여 스스로 자신의 건강을 유지, 증진함을 목적으로 한다.

06. 정답 | ① 기출

보건교육의 목적

- 보건교육: 지역사회 간호 업무 중 가장 포괄적이고 중요한 것
- 인간이 건강을 유지증진하고 질병을 예방함으로써 적정기능수준의 건강을 향상 유지하는데 필요한 지식, 태도, 행동 등을 바람직한 방향으로 변화하는 것
- 보건교육의 목적: 단순히 지식을 전달하거나 가지고 있는데 그치지 않고, 건강을 스스로 지켜야 한다는 태도를 가지고 건강에 올바른 행동을 일상생활에서 습관화하도록 돕는 교육과정

07. 정답 | ⑤

보건교육 준비 시 고려사항

- 누구를 대상으로(대상결정) → 어디서(장소) → 언제(때) → 어떤 내용을 가지고(교육주제 선정) → 어떤 방법으로(보건교육의 방법 선택) → 시행 후에는 평가를 어떻게(평가)를 고려한다.

08. 정답 | ① 기출

보건교육 진행 순서

- 교육환경을 교육하기에 좋게 조성
- 교육 내용을 도입 → 전개 → 종결 순서에 따라 강의
- 간단한 것부터 복잡한 내용으로 진행하도록 하고 구체적인 사례를 들어 이해를 높이도록 한다.

09. 정답 | ② 기출

보건교육내용의 진행단계

- 보건교육을 실시할 때 교육내용을 도입, 전개, 종결 순서에 따라 강의하는 것이 좋다.
- ① 종결: 교육을 요약하고 정리, 점검하는 단계로 교육성과를 평가하는 교육 마지막 단계
- ③, ⑤ 도입: 교육단계 들어가기 전 대상자들과 관계를 형성하고 주의를 집중시키며 학습동기를 높여주는 단계
- ④ 교육환경조성: 도입단계 / 교육을 요약하는 단계: 종결단계

10. 정답 | ② 기출

보건교육내용의 진행단계

- 보건교육 실시 절차는 도입, 전개, 종결의 순서에 따라 교육이 이루어진다.
- 도입: 교육단계에 들어가기 전에 학습동기를 높이고 주의를 집중시키는 것이 중요하다.
- 전개: 교육이 중심이 되는 단계로 본격적인 교육이 들어가게 된다.
- 종결: 교육을 요약하고 성과를 평가하는 단계이다.

11. 정답 | ① 기출

보건교육내용의 진행단계

- 보건교육을 실시할 때 내용을 도입 → 전개 → 종결 순서에 따라 강의하는 것이 좋다.
- 도입: 교육단계 들어가기 전에 대상자들과 관계 형성을 하고 주의를 집중시키며 학습동기를 높여주어 대상자들이 본격적인 교육을 받는 전개단계로 이행될 수 있도록 하는 단계
- ② 전개: 교육의 중심이 되는 단계로, 강의의 본론을 실제로 전달하며 본격적인 교육활동이 이루어지는 단계
- ③ 정리: 교육을 요약하는 단계로 종결단계에 해당
- ④ 종결: 교육을 요약하고 교육성과를 평가하는 교육 마지막 단계
- ⑤ 성과평가: 종결단계에 해당하는 단계

12. 정답 | ④ 기출

보건교육내용의 진행단계

- 교육 환경을 조성하고, 교육내용을 도입, 전개, 종결의 순서에 따라 진행
- ① 도입: 중심적인 교육 단계에 들어가기 전에 대상자들과 관계 형성을 하고 주의를 집중시키며 학습동기를 높여주는데 중요한 단계로 본격적인 교육을 하기 전 과정
- ② 전개: 보건교육의 중심이 되는 단계로 본격적인 교육활동이 이루어지는 단계로 교육내용정리와 결론은 종결단계의 과정에 해당
- ③ 교육단계에 들어가지 전에 대상자들과 관계 형성을 하는 단계: 도입단계의 과정에 해당

⑤ 본격적인 교육활동이 이루어지는 단계: 전개단계의 과정에 해당

마: 주제와 연관성이 있으며 학습목표 도달에 도움이 되는 것이어야 한다.

13. 정답 | ⑤ 기출

효과적인 보건교육

- 학습자 동기는 보건교육에서에서 피할 수 없는 가장 중요한 변인으로서 학습자의 흥미를 유발하고 태도와 행동을 효과적으로 변화시키는데 영향을 준다.
① 흥미유발보다는 일상생활에서 적용 가능하도록 교육 대상자들의 능동적인 참여방법을 먼저 고려해야 한다.
② 한 번에 한 가지 질문을 통해 집중할 수 있도록 도와준다.
③ 교육은 친숙한 내용에서 낯선 내용으로 진행하도록 한다.
④ 교육은 간단한 내용에서 복잡한 내용으로 진행한다.

14. 정답 | ⑤

효과적인 보건교육

가: 실생활에 적용 가능한 최신의 교육 내용일 때 실천률이 높아짐(대상자들의 동기유발에 좋은 방법).
나. 주의 집중을 통해 흥미와 요구를 자극한다.
다: 보건교육의 종류에 따라 학생수는 적당해야 한다.
라: 동기부여를 통해 흥미와 학습욕구가 유발된다.
마: 배움을 통한 유익함을 통해 신념을 가지고, 이 신념과 실천이 자신감으로 이어져 지속적인 건강행위로 이어지게 하는 것이다.

15. 정답 | ⑤

보건교육 준비 시 고려사항

가: 자료 활용에 소요되는 시간을 확인하여 전체 수업 계획을 짠다.
나: 정해진 수업 시간 내에 활용되어져야 하므로 조작이 간단하고 쉬워야 한다.
다, 라: 효과가 비슷한 경우 경제성이 높고, 구하기 쉬운 것을 활용한다.

16. 정답 | ⑤

보건교육에 영향을 주는 환경적 요인

- 학습에 영향을 주는 피교육자의 준비도, 학습동기, 학습 환경
①, ②, ③ 물리적 환경(장소, 의자배치, 교육장 크기, 온도, 환기, 조명)
④ 정서적 환경(교육장의 분위기)

17. 정답 | ①

보건교육 요원의 역할

- 주민의 요구가 포함된 내용으로 보건교육을 실시했을 때 주민의 자발적이고 적극적 참여를 이끌어내어 효과적 사업이 된다. 따라서 철저한 지역사회의 자료조사를 통해 주민의 요구를 파악하는 것이 중요
②, ④ 주민들의 교육수준을 파악하여 보건교육 실시
③ 교육수준, 경제상태, 전통관습, 종교형태 및 분포, 주민들의 주된 관심사를 파악
⑤ 건강문제 확인, 결혼상태, 성별 및 연령별 분포, 질병 범위, 환경 조건, 의료기관 및 주민시설은 주민의 건강에 직·간접적으로 영향을 미치는 요인

18. 정답 | ③

보건교육 준비 시 대상 결정

- 학교는 성장기 학생들이 비만, 시력장애, 성, 비행 청소년, 약물남용 등과 같은 문제가 발생되었을 때 신속히 회복할 수 있는 능력을 향상 시킬 수 있도록 건강 관련 교육이 이루어져야 한다.
① 유아: 신체 배설 기능과 관련된 부위가 새로운 흥미, 쾌감부위로 등장하는 시기. 성 차이, 신체구조, 유아기에 빈번한 안전사고, 구강관리, 유아기의 자율성을 포함한 사회 정서적 발달 등에 대해 부모에게 보건교육 실시
② 노인: 신체기능 퇴행에 따른 신체적, 정신적, 사회적

노화 현상에 대해 관리 방법 교육
④, ⑤ 성인: 바람직한 생활방식으로 건강을 유지, 증진할 수 있도록 금연, 운동, 영양, 절주, 스트레스 관리 등의 프로그램으로 건간 증진, 보건교육 실시

19. 정답 | ④ 기출
평가의 단계

• 평가의 단계: 크게 4단계로 자료수집 → 자료분석 → 결과판정 → 결과의 재적용 단계로 진행
• 금연교육 후 효과평가를 위한 설문조사는 결과의 재적용을 위한 것으로 계획을 세울 때 결과를 활용하기 위한 목적이다.

20. 정답 | ⑤ 기출
평가의 단계

• 평가의 단계: 자료수집, 자료분석, 결과 판정, 평가결과의 재적용으로 크게 4단계로 구성
• 평가 최종 단계에서 다음 계획을 세울 때 평가 결과를 활용하여 재계획을 수립한다.

21. 정답 | ① 기출
절대평가

• 평가유형
– 평가 기준에 따른 형태: 절대평가, 상대평가
– 교육 활동에 따른 형태: 진단평가, 형성평가, 총괄평가
– 환경 평가에 따른 형태: 투입평가, 과정평가, 성과평가
– 평가의 초점에 따른 형태: 과정평가, 영향평가, 구조평가
• 절대평가: 목표지향평가로 미리 도달할 목표를 설정해 놓고 교육을 실시한 후에 목표에 도달되었는지를 평가하는 방법
② 진단평가: 교육활동이 시작되는 초기 상태에서 교육 대상자의 지식, 태도, 흥미, 동기, 준비도, 개인차 등을 파악하여 교재, 교육과정, 수업방식 등을 결정할 때 사용되는 평가 방법
③ 구조평가: 교육이 쓰인 도구, 예산, 인력, 장소, 시간 등의 적절성을 평가하는 방법

④ 상대평가: 기준지향평가로 학습자의 학습결과를 미리 만들어 놓은 기준(척도)에 비추어 보아 그것이 기준보다 높다, 낮다를 판정하는 평가 방법
⑤ 효율성평가: 구조평가와 동일한 개념의 평가 방법

22. 정답 | ③ 기출
진단평가

• 진단평가는 교육활동이 시작되는 초기상태에서 학습 결함이나 실패의 근본적인 원인을 발견하여 그에 대한 대책을 마련하기 위하여 실시한다.
① 상대평가: 기준지향평가로 학습자의 학습 결과를 미리 만들어 놓은 기준에 비추어 보아 기준보다 높다 낮다는 판정하는 방법
② 절대평가: 목표지향평가로 미리 도달할 목표를 설정해 놓고 교육을 실시 후 목표에 도달되었는지를 평가하는 방법
④ 총괄평가: 교육활동이 끝난 다음에 실시하는 대상자 학업성취수준을 종합적으로 확인하려는 방법
⑤ 형성평가: 보건교육 시 학습자들의 이해 정도와 참여 정도 파악 및 학습자들의 수업 능력, 태도변화 정도, 학습 방법 등을 확인함으로써 학습 지도 방법과 교육 과정 개선을 위한 것을 목적으로 하는 방법

23. 정답 | ① 기출
형성평가

; 교육이 진행되는 동안 주기적으로 학습자들의 이해 정도와 참여 정도 파악 및 수업 능력·태도 변화정도 등을 파악하여 최종 학습내용을 평가하는 방법
② 상대평가: 미리 만들어 놓은 평가기준자료로 교육이 끝난 뒤 학습자를 평가해 보고 그 기준보다 높은지, 낮은지를 알아보는 평가
③ 총괄평가: 교육이 끝난 후 대상자 스스로 목표 도달 여부와 교사의 교육방법과 과정까지 총체적으로 평가하는 방법
④ 진단평가: 교육계획을 수립할 때 대상자의 지식정도, 태도 흥미, 동기, 준비도, 개인차등을 파악하여 교육 과정이나, 교재선정, 수업방식 등의 적절하게 선정하고자 할 때 사용되는 평가(사전평가)

⑤ 절대평가: 성취해야 될 목표를 미리 정해 놓고 교육이 끝난 뒤 목표에 도달했는지 알아보는 평가

24. 정답 | ③ 기출
진단평가

- 평가유형
- 평가기준에 따른 형태: 절대평가, 상대평가
- 교육활동에 따른 형태: 진단평가, 형성평가, 총괄평가
- 환경평가에 따른 형태: 투입평가, 과정평가, 성과평가
- 평가의 초점에 따른 형태: 과정평가, 영향평가, 구조 평가
- 진단평가: 교육활동이 시작되는 초기 상태에서 교육 대상자의 지식, 태도, 흥미, 동기, 준비도, 개인차 등 을 파악하여 교재, 교육과정, 수업 방식 등을 결정할 때 사용되는 평가 방법
① 절대평가: 목표지향평가로 미리 도달할 목표를 설정해 놓고 교육을 실시한 후에 목표에 도달되었는지를 평 가하는 방법
② 상대평가: 기준지향평가로 학습자의 학습결과를 미리 만들어 놓은 기준(척도)에 비추어 보아 그것이 기준보 다 높다 난다를 판정하는 평가 방법
④ 총괄평가: 교육활동 단계에 따른 형태의 평가로 학습 과제나 교육 내용이 다 끝난 디음에 실시하는 대상자 학업 성취 수준을 총합적으로 확인하려는 것이 목적
⑤ 형성평가: 교육활동 단계에 따른 형태의 평가로 학습 자들의 이해 정도와 참여 정도 파악 및 학습자들의 능력·태도변화정도·학습방법 등을 확인하려는 것이 목적

25. 정답 | ① 기출
관찰법

- 보건교육 평가방법으로 관찰법은 학습자의 학습활동 을 관찰하여 학습의 변화량을 매일 연속적으로 측정 할 수 있는 방법
- 신생아 목욕, 당뇨병환자 인슐린 자가주사 교육 후 기 술을 평가하는데 용이
② 구두질문법: 교육자가 말로 질문하여 피교육자가 바 르게 이해했는지를 대답을 통해 알아보는 방법

③ 자기보고법: 평가 후에 피교육자가 이해한 내용을 정 리해서 설명하도록 하는 방법
④ 설문지법: 질문을 서면화하여 이를 피험자에게 지표 로 응답하게 하는 방법
⑤ 시범: 말이나 토의로 불가능한 기술을 습득해서 실제 물건이나 자료를 가지고 시범하는 방법

26. 정답 | ① 기출
관찰법

; 학습자의 학습 활동을 관찰하여 학습의 변화량을 매일 연속적으로 측정할 수 있는 평가 방법
    ex) 임산부들에게 신생아 목욕법 실시 후 평가, 당뇨 병 인슐린 자가 주사 교육 시행 후 기술평가
② 평정법: 대상자의 평가 내용을 숫자나 내용으로 연속 선 위에 분류하는 측정도구를 사용하는 평가 방법
③ 질문지법: 어떤 문제에 관해 작성된 일련의 질문을 서 면화 하여 이를 피험자에게 지표로 응답하게 하는 평 가 방법
④ 지필검사: 문서 형태로 검사의 문항이나 질문을 제시 하고 응답자로 하여금 응답을 체크하거나 쓰도록 하 는 것
⑤ 구두질문법: 교육자가 말로 질문하여 대상자들이 잘 이해했는지를 질문과 대답을 통해 알아보는 방법

제2장 | 보건교육의 실시

27. 정답 | ④
상담

- 상담: 개인의 문제를 스스로가 효과적으로 해결하도 록 도와주는 보건교육방법
- 짧은 시간, 간단한 상담 등 언제, 어디서나 적용 가능 한 효과 높은 방법
- 어르신과 상담을 통해 잦은 결석의 원인과 해결방안 을 함께 모색하도록 한다.

28. 정답 | ③

상담

; 상담가와 대상자가 스스로 문제를 해결할 수 있도록 도와주는 개별 보건교육 방법

• 경청과 공감을 통해 신뢰감을 형성하고, 현재의 건강 문제만을 가지고 상담은 이루어져야 한다.

① 상담은 상담가와 대상자가 스스로 문제를 해결하도록 도와주는 개별 보건교육방법으로 상담가가 대상자의 문제점을 직접 해결 또는 해결방안을 소개하는 것은 아니다.

② 비판, 지시하거나 명령, 유도된 질문 등을 해서는 안 된다.

④ 상담은 대상자 스스로 문제를 해결하도록 도와주는 것이므로 대답의 암시를 주어서는 안 된다.

⑤ 상담의 끝맺음은 대상자가 하도록 한다.

29. 정답 | ⑤ 기출

상담

• 상담 시 효과적으로 대화하기 위해서는 대상자의 수준에 맞는 어휘를 사용하도록 한다.

① 상담 시 효과적인 대화방법은 대상자의 이야기를 충분히 들어주고 불필요하게 칭찬하는 것은 금한다.

② 피상담자가 스스로 말할 수 있을 때까지 말이나 대답을 강요하지 말고 목표를 달성하려고 서두르지 말고 부드럽고 여유 있는 태도를 보인다.

③ 상담자가 지도하듯이 지시하거나 명령하지 않도록 하고 문제해결이 되도록 도와주는 역할을 하도록 한다.

④ 상담 시 효과적인 대화방법은 옳고 그름을 판단하는 것이 아닌 부정적인 감정을 표시한다 하더라도 잘 수용하는 태도를 보여야 한다.

30. 정답 | ③ 기출

상담

• 후천면역결핍증후군(AIDS)은 성매개감염(STD) 질환으로 의심되어 보건소를 방문한 상황은 개인 프라이버시를 존중해주는 간호가 중요하므로 집단교육보다 개별교육의 일환인 개별상담이 적합하다.

• 보건소 담당자들은 검사 시 익명 보장, 상담이나 치료 시 개인 신분 노출방지, 경제적 지원 등이 이루어질 수 있도록 한다.

31. 정답 | ①

상담

; 전문 지식과 기술을 가진 상담가와 대상자가 스스로 문제를 해결할 수 있도록 도와주는 개별 보건교육 방법

• 금연은 개인의 건강 문제에 해당되므로 상담을 통해 방법을 찾아보는 것이 가장 효과적인 방법

③ 개별지도에 비해 설득력은 약하지만 제한된 시간에 적은 경비로 동시에 많은 사람들에게 정보를 제공하여 건강행위 변화를 유도할 수 있는 방법

32. 정답 | ③

분단토의

; 집단 구성원을 몇 개의 분단으로 나누어 토의하고 각각의 견해를 전체 집단에 발표하여 의견을 종합하는 방법

• 각 분단은 6~8명의 인원이 적당 참여자 수가 많을 때 적용 가능한 왕래식 집단보건교육 방법

① 배심토의(=패널): 어떤 주제에 관하여 상반된 의견을 가진 각계각층의 전문가 4~7명이 사회자의 안내에 따라 토의 진행 후 결론을 얻는 교육방법

② 심포지움: 주제에 대해 전문가 2~5명이 자신의 의견을 발표한 후 사회자의 진행에 따라 청중과 공개토론하는 형식으로 발표자, 사회자, 청중 모두가 주제에 대한 전문가로 구성된 보건교육 방법

④ 그룹토의(=집단): 집단 내의 참가자들이 둘러앉아 주제에 대한 의문점, 개념, 문제점에 대해 목표를 설정하고 자유롭게 서로 의견을 교환하며 결론 내리는 왕래식 교육 방법 → 10~20명 인원이 적당

⑤ 브레인스토밍: 특정 주제에 대해 다방면으로 해결방안을 찾기 위한 토의방식, 예를 들어 10~12명의 청소년이 혼전 임신 및 성폭력에 대해 토론 방법

33. 정답 | ⑤

강의

: 비교적 적은 경비로 많은 인원의 행동을 변화시켜서 그
  릇된 보건습관을 변경할 수 있는 널리 사용되는 가장
  평범한 교육방법

• 제한된 시간에 비교적 많은 양의 지식전달이 가능

① 학습자의 의견이 반영 안 되므로 학습자를 더욱 수동
  적으로 만든다.

② 수동적 학습태도 때문에 문제 해결 능력이 결여된다.

③ 일방적인 학습법으로 자율성이 보장이 안 된다.

④ 학습자의 개인별 성향을 고려할 수 있기 때문에 대상
  자 모두에게 만족스러운 강의가 되지 않을 수도 있다.

34. 정답 | ⑤ 기출

브레인스토밍

: 특정한 문제를 해결하기 위한 단체의 협동적인 토의로
  아이디어의 자유로운 흐름으로 창의성을 활용할 수
  있다.

① 배심토의(패널토의):소수의 전문가들이 다수의 청중
  앞에서 그룹토의를 하는 방법

② 분단토의: 교육의 참여자 수가 많을 때 전체를 수 개
  의 분단으로 나누어서 토의시키고 다시 전체 회의에
  서 종합하는 방법

③ 심포지엄: 전문가를 선정하여 10~15분 정도를 발표하
  게 한 후 사회자의 진행에 따라 변화 있게 공개 토론
  하는 왕래식 교육방법

④ 시범교육: 말과 토의로 불가능한 기술의 습득인 경우
  실제 물건이나 자료를 가지고 시범하는 방법

35. 정답 | ③ 기출

현장학습

: 지역사회에 있는 보건시설이나 기관, 또는 건강에 유해
  하거나 문제 있는 장소를 조사하거나 방문함으로써 지
  역사회의 요구와 보건교육 방법을 연결하는 역동적
  방법

① 집단토의: 10~20명으로 구성된 집단 내 참가자들이
  주제의 목표를 설정하고 자유롭게 상호의견을 교환사

고 결론을 내리는 왕래식 교육방법

② 패널토의: 배심토의로 사전에 충분한 지식을 가진 소
  수의 전문가들이 다수의 청중 앞에서 그룹 토의를 하
  는 방법으로 선정된 4~7명의 발표자가 정해진 시간
  내에서 의견을 발표하고 참여한 청중이 전문가의 토
  론을 듣는 왕래식 교육방법

④ 심포지움: 2~5명의 전문가가 10~15분 정도 발표하고
  사회자가 청중을 공개토론 형식으로 참여시키는 왕래
  식 교육방법

⑤ 브레인스토밍: 6~18명 크기기의 단체에서 5~30분간
  협동적인 토의로 아이디어의 비판없는 자유로운 흐름
  으로 창의성을 활용할 수 있는 왕래식 교육방법

36. 정답 | ①

역할극

: 교육대상자가 실제상황 중의 한 인물로 등장해 상황을
  분석하고 해결방안을 모색하는 방법

• 역할극의 상황이나 기구, 물품 등이 실제와 차이가 나
  면 학습목표 도달이 쉽지 않을 수 있다.

• 단점

① 준비시간이 길다.

② 대상자들 중 상황에 맞는 역할자 선정이 쉽지 않을
  수 있다.

• 장점

③ 실제 활용 가능한 기술의 습득이 쉽다.

④ 실제상황을 연출해 대상자들이 직접 참여하므로 흥미
  와 동기유발이 가능하다.

⑤ 실제상황을 연출하므로 현장견학과 같은 효과를 얻을
  수 있다.

  – 학습대상자의 수가 많아도 적용이 가능하다.

  – 대상자의 사회성이 개발된다.

37. 정답 | ③

시범교육

: 이론적인 설명만으로 부족 시 실물이나 실제장면을 만
  들어 지도하는 교육방법

• 눈으로 보고 배운 내용이므로 실무에 적용하기가

용이

① 소수에게 적용 가능한 방법이므로 경제성은 낮다.

② 실제상황을 교수가 재현해보는 수업 방식이므로 반복 사용할 수 없다.

④ 교육자의 준비시간이 많이 소요된다(자료를 모두 준비해서 시행 전 연습 등).

⑤ 소수(10~20명 이내가 적당)에게만 적용 가능하다.

38. 정답 | ③ 기출

대중매체 교육

- 성 감염병은 단시간에 많은 사람에게 영향을 줄 수 있으므로 매스컴을 통해 빨리 알려야 한다.
- 대중을 단시간에 교육시키고자 할 때는 매체(TV → 라디오 → 신문 순으로)가 효과적이다.

① 강연회: 가장 전통적 교육방법으로 학습자가 기본 지식이 없어 적극적 참여가 없어도 일방적으로 전달 가능한 교육방법

② 가정방문: 환자와 그 가족의 건강까지 관리하는 포괄적 지역사회 간호 수단

④ 상담: 전문 지식과 기술을 가진 상담가가 대상자 스스로 문제를 해결할 수 있도록 도와주는 개별 보건교육 방법

⑤ 그룹토의: 집단내의 참가자들이 둘러앉아 주제에 대한 의문점, 개념, 문제점에 대해 목표를 설정하고 자유롭게 서로 의견을 교환하며 결론내리는 왕래식 교육 방법

39. 정답 | ⑤

대중매체 교육

- 대중매체: TV나 라디오 같은 전파 매체와 신문 잡지와 같은 인쇄매체 감각별로 시각, 청각, 시청각 매체로 나뉜다.
- 장점: 신속성, 빠른 침투성, 대량 정보 전달, 동시에 다수의 사람에게 정보전달(파급효과가 크다)

① TV나 라디오 같은 전파 매체는 다른 방법에 비해 비교적 비싸다.

② 일방적인 전달이므로 개인상태가 고려되지 않는다.

③ 집단토의(그룹토의)의 단점에 해당된다.

④ 가정방문이 대상자들을 상대로 이루어지는 가장 효과적인 보건교육

40. 정답 | ②

학교보건교육

- 대상 인구가 학생, 교직원, 가족까지 포함해 전체 인구의 ¼ 정도로 범위가 크다.
- 학생들이 습득한 건강행위는 가정과 지역사회로 파급되기 때문이다.

41. 정답 | ④

학교보건교육

- 학생들과 항상 접촉하고 가까이서 많은 영향을 주는 담임교사의 역할이 가장 중요

42. 정답 | ⑤

학교보건교육

- 학생들은 보건교육을 통해 가장 효과적인 결과를 얻을 수 있는 집단으로 학부모에게까지 간접적으로 건강지식이나 정보를 전달할 수 있다.

① 학교인구는 지역사회 총 인구의 25% 내외를 차지한다.

② 학교는 교육활동의 장소이며, 학교를 중심으로 지역사회 보건사업을 전개함으로써 지역사회에 매우 큰 파급효과를 주게 된다.

③ 학교는 교육뿐만 아니라 여러 방면으로 지역사회의 중심적인 역할을 수행한다.

④ 학교는 교육의 장소이므로 이러한 교육체계 내에서 보건교육을 실시하면 빠르게 흡수된다.

CHAPTER 02 보건행정

제1장 | 보건조직

01. 정답 | ①

기획

- 기획: 목표를 설정하고 그 목표에 도달하기 위하여 필요한 단계를 구성하고 설정하는 관리 과정
- ② 조정: 조직이나 기관의 공동 목표 달성을 위하여 조직원 또는 부서간의 협의, 회의, 토의 등을 통하여 행동의 통일성을 가져오도록 하는 십난직인 노력
- ③ 지휘(지시): 주어진 목적 달성을 위하여 직원들을 지도·감독하는 것
- ④ 행정과정의 최초연구인 프랑스의 페이욜은 행정의 기능을 기술했는데, 이는 기획, 조직, 지휘, 조정, 통제로 제시했다. 지시는 통제 속에 포함된 것이라 할 수 있다.
- ⑤ 보고: 관리자와 그의 부하가 신속하고 정확한 보고를 접수하게 하는 행위를 의미

02. 정답 | ② 기출

우리나라 보건행정체계

- 우리나라 보건행정체계: 이원적인 구조
- 보건복지부: 공공보건에 대한 기술지도 감독권과 보건의료사업 기능 지도, 감독
- 행정안전부: 내무 행정, 인력, 예산, 사무지도·감독

03. 정답 | ① 기출

우리나라 보건행정체계

- 우리나라 보건행정체계: 이원적인 구조
  - 보건복지부: 공공보건에 대한 기술지도 감독권과 보건의료사업 기능 지도, 감독
  - 행정안전부: 내무 행정, 인력, 예산, 사무지도·감독
- 우리나라 지방보건조직 또한 행정적인 면에서는 행정안전부 산하에 소속되어 있으면서 보건복지부로부터 업무의 지휘감독을 받고 있는 이원적 행정 구조를 보이고 있다.

04. 정답 | ③ 기출

보건복지부의 업무

- 우리나라 공공보건조직은 중앙보건조직(보건복지부)와 지방보건조직으로 분류된다.
- 지방보건보직 이원적 행정구조
  - 보건복지부: 공공보건에 대한 기술지도 감독권과 보건의료사업 기능 지도, 감독
  - 행정안전부: 내무 행정, 인력예산 사무지도·감독
- ①, ②, ④, ⑤ 행정안전부 업무

05. 정답 | ⑤

보건소, 보건지소, 보건진료소

- 보건소: 시·군·구 설치(지역보건법)

- 보건지소: 읍·면 설치(지역보건법)
- 보건진료소: 농어촌 등의 벽·오지에 보건진료원이 일차보건의료를 행하는 곳(농어촌등 보건의료를 위한 특별조치법)
① 보건복지부 산하조직 중의 한 곳(공공의료, 연구, 진료, 교육 및 각종 요원 훈련, 국가질병관리 등)
② 지역주민의 보건의료를 위해 설립한 공공의료기관(전염병 관리, 예방사업, 보건교육, 건강증진사업)
③ 국민보건 향상에 필요한 사업을 위해 설립된 의료 기관(전공의 수련과 의료 요원의 훈련, 의학계 관련 연구, 임상연구, 진료사업)
④ 보건복지부 산하조직 중의 질병관리본부 내에 의·과학 분야 국가 질병연구기관

06. 정답 | ② 기출

보건소의 설치 기준

- 보건소: 주민과 직접적으로 접촉이 많은 국가보건의료제도의 하부체계로서 최일선 보건행정조직
- 보건소 설치: 「지역보건법」제10조의 규정에 의하여 시·군·구에 설치
- 보건지소 설치: 보건소의 하부조직으로 읍, 면에 설치
- 보건진료소 설치: 벽·오지에 「농어촌 등 보건의료를 위한 특별조치법」에 의해 설치

07. 정답 | ② 기출

보건소

- 보건소, 보건지소, 보건진료소는 지방보건행정조직으로 우리나라 보건사업업무를 최말단에서 담당하고 있다.
① 시·군·구 별로 1개소씩 설치하도록 되어 있다.
③ 지역 주민의 질병을 예방하고 건강을 증진시킴으로써 효율적인 지역보건사업을 통해 국민보건의 향상에 이바지하는 지역보건의료기관이다.
④ 우리나라 보건행정 체계는 행정자치부와 보건복지부로 이원화되어 있다.
⑤ 1980년 농어촌 등 보건의료를 위한 특별조치법에 의해 보건진료소가 설치되었다.

08. 정답 | ④

보건진료소

: 1980년 12월 「농어촌특별법」에 의해 농어촌 등의 벽·오지 등의 의료 취약지역에서 보건진료원이 일차보건의료를 행하는 곳
① 우리나라 지방보건조직, 보건사업 업무를 최말단에서 담당하는 보건행정기관. 시, 군, 구별로 1개소씩 설치
② 100개 이상의 병상과 해당과 전문의가 전속하여 의료행위를 하는 의료기관
③ 30병상 이상의 의료기관으로 의사나 한의사가 주로 입원환자를 대상으로 의료행위를 하는 의료기관
⑤ 그 대학에 속해서 같은 회계로 처리되는 의료기관(진료, 연구, 교육 등의 일을 주로 하는 곳)

09. 정답 | ④ 기출

보건진료소

; WHO 일차보건 관리를 국가정책으로 받아들임으로써 1980년 「농어촌 등 보건의료를 위한 특별조치법」에 의해 설치
① 의원: 병원 구분방법으로 병상수와 진료과목에 따라 종합병원, 병원, 의원으로 분류
② 보건소: 우리나라 대표적인 지방보건행정의 일선조직으로 「지역보건법」에 의거 시·군·구설치, 지역사회건강증진과 보건계몽활동의 중심
③ 보건의료원: 「지역보건법」에 의거 병원의 요건을 갖춘 보건소를 보건의료원이라는 명칭으로 사용하고 있다. 참고로 지방의료원은 「지방의료원의 설립 및 운영에 관한 법률」에 따라 법인으로 설립하도록 규정하고 있으며 대통령령으로 정한다.
⑤ 건강생활지원센터: 보건소의 사업 중 진료, 접종, 감염병, 의약무 관리사업을 제외한 관할지역의 특화된 건강증진사업에 집중하는 기관으로 주민참여, 지역자원 연계를 통해 사업을 추진하며 만성질환관리사업, 신체활동 및 영양사업, 금연·절주상버, 치매예방 및 관리사업 등을 운영한다.

10. 정답 | ⑤ 기출

농어촌 등 보건의료를 위한 특별조치법

- 보건진료소는 WHO의 일차 보건관리를 국가정책으로 받아들임으로써 농어촌 보건의료지역의 주민에 대한 보건의료 문제를 해결하기 위해서 1980년 「농어촌 등 보건의료를 위한 특별조치법」에 의해 1981년부터 설치되었다.

11. 정답 | ⑤

농어촌 등 보건의료를 위한 특별조치법

- 「농어촌 보건의료를 위한 특별조치법」(1980년)에 의해 간호사로서 6개월간의 직무 교육을 받은 보건진료원이 일차보건의료를 위해 의료 행위를 할 수 있도록 한 법
① 의료법: 모든 국민이 수준 높은 의료혜택을 받을 수 있도록 국민의료에 필요한 사항을 규정한 법
② 지역보건법: 보건소 등의 지역보건의료기관의 설치·운영, 사업, 보건 행정과 시책의 합리적 운영에 관한 사항을 규정한 법
③ 국민건강증진법: 국민에게 건강에 대한 가치와 책임의식 함양을 위해 건강에 관한 바른 지식보급과 스스로 건강생활을 실천할 여건 조성마련과 관련된 사항을 규정한 법
④ 국민건강보험법: 국민의 질병, 부상에 대한 예방, 진단, 치료, 재활과 출산, 사망 및 건강증진에 대한 보험 급여 실시에 관한 사항을 규정한 법

12. 정답 | ①

WHO (세계보건기구)

; 국제적인 보건사업의 조정, 지휘, 기술지원, 자문활동, 보건관계기록의 보존, 모자보건, 의료, 보건 간호을 하는 대표적인 기관. 1948년 설립, 본부는 스위스의 제네바

13. 정답 | ④

WHO (세계보건기구)

- 서태평양 지역사무소: 필리핀의 마닐라(우리나라 소속

지역사무소)
① 아메리카 지역사무소: 미국의 워싱턴
② 유럽지역사무소: 덴마크의 코펜하겐
③ 동남아지역사무소: 인도의 뉴델리
⑤ 중동지역사무소: 이집트의 카이로
- 아프리카 지역사무소: 콩고의 브라자빌

14. 정답 | ⑤ 기출

WHO (세계보건기구)의 건강 정의

; 건강이란 단순히 질병이 없거나 허약하지 않는다는 것을 말하는 것이 아니라 신체적·정신적·사회적 안녕의 완전한 상태

15. 정답 | ①

WHO (세계보건기구)의 건강 정의

- WHO의 건강에 대한 정의: 신체적, 정신적, 사회적 안녕 상태
- 영적안녕은 제외

제7장 | 보건의료체계

16. 정답 | ②

보건의료전달체계의 필요성

- 치료중심의 의료: 주로 임상에서 이루어지는 의료 행위
- 최근에는 질병의 양상이 만성, 희귀성, 난치성 질환으로 장기 치료를 요하거나 예방을 요하는 질환이 증가하여 예방이 강조되는 기본적, 포괄적 의료인 일차보건의료의 중요성이 강조
① 건강에 대한 인식변화, 교통발달, 경제발달 등의 이유로 의료비가 급증
③ 의료수요와 의료비 증가의 원인
④ 의료비 증가 원인의 하나
⑤ 필요시 즉시 쉽게 이용 가능해야 한다.

17. 정답 | ③ 기출

보건의료체계 하부 구성요소

- 보건의료자원 개발
- 자원의 조직적 배치
- 보건의료 서비스의 제공
- 경제적 지원
- 보건의료정책 및 관리

18. 정답 | ④ 기출

보건의료체계 하부 구성요소

- 보건의료정책 및 관리: 지도력, 의사결정(기획, 실행 및 실현, 감시 및 평가, 정보지원), 규제
① 경제적 지원: 공공재원, 기업주, 조직화된 민간기관, 지역사회의 기여, 외국의 원조, 개별 가계, 기타(복권 등)
② 자원의 조직적 배치(자원의 조직화): 국가보건당국, 건강보험기관, 기타정부기관, 비정부기관, 독립 민간부문 보건의료전달체계
③ 보건의료자원 개발: 인력, 시설, 장비 및 물자, 지식 및 기술
⑤ 보건의료서비스의 제공: 1, 2, 3차 예방

19. 정답 | ③ 기출

우리나라 보건의료전달체계

- 최근의 보건의료는 예방 위주로 변화하고 있으며, 질병양상도 비전염성 질환 위주로 변화. 기본 권리로 인식되어 있다. 이에 대한 국민의 요구가 증대되고 있지만 병의원 중심으로 발전해 온 기존의 보건의료전달체계만으로는 해결될 수 없고, 인력의 전문화, 의료자원의 불균형, 국민의료비의 증가, 종합병원중심의 의료체계의 배경으로 일차보건의료가 대두되었다.

20. 정답 | ③

일차보건의료의 개념

; 지역사회주민이 처음으로 접촉하는 보건의료 사업(포괄적, 일반적인 의료). 치료, 예방, 재활, 건강 유지 및 증

진을 포함하는 내용

- 세분화, 전문화된 관리는 우리나라 보건의료전달체계 중 3차진료 단계에서 받을 수 있는 의료서비스이다.
① 법적 기준과 지침에 근거해 지역개발사업의 일부로 사업이 진행되어야 한다.
② 예방에 중점을 두고, 주민의 건강에 대한 기본 요구에 바탕을 둔 사업이어야 한다.
④ 누구나 쉽게 지역사회보건사업을 받아들일 수 있는 기본적, 일반적, 포괄적인 내용
⑤ 지역주민의 적극적 참여가 필수: 사업 성공의 열쇠
→ 적극적 참여를 유도하기 위해서는 주민의 기본 요구에 바탕을 둔 사업이어야 한다.

21. 정답 | ①

일차보건의료의 개념

- 정부가 중심이 되어 진행되는 사업은 주로 공중보건사업으로 선택된 인구 집단을 대상으로 단기간에 걸친 하향식 전달체계 방식의 사업, 시책을 신속하게 수행할 수 있고, 보건사업의 중복을 피할 수 있으며, 시책이 지방말단까지 골고루 반영되고, 문제 지역에 우선 집중 투자를 할 수 있는 장점이 있다.
② 누구나 쉽게 이용할 수 있도록 가까워야 한다(접근성).
③ 예방에 중점을 두고, 주민의 건강에 대한 기본 요구에 바탕을 둔 사업이어야 한다.
④ 주민 누구나 값을 지불할 수 있을 만큼 싸야 한다(지불능력).
⑤ 지역사회 주민이 처음으로 접촉하는 포괄적, 일반적인 보건의료 서비스

22. 정답 | ④ 기출

일차보건의료의 특성

- 일차보건 의료사업은 기본적이고 보편적·포괄적인 지역사회 건강문제를 관리
① 기본적 보건의료 욕구를 충족시켜야 하므로 예방측면에 더욱 치중
② 전 국민을 대상으로 하는 전체 보건의료전달체계의

하부 기초 보건의 단위 및 기능
③ 희귀질병 건강문제가 아닌 기본적이고 보편적인 건강 문제를 관리
⑤ 인간의 기본권으로의 건강의 개념에 기초하여 최상의 욕구충족이 아닌 지역사회의 기본적인 보건의료 욕구를 충족시켜야 한다는 개념

23. 정답 | ⑤
일차보건의료의 성공요건

- 일차보건의료가 지역주민의 요구에 기초를 둔 상향식 사업일 경우 주민의 참여도를 높일 수 있는 동기 유발이 쉽고 확실한 공동의 목표가 있어 사업을 성공시킬 수 있는 조건이 된다.

24. 정답 | ②
WHO의 알마아타 선언

- WHO회원국들이 1978년 소련 알마아타회의에서 처음으로 선언
- 일차보건의료는 세계 모든 인류의 건강을 하나의 기본권으로 규정하고, 국가 및 계층 간의 건강수준 및 의료 이용에 있어 불평등을 없애기 위한 접근

25. 정답 | ⑤
일차보건의료의 내용

- WHO에서 규정한 일차보건의료의 9가지 필수사업 내용
가: 가족계획을 포함한 모자보건
나: 안전한 물의 공급과 기본적인 환경위생
다: 지방 풍토병의 예방과 관리
라: 기본의약품 제공
마: 정신보건의 증진
– 지역사회의 건강문제 구명 및 관리방법 교육
– 지역사회 주된 전염병 예방접종
– 흔한 질환과 상해의 적절한 치료
– 식량의 공급과 영양의 증진

26. 정답 | ④ 기출
일차보건의료 접근의 필수요소

: 지리적 접근성, 수용 가능성, 주민의 참여, 지불부담 능력
- 보건진료소운영위원회나 마을건강원 제도를 활용하는 내용이 주민의 참여의 요소에 해당
① 지리적, 지역적, 경제적, 사회적 이유로 차별이 있어서는 안 된다.
② 형평성: 접근성에 해당하는 요소
③ 수용가능성은 주민이 수용가능한 과학적 방법으로 접근하여야 한다.
⑤ 지불부담능력은 주민의 지불능력에 맞는 보건의료수가로 제공되어야 한다.

27. 정답 | ④
일차보건의료 접근의 필수요소

- 전 주민 누구나 쉽게 이용(접근성)할 수 있도록 주민과 가장 가까운 거리에서 관리해야 한다.
① 주민의 적극 참여를 이끌어 낼 수 있는 사업내용이여야 한다.
② 대상 이용자의 지불능력에 맞게 값이 싸야 한다.
③ 편안하게 받아들일 수 있는(수용성) 사업
⑤ 봉사하고 활동적인 교량 역할을 해줄 사람이 필요하다.

28. 정답 | ① 기출
일차보건의료 접근의 필수요소

- WHO에서 제시한 일차보건의료 접근의 필수요소: 접근성, 수용가능성, 주민의 참여, 지불부담능력
– 접근성: 지역적, 지리적, 경제적, 사회적 이유로 차별이 있어서는 안 된다.
– 수용가능성: 주민이 수용가능한 과학적 방법으로 접근해야 한다.
– 주민의 참여: 주민의 적극적 참여를 통해 이루어져야 한다.
– 지불부담능력: 주민의 지불능력에 맞는 보건의료수가로 제공해야 한다.

29. 정답 | ⑤

일차보건의료 접근의 필수요소

- 일차보건의료: 모두 혜택을 받을 수 있는 가장 기본적인 보건의료의 원칙
- 가: 수용가능성(모든 지역주민들이 쉽게 받아들일 수 있어야 함)
- 나: 지불부담능력(지역사회의 지불능력에 맞는 비용으로 제공되어야 함)
- 다: 접근성(모든 지역주민들이 쉽게 접근하고 이용할 수 있도록 해야 함)
- 라: 주민참여(지역사회 주민들의 적극적인 참여에 의하여 운영되어야 함)
- 마: 법적 기준과 지침에 근거해 지역개발사업의 일부로 진행되어야 지속적으로 사업이 진행되면서 주민들에게 영향을 줄 수 있다.

그 외
- 포괄성: 모든 사람에게 필요한 기본적인 건강관리 서비스를 제공해야 한다.
- 상호협조성: 관련부서가 서로 협조하여 의뢰체계를 구축해야 한다.
- 균등성: 누구나 필요한 만큼의 똑같은 서비스를 받을 수 있어야 한다.
- 유용성: 지역주민들에게 꼭 필요하고 유용한 서비스여야 한다.

제3장 | 의료보장의 이해

30. 정답 | ②

의료보장의 목표

- 필요한 의료 서비스는 형평성을 고려해 적절하게 제공
- 의료보장: 사회보장제도, 국민의 건강권 보호를 위해 필요한 의료서비스를 국가나 사회가 제도적으로 제공
- ①, ④ 한정된 의료자원으로 의료보장의 성과 극대화 위해 필요에 따른 의료서비스를 형평성을 고려해 제공해야 한다.

③ 예상하지 못한 질병으로 의료서비스가 필요할 때 건강보험 가입자들이 부담을 나눔으로서 경제적 부담을 줄인다.
⑤ 국민건강보험, 공공부조의 의료보호, 근로자의 업무상 재해에 대해 의료와 소득을 보장하는 산업재해보험이 있다.

31. 정답 | ①

국민의료비 증가 원인

- 최근 질병의 발병양상은 급성질환이 증가하기 보다는 만성질환, 희귀성질환, 난치성질환, 비감염성질환의 증가 등으로 의료비의 사적 부담이 증가되고 있다.
② 1989년 전국민의료보험과 약국의료보험의 확대 실시를 계기로 경제적 부담의 분담 및 경감으로 의료 서비스 이용이 증가
③ 건강에 대한 인식 변화와 의료비 부담이 감소, 교통시설 확충 등은 의료 수요의 증가 원인
④ 평균수명연장의 결과로 인구의 노령화는 만성 질환과 같은 장기관리를 요하는 의료 수요의 증가 원인
⑤ 의료서비스의 고급화 및 양의 증가, 병원규모의 대형화, 의료 인력의 증가, 보건의료 인력의 인건비 상승

32. 정답 | ② 기출

공공부조

; 국민의 권리로써 최저생활을 보장받는 제도로 보험료를 지불할 능력이 없는 계층을 대상으로 이루어지는 제도

- 의료보장: 개인의 능력으로 해결할 수 없는 건강 문제를 사회적 연대책임으로 해결하여 누구나 건강한 삶을 향유할 수 있도록 하는데 궁극적인 목적이 있다.
- 공공부조의 방식으로 저소득층에게 의료를 보장하는 것이 의료급여(의료보호)

33. 정답 | ① 기출

의료급여

; 건강보험료 부담 능력이 없는 사람에 대하여 공공부조 방식으로 의료를 보장하는 것

② 의료급여는 「의료급여법」에 의해 수급권자의 범위를 정하는데 생활이 어려운 사람에게 의료급여를 함으로써 국민보건의 향상과 사회복지증진을 이바지함을 목적으로 한다.

③ 「의료급여법」제 3조 제1항에 의한 수급자의 범위가 정해져 있다.

④ 근로자의 재해보상은 사회보장제도 중 산업재해보상보험에 해당한다.

⑤ 소득능력상실 시에 최저생활을 할 수 있도록 소득을 보장은 사회보장에 해당한다.

34. 정답 | ②

사회보장

; 국가가 주도하여 질병, 장애, 노령, 실업, 사망 등으로 겪게 되는 국민의 경제적 부담을 덜어 주고, 보호하기 위해 만든 제도

- 사회보험, 공공부조, 사회복지서비스로 구별

① 산업재해보험: 근로자의 업무상 재해에 대해 의료와 소득을 함께 보장하는 제도

③ 건강보험과 산업재해보험: 보험료 납부 능력이 있는 국민을 대상으로 의료를 보장하는 제도

④ 연금보험: 보험료 납부 능력이 있는 국민을 대상으로 노령으로 인한 소득상실에 대비한 보험
  - 상실 보전을 위한 노령연금, 주 소득자의 사망에 따른 소득
  - 상실 보전을 위한 유족연금 / 질병 또는 사고로 인한 장기근로능력 상실에 따른 소득상실 보전을 위한 장애연금

⑤ 건강보험: 보험료 납부 능력이 있는 국민을 대상으로 의료를 보장하는 제도

35. 정답 | ⑤ 기출

사회보장

; 우리나라 「사회보장기본법」에 의하면 "사회보장이란 출산, 양육, 실업, 노령, 장애, 질병, 빈곤 및 사망 등의 사회적 위험으로부터 모든 국민을 보호하고 국민 삶의 질을 향상시키는 데 필요한 소득·서비스를 보장하는 것"
  - 소득보장: 고용보험, 국민연금, 산재보험, 기초생활보

장 등
  - 의료보장: 국민건강보험, 의료급여(의료보호), 산재보험, 노인장기요양보험 등

① 국민연금: 사회보험

② 고용보험: 사회보험

③ 기초생활보장: 공공부조

④ 노인장기요양보험: 의료보장, 소득보장

36. 정답 | ② 기출

근로복지공단

; 근로자가 업무로 인하여 재해를 당한 경우 치료를 해주고 근로자와 가족의 생활을 보장하기 위해 각종 보험급여를 산재보상보험법에 따라 지급하는 산재보험사업을 하는 기관

37. 정답 | ②

4대 사회보험

; 보험료 납부가 가능한 국민을 대상, 국민의 건강과 소득을 보장, 대비하는 제도

- 국민건강보험, 신업재해보상보험, 국민연금보험, 고용보험

① 고용보험: 질병과 상해로 인한 의료비에 대비

③ 국민건강보험: 업무상 재해로 인한 의료비 지출과 소득 상실에 대비

④ 국민연금보험: 노령, 폐질, 사망으로 인한 소득 감소에 대비

⑤ 산업재해보상보험: 실업으로 인한 소득 감소에 대한 대비

38. 정답 | ③ 기출

국민건강보험

; 일정한 법적요건이 충족되면 본인의 의사에 관계없이 강제 적용되고, 소득수준 등 보험료 부담능력에 따라 차등적으로 결정

① 보험료는 강제 적용된다.

② 강제 보험적 성격이다.

④ 납부한 보험료 부과 수준에 관계없이 관계법령에 의하

여 균등하게 보험급여가 이루어진다.

⑤ 국민의 질병·부상에 대한 예방·진단·치료·재활과 출산·사망 및 건강 증진에 대하여 보험급여를 실시한다.

⑤ 민영의료보험은 급여의 내용, 위험의 정도, 계약의 내용 등에 따라 보험료가 결정되나, 국민건강보험에서는 소득수준 등 보험료 부담능력에 따라 차등적으로 결정된다.

39. 정답 | ⑤ 기출
국민건강보험

- 우리나라 건강보험제도는 피보험 대상자 모두에게 필요한 기본적인 의료를 적정한 수준까지 보장해주는 데 의의가 있다.
- 법률에 의한 강제 가입으로 능력에 따른 보험료의 차등부과를 통해 균등한 혜택을 주기 위한 목적에 있다.
① 공공부조: 최저생활을 보장받는 제도로 일종의 구빈제도
② 의료급여: 사회보장 유형 중에 공공부조에 해당
③ 건강보험: 소득 수준 등 보험료 부담 능력에 따라 차등적으로 결정되고, 의료급여는 시·도에서 의료급여기금을 설치하여 전부 또는 일부를 부담
④ 의료급여: 1종, 2종으로 나뉜다.

40. 정답 | ① 기출
국민건강보험

- 국민건강보험제도: 1999년에 「국민건강보험법」이 제정
- 제정 목적: 국민의 질병·부상에 대한 예방·진단·치료·재활과 출산·사망 및 건강증진에 대하여 보험급여를 실시함으로써 국민보건향상과 사회보장 증진에 이바지함
- 보험자: 국민건강보험공단, 피보험자: 국민
② 피보험자는 일정한 법적 요건이 충족되면 본인의 의사에 관계없이 강제 적용된다.
③ 민영의료보험은 계약기간 및 내용, 보험료부과기준에 따라 차등급여를 받지만, 국민건강보험에서는 보험료 부과 수준에 관계없이 관계법령에 의하여 균등하게 보험급여가 이루어진다.
④ 모든 보건의료서비스에 적용되지 않고 질병·부상·에 대한 예방·진단·치료·재활과 출산·사망 및 건강 증진에 대하여 보험급여를 실시한다.

41. 정답 | ③
국민건강보험

; 국민의 질병, 부상에 대한 예방, 진단, 치료, 재활과 출산, 사망 및 건강증진에 대한 보험급여를 실시함으로써 국민보건을 향상시키고, 사회보장을 증진함이 목적
- 요양급여의 내용: 질병, 부상, 출산, 임의급여(장제비, 본인부담액보상), 건강검진, 장애인 가입자와 피부양자의 보장구에 대한 보험급여

42. 정답 | ② 기출
국민건강보험의 기능

- 소득재분배 기능, 위험분산 기능, 사회연대성강화 기능, 형평성 있는 의료비용 부담, 균등한 적정수준의 급여 제공

43. 정답 | ③ 기출
국민건강보험제도

①, ③ 국민건강보험에서는 보험료 부과 수준에 관계없이 관계법령에 의하여 균등하게 보험급여가 이루어진다.
② 보험자는 국민건강보험공단이다.
④ 직장가입자의 보수월액보험료는 직장가입자와 근로자가 소속되어 있는 사업장의 사업주가 각각 보험료액의 50/100씩 부담한다.
⑤ 건강보험심사평가원이 의료비 심사업무를 담당한다.

44. 정답 | ⑤ 기출
노인장기요양보험제도

- 노인장기요양보험의 보험자는 국민건강보험공단이고, 가입자는 국민건강보험가입자와 동일하다.
① 방문 요양은 재가 급여에 해당한다.
② 판정 등급 결과에 따라 달리 적용된다.

③ 방문 간호는 2년 이상의 경력의 간호사와 3년 이상의 경력 간호조무사, 치위생사가 자격이 된다.

④ 재정은 요양 서비스를 제공하는 사회보험제도로 장기 요양보험료, 국가 지원 및 본인일부부담금으로 한다.

45. 정답 | ⑤ 기출

노인장기요양보험제도

; 고령이나 노인성 질병 등의 사유로 일상생활을 혼자서 수행하기 어려운 노인 등에게 필요한 요양서비스를 제공하는 사회보험제도

• 장기요양보험 사업의 보험자는 국민건강보험 가입자와 동일하다.

① 장기요양 인정대상자는 65세 이상 노인 또는 65세 미만 노인성 질환 대상자이다.

② 장기요양 유효기간은 2년으로 한다.

③ 장기요양인정은 5등급이고 인지지원등급이 추가 신설되었다.

④ 장기요양 인정 신청은 65세 이상 노인 또는 65세 미만 노인성 질환 대상자가 공단에 신청한다. 신청자는 본인, 가족이나 친족, 사회복지전담공무원, 시군구청장이 지정하는 자가 신청할 수 있다.

46. 정답 | ② 기출

노인장기요양보험제도

; 고령이나 노인성 질병 등의 사유로 일상생활을 혼자서 수행하기 어려운 노인등에게 세수, 목욕, 식사, 배설, 이동, 조리, 세탁, 간호 등 필요한 요양 서비스를 제공하는 사회보험제도

① 65세 이상 또는 65세 미만으로서 노인성 질병을 가진 자로서 일상생활을 혼자서 수행하기 어려운 노인을 대상으로 한다.

③ 장기요양보험사업의 보험자는 국민건강보험공단이다.

④ 장기요양급여에는 재가급여, 시설급여, 특별현금급여가 있다.

⑤ 시설급여는 노인요양시설과 노인요양공동생활가정(그룹홈)으로 장기요양기관이 수급자에게 제공한 후 공단에 장기용양급여비용을 청구한다.

47. 정답 | ④

노인장기요양보험제도

• 서비스 대상: 장기요양이 필요한 65세 이상 노인 및 치매, 중풍 등 노인성 질환을 가진 64세 이하의 국민으로 혼자서 일상생활을 수행하기 어렵다고 인정되는 경우 수급자로 결정, 심신상태 및 요양이 필요한 정도에 따라 등급 판정을 한다(1, 2, 3, 4, 5등급에 해당되는 노인).

① 전문적인 요양과 간호서비스를 제공받음으로써 노인의 노후생활 안정을 도모하고 가족의 부양부담을 덜어줌으로써 국민의 삶의 질 향상을 목적으로 제정된다.

② 2008년 7월 1일부터 시행되었고 사회적 연대원리에 의해 제공하는 사회복지서비스제도이다.

③ 요양시설이나 재가 장기요양기관을 통해 시설급여와 재가급여 서비스를 받을 수 있다.

⑤ 배설, 목욕, 식사, 조리, 세탁, 청소, 간호, 진료의 보조 또는 요양상의 상담 등을 제공한다.

48. 정답 | ④ 기출

장기요양인정 신청

• 장기요양 인정 신청은 65세 이상 노인 또는 65세 미만 노인성 질환 대상자가 국민건강보험공단에 의사소견서를 첨부하여 장기요양인정 신청서를 제출한다.

49. 정답 | ② 기출

노인요양시설

; 고령이나 노인성 질병 등의 사유로 다른 사람의 도움을 받지 않고서는 생활하기 어려운 노인들에게 신체활동 또는 가사 지원 등의 장기요양급여를 사회적 연대원리에 의해 제공하는 사회보험제도

• 장기요양급여의 종류: 재가급여, 시설급여, 특별현금급여가 있다. 시설급여에는 노인요양시설, 노인요양공동생활가정(그룹홈)

① 양로시설: 「노인복지법」에 노인주거복지시설에 해당

③ 단기보호시설: 「노인복지법」에 재가노인복지시설에 해당

④ 노인복지주택: 「노인복지법」에 노인주거복지시설에 해당

⑤ 노인요양공동생활가정: 「노인복지법」에 노인의료복지시설에 해당

50. 정답 | ② 기출

단기보호

- 장기요양급여 중 단기보호는 수급자를 월 15일 이내 일정기간동안 장기요양기관에 보호하여 신체활동 지원 및 심신 기능의 유지·향상을 위한 교육·훈련 등을 제공하는 장기요양급여이다.
① 방문간호: 장기요양급여 중 방문간호 지시서에 따라 수급자의 가정 등을 방문하여 간호, 진료의 보조, 요양에 관한 상담 또는 구강위생 등을 제공하는 장기요양급여
③ 주·야간보호: 장기요양급여 중 주·야간보호는 수급자를 일정시간 동안 장기요양기관에 보호하여 신체활동 지원 및 심신기능의 유지·향상을 위한 교육·훈련 등을 제공하는 장기요양급여
④, ⑤ 노인요양시설, 노인요양공동생활가정: 노인의료복지시설에 해당

51. 정답 | ④ 기출

노인장기요양보험 표준서비스

: 신체활동지원, 일상생활지원, 개인활동지원, 정서활동지원, 방문목욕, 기능회복훈련, 치매관리지원, 응급 시 설환경관리, 간호처치서비스

- 간호처치서비스: 관찰 및 측정, 투약 및 주사, 호흡기간호, 피부간호, 영양간호, 통증간호, 배설간호, 그 밖의 처치, 의사진료보조
- 단순도뇨는 배설간호에 속하므로 의사의 허락과 지시가 있어야 한다.

52. 정답 | ② 기출

노인장기요양보험의 대상자

- 신청대상: 65세 이상의 노인 또는 65세 미만의 자로서

치매·뇌혈관성질환 등 대통령령으로 정하는 노인성 질병을 가진 자로서 일상생활을 혼자서 수행하기 어려운 노인

- 노인성 질병; 알츠하이머병, 치매, 지주막하 출혈, 뇌내출혈, 뇌경색증, 뇌졸중 등의 뇌혈관성질환, 파킨슨병, 중풍후유증, 진전 등
- 65세 미만의 경우 노인성 질병을 가진 자로 파킨슨병은 분류에 해당된다.
①, ③, ④, ⑤ 결핵, 당뇨병, 시각장애, 조현병은 노인성 질환으로 분류되지 않는다.

53. 정답 | ③ 기출

국가 정기 암검진

- 우리나라 국민건강보험에서는 정기적으로 암검진을 받도록 하고 있다. 지정한 정기 암검진은 위암, 대장암, 간암, 유방암, 자궁경부암, 폐암 검진이다.

54. 정답 | ⑤

국가 정기 암검진 대상자

: 만 40세 이상 남녀 중 6개월마다 복부 간초음파검사와 혈액검사를 받을 수 있는 대상자

- 간경변증, B형간염 항원 양성, C형간염 항체 양성, B형 또는 C형 간염 바이러스에 의한 만성 간질환자
①, ②, ③ 40세 이하 대상자이므로 해당하지 않음
④ B형간염 항원 양성 시에 국가암검진 대상자이다.

55. 정답 | ① 기출

국가 정기 암검진 대상자

- 우리나라 국민건강보험에서 지정한 정기 암검진에는 위암, 대장암, 간암, 유방암, 자궁경부암, 폐암이 있다.
- 간암은 고위험군(간경변증, B형 간염항원양성, B형 또는 C형 간염 바이러스에 의한 만성 간질환자)을 대상으로 검진한다.

56. 정답 | ④ 기출

행위별수가제

- 진료비 지불제도로 행위별수가제는 사후보상 결정방식이다.
- 의료진의 재량권이 확대되어 의료의 자율보장이 장점인 진료비 지불방식은 행위별수가제이다.
① 행정관리가 간편하고 진료비 청구심사·지불심사의 간소화가 장점인 진료비 지불방식은 포괄수가제이다.
② 과잉진료를 예방할 수 있는 진료비 지불방식은 포괄수가제의 장점이다.
③ 예방중심 의료서비스가 강화되고, 공중보건, 개인위생을 위해 노력하게 되는 장점인 진료비 지불방식은 인두제이다.
⑤ 개인의 위험 정도, 계약 내용에 따라 보험료가 부과되어 진료비 교섭에 따른 의료공급의 혼란이 있을 수 있는 단점인 진료비 지불방식은 총액계약제이다.

57. 정답 | ④ 기출

행위별수가제

: 의료인이 환자를 진료할 때 가격을 매긴 뒤 합산하여 진료비를 사후에 청구하는 사후보상 제도이므로 서비스내용이 많으면 진료비 액수가 높아질 수 있어서 단점으로 서비스를 과대 제공하는 유인이 생겨 신료비가 과잉 증가하는 문제가 있다.
① 의료인이 가장 선호하고, 의사의 권한이 커진다.
② 진료비 과잉상승으로 국민의료비가 상승될 수 있다.
③ 불필요하고 과다한 진료행위가 줄어들 수 있는 장점은 포괄수가제이다.
⑤ 환자에게 제공된 서비스내용에 따라 진료비가 결정된다.

58. 정답 | ⑤ 기출

행위별수가제

: 진료비를 사후에 청구하는 제도로 의료인의 진료서비스 행위 하나 하나에 대하여 가격을 책정하여 보상하는 방식
① 인두제: 주로 1차 진료 의사들의 진료비 지불에 적용하는데, 매년 초 주민들로 하여금 자기의 단골의사를 정하게 하고 병이 나면 반드시 단골의사를 찾도록 하는 방식
② 봉급제: 사회주의 국가나 영국과 같은 국영의료체계의 병원급 의료기관의 근무의에게 주로 적용되는 방식
③ 포괄수가제: 환자가 어떤 질병의 진료를 위하여 입원했는가에 따라 질병군(또는 환자군)별로 미리 책정된 일정액의 진료비를 지급하는 제도
④ 총액계약제: 지불자 측과 진료자 측이 진로보수총액을 정하여 계약을 체결하고 그 총액 범위 내에서 진료를 하고 지불자는 진료비에 구애 받지 않고 의료 서비스를 이용하는 제도이다.

59. 정답 | ③ 기출

포괄수가제

: 환자가 어떤 질병의 진료를 위하여 입원했는가에 따라 질병군(또는 환자군)별로 미리 책정된 일정액의 진료비를 지급하는 제도
① 봉급제: 사회주의 국가나 영국과 같은 국영의료체계의 병원급 의료기관의 근무의에게 주로 적용되는 방식
② 인두제: 주로 1차 진료 의사들의 진료비 지불에 적용하는데, 매년 초 주민들로 하여금 자기의 단골의사를 정하게 하고 병이 나면 반드시 단골의사를 찾도록 하는 방식
④ 총액계약제: 지불자 측과 진료자 측이 진로보수총액을 정하여 계약을 체결하고 그 총액 범위 내에서 진료를 하고 지불자는 진료비에 구애 받지 않고 의료 서비스를 이용하는 제도
⑤ 행위별 수가제: 진료비를 사후에 청구하는 제도

60. 정답 | ③ 기출

포괄수가제

: 어떤 질병의 진료를 위해 입원했었는가에 따라 미리 책정된 진료비를 의료기관에 지급하는 제도
- 우리나라에서는 행위별수가제에 부분적으로 포괄수

가제를 사용하고 있다.
- 포괄수가제에 해당하는 7가지 질병군: 수정체수술(백내장수술), 항문수술(치질 등), 편도 및 아데노이드 수술, 서혜 및 대퇴부 탈장 수술, 충수절제술(맹장수술), 자궁 및 아데노이드 수술, 서혜부 및 대퇴부 탈장 수술, 충수절제술, 자궁 및 자궁부속기 수술, 제왕절개분만 등

적용하고 있다.
- 과잉진료를 억제하고, 진료비 청구 및 심사 업무가 간소화하고 경제성을 높일 수 있는 것이 포괄수가제의 장점이다.
- ②, ③, ④, ⑤ 진료비를 사후에 청구하는 진료 행위당 수가를 정해 보상하는 방법으로 행위별 수가제의 장점에 해당한다.

61. 정답 | ② 기출

포괄수가제

- 환자가 어떤 질병의 진료를 입원했는가에 따라 질병군(또는 환자군)별로 미리 책정된 일정액의 진료비를 지급하는 제도가 포괄수가제이다.
- 우리나라는 부분적으로 7개 질병군에 포괄수가제를

62. 정답 | ④

본인일부부담금제도

: 의료비의 일부를 대상자가 부담하게 하는 제도
- 의료이용의 불필요한 남용을 억제하고, 보험재정을 안정화시킬 수 있다.

제1장 | 환경의 요소

01. 정답 | ③

온열요소

; 기온, 기류, 기습, 복사열

① 기온: 대기의 온도

② 기류: 공기의 온도, 압력차에 의해 움직이는 대기 상태

④ 기습: 대기 중에 포함된 수분의 양으로 기온에 따라 변화

⑤ 복사열: 태양의 적외선에 의한 열

02. 정답 | ③

쾌적 감각온도

; 무풍상태의 100% 포화습도일 때 온도(체감 온도)로 성별, 연령, 피복, 계절 등에 따라 차이가 있으며, 겨울철 66 ℉ (18.9 ℃), 여름철 71 ℉ (21.7 ℃)이다.

03. 정답 | ①

습도

• 낮에는 태양열을 흡수하여 대지의 과열방지, 밤에는 지열의 발산을 방지하여 온도의 급격한 저하를 방지

② 쾌적함을 느끼는 습도: 40~70%

③ 비교습도(상대습도): 현재 공기 1 ㎥ 내 포화상태에서 함유할 수 있는 수증기의 양과 현재 공기 속에 함유되어 있는 수증기의 양과의 비를 %로 표시한 것

④ 절대습도: 공기 1 ㎥ 중에 함유된 수증기량이나 수증기의 장력을 의미

⑤ 습도는 정오가 지나서는 최소, 밤에서 아침까지는 최대

04. 정답 | ①

불감기류

• 불감기류: 0.5 m/sec 이하

• 무풍: 0.1 m/sec

• 쾌감기류: 실내(0.2~0.3 m/sec), 실외(1 m/sec 전후)

05. 정답 | ②

적외선

; 파장 7,800 Å 열선(운동에너지 증가, 조직 온도 상승)

06. 정답 | ④

자외선

• 건강선(Dorno 선): 자외선 중 2,920~3,150 Å 파장. 인체에 유익한 작용(살균, 소독, 비타민 D 합성).

- 열선, 온도 상승으로 혈관확장, 홍반, 현기증, 일사병 등을 유발하는 것은 적외선
① 진피층에서 비타민 D 형성으로 구루병을 예방함
② 특히 임파선, 뼈, 관절 등의 결핵치료
③ 백혈구, 혈소판 증가
⑤ 그 외 홍반, 표피박리, 피부노화, 안검부종, 결막염 등을 유발한다.

07. 정답 | ④ 기출

미세먼지 농도별 등급

- 대기오염도 예측결과에 따라 좋음, 보통, 나쁨, 매우 나쁨의 4단계 등급으로 발표한다.

08. 정답 | ①

불쾌지수(DI)

; 온도와 습도의 영향에 의하여 인체가 느끼는 불쾌감을 숫자로 표시한 것
- DI≥70일 때: 10% 정도의 사람이 불쾌감을 느낀다.
② DI≥75일 때: 50% 정도의 사람이 불쾌감을 호소
③ DI≥86일 때: 견딜 수 없는 상태
④ DI≥85일 때: 참기 어려운 상태
⑤ DI≥80일 때: 매우 심한 불쾌감을 호소

제2장 | 환경오염

09. 정답 | ③ 기출

기후변화

- 기후: 정상 상태에서의 지구를 둘러싼 대기의 종합적인 현상
- 환경오염으로 인해 기온과 강수량의 변화 등의 기후변화가 발생 → 식량과 물 부족 및 각종 기후재난이 발생해 지구환경시스템의 붕괴 우려
①, ④ 지구온난화현상으로 빙하가 녹아 해수면이 상승하고 있다.

② 대기오염으로 인해 산성비가 증가되고 있다.
⑤ 산업의 발전으로 인한 온실가스 증가는 기후변화, 지구 온난화와 같은 온실가스효과를 초래하여 생태계와 인류생존에 위협이 되고 있다.

10. 정답 | ① 기출

이차 대기오염물질

- 대기오염은 일차 오염물질과 이차 오염물질로 나뉜다.
– 일차오염물질: 일산화탄소, 질소산화물, 탄화수소, 황산화물, 입자상 물질 등
– 이차오염물질: 스모그, 케톤, 팬(PAN), 오존, 알데히드 등

11. 정답 | ③

이차 대기오염물질

- 일차오염물질: 발생원에서 직접 대기로 방출되는 오염물
- 이차오염물질: O_3 (오존), 스모그, PAN, 알데하이드 등
① NOx (질소산화물): 대기오염과 식물에 유해한 오염물질
② HC (탄화수소): NO와 함께 태양광선에 의해 2차 오염물질을 생성함
④ SO_2 (아황산가스): 경유사용 차량에서 발생, 식물, 재산, 인체에 피해
⑤ CO (일산화탄소): 자동차 배기가스 발생, 독성이 강하고 저산소증 초래

12. 정답 | ② 기출

오존층

- 지구를 둘러싸는 대기: 대류권(지상 10~20 km), 성층권(지상 20~50 km), 중간권(50~80 km), 열권(30~600 km), 외기권(600 km~)
- 오존층은 지상 20~30 km 사이에 해당하는 부분으로 90%는 성층권에 포함

13. 정답 | ④

대기오염

마: 일산화탄소는 식물에는 심각한 영향을 주지 않음, 그 외 산성비, 오존층의 파괴, 식물, 동물, 인체, 재산, 지구에 피해를 준다.

14. 정답 | ③ 기출

산성비

; 황산화물이나 질소산화물이 황산, 질산 등의 형태로 빗물에 섞여 내리는 것

- 산성비는 식물의 성장을 방해하며, 수질을 산성화시켜 수질생태계를 교란시킨다. 또한 건물건축재료, 금속 등을 부식시키고 재산상의 피해를 입힌다.
① 열섬현상: 도시 공기의 오염으로 인하여 도심의 온도가 변두리보다 약 5 ℃ 정도 높게 되는 현상
② 군집독: 실내에 다수인이 밀집되어 있을 때 오염된 실내 공기로 인해 환기가 불충분하여 불쾌감, 두통, 권태, 현기증, 구토, 식욕저하 등의 증상이 발생하는 현상
④ 기온역전: 고도가 높아질수록 기온이 높아져서 기온역전 현상으로 인해 대기오염의 피해가 가중되는 현상
⑤ 황사현상: 중국, 몽골 등 아시아 대륙의 중심부에 있는 사막과 황토지대의 작은 모래 또는 미세먼지가 하늘에 떠다니다가 상층바람을 타고 멀리까지 날아가 떨어지는 현상

15. 정답 | ① 기출

산성비

- 황산, 질산의 형태로 빗물에 섞여 내리고, 빗물이 pH 5.6 이하일 때를 산성비라고 한다.
② 기온역전: 고도가 높아질수록 기온이 낮아지는 일반적인 상황이 아닌 기온이 높아져서 대기 순환이 안되어 대기오염의 피해가 가중되는 현상
③ 열섬효과: 주변의 온도보다 높은 특별한 기온 현상을 나타내는 것
④ 황사: 중국 등 아시아 대륙의 중심부에 있는 사막과

황토지대내의 작은 모래나 황토 또는 미세먼지가 하늘에 떠다니다가 상층바람을 타고 멀리까지 날아가 떨어지는 것
⑤ 온실효과: 지구대기 내의 이산화탄소와 수분이 축적되어 지구 복사선을 흡수함으로써 태양열과 복합하여 대기의 온도를 상승시키는 작용

16. 정답 | ①

산성비

- 대기오염의 하나, 빗물의 PH 5.6 이하일 때 산성비라고 한다.
- 호수나 하천의 산성화 → 생태계 파괴, 금속물이나 석조건물 부식, 농작물이나 산림에 피해
② 열섬현상: 도심은 인위적으로 교외에 비해 약 5 ℃ 정도 높게 되어 대기오염물질, 수증기, 열의 발생량이 커지는 현상
③ 부영양화: 조류 증식으로 수질이상 초래
④ 지구온난화: CO_2 증가, 기온 상승, 생태계파괴, 해수면 상승
⑤ 오존층 파괴: 유해자외선이 인체에 피부암, 백내장, 면역기능 약화, 지구온난화 등의 피해를 준다.

17. 정답 | ⑤ 기출

이산화탄소

- 무색, 무취의 비독성 가스로 실내 환기불량 시 농도 상승, 허용농도: 0.1%
- 이산화탄소 증가: 온실효과를 일으켜 군집독(실내오염)의 원인
① 질소: 질소산화물($NO\chi$)을 형성하여 대기오염의 원인이 된다.
② 산소: 호흡작용에 절대적으로 필요, 영양소 연소에 사용
③ 오존: 자외선을 차단, 탈취, 살균효과, 탈색의 자극성 가스
④ 일산화탄소: 유기물 불완전 연소 시 발생, 무색, 무취, 맹독성 기체, 산소보다 헤모글로빈과 친화력 250~300배 정도 강해 산소결핍증 유발

18. 정답 | ① 기출

환기

- 일정한 공간에 다수인이 밀집되어 있거나 산소가 불충분한 실내에 장기간 밀폐되어 있으면 정상공기 성분의 화학적 조성 변화로 인해 신체증상을 초래하게 되는데 이를 군집독이라 한다. 예방과 처치로는 실내 환기가 가장 중요하다.

19. 정답 | ④

군집독

; 환기가 불충분한 실내(극장, 만원버스)에 많은 사람이 장시간 군집하여 있을 때 나타나는 현상

마: 이산화탄소의 농도증가, 기온, 기습의 변화, 냄새, 먼지 등의 물리적, 실내환기의 부족으로 인한 화학적 조성에 변화로 온다.

20. 정답 | ② 기출

새집증후군

- 포름알데히드: 새집 증후군을 일으키는 대표적인 실내 오염물질로, 눈과 코의 자극, 어지럼증, 피부 질환 등을 유발
- ① 군집독: 실내에 다수인이 밀집되어 있을 때 오염된 실내공기로 인해 환기가 불충분하여 불쾌감, 두통, 권태, 현기증, 구토, 식욕저하 등의 증상이 발생하는 것을 의미
- ③ 레지오넬라증: 물에서 서식하는 레지오넬라균에 의해 발생하는 감염성 질환으로 레지오넬라 폐렴과 폰티악열(Pontiac fever)의 두 가지 형태로 나타난다.
- ④ 카드뮴 중독증: 이타이이타이병으로 체내에 카드뮴이 들어오면 혈류를 타고 간과 신장으로 확산되어 뼈의 주성분인 칼슘 대사에 장애를 가져와 뼈를 연골화시켜 통증을 일으킨다.
- ⑤ 일산화탄소 중독증: 흔히 '연탄가스 중독'이라고 잘 알려져 있는 일산화탄소 중독은 탄소가 포함된 물질이 불완전 연소되면서 발생하는 무색, 무취, 무미, 비자극성 가스인 일산화탄소에 중독된 상태를 말한다.

21. 정답 | ⑤

물의 자정작용

- 소독−열, 자외선 소독과 화학적 방법(염소소독이 가장 많이 사용됨)
- 하천, 호수, 공장폐수 등에 오염된 물을 방치하면 자연적으로 정화된다.
- ①, ②, ④ 물리적 작용
- ③ 화학적 작용

22. 정답 | ③

염소소독

; 소독력이 강하고 잔류효과가 크고 조작이 간편, 가격이 저렴하다.

- 단점: 냄새와 독성이 있다.
- 유리잔류염소량: 0.2 ppm 이상이어야 소독이 완전하다.

23. 정답 | ①

표백분

; 염소가스를 소석회로 흡수시켜 $CaOCl_2$를 35%, 58% 형성하여 살균력을 생성한다.

②, ③, ④, ⑤: 물에 화학약품을 주입하여 색도, 탁도, 부유물질 세균 등이 제거되는 약품침전 시 사용되는 응집보조제

24. 정답 | ③

활성탄

- 맛, 냄새, 색도의 제거: 활성탄법, 약품침전법, 여과법, 폭기법으로 제거함
- 활성탄법: 강한 흡착력으로 독성물질제거, 중금속을 제거하는 화학적 여과지

25. 정답 | ④ 기출

음용수 수질기준

- 음료수에 적합한 구비조건은 무색투명하며 이상한 맛과 냄새가 없어야 하며, pH는 5.8~8.6이고, 일반세균

은 1 cc 중 100마리 이하이어야 한다. 또한 대장균은 100 cc 중 검출되지 않아야 한다.

26. 정답 | ②

음용수 수질기준

- 대장균군은 검출이 쉽고 병원균보다 저항력이 강해 분변성 오염의 지료로 이용
- 대장균 기준: 100 cc 중 검출되지 아니할 것
① 탁도: 물의 탁한 정도를 표시, 2도 이하를 넘지 아니 할 것
③ 일반세균: 1 cc 중 100을 넘지 아니할 것
④ 용존산소: 수중에 녹아 있는 산소, 물의 오염도를 나 타내는 지표
⑤ 과망간산칼륨: 하수, 공장 폐수, 분뇨 등에 의해 증가 소비량이 10 ㎎/ℓ 넘지 아니할 것

27. 정답 | ②

상수의 정수과정

- 정수과정은 원수 → 침사조 → 침전조 → 여과조 → 소독조 → 배수조 → 급수

28. 정답 | ① 기출

하수도 정수 과정

- 정수 과정: 스크린 → 침사지 → 침전지 → 생물학적 처리(여상법, 활성오니법)
- 활성오니법은 생물학적 처리방법 중 가장 발전되고 우수한 방법으로 일반 도시하수는 4~6시간이면 정 화된다.

29. 정답 | ③

활성오니법

: 수중의 미생물을 폭기(산소주입)작용에 의해 호기성균 의 활동을 촉진시켜 유기물질을 분해하는 방법(활성슬 러지법)
- 도시하수의 대부분은 생물학적 처리방법인 활성오니 법을 사용하고 있다.

① 관계법: 가장 오래된 방법으로 하수를 논밭에 간헐적 으로 공급하는 방법
② 안정지법: 하수를 장시간 연못이나 웅덩이에 저장하 는 동안 정화하여 부패를 막는 방법
④ 살수여과법: 하수를 여과지 위에 살포하여 처리하는 방법
⑤ 임호프탱크법: 희석된 분뇨를 고체·액체 분리 및 부 패작용 원리를 이용한 임호프탱크 방식에 의한 혐기 성 처리 방식(도시 분뇨처리)

30. 정답 | ⑤

임호프탱크법

: 희석된 분뇨를 고체 액체 분리 및 부패작용 원리를 이 용한 임호프탱크 방식에 의한 혐기성 처리방식(도시 분 뇨처리)
- 장점: 부패실에서 발생하는 가스와 스컴이 침전실로 역류되는 것을 방지

31. 정답 | ② 기출

용존산소량(DO)

- 용존산소는 수중에 용해되어 있는 산소로 그 양은 기 압이나 수온, 오염 정도에 따라 다르다.
- 용존 산소는 온도가 낮을수록 산소의 함유량이 많아 오염도가 낮다.
① 용존산소는 염분이 높을수록 감소하기 때문에 염분 이 낮으면 물의 오염도가 낮다.
③ 화학적 산소요구량이 높은 것은 물의 오염도가 높다.
④ 생물학적 산소요구량이 높은 것은 물의 오염도가 낮다.
⑤ 식물성 플랑크톤이 번식해 있는 상태는 물의 오염도 가 높다.

32. 정답 | ⑤

화학적 산소요구량(COD)

: 호수나 바닷물의 오염도 측정기준
- 수중의 오염물이 화학적인 산화제에 의해 분해될 때 소비되는 산소량을 ppm으로 표시한 것

33. 정답 | ② 기출

생물학적 산소요구량(BOD)

; 수중에 존재하는 유기물을 미생물에 의해서 산화시킬 때 소비되는 산소량으로 수질오염의 화학적 지표

① DO(용존 산소량)는 수중에 용해되어 있는 산소로 그 양은 기압이나 수온, 오염 정도에 따라 달라진다.

③ COD(화학적 산소요구량)은 수중의 유기물을 산화제에 의해서 산화시킬 때 요구되는 산소량으로 수질오염의 화학적 지표를 말한다.

④ pH는 보통 용액 속에 해리된 수소이온 농도지수로 농도에 따라 산성, 중성, 염기성으로 정해진다. 5.8~8.6이 정상이다.

⑤ 대장균군은 수질오염의 생물학적 지표를 말한다. 대장균은 100 cc 중 검출되지 않아야 한다.

34. 정답 | ⑤ 기출

생물학적 산소요구량(BOD)

- 주요 수질 검사 항목 중 생물학적 산소요구량(BOD)는 수중의 유기물을 산화제를 이용하여 산화시킬 때 요구되는 산소량을 말하므로 BOD가 높을수록 수질오염도가 높다

① 탁도는 물의 탁한 정도를 표시하는 것으로 탁도가 높으면 수질오염도가 높다.

② 용존산소량(DO)은 수중에 용해되어 있는 산소로서 그 양은 기압이나 수온, 오염정도에 따라 다르다.

③ 부유물질량이 늘어날수록 수질오염도가 높다.

④ 암모니아성 질소는 주로 하수, 공장폐수, 분뇨 등의 혼입으로 나타나는 것으로 높을수록 수질오염도가 높다.

35. 정답 | ①

부영양화 현상

; 도시하수나 농업폐수의 유입으로 질소와 인 등의 영양염류를 증가시켜 조류나 동식물성 플랑크톤을 과도하게 번식시키는 수질 변화 현상 → 생활용수의 악취 발생시킨다.

② 부활현상: 염소처리 후 세균이 평상시보다 증가하는 현상

③ 적조현상: 호수나 해수 중에서 부유하고 있는 식물성 플랑크톤이 단시간 내에 증식하여 물을 변색시키는 현상 → 어패류를 폐사시킨다.

④ 자정작용: 하수나 공장폐수 등 오염된 물을 방치해 두면 점차적으로 침전·분해되어 자연적으로 안정된 자연수로 환원되는 현상

⑤ Mills-Reincke 현상: 물의 여과, 소독 시 전염병의 발생이 감소하는 현상(상수도 정화)을 말한다.

36. 정답 | ⑤

미나마타병(수은 중독)

; 1953~1960년 일본 산업폐수로 유기수은에 오염된 생선 섭취 후 중독환자 발생하여 300여명 사망. 뇌나 중추신경계 영향

① 페놀: 피부와 폐자극, 장기의 손상(폐, 신장, 신경계)

② 크롬: 폐암, 피부궤양

③ 카드뮴: 식욕부진, 허약, 구토, 폐렴, 기침, 흉통, 장기 손상(폐, 간, 신장)

④ 베릴륨: 폐암, 간과 신장의 손상, 베릴륨폐종

37. 정답 | ④

식품위생

; 식품, 첨가물, 기구 또는 용기, 포장 등을 대상으로 하는 음식물에 관한 모든 위생을 말함(식품위생법)

38. 정답 | ④

식품의 변질

- 부패: 단백질

①, ② 변패: 당질과 지방질

⑤ 발효: 탄수화물

39. 정답 | ②

식품의 변질

- 산패: 미생물에 의한 것이 아니고 산소에 의해 변질되는 현상

① 부패: 미생물의 증식으로 단백질이 분해되어 악취를 발생

③ 식품의 변질과정은 부패 → 발효 → 변패 순으로 일어난다.

④ 발효: 탄수화물이 산소가 없는 상태에서 분해되는 현상

⑤ 변패: 당질, 지방질이 미생물에 의해 변질되는 현상

40. 정답 | ③ 기출

건조법

- 식품을 보존하는 방법: 물리적 보존법, 화학적 보존법
- 건조법은 식품을 건조시켜 부패를 방지하는 물리적 보존법에 해당

① 냉장법: 10 ℃ 이하가 되면 세균의 발육이 억제. 식품의 보조 기간 연장, 식품의 부패속도억제 등

② 통조림법: 캔 속의 가스를 제거하고 밀봉한 후 다시 가열 처리함으로써 세균 발육과 번식 억제로 식품의 부패를 방지하고 장기간 보존

④ 밀봉법: 바깥 공기와의 접촉을 차단하여 부패를 방지하는 물리적 보존 방법

⑤ 저온살균법: 63~65 ℃에서 30분간 가열처리하는 식품보존방법

41. 정답 | ① 기출

절임법

- 식품의 변질은 바로 미생물의 번식과 관련이 있으므로 미생물의 생장 번식에 필요한 조건을 물리화학적으로 차단함으로써 미생물의 성장을 억제할 수 있다.
- 절임법: 식품에 소금, 설탕, 식초를 넣어 삼투압 또는 pH를 조절함으로써 부패 미생물의 발육을 억제하는 방법으로 화학적 보존법에 해당

② 밀봉법: 바깥 공기와의 접촉을 차단하여 부패를 방지하는 물리적 보존법

③ 통조림법: 캔 속의 가스를 제거하고 밀봉한 후 다시 가열처리함으로써 효소의 비활성화, 세균발육과 번식 억제로 식품의 부패를 방지하고 장기간 보존할 수 있는 물리적 보존법

④ 훈연법: 벚나무, 참나무, 떡갈나무를 불완전 연소시켜

서 나오는 연기를 어육류의 조직에 침투시켜 식품의 건조와 살균작용을 유도하며, 동시에 저장성과 향미를 증진시키는 방법

⑤ 염장법: 식염의 작용으로 식품 내의 수분을 제거하고 세균의 원형질을 분리시켜 부패를 방지하는 방법으로 화학적 보존법의 절임법 중의 하나

42. 정답 | ①

저온살균법

; 63 ℃에서 30분간 살균

② 자비소독법: 감염병환자 식기소독(100 ℃ 10~20분, 끓인 후 씻는다)

③ 건열멸균법: 바세린 거즈 소독(140 ℃ 3시간 또는 160 ℃ 1~2시간)

④ 세균여과법: 혈청(바이러스는 제거 불가)

⑤ 고압증기멸균법: 병원에서 가장 많이 사용(외과적기기, 120 ℃, 20분, 15 Lbs)

43. 정답 | ④

식중독의 일반적 증상

- 급성 위장염: 오심, 구토, 복통, 설사 등

④ 현훈: 자신의 몸이나 주위가 움직이는 듯한 환각(어지러움)

44. 정답 | ②

살모넬라 식중독

- 원인 식품: 어류, 유제품, 어패류 등
- 증상: 설사, 두통, 구토, 열(38~40 ℃)
- 잠복기: 12~48시간, 발병률 75% 이상
- 감염경로: 보균동물 섭취 및 환자, 보균자, 기타 동물의 배설물에 오염된 음식물 섭취 시 감염

① 웰치균 식중독: 잠복기 – 12시간

③ 보툴리누스 식중독: 잠복기 – 12~36시간 정도

④ 포도상구균 식중독: 잠복기가 가장 짧으며(2~3시간), 늦은 봄과 가을 발생

⑤ 장염 비브리오 식중독: 여름철에 집중 발생(7~9월), 잠복기 – 8~20시간

45. 정답 | ⑤ 기출

장염비브리오

; 생선회나 어패류 생식 시 주로 발병하며 복통, 설사, 구토 등의 증상을 보인다.

① 웰치균 식중독: 독소형 식중독으로 토양에 널리 분포된 웰치균이 식품에 침입하여 번식하면서 독소를 생성, 증상은 심한설사, 복통, 구토를 일으키고 치명률이 낮다.

② 살모넬라 식중독: 감염형 식중독으로 날고기나 알 등이 원인, 샐러드 등의 조리식품, 우리 나라 경우는 돼지고기가 원인인 경우가 많았다.

③ 보툴리누스 식중독: 독소형 식중독으로 통조림이나 소시지 등의 밀폐된 혐기성 상태의 식품에서 번식하며 강한 독소를 만든다. 증상으로 위장계 중독증상보다 안면마비 같은 신경계 급성중독증상과 호흡곤란 등을 일으키고 치사율이 높다.

④ 노로바이러스: 급성 위장관염으로 식중독이 아닌 바이러스성 감염병 중에 하나이다.

46. 정답 | ⑤ 기출

장출혈성대장균 식중독

- 식중독의 분류: 세균성 식중독과 자연독 식중독, 화학물질에 의한 식중독
- 세균성 식중독의 분류: 감염형 세균성 식중독과 독소형 세균성 식중독
- 장출혈성 대장균 식중독: 감염형 식중독 중의 하나로 치명적인 독소를 생성하는 병원성대장균이 원인
  - 심한 경련성 복통, 혈변 등 식중독을 유발
  - 일부 용혈성 요독성 증후군이 나타남.

47. 정답 | ④

독소형 식중독

; 세균이 내는 독소에 의한 식중독

- 포도상구균 식중독, 보툴리누스 식중독, 웰치균 식중독
① 태물린: 자연독 식중독
② 솔라닌: 자연독 식중독

③ 살모넬라: 감염형 식중독
⑤ 장염비브리오: 감염형 식중독

48. 정답 | ① 기출

포도상구균 식중독

- 독소형 세균성 식중독중의 하나로 우리나라에서 가장 많은 식중독
- 식중독균중 잠복기가 가장 짧고 100 ℃에서 30분간 끓여도 파괴되지 않는다.
- 당분이 함유된 식품에 침입하여 번식하고 기온이 높은 여름철에 많이 발생하며 집단 식중독을 일으킬 때가 많다.

② 웰치균: 독소형 세균성 식중독, 토양에 널리 분포된 웰치균 등으로 식품에 침입하여 번식하면서 독소를 생성

③ 보툴리누스균: 독소형 세균성 식중독, 통조림이나 소시지 등의 밀폐된 혐기성 상태의 식품에서 번식. 신경계 급성중독, 호흡곤란 등 치사율이 높은 식중독

④ 연쇄상구균: 비강이나 편도에 침입하여 비강내 염증반응을 일으키는 균, 뇌막염, 패혈증 화농성 관절염. 인후두염. 설사 등을 유발

⑤ 살모넬라균: 감염형 세균성 식중독, 저온과 건조에 비교적 저항성이 강하여 생존. 날고기나 알, 오염되기 쉬운 샐러드 등의 조리식품 위험

49. 정답 | ② 기출

포도상구균 식중독

- 우리나라에서 가장 많은 식중독으로 잠복기가 가장 짧으며 100 ℃에서 30분간 끓여도 파괴되지 않는다.
- 당분이 함유된 식품에 침입하여 번식할 때에는 장독소(enterotoxin)를 분비하여 식중독을 일으킨다.

50. 정답 | ①

포도상구균 식중독

- 엔트로톡신(장독소)
- 원인 식품: 유제품, 김밥, 도시락 등(늦은 봄과 가을에 발생)

- 증상: 구토, 복통, 설사 등 급성위장염 증상, 열은 38 ℃ 이하
- 잠복기가 가장 짧으며(2~3시간) 100 ℃에서 30분간 끓여도 파괴되지 않음
- 우리나라에서 가장 많은 식중독(식중독의 30%)
- 단시간 내에 급작스럽게 생리적 이상이 발생되는 질환
- 발생률은 높으나 치명률(1% 이하)이 낮다.
② 무스카린: 목이버섯 중독
③ 베네루핀: 굴 중독
④ 신경독소: 보툴리누스 식중독
⑤ 테트로톡신: 복어 중독

51. 정답 | ③
보툴리누스 식중독

- 원인식품: 통조림, 소시지, 유제품 등
- 증상: 복시, 동공확대, 호흡곤란 등
- 잠복기는 12~36시간 정도
- 치명률 6.7%
① 살모넬라: 어류, 유제품, 어패류 등
② 포도상구균: 유제품, 김밥, 도시락 등
④ 연쇄상구균: 인후염, 폐렴, 뇌막염을 일으키는 균
⑤ 장염비브리오: 생선회, 어패류 생식 시

52. 정답 | ①
자연독 식물성 식중독

- 솔라닌: 감자 독소
② 무스카린: 목이버섯 독소
③ 베네루핀: 굴 독소
④ 에르고톡신: 보리(맥각) 독소
⑤ 테트로도톡신: 복어 독소

53. 정답 | ⑤
쥐 원인 질병

- 바이러스성-유행성 출혈열
①, ④ 세균성-페스트, 렙토스피라증, 서교열
②, ⑤ 리케치아성-발진열, 쯔쯔가무시병
③ 기생충-선모충증, 아메바성 이질

54. 정답 | ④
매개체별 질병

- 진드기: 유행성출혈열, 쯔쯔가무시증(양충병), 록키산 홍반열
- 말라리아: 모기가 매개하는 질병임.

55. 정답 | ④
구충과 구서의 원칙

- 발생 초기에 실시
- 발생원 및 서식처를 제거하는 것(가장 근본적이고 최선의 방법)

56. 정답 | ⑤
퇴비처리법

- 농촌에 적합한 방법, 쓰레기를 4~5개월 발효시켜 퇴비로 사용
① 매립법
  - 땅에 파묻는 방법 → 수질오염, 악취발생, 위생해충발생 우려
  - 처리 비용이 낮고, 공정이 간단하여 고형폐기물 처리 시 사용
  - 우리나라에서 가장 많이 사용하는 방법(소도시)
②, ④ 투기법(방기처분)
  - 땅이나 강, 바다에 버리는 방법
  - 가장 비위생적, 악취발생, 감염병 전파의 매개체, 물의 오염원
③ 소각법
  - 도시 쓰레기, 병원쓰레기 처리로 적합
  - 가장 위생적인 방법이나 고비용, 대기오염 우려

57. 정답 | ② 기출
매립법

- 「자원순환기본법」에서는 순환이용을 폐기물의 수집·분리·선별·파쇄·압축·추출 등 환경부령으로 정하는 활동, 폐기물로부터 에너지를 회수하거나 회수할 수 있는 상태로 만드는 활동을 말한다.
- 폐기물처리: 폐기물을 파쇄, 압축, 소화, 여과, 흡수,

흡착, 소각 등의 물리적, 화학적 조작에 의하여 감량화, 무해화, 혹은 재생 이용을 도모하는 일련의 공정

- 매립법: 우리나라에서 폐기물처리로 가장 많이 사용되는 것으로 땅에 그냥 묻는 방법으로 가장 저렴하고 용이한 처리 방법 → 공정이 간단하나 매립 후 지하로 요염물질이 침투되어 지하수 오염을 일으킬 수 있다.
① 소각: 가장 위생적인 방법이지만 소각 과정에서 주변 지역의 공기를 오염시키고, 비용이 많이 들고 운영 관리가 어렵다.
③ 파쇄: 폐기물을 깨뜨려 부수는 방법으로 물리적 조작에 의해 감량화 하는 방법이다.
④ 퇴비: 주방 쓰레기나 가연성 쓰레기에 생물을 이용한 전환을 유도하여 퇴비로 이용하는 방법이다.
⑤ 적재: 쓰레기를 처분장 중간 지점에 임시로 적재시켜 주는 것으로 적환장이라고도 한다.

58. 정답 | ④
매립법

- 먼지 등에 의한 호흡기나 피부의 침해, 악취발생, 위생동물(쥐, 파리, 바퀴, 진드기 등)의 발생, 병원성 미생물의 전파 등 직·간접적으로 건강과 생활에 악영향을 주게 된다.

59. 정답 | ③
소각법

- 병원성 쓰레기, 감염성 폐기물은 소각처분하는 것이 위생적이다.
① 퇴비법: 농촌에 적합한 방법, 쓰레기를 4~5개월 발효시켜 퇴비로 사용

② 매립법: 땅에 파묻는 방법 → 수질오염, 악취발생, 위생해충발생 우려
④, ⑤ 투기법: 땅이나 강, 바다에 버리는 방법, 가장 비위생적, 악취발생, 물의 오염원

60. 정답 | ③ 기출
소각법

- 가장 위생적인 방법
- 소각 과정에서 주변 지역의 공기를 오염
- 고비용과 운영 관리가 문제
① 투기법: 폐기물을 육상, 해상에 내다버리는 처리 방법
② 매립법: 우리나라에서는 땅에 그냥 묻는 방법으로 가장 저렴하고 용이한 처리 방법
④ 고형화법: 폐기물을 고체 형태로 고정하는 물질과 혼합함으로써 고정하고 안정화하는 처리 방법
⑤ 퇴비화법: 유기물을 안정된 상태의 부식토로 변환시키는 생물학적 공정, 축산폐기물 처리에 사용하는 처리 방법

61. 정답 | ③
분뇨의 위생적 처리

- 비료 사용 시 분뇨의 부식기간: 겨울 3개월, 여름 1개월 이상

62. 정답 | ⑤
분뇨의 위생적 처리

- 목적: 소화기계 전염병 관리, 기생충병 질환의 관리, 수인성 전염병 관리, 환경위생 개선을 위함이다.

CHAPTER 04 산업보건

제1장 | 산업보건의 이해

01. 정답 | ①

산업보건의 목적

- 산업보건은 질병치료보다는 예방적인 측면이므로 관계없다.
② 작업조건 때문에 발생하는 질병을 예방
③ 근로자들이 유해인자들로부터 노출되는 것을 예방
④ 신체적·정신적·사회적 안녕상태 유지·증진
⑤ 생리적·심리적으로 적성에 맞는 작업장 배치

02. 정답 | ⑤

근로기준법상 보호연령

- 보호연령: 15세 이상~18세 미만, 작업시간 제한(1일 8시간 주 40시간 초과 못함)
- 임산부와 18세 미만자는 도덕상, 보건상 유해사업장 근로 고용금지

03. 정답 | ①

일반 건강진단

: 사업주가 사무직 근로자에 대해서는 2년에 1회 이상, 기타 근로자에 대해서는 1년에 1회 이상 주기적으로 실시하는 건강진단

② 특수 건강진단: 특수건강진단 대상 유해인자에 노출되는 업무에 종사하는 근로자 또는 근로자 건강실시 결과 직업병 유소견자로 판정받은 후 작업 전환을 하거나 작업 장소를 변경하고 직업병 유소견 판정의 원인이 된 유해인자에 대한 건강진단이 필요한 근로자를 위한 건강진단

③ 수시 건강진단: 산업보건의, 보건관리자가 필요하다고 판단한 경우와 해당 근로자나 근로자 대표 또는 명예산업안전감독관이 사업주에게 수시건강진단 실시를 요청한 경우의 건강진단

④ 임시 건강진단: 특수건강진단 대상 유해인자 또는 유해인자에 의한 중독여부 등을 확인하기 위해 지방고용노동관서장의 명령에 따라 실시하는 건강진단

⑤ 배치전 건강진단: 특수건강진단 대상 업부 종사 근로자에 대하여 배치예정업무에 대한 적합성평가를 위하여 사업주가 실시하는 건강진단

04. 정답 | ③

특수 건강진단

: 직업병 검출을 목적으로 위험 업무, 유해업종 근로자에게 정기적으로 실시

① 일반 건강진단: 취업 배치 후 근로자의 건강상태를 정기적으로 파악하여 위험 요인이 될 수 있는 건강장해

를 조기 발견하기 위해 실시

② 수시 건강진단: 유해인자에 의한 직업성 천식, 피부염 기타 건강장해의 의심 증상 및 의학적 소견이 있는 근로자 질환 조기발견을 위해 실시

④ 임시 건강진단: 특수 건강진단 대상의 유해인자에 의한 중독 여부, 질병의 이환 여부, 질병의 발생원인 등을 확인하기 위해 실시

⑤ 배치 전 건강진단: 신규채용 또는 작업부서 전환으로 특수 건강진단 대상 업무에 종사할 근로자에게 실시

제2장 | 산업장 건강문제

05. 정답 | ⑤
직업병

; 근로자들이 그 직업에 종사(특수한 작업환경에 노출)함으로서 발생하는 상병

• 예방이 가능하며 만성의 경과를 거치며 특수검진으로 판정한다.

06. 정답 | ②
직업병

라: 조명부족 → 근시, 안정피로, 안구 진탕증

마: 고온 → 열중증(열경련, 열사병, 열허탈증, 열쇠약증)

• 고산병: 이상 저기압에 의한 장애

• 레이노질병: 진동에 의한 장애

07. 정답 | ① 기출
잠함병(감압병)

• 잠함병(감압병)이란, 이상 기압에 의한 작업병으로 고압의 작업 후 급속히 감압이 이루어질 때 체대에 녹아있던 질소가스가 혈중으로 배출되어 공기색전증을 일으키는 병을 말한다.

08. 정답 | ④
잠함병(감압병)

; 고압환경에서 작업을 마치고 갑자기 감압하는 경우 체내 질소가스의 증가로 감압 수분 후에 발생하는 직업병
→ 잠수부, 갱내 터널작업자, 해녀 등

• 대책: 단계적 감압 → 1기압 감압에 20분 이상 소요, 고압 폭로시간 단축, 감압 후 산소공급, 작업 중 고지방식이나 알코올 음용 금지 등

09. 정답 | ②
레이노질병

; 국소 진동장해로 오며, 수지 감각마비, 청색증, 저림, 통증, 냉감 등

• 착암공, 재단공, 진동공구 사용, 드릴작업, 전기톱 사용자 등

① 잠수부, 교량공(관절통, 호흡곤란, 반신불수 등)

③ 착암기, 연마기 작업자(소화기 장애, 여성생리 이상 변화)

④ 조선소, 착암작업, 분쇄(청력저하, 이명, 두통 등)

⑤ 아닐린 및 니트로벤젠중독: 염료, 약품, 화학공장(청색증)

10. 정답 | ⑤ 기출
VDT 증후군

; 스마트폰이나 컴퓨터 모니터와 같은 영상 기기를 오랫동안 사용해 생기는 눈의 피로, 어깨·목 통증 등 증상을 통칭하는 용어

• 증상: 안구건조증, 거북목 증후군이나 어깨·목 통증 등

① 잠함병: 감압병으로 고압 작업 후 금속히 감압이 이루어질 때 체내에 녹아 있던 질소가스가 혈중으로 배출되어 공기색전증을 일으키는 기압에 의한 직업병

② 항공병: 항공에 뒤따르는 특수환경에서 발생하는 질병상태. 감압 때문에 기화한 가스로 인한 팔꿈치·어깨 무릎관절 등의 불쾌감·질식감·호흡곤란, 산소결핍 때문에 두통·권태·기면·의식소실을 가져온다. 또 평형감각이 장애를 받아 배멀미와 비슷한 증상을 나

타낸다.

③ 진폐증: 폐에 분진이 침착하여 폐 세포에 염증과 섬유화가 일어난 상태

④ 소음성 난청: 기계공, 판금공(板金工) 등, 직업상 오랫동안 소음환경 하에 있는 사람에게서 볼 수 있는 난청의 한 종류

11. 정답 | ②

VDT 증후군

- 컴퓨터, 워드 프로세스, 팩시밀리 등 사무자동화로 인한 작업환경, 공간, 난이도, 시간 등 각종 영상표시단말기를 취급하는 작업에서 발생하는 근골격계 건강장애

- 증상: 눈의 피로, 경견완증후군(목, 어깨, 팔, 손가락장애와 등, 허리의 요통), 정신신경장애(불안, 초조, 신경질, 두통 호소), 임신, 출산의 이상 등

② 백내장: 적외선 만성적 노출(제강, 제련, 초자 제조, 주물, 주조)

12. 정답 | ①

색약

; 색맹의 정도기 약한 것, 선천적으로 감광물질이 없음으로 색조는 느끼지만 그 감수능력이 지둔하여 비슷한 색조 구별이 곤란한 상태

13. 정답 | ① 기출

납 중독

- 중금속에 의한 직업병으로 납은 주로 호흡기를 통해 체내로 흡입되며, 피부로도 잘 흡수된다.

- 주로 조혈기능장애로 빈혈, 신경장애, 심한 위장장애와 신장장애 등의 건강상의 영향을 준다.

② 대부분 수은은 증기 형태로 호흡기를 통해 흡입되며, 피부 접촉 및 섭취에 의해 노출되는 경우가 있다. 주로 두통, 근육진전, 불면증, 미나마타병, 단백뇨, 미나마타병 등의 건강상의 영향을 준다.

③ 카드뮴은 금속품 또는 분진을 흡입한 경우 금속 중독 증상으로서 흉통, 구토 등이 일어나며, 심할 경우는

보행장애, 근육통, 폐부종을 동반한 심폐기능부전 등의 건강상의 영향을 준다.

④ 크롬에 의한 건강장애는 주로 직업성 노출에 의한 것으로써 피부 및 호흡기의 장애를 일으킨다.

⑤ 구리에 의한 건강장애는 청동용기나 물건 취급자, 인쇄업, 직물 염색업 종사자에게 일어난다. 증상은 위장계 증상 및 용혈에 따른 증상이다.

14. 정답 | ⑤

소음

- 소음의 기준: 연속음으로 8시간 동안 90 dB 이상 폭로되지 않아야 한다.

- 난청 유발: 90 dB 이상의 소음

- 통각 유발: 130 dB 이상의 소음

15. 정답 | ①

동상

; 추운 환경에 노출된 신체 부위가 생리적인 보상기전의 작용이 실패한 경우 조직손상 발생

- 1도 동상: 발적, 부종

- 2도 동상: 수포형성에 의한 삼출성 염증

- 3도 동상: 피부와 피하조직 등 국소조직의 괴사상태

- 4도 동상: 괴사 및 조직의 손실

- 이상저온작업장애: 동상, 참호족, 침수족, 발적, 종창 발생

16. 정답 | ①

열사병

; 체온조절중추 신경장애로 발생, 가장 치명적으로 체온이 급격히 상승(40 ℃ 이상), 두통, 이명, 동공반응 소실 등 → 즉각적인 체온발산이 필요하다.

② 열경련: 고온환경에서 심한 근육운동시 발한에 의한 탈수와 염분손실로 근육경련 발생

③, ⑤ 열실신, 열허탈증: 고온환경에 장시간 폭로시 말초혈관 혈액순환의 부전으로 발생

④ 열쇠약: 만성적인 체열소모로 발생(권태, 식욕부진, 위장장해, 불면, 빈혈 등)

17. 정답 | ④

열경련

- 증상: 이명, 근육경련, 발작, 현기증
- 간호: 수분과 염분을 보충, 휴식
① 조직손상: 동상(사지가 한랭에 폭로)
② 순환장애: 열허탈증(말초혈액 순환의 부전)
③ 만성 체열소모: 열쇠약
⑤ 체온조절 중추이상: 열사병

18. 정답 | ③

직업병

; 작업장의 환경불량, 부적당한 근로조건(작업과중, 운동부족 등)으로 발생
- 식중독: 자연 유독물, 유해화학물질 및 세균 등이 음식물에 첨가되거나 오염되어 경구적으로 섭취됨으로써 발생하는 질병으로 위장 및 신경장애 등 생리적 이상을 초래하는 현상을 말한다.
① 잠함병: 고기압하에서 저기압으로 환경이 바뀌어 체내 질소가스의 증가로 감압 수분 후에 발생하는 직업병
② 규폐증: 유리 규산의 분진 흡입으로 폐에 만성 섬유증식을 일으키는 직업병
④ 열중증: 고온·고습환경에서의 작업에서 열발산이 적고 격심한 근육운동을 하는 경우 발생하는 직업병 → 열경련, 열쇠약증, 열사병 등
⑤ 진동증후군: 진동에 의한 직업병, 특히 사지, 손과 발의 국소성 혈관 경련에 의한 발작성 청색증과 통증을 유발

19. 정답 | ③

직업병 예방대책

- 작업시간단축: 산업피로를 예방하는데 큰 도움이 못되고, 근로손실이 너무 크다.
① 유해요인 노출 작업자에게 개인보호구 지급 및 관리
③ 근로자 채용시 건강진단을 통해 이상소견 발견, 적절한 조치
④ 생산기술 및 작업환경관리로 안전하고 건강한 작업환경을 확립
⑤ 휴식시간을 제외하고 1일 8시간, 1주 40시간을 초과할 수 없도록 규정

20. 정답 | ⑤

산업재해 발생요인

- 산업재해: 산업장에서 여러 위험요소에 의해 예기치 않은 돌발적인 인명피해와 재산상의 손실을 순간적으로 초래하는 것으로 인적 요인(80%), 환경적 요인(20%)에 해당

21. 정답 | ①

산업재해 지표

- 건수율(발생율) $= \dfrac{재해\ 건수}{평균\ 실근로자수} \times 1,000$
- 1,000명의 근로자 중에서 연간(혹은 일정기간) 재해건수가 몇 건인가를 나타낸다.
- 산업재해: 산업현장에서 우발적으로 발생하는 사고
② 강도율 $= \dfrac{근로\ 손실\ 일수}{연\ 근로\ 시간수} \times 1,000$
④ 도수율 $= \dfrac{재해\ 건수}{연\ 근로\ 시간수} \times 1,000,000$

22. 정답 | ③

산업피로

; 정신적, 육체적, 신경적인 노동부하에 반응하는 생체의 태도이며 질병이 아니라 가역적인 생체변화로서 건강의 장해에 대한 경고반응
① 견갑통: 어깨 통증
② 산업재해: 산업장에서 발생한 사고로 인적, 물적 손해가 따르는 것
④ 레이노현상: 국소진동으로 저림, 동통, 냉감을 느끼게 되는 현상(착암공)
⑤ 경견완증후군: 목, 어깨, 팔, 손가락 등의 경견완장애와 요통

23. 정답 | ⑤ 기출

산업피로

- 작업과정 중 적절한 휴식시간을 삽입하여 피로를 사전에 예방한다.
① 산업피로는 피로의 정도에 따라 회복 가능하므로 가역적인 생체변화라 볼 수 있다.
② 산업피로는 정신적, 육체적, 신경적인 노동 부하에 반응하는 생체변화를 의미한다.
③ 작업시간이 길수록 산업피로 발생률이 높아진다.
④ 산업피로의 결과 생산성이 저하되고, 재해 발생건수가 증가되므로 비례한다고 볼 수 있다.

24. 정답 | ④

산업피로

; 정신적 · 육체적 · 신경적인 노동부하에 대하여 나타나는 생체반응으로 회복되지 않고 축적되는 피로를 의미

마 : 너무 정적인 작업은 오히려 피로를 더하므로 동적인 작업으로 전환한다.

25. 정답 | ③ 기출

대치

- 작업환경개선 공학적 대책: 대치, 격리, 밀폐, 차단, 환기
- 대치: 독성이 약한 유해물질로 대체하거나 공정 또는 시설을 바꾸는 방법, 작업환경 대책의 근본방법
①, ② 개인 보호구의 착용에 관한 내용
④ 유해물질의 희석 및 실내 환기를 통한 공학적 대책으로 환기에 해당
⑤ 작업공정의 밀폐와 격리를 통한 공학적 대책으로 격리에 해당

PART

03

공중보건학

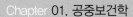
파워 간호조무사 **국가시험 정답 및 해설**

CHAPTER 03 공중보건학

제1장 | 공중보건의 이해

01. 정답 | ④

공중보건학의 목적

; 지역사회의 조직적인 노력을 통해 질병을 예방하고, 수명의 연장으로 노인 인구가 늘어나고, 환경 및 생활습관의 변화로 발생된 만성질환이나 희귀질환이 처음부터 생기지 않도록 예방하여 건강한 노년기를 보낼 수 있도록 하는 것
① 지역사회 및 공중보건 사업의 한 수단
③, ⑤ 의료인과 의료기관 중심으로 일단 질병이 발생된 후에 그에 대처하는 부정적 개념의 보건

02. 정답 | ②

공중보건학의 범위

공중보건: 질병을 치료하는 것이 아니라 질병의 예방을 통하여 목적을 달성하는 것
• 공중보건학의 범위
① 보건관리분야: 보건행정, 보건영양, 인구, 가족, 모자, 학교보건, 보건교육, 보건통계
③, ④ 환경보건분야: 식품위생, 환경위생, 환경보전과 환경오염, 산업보건
⑤ 의료보장제도: 보험료를 부담할 능력이 있는 국민을 대상으로 하는 사회보험 중의 하나로 국민의 의료를 보장하는 제도

03. 정답 | ④

영아사망률

; 연간 출생아 수 1,000명당 생후 1세 미만의 사망자 수의 비율
• 일정 연령군으로 통계적 유의성이 높고, 모자보건수준, 환경위생상태, 경제상태, 교육정도의 수준이 높아시면 사망률이 낮아지기 때문에 국가 또는 지역별 건강상태나 보건사업 수준을 평가할 때 가장 많이 사용되는 지표

① 출생률 $= \dfrac{\text{같은 해의 총 출생아 수}}{\text{특정 연도의 중앙 인구}} \times 1,000$

② 모성사망률 $= \dfrac{\text{임신, 출산, 산욕으로 인한 모성 사망자 수}}{\text{특정연도의 출생아수}} \times 1,000$

③ 유아사망률 $= \dfrac{\text{1~4세 사망아 수}}{\substack{\text{그해 중앙 시점의} \\ \text{1~4세 인구 수}}} \times 1,000$

⑤ 주산기사망률 $= \dfrac{\substack{\text{(같은 해 임신 28주 이후의} \\ \text{태아사망수 +생후 1주 미만의} \\ \text{신생아 사망수)}}}{\text{특정연도의 출생아수}} \times 1,000$

04. 정답 | ④ 기출

유병률

; 전체 지역사회 주민 중 특정 질병이나 건강 문제에 이환되어 있는 사람이 얼마나 있는지를 비율로 나타낸 것

① 유병률의 분모는 전체 인구수이다. 건강한 전체 인구수가 분모인 경우는 발생률이다.

② 치명률이 높으면 유병률은 낮다.

③ 발생률이 높으면 유병률은 높다.

⑤ 유병률의 분자는 현재 특정 건강 문제를 갖고 있는 사람수를 말한다. 새로이 특정건강문제가 발생한 사람수가 분자인 경우는 발생률이다.

05. 정답 | ⑤

비례사망자수

- 비례사망자수 = $\dfrac{50세\ 이상\ 사망자수}{연간\ 총\ 사망자수} \times 1,000$

① 조출생률 = $\dfrac{특정\ 기간\ 내\ 총출생수}{같은\ 기간\ 내\ 중앙인구수} \times 1,000$

② 조사망률 = $\dfrac{특정\ 기간\ 내\ 사망자수}{같은\ 기간\ 내\ 중앙인구수} \times 1,000$

③ 영아사망률 = $\dfrac{1세\ 미만\ 사망자수}{총\ 출생아수} \times 1,000$

④ 모아비 = $\dfrac{0{\sim}4세\ 인구의\ 비}{가임여성\ 인구} \times 100$

06. 정답 | ⑤

건강증진의 개념

- 건강증진: 현재의 건강 상태를 개선, 증진하고 건강에 대한 욕구를 자극하여 자신의 건강잠재력을 통하여 건강수준을 더 높이는 행위
- 주된 사업 내용: 금연, 절주, 건강생활 실천협의회 운영, 보건교육, 영양개선, 구강건강사업, 건강검진 등

②, ③ 건강증진의 주된 사업의 하나인 보건교육의 목적이다.

07. 정답 | ⑤

건강증진

- 예방이 강조되는 이유: 감염성 질환에서 비감염성 질환으로, 만성질환, 난치성 질환의 증가

① 전국민 의료보험 확대실시 등과 같은 의료비의 사회적 부담 증가

② 평균 수명의 연장으로 노인 인구의 증가

③ 의사, 의료시설은 더 많아지고 더 세분화, 고급화되었다.

④ 전문화된 의료 인력과 의료기구로 인해 더 정확하게 진단하게 되었으며, 이는 의료비 상승의 한 요인

08. 정답 | ④

건강증진사업의 필요성

가: 평균 수명의 연장으로 노인 인구의 증가

나: 전국민 의료보험 확대 실시 등과 같은 의료비의 사회적 부담 증가

다: 환경, 생활양식의 변화, 식습관 등으로 인한 질병의 증가

라: 질병의 양상변화로 감염성 질환에서 비감염성 질환으로 만성질환 증가, 난치성 질환의 증가

마: 질병의 예방에 있어 2차 예방은 치료 측면, 자신의 건강증진을 위해서는 1차 예방을 우선시해야 한다.

09. 정답 | ⑤

건강증진사업

- 건강증진 사업: 보건교육, 질병예방, 영양개선, 건강생활실천을 통하여 국민의 건강을 증진시키는 사업을 말하며, 질병의 1차 예방에 해당
- 질병의 조기치료(2차 예방): 질병의 초기에 적절히 치료해 병의 진행을 막아 건강을 회복하거나, 현재의 상태에서 더 나빠지는 것을 막기 위한 행위

  ex) 조기 정기검진, 조기치료, 합병증 예방을 위한 보건교육, 결핵환자 X-ray 촬영, 당뇨환자의 식이, 운동

①, ②, ③, ④ 1차 예방에 해당된다.

10. 정답 | ⑤

금연사업

- 제조 담배에 관한 광고 금지와 담배갑 포장지 앞·뒷면에 흡연이 폐암 등의 질병의 원인이 될 수 있다는 경고 문구 삽입
① 19세 미만 담배판매자 및 흡연과 비흡연 구역 구분 안한 자 과태료 부과, 지정 장소 외에 담배 자동판매기 설치 금지 등
② 금연교육프로그램 대상자들로부터 전화상담을 통해 금연을 실천할 수 있도록 유혹의 조절, 충동 다스리기 등, 재발 처치와 인지적 처치 등을 제공한다.
③ 금연 운동, 건강 상담 및 건강교실 운영, 흡연과 관련된 질병의 조기 발견을 위한 검진
④ 금연교육프로그램(동기부여단계 → 행동화단계 → 금연유지단계)의 체계를 구축하여 금연행위를 지속할 수 있도록 돕는다.

11. 정답 | ④

건강증진사업

: 건강생활의 실천의 필요성을 위해 교육 및 홍보를 통한 환경조성으로 삶의 질 향상과 건강한 수명 연장의 목표를 스스로 달성하고 향상시킬 수 있도록 하는 것

12. 정답 | ②

건강증진사업의 고려사항

- 소요자원 대신 사업기간과 소요인력가 해당
- 국민건강증진사업 시행 시 원칙
① 예산범위를 결정
③ 대상자의 요구 반영, 사업의 전과정에서 평가 시행
④ 관련법령 고려
⑤ 업무지침을 확인

13. 정답 | ①

청소년기 건강증진사업

: 흡연, 음주, 성교육, 약물남용, 비만, 비행청소년 상담, 척추측만증 예방, 여드름 관리, 영양관리, 자살 예방사

업 등이 포함되므로 ②, ③, ④, ⑤가 해당된다.
- 기초 예방접종은 영유아기에 해당

14. 정답 | ⑤

생애주기에 따른 건강증진사업

가: 영유아기 → 월령별 성장, 발달 수준을 확인
나: 청소년기 → 흡연, 음주, 성교육, 약물남용, 비만, 비행 청소년 상담, 척추측만증 예방, 여드름 관리, 영양관리, 자살예방사업 등
다: 장년기 → 정기건강검진, 비만관리, 알코올 및 카페인 섭취 관리, 규칙적인 운동
라: 노년기 → 영양관리, 적절한 운동, 휴식, 정기건강검진, 낙상과 상해 예방을 위한 교육 등
마: 학령기 → 치아관리, 비만관리, 자아존중감 증진 등

15. 정답 | ③

일차예방

: 질병 발생 전, 건강한 개인을 대상, 저항력을 높이는 생활습관과 건강행위의 개선 등이 포함 → 예방접종, 산전간호, 비만증예방, 질병예방, 금연, 금주, 건강유지, 건강증진, 건강보호, 보건교육, 상담, 건강검진 등
- 평균수명의 연장으로 노인인구가 증가하고, 질병의 양상이 감염성 질환에서 비감염성 질환으로, 만성 질환의 증가, 난치성 질환의 증가로 변화되고 건강에 대한 인식 변화, 전국민 의료보험 확대 실시 등과 같은 의료비의 사회적 부담 증가 등으로 건강증진사업 등과 같은 질병의 일차예방이 매우 중요하게 인식되었음

16. 정답 | ④

질병의 예방활동

- 이차예방: 질병 발생 후 병의 진전지연, 조기 발견, 조기 치료
  (ex) 신체검사, 정기검진, 결핵환자 X-ray 촬영, 자궁암, 유방암검진 등
- 삼차예방: 질병 잔재효과 최소화, 불구 예방, 사회 복귀(ex : 재활, 물리치료, 직업치료 등)
①, ② 일차예방: 질병 발생 전, 건강한 개인을 대상, 저

항력을 높이는 생활습관 등의 개선 행위

(ex) 예방접종, 산전간호, 비만증예방, 질병예방, 금연, 금주, 건강유지, 건강증진, 건강보호, 보건교육, 상담, 건강검진 등

17. 정답 | ③ 기출

일차예방

- 임산부의 산전간호는 건강한 산모와 태아가 질병이나 특정 건강문제가 발생하기 전에 질병을 예방하거나 발생하더라도 질병 발생 정도를 약하게 하는 1차 예방에 속한다.
① 재활은 남아 있는 기능을 최대한 활용해 원만한 사회생활을 할 수 있도록 하는 3차 예방활동이다.
② 유방암 검사는 조기발견 및 조기 치료를 위한 2차 예방활동이다.
④, ⑤ 당뇨병 환자의 식이요법, 치매 환자의 인지 검사는 조기 질환기에 있는 사람들을 적절한 치료를 받도록 함으로서 원래의 건강 상태를 되찾도록 하는 조치로 2차 예방에 속한다.

18. 정답 | ③

일차예방

- 일차예방: 질병, 사고발생 방지와 건강증진
- 이차예방: 조기발견과 조기치료에 의한 건강장애의 진행방지
- 삼차예방: 적정한 치료와 관리지도로 기능장애나 능력저하를 방지(재활훈련 등으로 사회복귀를 목표로 함)

나, 라, 마: 일차예방 → 예방접종, 산전간호, 비만증예방, 질병예방, 금연, 금주, 건강유지, 건강보호, 보건교육, 스트레스 관리

가: 이차예방 – 신체검사, 조기건강검진, 결핵환자 X-ray 촬영, 자궁암, 유방암검진 등

다: 삼차예방 – 재활, 물리치료, 직업치료, 정신질환자 사회복귀훈련 등

19. 정답 | ③

이차예방

: 조기정기검진, 조기치료, 합병증 예방을 위한 보건교육, 꾸준하고 지속된 치료, 결핵환자 X-ray 촬영, 당뇨 환자의 식이&운동요법 교육

①, ④, ⑤ 삼차예방: 재활훈련, 물리치료, 정신질환자의 사회적응훈련 등
② 일차예방: 생활조건개선, 건강보건교육, 예방접종, 환경개선, 안전관리, 건강검진, 산전간호, 비만증예방, 상담, 금연, 금주 등

20. 정답 | ② 기출

이차예방

: 건강검진이나 집단검진을 통한 질병의 조기발견 및 조기 치료에 해당

① 물리치료: 삼차예방에 해당, 치료 후 남는 여러 가지 신체적 장애와 기능을 회복시키고, 질병으로 인한 신체적·정신적 휴유증을 최소화하는 것
③, ④, ⑤ 영유아 예방접종, 어린이 손씻기교육, 청소년의 금연교육: 일차 예방에 해당

21. 정답 | ③ 기출

이차예방

: 질병의 초기, 즉 조기 질환기에 있는 사람들을 가능한 빨리 찾아내고 적절한 치료를 받도록 함으로써 질병을 조기에 차단하여 원래의 건강 상태를 되찾도록 하는 조치

- 치매선별검사를 통해 조기 발견하는 프로그램은 이차예방 프로그램에 해당
① 노인을 대상으로 치매예방 예방수칙을 교육하는 것은 일차예방 프로그램에 해당
② 이미 발생한 치매를 대상으로 재활을 실시하는 프로그램은 삼차예방 프로그램
④ 치매 예방운동은 일차예방 프로그램에 해당
⑤ 건강한 개인을 대상으로 치매에 대한 부정적 인식을 개선하는 프로그램이므로 일차예방 프로그램에 해당

22. 정답 | ③ 기출

질병의 삼차예방

- 질병예방활동: 세 가지 차원, 즉 1,2,3차 예방으로 구분
- 일차예방: 건강한 개인을 대상으로 질병문제가 발생하기 전에 질병을 예방하거나 발생하더라도 발생 정도를 약하게 하는 것
- 이차예방: 질병을 조기발견, 조기치료
- 삼차예방: 질병 합병증을 예방하고, 불구예방, 재활서비스

① 영유아 예방접종: 일차적 예방활동
② 학령기 구강관리: 일차적 예방활동
④ 성병 예방을 위한 콘돔 사용법: 일차적 예방활동
⑤ 당뇨병 환자의 철저한 식이요법: 이차적 예방활동

23. 정답 | ④ 기출

삼차예방

- 질병 예방활동
- 1차예방 활동: 예방접종, 건강유지증진, 보건교육, 환경위생, 산전간호 등
- 2차예방 활동: 건강검진, 집단검진을 통한 조기발견과 조기질병치료
- 3차예방 활동: 재활서비스, 사회생활 복귀 및 사회복귀 훈련, 물리치료 등

CHAPTER 02 질병관리사업

제1장 | 역학

01. 정답 | ④
감염의 3대 요소

- 병원체: 박테리아, 바이러스, 리케치아, 곰팡이 등
- 환경: 병원체가 생존하는데 필요한 인간, 동물, 흙 등
- 숙주: 새로운 숙주 내에 자리 잡고 생존하면서 증식

02. 정답 | ② 기출
숙주요인

- 질병발생요인
- 병원체요인: 물리, 화학,생 물학적, 유전적, 심리적 요인 등
- 환경요인: 매개곤충, 동물의 생물학적 환경, 물리화학적, 사회문화적, 경제적 환경
- 숙주요인: 연령, 성, 인종 등의 생물학적 요인과 면역상태 등

03. 정답 | ⑤
숙주 요인

: 기생생물이 기생하는 대상으로 삼는 생물, 즉 기생당하는 동·식물

- 생물학적 요인: 연령, 성, 인종, 면역
- 형태 요인: 생활습관, 직업, 개인 위생
- 체질 요인: 선후천적 지향력, 건강상태, 영양 상태
① 체질 요인: 선후천적 지향력, 건강상태, 영양 상태
②, ③, ④ 생물학적 요인: 연령, 성, 종족, 면역
⑤ 환경요인

04. 정답 | ④ 기출
불현성질병기

- 질병 자연사 단계(5단계)
- 1단계(비병원성기): 건강한 상태로 병인, 숙주 및 환경 간의 상호작용에 있어서 숙주의 저항력이나 환경 요인이 숙주에게 유리하게 작용하여 ㅈ병인의 숙주에 대한 작용을 억제 또는 극복할 수 있는 단계
- 2단계(초기 병원성기): 병인의 자극이 시작되는 질병 전기로서, 숙주의 면역강화로 인하여 질병에 대한 저항력이 요구되는 단계
- 3단계(불현성 질병기): 병인의 자극에 대한 숙주의 반응이 시작되는 조기의 병적이 변화기로서, 전염병의 경우는 잠복기에 해당, 비전염성 질환의 경우 자각 증상이 없는 초기 단계
- 4단계(현성 질병기): 임상적 증상이 나타나는 시기로, 해부학적 또는 기능적 변화가 있으며 적절한 치료를 요하는 단계

- 5단계(회복기): 재활의 단계로 회복기에 있는 환자에게 질병으로 인한 신체적, 정신적 후유증을 최소화시키고 잔여 기능을 최대한으로 재생시켜 활용하도록 도와주는 단계

05. 정답 | ③ 기출

풍토병

- 기후 특성에 따른 질병: 풍토병, 계절병, 기상병으로 분류
- 풍토병: 어느 지역의 기후 등에 수반하여 그 지역에만 주로 발병하는 질병
① 계절병: 계절의 변화에 따라 주로 발병하는 질병
② 기상병: 기후 상태에 따라 질병이 발생하거나 기존 질병의 증상이 악화되는 것으로 비교적 짧은 주기의 환경 변화에 따라서 발병
④ 냉방병: 냉방이 된 실내와 실회의 온도차가 심하여 인체가 잘 적응하지 못해서 발생하는 질병
⑤ 인수공통병: 사람과 가축의 양쪽에 이환되는 감염병

06. 정답 | ④

지카바이러스

; 모기가 매개체인 급성 바이러스감염 질환, 주로 중동과 아프리카 발병하는 풍토병
① 수족구병: 장내바이러스에 의해 전염되며 생후 6개월에서 5세까지 영유아들에게 주로 발생하는 감염 질환
② 장티푸스: 급성 전신성 발열성 질환으로 수인성 세균성 감염 질환
③ 인플루엔자: 급성 호흡기 질환으로 바이러스성 감염 질환
⑤ SARS: 2002년 중국 남부의 광둥 지방에서 처음 생겨난 신종 감염병

07. 정답 | ④

감염력

; 숙주에 침입하여 알맞은 기관에 자리 잡고 증식하는 능력

①, ② 병원력: 상대적 민감도는 발병자수/전감염자수로 표시
③ 감염병: 병원체가 감염된 숙주에게 현성질병을 일으키는 능력
⑤ 독력: 질병의 위중도와 관련된 개념으로 환자 중 영구적 후유증이나 사망비율

08. 정답 | ③ 기출

병원력

; 병원체가 숙주에게 현성감염을 일으키는 능력
① 독력: 병원체가 숙주에 대해 심각한 임상증상과 장애를 일으키는 능력
② 감염력: 병원체가 숙주에 침입하여 알맞은 기관이 자리 잡고 증식하는 능력
④ 면역력: 병원체가 숙주에 특이 면역성을 길러주는 성질
⑤ 증식력: 늘어서 많아지는 능력 또는 물려서 많아지게 하는 능력

09. 정답 | ① 기출

독력

- 병원체의 성질로 감염력, 병원력(병원성), 독력, 면역틱이 있다.
- 독력: 심각한 임상증상, 사망 불구 등의 장애를 초래하는 정도
② 면역력: 병원체가 숙주에 특이 면역성을 길러주는 성질
③ 감염력: 병원체가 숙주에 침입하여 기관에 자리잡고 증식하는 능력
④ 병원력: 병원체가 숙주에 감염하여 질병을 일으키는 원인이 되는 성질
⑤ 감수성: 숙주에 침입한 병원체에 대항하여 감염이나 발병을 저지할 수 없는 상태

10. 정답 | ① 기출

독력

- 감염병의 숙주 관련 특성: 감염력, 병원력, 면역력, 독력
- 병원체의 독력: 심각한 증상, 불구 등의 장애를 초래하는 정도를 의미하는 성질

11. 정답 | ③

내인성 감염

; 자기가 보유하고 있는 상재 미생물에 의한 내인 감염

① 감염이란 신체 조직이 병원체에 의해 침범되고 그 조직에서 병원체가 증식하는 것을 말하므로 방어감염이란 말은 맞지 않다.

② 교차감염: 병실에서 사람에서 사람으로 전파되는 수평감염

④ 외인성 감염: 생체 밖에서의 미생물 침입에 의한 외인 감염

⑤ 원발성 감염: 처음에 감염된 부위

12. 정답 | ⑤ 기출

감염병 발생양상

- 감염병: 감수성 있는 사람(숙주)이 병원체에 감염되어 비교적 짧은 기간에 한꺼번에 많은 사람이 발병하는 질병
- 감염병 발생양상: 유행적(전국적), 토착적(지방적, 편재적), 세계적(범유행적, 팬데믹), 산발적, 주기적으로 발생

① 주기성 감염병: 일반적으로 2~4년마다 한 번씩 유행하는 감염병

② 토착성 감염병: 지방의 특수성에 의해 계속적 혹은 주기적으로 발생하는 감염병

③ 산발성 감염병: 전파경로가 확실치 않고 장소와 시간을 달리하여 산발적으로 발생하는 감염병

④ 유행성 감염병: 전국적 발생으로 단시일 내에 계속적으로 발생하고 또 넓은 범위로 만연하는 경향이 있는 감염병

13. 정답 | ①

손씻기

- 병원감염방지에서 가장 중요한 것은 손씻기이다.

14. 정답 | ③

감염원 처리

- 전염병 관리 시 전파과정을 차단하는 것이 중요한데 보균자(균을 갖고 있는 사람)를 관리하여 병원균의 확산을 차단해야 한다.

15. 정답 | ③

불현성 감염자

; 병원체가 숙주에 감염되어 알맞은 기관에 자리 잡고 증식하고 있으나 임상증상이 나타나지 않고 병원체를 전파하는 사람

① 미생물에 감염되어 질병으로 인한 증상이 확실히 나타나는 사람

② 병원체가 번식하면서 살수 있는 곳으로 인간 병원소, 동물병원소, 기타(토양)

④ 전염병이 경과하고 임상증상이 소실되어도 계속 병원체를 배출 하는 자

⑤ 잠복기간 중 타인에게 병원체 전파

16. 정답 | ②

불현성 감염자

; 병원체에 감염되었지만 임상증상이 미약하여 아무 증상이 없는 사람

가, 나: 불현성 감염환자도 현성감염환자와 마찬가지로 병원체의 배출로 감염원이 된다.

다: 병원체 감염 후에도 증상이 나타나지 않고 활동력도 건강한 사람과 차이가 나지 않아 전염 기회가 훨씬 클 것이다.

라: 증상은 없지만 전염성이 있다.

마: 상당히 많은 질환에서 현성감염보다 훨씬 많기 때문에 질병의 규모나 발생양상을 정확히 파악할 수 없다

17. 정답 | ①

파상풍

- 토양으로 오염된 상처와 이물이 존재하는 창상은 파상풍에 걸리기 쉽다.

18. 정답 | ③ 기출

인공능동면역

- 면역: 선천면역(종, 인종, 민족, 개인의 특성)과 후천면역
- 후천면역 중에 예방접종 후에 면역이 획득되는 면역을 인공능동면역이라고 한다.
- ① 선천면역: 종, 인종, 민족, 개인의 특성을 말한다.
- ② 인공수동면역: 다른 사람의 혈청 또는 감마 글로불린 주사를 통해 얻은 면역
- ④ 자연수동면역: 태반으로부터 면역을 받거나, 생후에 모유에서 항체를 받아 생긴 면역
- ⑤ 자연능동면역: 질병에 걸린 후 획득한 면역

19. 정답 | ④ 기출

인공능동면역

- 면역: 외부에서 침입한 병균으로부터 우리 몸을 방어하는 작용
- 인공능동면역: 인공적으로 항원(백신, 톡소이드)을 투여해서 면역체를 얻는 방법

20. 정답 | ②

자연능동면역

- 면역: 외부에서 침입한 병균으로부터 우리 몸을 방어하는 작용
- 홍역은 자연능동면역으로 감염병에 전염되어 생기는 면역으로 획득한다.

21. 정답 | ①

생균

: 결핵, 홍역, 볼거리, 풍진, 탄저병, 황열

②, ③, ④, ⑤은 사균

제2장 | 감염성 질환

22. 정답 | ③

말라리아

; 모기, 유행성 출혈열: 들쥐나 진드기로 인한 절족동물 매개 감염

- 비말감염 전파: 홍역, 유행성 이하선염, 풍진, 디프테리아, 성홍열, 인플루엔자, 감기, 성홍열, 천연두 등
- 장티푸스, 소아마비(폴리오): 소화기 감염에 의해 감염(특히 폴리오는 주로 분변–경구로 감염되나 환경위생이 잘 정비된 지역에서는 비말로도 감염된다)

23. 정답 | ④ 기출

호흡기계 감염성 질환

- 호흡기계 질환은 콧물, 가래, 비말 등을 통하여 병원체가 탈출한다.
- 디프테리아, 백일해, 성홍렬, 홍역, 유행성이하선염, 풍진, 인플루엔자, 중증급성 호흡기 증후군, 중동호흡기증후군 등
- ① 임질은 성병으로 직접적인 환부와의 접촉으로 병원체가 탈출한다.
- ② 콜레라, 장티푸스는 소화기계 수인성 감염병으로 분변, 토사물 등을 통해 전파된다.
- ⑤ 쯔쯔가무시증은 감염된 진드기의 유충이 사람을 물어 전파된다.

24. 정답 | ⑤

소화기계 감염성 질환

- 소화기계 감염성 질환: 위 장관을 통한 탈출로 분변이나 구토물에 의해서 체외로 배출. 이질, 콜레라, 장티푸스, 파라티푸스, A형간염 등
- 호흡기계 감염성 질환: 비말감염이나 공기를 통한 전파, 인플루엔자, 디프테리아, 홍역, 결핵, 유행성 이하선염, 백일해, 성홍열, 뇌막염
- 소아마비(폴리오): 분변 – 경구로 감염되나 환경위생이 잘 정비된 곳은 비말전파 가능

- 피부를 통한(혈액) 전염성 질환: 말라리아, 사상충, 뇌염(모기)
- 상처와 점막을 통한 질환: 임질, 종기, 트라코마

25. 정답 | ⑤ 기출

바이러스성 질환

; 병원체가 바이러스인 감염병을 뜻하는 질환

- 간염(A, B, C), 인플루엔자, MMR, 수두, 폴리오(소아마비), 일본뇌염 등
① 결핵: 세균에 의한 감염
②, ③, ④ 장티푸스, 콜레라 발진티푸스는 수인성 감염 질환에 속한다.
⑤ 유행성 이하선염은 공기매개 또는 비말로 인한 호흡기 감염 질환, 타액과의 직접접촉으로 전파된다.

26. 정답 | ④

바이러스성 질환

; 감기, 인플루엔자, 홍역, 이하선염, 풍진, 수두, 소아마비, 간염, 일본뇌염, 공수병(광견병), 천연두
마: 결핵은 마이코박트륨 투베르클로시스(Mycobacterium tuberculosis)라는 세균에 의한다.

- 매독은 트레포네마 팔리듐(Treponema pallidum)이라는 세균에 의한다.

27. 정답 | ④

바이러스성 질환의 특징

- 바이러스는 병원체중 가장 작아 일반 광학현미경으로는 관찰할 수 없고 전자 현미경을 이용하여야만 크기를 측정하고, 세포내에서 번식하므로 세포내 병원체. 항생물질과 설파제에 저항한다.
①, ② 세균=박테리아는 항생제 효과가 있다.
③ 병원체 중 가장 큰 것은 진균
⑤ 리케치아는 세균과 바이러스의 중간크기이며 대개 곤충류가 매개한다.

28. 정답 | ④ 기출

폐결핵

- 폐결핵의 감염경로의 주된 전파방법: 기침이나 재채기를 통한 비말감염, 그 외에 소나 새 등을 통한 감염, 오염된 식기나 식품에 의해 감염

29. 정답 | ⑤ 기출

결핵환자 감염관리

- 결핵 전파 경로는 공기 매개 감염 질환(가장 흔한 감염경로)으로, 주로 결핵 환자의 기침이나 재채기를 통해 전파된다.
① 결핵은 수인성 전염병이 아니므로 해당 없다.
② 결핵은 공기매개감염이므로 다인실 배정은 가능치 않다.
③ 역격리는 보호격리로서 감염에 민감한 사람을 위해 주위 환경을 무균적으로 유지하는 것으로 백혈병, 항암제사용, 화상환자 등이 해당한다.
④ 결핵간호에 대기요법으로서 조용하고 따뜻하며 신선한 공기가 충만한 곳이 적합하다. 직사 일광욕은 객혈의 염려로 좋지 않으나 암막커튼까지 필요치 않다.

30. 정답 | ③

결핵의 증상

; 식욕부진, 체중감소, 피로, 오후의 미열, 잠잘 때 식은 땀이 나는 야간의 발한 등

- 질병이 진행됨에 따라 기침, 흉통, 객혈 등의 증상이 나타난다.

31. 정답 | ③

결핵진단검사(투베르쿨린 반응검사)

- 양성으로 판명된 경우 X-ray 촬영하여 병소를 확인한다.
① 음성으로 판명된 경우 BCG 예방접종을 하여 결핵면역체를 얻는다.
② X-ray 촬영 후 소견이 있는 사람에게 객담검사를 하여 개방성 여부를 판정

④ 결핵 진단 후(객담검사까지) 즉시 투약시작하고 진단이 내려짐과 동시에 장기간 약복용 시작할 것
⑤ 투베르쿨린 검사시 5~10 mm의 양성으로 판명된 경우 다시 실시한다.

32. 정답 | ①

결핵진단검사(투베르쿨린 반응검사)

: PPD 용액 0.1 cc를 피내주사하여 5 mm↓음성 → BCG 예방접종하여 결핵에 대한 면역성을 길러주는 것이 매우 효과적이다.

• PPD 용액(결핵반응검사 용액), BCG 용액(결핵예방백신): 2~5 ℃ 냉암소 보관할 것

33. 정답 | ①

결핵 전파 예방법

• 종이에 싸서 소각(불에 태워) 감염원을 제거하는 것이 가장 좋은 방법

34. 정답 | ①

결핵 전파 예방법

• 결핵은 폐와 신장, 신경, 뼈 등 우리 몸속 거의 대부분의 조직이나 장기에 병을 일으킬 수 있지만 그중에서도 결핵균이 폐 조직에 감염을 일으키는 폐결핵이 대부분을 차지하므로 객담에 균이 있으므로 분뇨는 소독할 필요가 없다.
② 결핵은 비말감염에 의해 전파되므로 환기를 잘 시킴으로 균을 희석시키며 오염된 공기를 외부로 내보내게 된다.
③ 결핵균이 공기에 의해 전파되는 것을 차단하기 위해 객담처리를 잘해야 된다. 몇 겹으로 접은 휴지에 객담을 받아 종이주머니에 모아 소각한다.
④ 결핵환자가 기침이나 재채기를 하면 결핵균이 포함되어 있는 침방울이 입이나 코에서 튀어나오며 상당기간 공중에 떠 있으므로 가까이 있는 가족에게 전파되기 쉽다.
⑤ 5세 이하 어린이는 집안에 결핵환자가 있을 때 예방적으로 약 투여하기도 한다.

35. 정답 | ①

결핵환자의 간호

• 균양성 환자라도 유효한 항결핵 화학요법을 시작하면 전염성이 소실(2주 이내)되므로 격리할 필요는 없다.
② 결핵은 원인를 찾아 치료하고 전파경로를 차단하는 것이 중요하고 비말감염으로 전파되므로 입과 코를 막도록 한다.
③, ④ 결핵균은 다른 균에 비해 저항력이 강한균으로 환자의 객담 중에 수개월 걸쳐 생존하므로 가족은 모두 규칙적으로 X-ray 검사를 받도록 한다.
⑤ 열과 햇빛에 약해서 소각하거나 직사광선을 쬐이면 죽게 된다.

36. 정답 | ⑤

B형간염

• 이미 주사에 찔리면서 B형간염균이 침투했으므로 치료목적으로 시행하는 항체를 공급받는 인공수동면역이 적합

37. 정답 | ③ 기출

A형간염

• 수인성 감염병: 병원성 미생물에 오염된 물에 의해 매개되는 전염병
• 종류: 설사, 복통, 구토 등이 나타나는 소화기계 질환으로 세균성 이질, 장티푸스, 파라티푸스, A형간염 등
① 풍진: 공기비말 전파 및 직접 접촉을 통한 감염, 수직감염(태반을 통한 태아감염)으로 전파되는 질환
② 홍역: 공기비말 전파를 통한 호흡기계 질환
④ 일본뇌염: 인수공통 감염병으로 모기(작은빨간집모기)를 매개로 전파되는 곤충 매개 감염
⑤ 유행성이하선염: 공기비말 전파 및 타액과의 직접 접촉으로 전파되는 질환

38. 정답 | ④

수인성 감염병

가: 수인성 감염병은 병원성 미생물에 오염된 물을 섭취

하여 발병한 감염병

나: 동일한 물을 같이 사용 시 같은 시기 다수환자가 발생하여 환자 발생이 폭발적

다: 같은 급수원이 오염원

라: 환자 발생은 급수지역내에 발생하며 급수원이 오염원이므로 계절과는 비교적 무관하게 발생한다.

마: 병원성 미생물에 따라 다양하나 대부분 증상완화를 위한 대증요법 수액요법으로 회복되고 성별, 연령, 직업 등과 관계없이 발생한다. 일반적으로 이환율과 치명률이 낮으며 이차감염자가 적다.

39. 정답 | ①
수인성 감염병

- 수인성 감염병은 발별률과 치명률이 낮다.
② 오염된 물, 음료수에 의해 전염되는 질환이므로 같은 물을 사용 시 집단적, 폭발적으로 발생한다.
③ 하절기에 많으나 개인위생과 환경위생상태가 불량한 경우 계절에 상관없다.
④ 오염된 물에 의해서 전염되므로 동일 전염병의 병원체가 검출된다.
⑤ 동일한 음료에서 공동으로 감염되므로 성별, 연령별의 차이가 없다.

40. 정답 | ⑤
수인성 감염병

; 장티푸스, 파라티푸스, 이질, 콜레라, 소아마비, 유행성 간염 등

①, ②, ④ 황열, 사상충, 일본뇌염: 모기에 의해서 걸리는 감염병

③ 파상풍: 외상(오염된 흙)에 의해 걸리는 감염병

41. 정답 | ④
아메바성 이질

가: 분포는 덥고 습한 열대와 아열대

나: 병원성 아메바, 원충류에 의한 질환

다: 분변으로 배출된 균은 음식물, 물 등에 오염되어 경구로 침입하므로 위생적인 분변관리가 중요

라: 특징적인 증상은 혈액과 점액이 섞인 설사와 복통, 일부 아메바는 간세포를 파괴하여 간농양 발생

마: 간디스토마에 대한 설명

42. 정답 | ⑤ 기출
세균성 이질

; 소화기계 세균성 감염병 질환으로 급성 염증성 장염

- 증상: 대변에 혈액이나 고름이 섞인 설사
① 황열: 바이러스성 급성 열성질환으로 모기로 전파된다. 특징적인 증상은 40도에 이르는 고열, 심한두통 등이 특징적이다.
② 공수병: 바이러스 인수공통질환으로 감염된 동물에 물려 감염이 된다. 특징적인 증상은 마비증상의 중추신경계 증상이다.
③ 말라리아: 원충 감염에 의한 급성 열성 질환이다. 특징적인 증상은 권태감 및 발열 증상이다.
④ 일본 뇌염: 바이러스 인수공통질환으로 모기(작은빨간집모기)를 매개로 전파된다.

43. 정답 | ④
후천성면역결핍증(AIDS)

마: 환자와의 성적접촉, 감염된 혈액, 혈액제제, 수혈, 오염된 주사기와 주사바늘, 감염된 산모로부터의 수직 감염되어 출생한 신생아, 환자로부터 이식 받은 장기, 환자와 보균자의 타액이나 분비물, 개방된 상처 등을 통해서도 감염된다.

44. 정답 | ⑤
후천성면역결핍증(AIDS)

- 아직까지는 에이즈를 완치시키는 치료제나 에이즈 백신은 아직 없다.
① 감염경로는 성적 접촉, 수혈, 혈액, 모자감염, 주사에 찔리는 경우이므로 전파방지
② 바이러스 증식을 억제하는 칵테일요법을 도입하여 에이즈 환자로 진행하는 것을 막고 생존기간을 연장할 수 있으므로 계속적인 추후관리가 필요하다.
③ 콘돔은 비용이 저렴하고 손쉽게 이용할 수 있는 효과

적인 에이즈 예방법

④ 면역세포에 침입, 증식, 파괴하여 면역력이 떨어지면 기회감염이 병발한다.

45. 정답 | ④

인간면역결핍바이러스(HIV)감염의 위험요인

; 환자 및 보균자의 혈액, 정액, 질 분비물, 체액, 감염된 산모, 수혈, 오염된 주사바늘이나 주사기를 같이 사용하는 경우, 면도기나 칫솔, 문신 귀 뚫기 등으로 전파되는 감염병

- 호흡기계 감염병: 백일해, 홍역, 디프테리아, 성홍열, 풍진, 중증급성호흡기증후군, 유행성이하선염, 인플루엔자 전파경로

46. 정답 | ⑤ 기출

매독

- 매독은 성매개 감염병으로 전파경로가 성접촉, 임신 4개월 이후 태반으로 수직감염, 수혈 시 직접 혈액으로 들어간다.
① 제4급 감염병에 해당된다.
② 신행아 임균 눈염을 유발하는 질병은 임질에 해당한다.
③ 예방접종은 없고 가장 확실한 예방법은 매독환자와의 성적인 접촉을 피하는 것이다.
④ 원인균은 트레포네마 팔리듐이고 인체면역결핍바이러스(HIV)가 원인균인 질환은 AIDS이다.

47. 정답 | ③

연하성감

- 자연면역은 병원체에 대하여 태어나면서부터 지니고 있는 저항력이고, 매개물 없이 사람과 사람에게 직접 전파되는 성병은 성 접촉 시마다 전파되는 성병이므로 자연면역이 아니다.
①, ② 헤모필루스 듀크레이 균 감염에 의한 성병, 성병은 성 파트너와 함께 치료받아야 하는 것을 강조할 것
④ 무증상접촉자도 예방적 치료
⑤ 성 접촉으로 인한 성기나 회음부의 통증성 궤양 형성

48. 정답 | ⑤

성병 간호

- 매독은 태반을 통해(16주 이후) 태아가 감염되므로 임신 16~20주 이내에 치료해야 한다.
① 성병 → 산전관리 → 치료 가능
② 임질은 성행위 시 성기에 접촉으로 전파되며 여성의 경우 모성이 환자일 때 출산 시 산도를 통과하면서 신생아의 임균성 안염이 생길 수 있다.
③ 가장 강조할 것: 꾸준히 치료하면 치유될 수 있다는 것을 각인시킬 것
④ 성병은 매개물 없이 사람에게서 사람에게로 직접 전파되며, 성 접촉자의 발견이 어렵기 때문에 그 관리가 어려운 실정이다.

49. 정답 | ④ 기출

간흡충증(간디스토마)

- 간흡충(간디스토마)증의 전파경로에 제2중간 숙주는 민물고기이다.
① 편충: 경구적으로 섭취되면 소장 상부에서 유충이 되어 아래로 점차 내려와 맹장 근처에 자리잡고 살며, 수천개를 산란
② 회충: 우리나라에서 가장 높은 감염률을 나타내며 분변으로 탈출한 충란이 야채, 파리, 손에 의하여 경구적으로 침입
③ 요충: 충란이 음식물 또는 불결한 손을 통하여 침입하여 소장 상부에서 부화한 뒤 맹장 부위에서 발육하고 직장 내에서 기생하다가 항문주위에 산란
⑤ 십이지장충: 십이지장 부근에 기생한다고 하여 십이지장충이라고 하며 오염된 흙 위를 맨발로 다닐 경우 감염되며, 피부와 채소를 통해 감염

50. 정답 | ② 기출

요충증

; 성숙 충란이 음식물 또는 불결한 손을 통하여 경구로 침입하여 소장 상부에서 부화한 후 맹장부위점막에서 성충이 될 때까지 발육하고, 직장 내에서 기생하다가 45일 전후에 항문 주위에서 산란하게 된다.

• 항문 주위 소양감이 심하여 항상 손을 깨끗이 씻고 손톱을 짧게 자르도록 하고 옷 위에서 긁도록 하도록 한다.

51. 정답 | ④
십이지장충

; 오염된 흙 위를 맨발로 다닐 경우 피부로 침입하여 홍반구진 및 수포를 형성하고 여름철 상치 쌈, 김치를 먹고 난 후 생긴다하여 '채독증'이라 불려져 왔다.
① 요충: 음식물, 불결한 손에 의해 경구로 침입
② 회충: 우리나라에서 가장 높은 감염률을 나타내며 야채, 파리, 손에 의해 경구로 침입
③ 사상충: 모기에 의해 전염되는 기생충 질환
⑤ 간디스토마: 쇄우렁이(1중간숙주), 담수어(2중간숙주)와 접촉 시 불완전한 조리나 생식 시 감염

52. 정답 | ①
기생충 예방방법

• 육류는 충분히 가열해야 유구조충(돼지고기), 무구조충(쇠고기) 예방
② 손이나 도마를 깨끗이 씻을 것
③ 민물고기는 충분히 가열하여 간디스토마, 폐디스토마를 예방
④ 야채는 충분히 씻어 회충, 요충, 구충 등을 예방
⑤ 도축장의 육류 유통구조개선이 필요

53. 정답 | ①
기생충 예방 방법

• 치료보다는 생기지 않도록 예방에 주력해야 한다.
② 예방관리계획 세울 때 기생충의 생활양식과 생활환경을 잘 파악하여 환경변화와 화학약제에 의해 가장 약한 시기를 발견하고 차단하여 발육에 필요한 숙주를 제거한다.
③, ⑤ 개인위생으로 하는 개인관리, 가족이나 학교 직장 등의 접촉감염이 잘 이루어지는 집단관리, 국가적인 기구나 조직을 이용하고 법적인 규제를 동원하는 국가관리로 나눈다.

④ 기생충의 예방조치는 토양을 비롯한 병원소의 격리와 박멸, 토양오염방지, 음료수 및 식품위생의 강화, 위생적인 환경개선, 개인위생을 포함한 보건교육 등이 있다.

제3장 | 만성질환

54. 정답 | ② 기출
당뇨병

• 생활습관질환 중 당뇨는 평생 관리해야 하는 질환이며, 식이·운동·약물 요법으로 스스로 건강 관리하는 것이 중요한 질환

55. 정답 | ③ 기출
만성질환

; 장기간의 의료처치를 요하는 상태나 질병을 묶어 표현한 것으로, 병의 경과의 장단에 의한 분류. 보통 6개월 혹은 1년 이상 계속되는 질환을 말하며, 급성질환과 대응
• 만성질환은 생활 습관과 관련이 깊어 '생활습관병'이라고도 불리우며, 감염성 질환 이외 거의 모든 질환이 이에 해당한다고 생각하여 '비감염성 질환'이라고 부르기도 한다.
① 일단 발생하면 3개월 이상 오랜 기관의 경과를 취한다(진행의 장기성).
② 질병의 원인이 다양하고 명확하게 알려진 것은 드물다(원인의 다양성).
④ 질병 진행에 개인차가 있다(개별적 다양성).
⑤ 연령증가에 따라 유병률이 증가한다.

56. 정답 | ②
만성질환

• 유병률: 인구집단 내에서 어떤 질병에 이환되어 있는 환자의 수가 얼마나 되는가?

- 발생률: 인구집단 내에서 어떤 질병 또는 사건이 새롭게 일어난 횟수가 얼마나 되는가?
- 오래 지속하는 만성질환의 경우에는 유병률은 발병률에 비하여 상대적으로 커진다.
① 병에 걸리는 이환기간은 만성이므로 길다.

57. 정답 | ①
만성질환

- 만성질환은 전염성질환에 비해 원인균에 해당하는 필수요건이 없거나 불확실하며 질병 발생에 관여하는 요소가 복잡하고 발현기간이 길며 발생시점이 불확실하다.
- 유전적 요인, 사회경제적 요인, 습관적 요인, 기호의 요인, 영양상태, 환경요인, 심리적 요인, 지역적 요인, 직업적 요인 등이 있다.

58. 정답 | ④
만성질환

- 만성질환은 여러 원인이 복합적으로 작용하여 원인 규명이 어려우므로 원인이 확실한 전염성질환과 다르다.
① 생활습관개선을 통해 질병을 예방할 수 있다는 점을 강조하여 '생활습관병'이라는 용어를 사용한다.
② 병이 있는 환자는 많으나 발생(폭로된 환자)한 환자는 적다.
③ 직접적인 요인이 존재하지 않으며 여러 요인이 복합적으로 작용하여 규명이 어렵고 잠재기간이 길므로 일관성 있는 관리가 어렵다.
⑤ 원인이 다양하다.

59. 정답 | ③
재활치료

- 재활치료: 삼차 예방 – 질병의 악화를 방지하기 위한 조치 및 치료하였음에도 불구하고 장애가 남아 있는 사람들의 신체 기능을 회복시키는 단계
①, ②, ④ 일차 예방: 질병의 원인이 되는 요인을 통제하여 질병발생을 사전에 예방하기 위한 예방접종, 산전간호, 건강유지, 질병예방, 보건교육, 건강증진, 환경위생개선, 개인 청결유지 등
⑤ 만성퇴행성 질환의 경우 일차 예방에 필요한 직접원인이 밝혀지지 않아 일차 예방이 어렵지만 위험인자에 대한 교육과 홍보가 주된 내용이다.

60. 정답 | ③
만성질환

- 만성질환은 연령증가에 비례하여 유병률이 증가함으로 질병 유병률을 감소하기 위함이다.
① 만성질환은 기능장애를 동반함으로 지연하는 것
② 노령인구의 증가로 인하여 만성질환이 증가하므로 건강수명 연장
④ 오랜 기간이 경과하며 발생하므로 치료도 장기적으로 해야 됨, 질환의 중증도를 완화하는 것
⑤ 자기관리능력을 개선하고 유지하여 삶의 질을 향상하는 것

CHAPTER 03 인구와 출산

01. 정답 | ①

별형

; 15~64세(생산가능인구) 인구가 50% 초과(유입형, 도시형)

② 종형: 인구 정지형(선진국가, 이상적인 인구형)

③ 유출형(농촌형): 15~64세(생산가능인구) 인구가 50% 이하

④ 항아리형: 인구 감소형(일부선진국, 프랑스, 일본)

⑤ 피라미드형: 인구 증가형(저개발국가, 다산다사)

02. 정답 | ② 기출

별형

- 인구구성: 지역의 사회학적, 경제학적 특성을 나타내고 있다. 성별 · 연령별 인구구성을 인구피라미드 유형으로 피라미드형, 종형, 항아리형, 별형, 표주박형으로 쉽게 보여준다.
- 별형: 생산연령인구가 많이 유입되고 있는 도시형 인구구성으로, 도시형, 유입형이라고도 한다.

① 생산연령인구가 많이 유출되는 농촌형은 표주박형(호로형)을 말한다.

③ 출생률이 사망률보다 낮은 인구감소형은 항아리형을 말한다.

④ 낮은 출생률과 낮은 사망률의 특징은 인구정지형으로 종형을 말한다.

⑤ 높은 출생률과 높은 사망률의 특징은 인구증가형으로 피라미드형을 말한다.

03. 정답 | ①

종형은 0~14세 인구가 65세 이상 인구의 2배와 같다.

② 15~64세 인구가 전체인구의 50% 차지

③ 15~64세 인구가 전체인구의 50% 미만

④ 0~14세 인구가 65세 이상 인구의 2배가 안 된다.

⑤ 0~14세 인구가 65세 이상 인구의 2배가 넘는다.

04. 정답 | ③ 기출

호로형

- 성별·연령별 인구구성의 모양을 그래프로 나타낸 것을 인구피라미드라고 부르며 그게 5가지(종형, 별형, 호로형, 항아리형, 피라미드형)의 기본모형으로 분류된다.

① 종형은 인구정지형으로 출생률과 사망률이 다 낮아서 정체 인구가 되는 단계를 말한다.

② 별형은 도시형으로 인구, 특히 생산연령인구가 많이 유입되고 있는 도시형 인구구성으로 15~64세 인구가

전체 인구의 50%를 넘는다.

④ 항아리형은 인구감소형으로 사망률이 맞고 정체적이지만 출생률이 사망률보다 더욱 낮아 인구가 감소하는 감소형 인구구성이다.

⑤ 피라미드형은 인구증가형으로 출생률이 조절되지 않고 사망률 저하가 빨라서 인구가 증가하는 단계로서 발전형 인구구성이다.

05. 정답 | ③
인구 통계
- 인구동태 통계: 인구의 자연적인 변동 상황으로, 인구변동에 영향을 주는 출생과 사망, 혼인과 이혼, 사산률, 전입과 전출이다(의무신고에 의해 통계 파악이 가능).

가, 다: 인구정태 통계에 해당된다.

- 인구정태 통계: 어느 특정한 시점에 있어서의 인구 크기, 인구 구조, 인구분포, 성별 인구, 연령별 인구 구성을 말한다.

06. 정답 | ⑤
2차 성비
- 2차 성비는 출생 시 성비로 장래인구수를 추정하는 데 도움을 준다.

07. 정답 | ②
3차 성비
- 3차 성비는 현재 30~40대 성비(여자인구 100명에 대한 남자인구)를 말한다.
①, ③ 성비란 여자인구 100명당 남자인구수를 말한다.
④ 2차 성비를 말한다.
⑤ 1차 성비를 말한다.

08. 정답 | ①
성비
- 노령기에는 남자가 적다. 그래서 여성 100명당 남성은 적어서 성비는 낮아진다.

- 현재 우리나라의 성비는 0~4세는 남자가 많고, 연령이 증가하면서 차이가 줄어 결혼연령까지 점차 비슷해지다가 50~54세에서 균형을 이루며, 고령이 되면 여자인구가 남자인구를 넘어 선다.
② 3차 성비는 현재 30~40대 성비를 말함
③ 1차 성비는 태아의 성비로 남자가 많다.
④ 여자인구 100명당 남자인구수
⑤ 2차 성비는 출생 시 성비로 장래인구수를 추정하는 데 도움을 준다.

09. 정답 | ① 기출
부양비
; 연령별 구성에서 사회적·경제적으로 큰 의미가 있는 인구지수로, 경제활동인구에 대한 비경제활동인구의 비
- 선진국은 개발도상국에 비해 총부양비가 낮다.
- 노년 부양비는 선진국이 높고, 유소년 부양비는 개발도상국이 높다.
② 노인인구의 증가에 따라 노령화지수도 증가한다.
③ 저출산으로 인한 유소년인구 감소로 유소년 부양비는 감소된다.
④ 선진국은 개발도상국에 비해 총 부양비가 낮다.
⑤ 선진국일수록 의료기술의 발달, 만성질환의 증가 노인인구가 증가

10. 정답 | ① 기출
노년 부양비
- 우리나라 노인복지법에서 65세 이상을 노인으로 규정한다. 인구의 고령화로 노년 부양비가 점차 증가하고 만성질환 유병률이 높은 것이 특징이다.
② 노인 인구 비율의 증가
③ 노인 치매 유병률의 증가
④ 노인 단독가구 비율의 증가
⑤ 건강수명과 기대수명의 불일치

11. 정답 | ⑤ 기출
노년 부양비
- 노년 부양비 계산법은 분모는 15~64세 인구, 분자는

65세 이상 인구 × 100로서 생산가능인구에 대한 노인의 인구의 비율을 말한다.

12. 정답 | ⑤ 기출
총부양비

; 생산연령인구의 인구에 대한 비생산연령인구의 비, 생산연령인구가 부양해야 하는 경제적 부담을 나타내는 지표

제2장 | 인구정책

13. 정답 | ⑤ 기출
우리나라 인구정책

; 저출산·고령화에 관한 내용이다. 여기에는 출산과 양육은 물론 고용, 주택, 교육 정책까지 들어 있다.

14. 정답 | ③
우리나라 인구정책

- 노후의 안정적인 소득보장을 위해 제도개선으로 고령사회 적응을 위한 기반조성에 들어간다.
- 최근 인구정책은 저출산 극복을 위한 정책과 고령사회 적응을 위한 정책으로 나뉜다.
① 국내입양을 활성화하기 위해 양육보조금과 의료비 지원으로 저출산 대책
②, ④ 출산과 양육 장애를 해소하기 위해 저소득층을 중심으로 지원으로 저출산 대책
⑤ 사회활동과 양육 병행하는 것이 가능하도록 보육지원은 저출산 대책

15. 정답 | ②
우리나라 인구정책

- 남아선호사상으로 인한 성비의 불균형은 여러 가지 문제를 발생시킨다.

① 좋은 자녀를 출산하기 위한 인구자질향상
③ 인구의 양을 조절하여 적절한 인구규모 유지
④ 환경위생과 공중보건학적인 접근을 통해 사망률 줄이는 것
⑤ 인구이동을 지역적으로 균형 있게 분포하는 것도 인구정책

16. 정답 | ⑤
가족계획

; 수만 조절하는 것이 아니라 부모의 건강과 튼튼한 자녀를 출산하여 양육하기 위한 것이 모두 포함하고 바람직한 출산시기, 간격, 자녀수를 부모의 능력에 맞게 계획하여 출산하는 것을 말한다.
①, ② 부모건강, 가정의 경제적 능력, 자녀 양육해낼 부모의 감당할 책임 모두 포함한다.
③ 자녀수만 조절하는 것이 아니라 시기, 간격, 수, 출산연령 등 모두 포함한다.
④ 자녀의 수는 자녀를 양육해 낼 부모로서의 책임을 감당할 수 있는 능력에 맞게 계획을 세워 출산하는 것이다.

17. 정답 | ②
가족계획 사업

; 초산연령, 임산연령, 임신간격, 출산기간, 단산연령, 출산횟수, 출산시기, 임신섭생, 성교육, 불임치료, 피임 등
- 현재 우리나라 가족계획의 방향은 모자보건의 강화, 청소년 성교육 및 미혼모 예방, 출산장려정책, 피임방법의 질적 향상, 출생성비불균형 해소, 인공임신중절 예방

18. 정답 | ①
가족계획사업

- 현재 우리나라 가족계획의 방향은 모자보건의 강화, 청소년 성교육 및 미혼모 예방, 출산장려정책, 피임방법의 질적 향상, 출생성비불균형 해소, 인공임신중절 예방
- 경구피임약은 임신 시도 시 중단하면 임신이 가능

하다.
② 선천적으로 비정상적인 자궁이거나(쌍각자궁) 난관 기형 시 불임 원인
③ 성기의 발육부진도 불임 원인
④ 난소의 주요기능은 배란과 호르몬생산이므로 기능장애는 불임 원인
⑤ 호르몬의 장애는 배란장애를 일으켜 불임 원인

19. 정답 | ⑤
피임방법 선택 시 고려사항
- 성생활에 지장주지 않고 피임에 실패해도 태아와 모성에게 안전할 것
① 인체에 무해해야 하며, 성교나 성감을 해쳐서는 안 된다.
② 효과가 정확하고 절대적
③ 사용법이 간편하고 비용이 적게 들어야 한다.
④ 원할 때는 언제나 다시 임신 가능(일시적)

20. 정답 | ①
점액관찰법
; 배란 후 프로게스테론이 우세함으로 점액이 다량의 흐르는 듯한 맑고 미끈거리는 분비물, 점액이 배출됨으로 배란일을 알아내는 방법
- 자연피임법: 자연적으로 피임이 되도록 배란기에 성교를 피하는 방법
② 정자의 통로인 정관을 절단하여 정자배출을 막는 남성의 영구피임법
③ 배란억제 호르몬을 복용하여 배란 억제
④ 난관을 실로 묶거나 절단하는 여성의 영구피임법
⑤ 배란을 억제하는 방법으로 프로게스테론을 상박피하에 이식하여 프로게스테론의 혈중농도를 유지하여 배란을 방지

21. 정답 | ⑤
기초체온법
; 배란이 일어나기 전과 후의 체온의 자연적인 변화에 의해 배란을 예측하는 방법

- 매일 아침 거의 같은 시각에 침상에서 일어나기 5분 전에 구강으로 체온측정(0.2 ℃ 이상 3일 연속 체온이 높으면 배란된 것)

22. 정답 | ②
기초체온법
- 생리주기는 시상하부 → 뇌하수체 → 난소주기(난포기, 배란기, 황체기)로 이루어진다. 난포기 때 원시난포가 에스트로겐에 의해 성숙난포로 성장하면 배란이 이루어지는데 배란직전 하락했다가 체온이 상승한다.
- 난포기(저온), 배란기(저온 → 고온), 황체기(고온)

23. 정답 | ③
자궁내 장치
; 정자의 이동방해, 난관의 기능 방해, 자궁내막에 착상을 못하게 하여 피임하게 한다.
- 부작용은 경련 및 요통, 점적출혈, 출혈, 월경량 증가 월경불순, 하복부 통증, 골반내 감염, 자연배출, 자궁내막염

24. 정답 | ⑤
자궁내 장치
- 자궁 내에 장치를 하므로 수정란이 자궁에 착상할 수 없다.
① 살정자제
② 정자와 난자가 만나는 것을 차단하여 수정 방지하는 콘돔, 질살정제, 다이아프램
③ 호르몬제를 복용하여 배란 억제하는 먹는 피임약, 응급피임약
④ 난자를 죽이는 피임방법은 없다.

25. 정답 | ③
자궁내 장치
; 피임을 목적으로 자궁강 내에 장착하는 피임기구
나:부작용으로 월경량 과다, 월경곤란, 부정출혈, 골반염

증이 문제가 된다.

라: 호르몬제제가 아니므로 모유 분비와 상관없다.

마: 삽입장치에 따라 작용기간이 3~5년간 피임의 효과가 지속된다.

가: 자궁 내 장치의 피임원리는 수정란의 자궁의 착상방지이다.

다: 자궁 내에 삽입하므로 혼자서 삽입, 제거할 수 없다.

26. 정답 | ⑤

경구피임약

- 월경주기에 맞춘 21정, 28정 → 월경시작 5일째 되는 날부터 하루 한 알씩 21정 호르몬+7일 휴식
  (복용 중단 → 월경 있음)
- 28정은 7일 노란색 영양제를 추가로 복용하여 매일 먹는 습관을 들이기 위해 → 21정+7정(영양제 복용함)

27. 정답 | ①

경구피임약

가: 에스트로겐과 프로게스테론 복용으로 초기에 임신과 유사한 증상(오심, 구토, 유방통, 기미) → 계속 복용 시 소실된다.

다: 매일 같은 시간에 복용(하루 한 알씩)해야 효과가 좋다. 불규칙하게 복용 시 효과도 불확실

나: 일시적 피임법 중 가장 효과가 좋으므로 세계적으로 가장 많이 사용(배란억제 원리 이용)

라: 복용방법 – 28일 주기

- 21정 타입: 21정 호르몬 복용+7일 휴약
- 28정 타입: 21정 호르몬 복용+7일간 휴약기간 중에 플라세보(위약)를 복용해서 복용을 잊어버리는 일을 방지
- 마지막 복용 2~4일 후에는 저절로 생리가 시작

마: 피임약 복용을 잊어버린 경우

- 당일 날 알게 되면 그 시점에 한 알을 먹고 다음날부터 다시 원래 시간대로 복용
- 그 전날 복용하지 않은 것을 알았다면 두 알을 같이 복용하고 다음날부터 원래 시간대로 복용

– 24시간이 지난 다음에 알았다면 피임효과가 확실치 않으므로 그 시트는 포기해야 한다.

28. 정답 | ⑤

경구피임약

- 경구피임제는 월경주기가 불규칙한 경우 규칙적이 되고 생리통도 경감된다.
① 피임약의 가장 심각한 부작용은 혈전증인데, 이는 에스트로겐성분과 관련 있으므로 정맥염 환자에게 복용할 수 없다.
② 가장 많이 사용되고 효과 좋은 피임법
③ 호르몬 제제를 복용하여 배란을 억제하는 효과
④ 월경시작 5일째부터 매일 21정 복용하고, 7일은 휴식 → 잊어버리지 않게 영양제를 복용하여 매일 먹는 습관을 길러 규칙적으로 복용하기도 한다.

29. 정답 | ①

콘돔

; 성교 직전 고무주머니를 음경에 씌워 정액이 못 들어가게 하는 피임으로 성병, 특히 에이즈 전파 예방의 유일한 방법

- 젊은이에게 권유되는 피임법
② 살정자제: 사정된 정자를 경관으로 들어가기 전에 정자를 죽이는 약을 넣는다.
③ 질세척법: 질을 세척하여 피임하는 방법
④ 경구피임약: 배란억제 호르몬을 복용하여 배란 억제
⑤ 다이아프램(팻사리): 정자가 들어가지 못하도록 경관을 완전히 덮어씌우는 방법

30. 정답 | ④

응급피임법

; 계획하지 않은 성교, 불확실한 피임, 강간 등 불시의 성교 후 임신을 방지하기 위한 방법이다.

①, ⑤ 이미 착상된 이후나 임신이 성립된 후에는 효과가 없는 것으로 알려져 있다.
② 일시적인 피임법을 사용하면 된다(응급피임법은 응급 시에만 사용하는 피임법).

③ 응급피임약 복용하면 단기간에 강력한, 폭발적인 호르몬 복용으로 부작용이 심하므로 의사의 처방을 받아야 한다.

31. 정답 | ③

영구적 피임법

; 수술을 통하여 영구히 임신할 수 없게 하는 방법

(ex) 정관절제술(남), 난관결찰술(여)

• 일시적 피임: 언제든지 원할 때 피임 가능한 방법 – 기초체온법, 점액관찰법, 자궁내장치 등

① 콘돔: 남성에게 적용되는 유일한 일시적 피임 방법

②, ④, ⑤ 기초체온법, 월경주기법, 경구용 피임약: 일시적 피임법

32. 정답 | ②

정관절제술

가: 수술 직후의 음주, 심한 노동, 목욕 등을 삼가도록 교육

나: 하복부 음낭부종, 통증, 출혈은 하루나 이틀 동안 있을 수 있다.

다: 음낭의 양측에 작은 절개를 하고 양쪽 정관을 전기소작으로 폐쇄하거나 절개하는 방법으로 수술 후 부종과 통증 같은 불편감이 있고 약간의 출혈이 있을 수 있지만 심하면 의사에게 연락하도록 한다.

라: 수술 일주일 후부터 성교는 가능하며 정관에 남아있는 정자가 1~3개월 남아 있기 때문에 수술 후 10회 성교까지는 반드시 콘돔을 사용한다.

마: 정관수술은 수술 후에도 호르몬분비, 성욕, 정액배출, 발기는 정상이므로 수술동기와 수술원리를 이해시켜 후회하지 않도록 한다.

CHAPTER 04 모자보건

제1장 | 모자보건의 이해

01. 정답 | ③ 기출

신생아의 정의

: 출생 후 28일 이내의 영유아

① 영유아: 출생 후 6년 미만인 사람

② 미숙아: 신체의 발육이 미숙한 채로 출생한 영유아로
서 대통령령으로 정하는 기준에 해당하는 영유아

④ 임산부: 임신 중이거나 분만 후 6개월 미만인 여성

⑤ 선천성이상아: 선천성 기형 또는 변형이 있거나 염색
체에 이상이 있는 영유아로서 대통령령으로 정하는
기준에 해당하는 영유아

02. 정답 | ⑤ 기출

임산부의 정의

: 임신 중이거나 분만 후 6개월 미만인 여성

03. 정답 | ⑤

모자보건사업 대상자

• 생후부터 미취학 아동을 말하므로 학령기 아동은 대
상이 아니다.

• 모자보건사업 대상(모자보건법)

① 모성: 임신·분만·출산 후 6개월 미만 또는 1년 미만
의 여성

② 영유아: 출생 후 6년 미만의 자

③ 임산부: 임신 중에 있거나 분만 후 6개월 미만의 여성

④ 신생아: 출생 후 28일 미만의 영유아

04. 정답 | ① 기출

모자보건의 중요성

• 모자보건사업 자체가 예방사업이다.

② 비용대비 효율성이 높다.

③ 모자보건사업의 대상 인구가 전체 인구의 50~70%로
인구의 다수를 차지하는 만큼 그 대상이 광범위하다.

④ 다음 세대의 인구 자질에 직접적인 영향을 준다.

⑤ 임산부와 영유아는 의학적인 보호를 필요로 한다.

05. 정답 | ④

모자보건의 중요성

가: 전체인구의 60~70% 차지, 국민 건강 육성의 기초가
된다.

나: 모성과 아동의 건강은 다음세대 인구 자질에 영향을
미친다.

다: 이 시기에는 질병 이환율이 높고, 건강상 취약한 집단
이다.

라: 질병 발생으로 인한 사망률, 기형, 후유증이 평생 지속될 수 있다.

마: 모자보건은 자원과 재원의 투입과 조직적인 노력으로 쉽게 예방이 가능하다.

06. 정답 | ①

모자보건사업의 목적

: 모성의 생명과 건강을 보호하고 건강한 자녀를 출산하고 양육하여 모자의 삶의 질을 향상시켜 국민건강 수준을 유지·증진

- 모자보건사업 내용
  - 임산부의 산전, 분만, 산후관리
  - 가족계획 지도 및 상담
  - 영유아 성장발달 스크리닝
  - 영유아 영양과 구강관리
  - 심신장애자의 발생예방과 건강관리사업

07. 정답 | ①

모자보건사업의 내용

- 청소년기 대상자 중심의 건강증진사업에 해당된다.
- ② 가족계획 상담 및 원치 않는 임신 예방 지도
- ③ 아동 건강 및 영양모니터링, 구강 성장발육 상태 및 충치예방
- ④ 영유아 성장발달 프로그램 운영 및 신체적·정신적 장애 아동 등록 관리
- ⑤ 임신·영유아 연계관리, 임산부 및 고위험자 추구관리
- 기형아 출산 예방상담, 유전 상담자료 등 모자보건 교육자료 정보센터 운영

08. 정답 | ② 기출

영아사망률

: 국가별 보건지표 및 지역사회의 건강 상태나 모자보건사업 수준을 평가할 때 가장 많이 이용된다.

09. 정답 | ② 기출

영아사망률

- 모자보건사업을 평가하는 모성보건 지표: 영아사망률, 산전 진찰률, 영유아 예방접종률, 주산기 사망률, 사산율, 일반 출산율, 모성 사망률, 시설 분만률 등

10. 정답 | ④

영아사망률

: 연간 태어난 출생아 1,000명 중에 해당 연도 만 1세 미만에 사망한 영아수를 나타내는 비율

가: 신생아와 영아사망률은 산전 관리를 통해 충분히 예방이 가능하므로 보건의료 수준을 잘 반영하면 건강 상태 지표가 된다.

나: 경제상태, 영양문제, 의료수혜 정도, 환경위생 상태 등의 영향에 민감하다.

다: 출생 후 급속도로 성장발달이 이루어지는 생애 초기의 건강상태가 영향을 끼친다(건강수준이 향상되면 영아사망률이 감소되므로 국민보건 상태의 측정지표로 널리 사용되고 있음).

라: 한국의 보건지표로 사용되는 영아라는 일정한 연령을 대상으로 하는 것이므로 통계적으로 의미(유의)가 높다.

마: 생활수준이 향상되고 의학적 기술이 발달되면 영아사망률을 줄일 수 있다.

제2장 | 모성 보건

11. 정답 | ⑤

모자보건수첩 기재내용

- 치아발육상태: 영유아 구강건강진단 내용이다.
- ③ 모 → 임산부 산전 산후관리, 임산부 주의사항, 정기검진
- ①, ②, ④ 자 → 영유아 정기검진, 종합검진, 성장발육, 건강상 주의사항, 예방접종에 관한 사항

12. 정답 | ⑤

모자 구강건강진단

- 모: 치아우식증상태, 치주질환상태, 치아 마모증상태, 구강질환상태
- 자: 치아발육 상태, 구강발육 상태, 치아우식증 상태, 구강질환 상태
- ⑤ 노인, 임산부 구강건강진단 내용에 포함됨

제3장 | 영유아 보건

13. 정답 | ①

영유아 정기 건강검진

- 영유아의 정기 건강검진 실시기준(모자보건법)
  - 신생아: 수시
  - 출생 후 1년 이내: 1개월마다 1회
  - 출생 후 1년 초과 5년 이내: 6개월마다 1회
- 미숙아동
  - 분만의료기관 퇴원 7일 이내에 1회
  - 1차 건강진단 시 건강문제가 있는 경우에는 최소 1주에 2회
  - 발견된 건강문제가 없는 경우에는 영유아 기준에 따라 실시

14. 정답 | ⑤

영유아 건강관리 내용

- 영유아 건강관리: 성장단계별로 적정한 시기에 보건지도 및 의료서비스를 제공하여 차세대 건강한 국민을 확보하기 위함
- 가: 18개월, 3세, 6세에 영유아 치과진료를 받도록 하고, 보건교육을 통한 충치예방
- 나: 3세, 6세 미만자 시력 측정으로 약시 등은 조기에 교정하도록 유도한다.
- 다: 영유아 성장발달에 따른 건강 및 영양 모니터링
- 라: 성장발달 장애 아동을 조기에 발견하여 적절한 관리

를 받도록 유도한다.
- 마: 생후 7일 내 모든 신생아는 선천성대사이상검사를 받도록 적극 추천 및 관리

15. 정답 | ②

영유아 클리닉

- 결핵은 호흡기를 통해 비말전파, 3세 이하 아동에서 감수성이 가장 높으므로 결핵실과 멀리 떨어진 곳에 설치한다.
- 보건소에 등록한 영유아는 '영유아 건강기록부'를 작성하여 유지하고, 전화 및 가정방문으로 영유아 건강관리를 실시한다.

16. 정답 | ①

영유아 클리닉에서의 간호조무사 업무

- 예방접종 실시는 보건간호사의 업무이며 간호조무사는 기록표, 약속카드, 예방접종 증명기록표를 작성
- ② 체중, 신장, 흉위, 두위, 체온 등을 측정
- ③ 환자를 접수하고 안내
- ④ 그날 방문할 유아기록카드 준비
- ⑤ 물품을 준비, 환경 관리

17. 정답 | ⑤ 기출

영유아 클리닉에서의 간호조무사 업무

- 예방접종 전의 주의사항으로 어린이의 건강 상태를 잘 아는 보호자가 데리고 오도록 한다.
- ① 접종 후 23~30분간 접종기관에 머물러 관찰하도록 한다.
- ② 고열이 나면 예방접종을 미루도록 한다.
- ③ 건강 상태가 좋은 오전 중에 접종한다.
- ④ 접종 전날 목욕을 시키나 접종 당일은 목욕을 시키지 않는다.

18. 정답 | ③ 기출

영유아 클리닉에서의 간호조무사 업무

- 영아의 예방접종 후 접종 후 20~30분간 접종기관에

머물러 관찰하고 귀가 후 적어도 3시간 이상 주의 깊게 관찰한다.

① 접종 후 최소 3일은 특별한 관심을 가지고 관찰하며 아기는 반드시 바로 눕혀 재우도록 한다.

② 접종 후 심하게 보채고 울거나 구토, 고열, 경련 증상이 나타나면 즉시 의사의 진찰을 받도록 한다.

④ 접종 후 당일은 약물의 흡수를 위해 과격한 운동을 삼간다.

⑤ 접종 후 이상반응을 관찰해야 하므로 20~30분간 접종기관에 머물러 관찰하도록 한다.

CHAPTER 05 지역사회보건

제1장 | 지역사회보건

01. 정답 | ③

가족의 기능

; 성적 기능, 생산적 기능, 교육적 기능, 경제적 기능, 사회화 기능, 보화와 지지를 위한 기능

• 질병의 진단과 치료는 의사의 의무

① 교육적 기능: 자녀교육

② 경제적 기능: 사회에 노동력을 제공한 대가로 받은 임금으로 필요한 물품 등을 구매하여 제공하는 기본적·경제적 기능 역할

④ 보호와 지지를 위한 기능에 해당한다.

⑤ 사회화 기능: 가족구성원의 사회화

02. 정답 | ④

가족발달주기

가: 각 발달단계에 따라 가족이 완수해야 할 특정 발달과업이 있다.

나: 부모나 자녀로 구성되는 핵가족을 중심으로 자녀의 나이에 의해 구분된다.

다: 가족의 출생에서 사망까지 시작과 끝을 정의할 수 있고, 앞으로 경험할 단계를 예측할 수 있다.

라: 가족은 형성(결혼) – 확대(자녀출생과 자녀출가) – 축소(퇴직) – 해체(배우자의 사망)되어가는 과정을 거친다.

마: 모든 가족이 동일한 기능을 가지고 수행되어지는 것은 아니다.

03. 정답 | ④

지역사회보건사업

• 기본단위: 가족

• 대상: 전체지역주민

• 목적: 가족으로 하여금 건강의 필요성을 인식시키고 스스로 해결할 수 있는 힘을 길러주는 것

• 방법(행위 또는 수단): 간호제공, 보건교육

04. 정답 | ①

지역사회보건사업

• 대상: 가족을 기본으로 한 전체 지역주민

• 목적: 지역사회 건강유지·증진과 수명 연장 → 적정기능 수준의 향상

• 방법: 간호제공, 보건교육

나: 의사, 한의사, 치과의사의 업무

라, 마: 적정기능 수준의 향상을 위한 수단

05. 정답 | ①

지역사회간호

; 지역사회의 간호활동인 간호제공과 보건교육을 통해 지역사회 전주민의 적정기능수준의 향상에 기여하는 것

06. 정답 | ④

지역사회보건 간호사업

; 가족으로 하여금 건강의 필요성을 인식시키고 가족 전체가 건강문제 해결에 대한 힘이 길러지면 개인의 건강은 물론 그 개인과 가족이 포함된 지역사회 전체의 적정수준이 향상된다.

07. 정답 | ⑤

지역사회보건 간호사업

; 충분한 자료 조사를 통해 주민이 필요한, 지역의 요구를 반영하는 보건간호사업일 때 주민의 관심과 적극적 참여를 이끌어 낼 수 있어 사업의 성공률이 높다(업무지침을 준수하고 사업 기간 및 예산범위를 결정).

08. 정답 | ②

지역사회보건사업

- 가족(개인을 포함한)을 기본 단위로 한다.
- 가정 내에 있는 문제 또는 잠재되어 있는 문제를 함께 해결하는 활동 단위가 되고 가족구성원 건강 행위를 결정하는 데 가장 빈번한 영향력을 발휘하기 때문이다.

09. 정답 | ③

지역사회보건 간호사업

- 상호의존적 협조관계가 강하여 곤경에 처할 경우 도움을 받을 수 있다.
- ①, ② 공동사회 집단(1차적 집단) → 서로 애정과 상호이해로 결합되어 외부의 간섭이나 장애에도 분열되지 않는 강력한 결합 관계

④ 가족체계는 가족원의 어떠한 변화에도 영향을 받는다(생리, 심리, 사회문화).
⑤ 그 가족만이 가지고 있는 가치관을 가지고 가족 구성원의 사회화에 영향

10. 정답 | ⑤

지역사회보건 간호사업

- 주민의 요구가 무엇인지 고려하고, 사업의 진행과정에 주민을 참여시키는 것(주민은 자신들의 의견과 요구사항을 직접 전달할 수 있어 서로의 이해도가 높아져 사업의 성공률이 높아진다)

11. 정답 | ⑤

지역사회보건 간호사업의 기본원리

- 지역사회보건 간호 사업은 보건의료팀이 지역주민의 건강을 위해 주민과 함께 협동하는 보건활동임(지역사회의 자발적 노력과 참여)
① 인적자원, 시설, 위치, 기준설정, 예산확보, 부서별간협력, 인구와 건강상태, 지역사회 자원 및 환경을 파악하여 지역사회가 사업을 주도할 수 있도록 해야 한다.
② 적정기능수준 향상(스스로 문제를 해결할 수 있는 능력을 개발함)
③ 가족은 사회의 가장 기본적, 자연집단, 문제를 함께 해결하는 공동 활동 단위이다.
④ 교육을 통해 가족이 문제해결책을 찾을 수 있는 지식을 제공하고 상담을 통해 문제를 인식할 수 있는 힘과 스스로 문제해결 방안을 찾을 수 있게 한다.

12. 정답 | ⑤

지역사회보건 간호사업의 내용

- 지역사회 간호사업의 기본원리: 주민의 적극적 참여를 이끌어낼 수 있는 사업 실시
①, ② 병원중심의 의료
③, ④ 공중보건사업

13. 정답 | ①

지역사회보건 간호사업 과정(진단)

; 사정(자료 수집과 분석) → 진단(문제 확인) → 계획 → 수행(집행) → 평가 → 재계획

- 지역사회 요구에 따라 진단이 결정되므로 보건요원의 업무활동 배경, 법령, 기준, 예산 등을 고려해 확인된 문제를 해결하기 위한 계획과정에 해당 지역사회 진단을 내리는 목적
  - 문제를 확인하는 단계로 진단을 통해 사업의 우선순위를 정할 수 있다.

14. 정답 | ①

지역사회보건 간호사업 과정(계획)

; 사정(자료 수집과 분석) → 진단(문제 확인) → 계획 → 수행(집행) → 평가 → 재계획

- 지역사회 간호과정의 계획 단계

: 목표 설정 → 간호수행방법 및 수단 선택 → 수행계획 → 평가계획 수립

가: 사업이나 일의 성취된 결과를 명확히 알 수 있는 목표여야 한다.

다: 결과의 평가를 위한 평가계획 수립 등을 계획한다.

나, 라: 지역사회 간호과정의 사정 단계에 해당된다.

마: 평가단계 → 평가자, 평가 시기, 평가 도구, 평가 범위 (평가절차 기준 결정)

15. 정답 | ①

지역사회 주민의 건강에 영향을 주는 요인

- 영적요인은 관련 없다.
② 환경적 요인: 위험요인이 많은 환경은 개인, 가족, 지역사회의 건강 수준을 좌우한다.
③ 문화적 요인: 전통과 편견, 사회적 관습, 그 지역사회의 분위기 등
④ 유전적 요인: 유전력을 갖고 있는 가족의 건강상의 위험을 줄여주는 방안에 따라 건강유지가 달라진다.
⑤ 사회경제적 요인: 개인의 교육, 지식수준이 건강행위에 영향을 준다(감염성 질환 등은 하류층에서 더 많

이 발생할 수 있고 일반 질병의 유병률도 더 높은 경향이 있음).
- 개인의 행동요인: 운동, 영양, 금연과 절주, 스트레스 대처, 유식과 수면, 체중 조절 등
- 이 외 정치적 요인이 있다.

16. 정답 | ①

지역사회 자원 파악

- 정치적 자원 → 지방자치단체, 사립단체, 봉사단체 등 건강관련 정부기관의 자료 활용(개인자료는 해당되지 않음)
- 충분한 자료수집이 선행되어야 정확한 진단이 도출되므로 지리적 특징, 인구·사회적 특징, 문화·환경적 특징, 지역사회자원 등 고려할 수 있는 모든 부분에 대한 자료조사가 이루어져야 한다.
② 사회적 자원 → 지역사회 조직(각종 위원회, 청년회의소, 노동조합), 지식, 기술, 가치관
③ 보건의료자원 → 보건소, 약국, 병의원, 기타 보건교육에 사용될 물품 및 기구, 예산(사업에 이용할 수 있는 건물과 시설)
④ 간접 정보(기존자료 활용) → 보건소에 배치된 가정건강기록부, 지방자치단체 연보, 보건소 진료기록부, 동사무소의 사망자료 → 직·간접 방법을 통해 지역사회의 모든 부분이 자료조사의 범위가 된다.
⑤ 환경보건 상태 → 환경오염원, 사고 가능성, 주택, 부엌, 화장실 형태 등

17. 정답 | ⑤ 기출

지적자원

- 지역사회 간호사가 자료를 수집해야 할 지역사회 자원은 크게 사회적 자원과 보건의료자원으로 구분할 수 있다.
- 그 중에 보건의료자원에는 인적자원, 물적자원, 지적자원으로 분류된다.
①, ② 간호사, 의사는 보건의료요원 등은 인적자원이다.
④, ⑤ 보건소, 약국, 보건교육물품 등은 물적자원이다.

18. 정답 | ②

우선순위 결정 시 고려사항

; 순위가 높은 문제를 먼저 해결

① 경제성: 사업에 투입된 인적, 물적 지원의 소비량 산출(시간, 방문횟수 등)

③, ④ 수용성: 주민의 인식, 관심도, 동기수준이 높은 문제

⑤ 문제의 크기: 많은 수의 인구에게 영향을 미치는 문제

• 그 외 대상자의 취약성, 문제의 해결 가능성이 높은 문제일수록 우선순위가 높음

19. 정답 | ①

보건소

• 보건소: 시·군·구 별로 1개소씩 설치

• 시장·군수·구청장의 지도, 감독을 받으며, 보건소장은 시장·군수·구청장이 임명

• 관할지역 보건수준 향상을 위한 중심기관, 지역사회 주민의 요구와 지역 특성을 반영한 사업을 제공

20. 정답 | ①

보건소의 업무

• 정신보건법 제1조; 정신질환의 예방과 정신질환자의 의료 및 사회복귀에 관하여 필요한 사항을 규정한 것으로써 국민의 정신건강증진에 이바지함을 목적으로 한다.

②, ③, ④, ⑤(지역보건법 제9조)

• 그 외 모자보건 및 가족계획사업, 정신보건에 관한 사항, 국민건강증진·보건교육·구강건강 및 영양개선사업 등을 관장한다.

21. 정답 | ②

보건소 간호조무사의 역할

• 간호조무사는 보건간호사의 지시·감독 하에 업무를 수행하고 보조하므로 독자적으로 예방접종을 실시할 수 없고, 치료는 의사의 업무이다.

22. 정답 | ③

보건소 간호조무사의 역할

마: 치료와 상담이 필요한 대상자 발견 시에는 의사나 간호사에게 의뢰(의뢰자 역할)

가, 다: 간호조무사는 간호사의 지시·감독 하에 업무를 수행, 보조하므로 업무가 아니다.

23. 정답 | ⑤

보건소 간호조무사의 역할

• 의사 지시 하에 진료를 보조하거나 보건간호사의 지시 감독 하에 업무를 수행, 보조하므로 독자적인 활동을 할 수 없다.

24. 정답 | ②

보건소 간호조무사의 역할

라: 의사의 업무에 해당한다.

마: 간호사나 의사에게 의뢰해야 할 업무이다.

25. 정답 | ①

보건소 간호조무사의 역할

• 예방접종 실시는 보건간호사의 업무이며, 간호조무사는 기록표, 약속기드, 예방접종 증명기록표를 작성

② 체중, 신장, 흉위, 두위, 체온 등을 측정

③ 환자를 접수하고 안내

④ 그날 방문하는 유아기록카드 준비

⑤ 물품 준비, 환경 관리

26. 정답 | ⑤

보건소 모자보건실

• 결핵은 호흡기를 통해 비말전파, 3세 이하 아동에서 감수성이 가장 높으므로 결핵실과 멀리 떨어진 곳에 설치

• 보건소에 등록한 영유아는 '영유아 건강기록부'를 작성하여 유지하고, 전화 및 가정방문으로 영유아 건강관리를 실시한다.

제2장 | 정신보건

27. 정답 | ①

지역사회 정신보건사업

- 정신질환자의 유병율 증가, 정신질환에 대한 사회적, 경제적 부담 증가, 치료 가능한 의료기관의 수보다 많은 정신질환자의 수, 정신건강의 예방과 증진의 필요성의 인식 증가 때문이다.
② 퇴원 후 재발하는 정신질환자의 증가
③ 정신질환자의 입원 가능한 병실 수 부족
④ 활발히 진행되고 있는 정신질환관련 보건교육의 부족, 미흡
⑤ 정신질환에 대한 사회·경제적 비용 부담 증가

28. 정답 | ⑤ 기출

- 지역사회 정신건강 일차예방은 어떤 인구 집단에게 질환이 발생하기 전에 유해한 상황을 없앰으로써 새로운 정신장애의 발생을 감소시키는 것을 의미하는 것으로 직장인 스트레스 대처 프로그램, 지역 주민에게 정신질환의 원인 및 치료에 대한 교육 등이 해당된다.
① 사회재활훈련은 삼차예방에 해당한다.
② 우울증 환자 조기 검진은 이차예방에 해당한다.
③ 만성 정신질환자 퇴원교육은 삼차예방에 해당한다.
④ 정신병원 퇴원 후 투약방법은 삼차예방에 해당한다.

29. 정답 | ⑤

정신보건사업의 삼차예방

- 정신질환으로 인한 기능적 손상의 예방과 이전으로의 회복, 만성의 경우 지역사회 내에서 더불어 살아갈 수 있도록 도와주는 훈련으로 꾸준한 약물치료 및 가족교육, 지역사회주민의 정신질환에 대한 인식 개선 사업, 방문보건 사업, 직업재활훈련, 사회생활 적응훈련, 가족지지 프로그램, 위탁가정 운영 등
① 신생아를 둔 부모교육(일차예방)

② 지역정신의료기관의 설치(이차예방)
③ 자살방지 응급 전화 운영·홍보(일차예방)
④ 지역사회의 정신건강을 해치는 사회환경 발견(일차예방)

30. 정답 | ③

정신보건관리사업의 추진방향

- 학교, 정신보건센터, 의료기관, 보건소 등과 상호연계 구축을 통한 조기검진을 실시하고 정신질환자의 예방을 위한 지속적이고 포괄적인 서비스를 제공한다.
① 정신질환자의 사회적응훈련, 작업훈련을 통하여 사회복귀를 조기에 할 수 있도록 지도한다.
② 청소년의 정신건강의 조기검진과 중재를 제공한다.
④ 국가 차원의 정신질환자 조기발견, 치료, 재활, 상담과 사회복귀를 촉진하는 지역사회 중심의 정신보건서비스 관리체계를 구축한다.
⑤ 국민의 정신질환의 편견을 해소하고 가족, 지역사회주민을 대상으로 인식개선을 위한 교육을 실시한다.

31. 정답 | ⑤ 기출

사회기술훈련

- 정신재활시설은 정신질환자 등이 지역사회에서 직업활동과 사회생활을 할 수 있도록 주로 상담·교육·취업·여가·문화·사회참여 등 각종 재활활동을 지원하는 시설을 말하며 일상생활을 영위할 수 있도록 기술을 익히도록 사회기술훈련을 한다.

32. 정답 | ③ 기출

정신건강복지센터

- 정신건강복지센터의 목적은 지역사회 중심의 통합적인 정신질환자 관리체계를 구축함으로써 정신질환의 예방, 정신질환의 조기발견·상담·치료·재활 및 사회복귀도모를 모색한다.

33. 정답 | ③ 기출

조현병

; 사고의 장애, 망상·환각, 현실과의 괴리감, 기이한 행동 등의 증상을 보이는 정신질환

① 조증: 기분장애 질환 중 기분이 비정상적으로 들떠 병적인 정도로 행복감에 심취해 있는 상태

② 우울증: 의욕저하와 우울감을 주요 증상으로 하여 다양한 인지 및 정신 신체적 증상을 일으켜 일상의 기능 저하를 가져오는 질환

④ 불안장애: 다양한 형태의 비정상적, 병적인 불안과 공포로 인하여 일상생활에 장애를 일으키는 정신 질환을 통칭

⑤ 신체적 장애: 유전적인 특질에서 서서히 발생 혹은 예상하지 못한 사고나 질병으로 인해 장애가 나타나기도 한다.

34. 정답 | ⑤

외상후스트레스장애

; 생명을 위협할 정도의 극심한 스트레스를 경험하고 나서 발생하는 심리적 반응

• 주관적 지각을 객관적 지각으로 바라볼 수 있도록 바로 잡아주고, 환자의 비논리적 사고를 교정해주도록 한다.

① 성격장애: 정신생활의 표현으로서 나타나는 성격이 주위의 사회환경과 협조가 안 되거나, 곤란할 때 손상을 입게 된 상태

② 섭식장애: 식사 행동과 체중 및 체형에 대해 이상을 보이는 장애

③ 양극성장애: 감정의 장애를 주요 증상으로 하는 내인성 정신병

④ 신체증상장애: 하나 이상의 만성 신체 증상과 함께 이러한 증상과 관련된 심각하고 과도한 수준의 고통, 걱정 및 일상적인 기능의 장애가 동반되는 특성이 있는 질환

35. 정답 | ① 기출

해리현상

; 개인의 심리적 갈등이나 외부적 충격에 대한 자기방어

기제로 나타날 수 있고, 한사람이 둘 이상의 인격을 가지고 있는 정신질환으로 해리장애로 분류된다.

② 전치: 적대감처럼 다루기 힘든 감정이나 공격적인 행동을 덜 위협적이고 힘이 없는 사람이나 사물에게 이동시키는 것이다.

③ 반동형성: 생각, 감정, 충동이 곤란스러워서 그 생각이나 행동과 반대되는 것을 나타내는 것

④, ⑤ 방어기제: 학동기 아동, 임산부라는 특별한 발달 과정에만 존재하는 것이 아니라 내외적 스트레스나 위험에 대한 인식과 불안에 대해 개인을 보호하기 위해 자동적으로 나타나는 인간의 정신적인 과정이다.

36. 정답 | ③ 기출

부정

; 의식화된다면 도저히 감당하지 못할 어떤 생각, 욕구, 충동, 현실적 존재를 무의식적으로 거부함으로써 현실을 차단하는 방어기제

① 억압은 불안에 대한 1차적인 방어기제이다.

② 억제는 마음에 고통을 주는 것을 의식적으로 잊으려고 노력하는 방어기제이다.

④ 투사는 자신의 결점이나 받아들일 수 없는 행동에 대한 책임을 남에게 되돌리는 방어기제이다.

⑤ 반동형성은 생각, 감정 충동이 곤란스러워서 그 생각이나 행동과 반대되는 것을 나타내는 방어기제이다.

제3장 | 노인보건

37. 정답 | ⑤ 기출

노인보건사업의 목적

• 국민 노후의 건강유지와 적절한 의료의 확보를 도모하기 위해 질병 예방, 치료, 기능훈련 등의 보건사업을 종합적으로 실시하고, 그로서 국민보건향상 및 노인복지의 증진을 도모하는 것을 목적으로 한다.

• 평균수명은 늘어났지만 노인성질환, 만성질환으로 인해 일상생활수행능력이 부족하여 건강수명이 줄어들

지 않도록 노인보건사업의 확대가 요구된다.

① 노인 인구의 증가

② 만성질환으로 인한 노인 진료비 증가

③ 노인의 평균수명의 증가

④ 노인의 만성질환 유병률의 증가

38. 정답 | ⑤ 기출

노인 건강증진사업

- 노인이 보건소에서 받을 수 있는 서비스의 종류는 치매관리서비스, 노인건강증진서비스, 노인건강진단서비스가 있다. 그 중 만성질환관리는 노인건강증진사업 서비스에 해당하여 체계적인 운동 및 건강관리 프로그램을 운영하여 자기건강관리 능력을 향상시키고, 운동 실천을 생활화 하여 노년기 건강 증진에 기여한다.

제4장 | 방문보건

39. 정답 | ① 기출

장기요양요원의 자격

- 노인장기요양보험제도에서 방문간호의 재가급여 업무를 하는 장기요양요원의 자격은 2년 이상의 간호업무 경력 간호사, 3년 이상의 간호보조업무 경력과 지정교육기관의 교육이수자, 치과위생사가 자격이 된다.

40. 정답 | ② 기출

방문간호

- 노인장기요양급여 내용 중 재가급여에는 방문요양, 방문목욕, 방문간호, 주·야간보호, 단기보호, 기타 재가급여(복지용구) 등 신체 활동 및 심신기능의 유지·향상을 위한 교육·훈련 등을 제공받는다.

- 그 중 방문간호는 수급자의 가정 등을 방문하여 간호, 진료의 보조, 요양에 관한 상담 또는 구강위생 등을 제공하는 장기요양급여를 말한다.

41. 정답 | ④ 기출

노인장기요양보험 대상자

- 노인장기요양보험 대상자는 65세 이상, 65세 미만으로서 노인성 질병을 가진 자로서 일상생활을 혼자서 수행하기 어려운 노인을 대상으로 한다.

- 가정에서 장기요양서비스를 제공받고자 할 때 신청할 수 있는 급여는 재가급여이다.

42. 정답 | ⑤

보건간호사

; 가정방문간호에 있어 지역보건법과 전문간호사법 제도 등에 의해 독자적, 반독자적 역할을 수행

43. 정답 | ② 기출

방문간호

- 장기요양요원인 간호사 등이 의사·한의사 또는 치과 의사의 방문간호지시서에 따라 수급자의 가정을 방문하여 간호, 진료의 보조, 요양에 관한 상담 또는 구강위생 등을 제공하는 장기요양급여는 재가급여 중에 방문간호에 해당한다.

① 신체활동과 가사활동을 지원하는 장기요양급여는 재가급여 중에 방문요양에 해당한다.

③ 목욕설비를 갖춘 장비를 이용하여 서비스를 제공하는 장기요양급여는 재가급여 중에 방문목욕에 해당한다.

④ 방문간호 서비스를 제공할 수 있는 자격은 간호조무사는 3년 이상의 간호보조업무 경력이 필요하고 지정교육기관에서 소정의 교육을 이수한 자가 자격이된다.

⑤ 수급자를 하루 중 일정기간 장기요양기관에서 보호하는 서비스는 재가급여 중에 주·야간보호에 해당한다.

44. 정답 | ⑤ 기출

방문보건

- 보건소 방문건강관리사업은 기초생활수급자, 장애인, 독거노인 등 건강 취약 계층의 의료 접근성을 높여 건

강 형평성을 제고하고, 삶의 질 향상에 기여하기 위한 것이다.
① 「지역보건법」에 근거한다.
② 질병 예방과 건강 증진 서비스를 제공한다.
③ 지방보건행정의 일선조직으로 보건소는 지방자치단체의 사업소적인 성격을 가지고 있다.
④ 방문건강관리 사업은 사회경제적 비용부담 증가로 스스로 건강관리를 할 수 없는 계층을 돕는 사업이다.

45. 정답 | ④ 기출

방문간호의 목적

- 방문 간호의 목적은 상황에 가장 적합한 실제적이며 효율적인 보건교육을 실시할 수 있는 방법으로서 가족을 단위로 한 건강관리 및 가정의 실정에 맞는 서비스를 하는데 그 목적이 있다.
① 가사 지원보다는 가족 전체의 강점과 취약점을 확인하여 활용가능한 가족 지원을 직접 파악할 수 있는데 목적이 있다.
② 질병의 치료보다 실제적인 가족의 요구를 알아내어 가족의 건강을 감독하는 직접적, 효과적, 포괄적인 방법이다.
③ 빈곤 가정을 발견하여 경제적 지원보다는 건강문제가 발생했을 때 사회적 지원과 기관, 제도와 연계해 줄 수 있는 방법이다.
⑤ 가정방문은 자기 건강 관리능력을 향상시키기 위한 궁극적인 목적이 있다.

46. 정답 | ③ 기출

방문간호의 목적

- 가정방문은 지역사회 간호활동 중 가장 많은 비중을 차지하고 있는 가정방문은 상황에 가장 적합한 실제적이며 효율적인 보건교육을 실시할 수 있는 방법으로 가족을 단위로 한 건강관리 및 가정의 실정에 맞는 서비스를 하는데 그 목적이 있다.

47. 정답 | ④ 기출

방문간호의 목적

- 가족을 단위로 한 건강관리 및 가정의 실정에 맞는 서비스를 하는데 목적이 있다.
- 가정 방문 시 대상자의 건강 상태, 정서 상태, 경제적 상황, 교육 정도, 주거환경 등을 관찰하도록 한다.
① 계획과 평가는 가족과 함께 실시하도록 한다. 평가는 가정방문 후에 실시한다.
② 방문할 교통 편의를 알아보는 것은 가정방문 전 해야 할 일에 해당한다.
③ 방문 시 필요한 물품을 챙기는 것은 가정방문 전에 보건간호사의 지시, 감독에 따라 준비하도록 해야 한다.
⑤ 방문가정을 선택하고, 기록을 찾아 읽어보는 것은 가정방문 전에 보건간호사의 지시, 감독에 따라 준비하도록 해야 한다.

48. 정답 | ①

방문간호의 목적

- 집안의 내부 구조를 파악해야 한다.
- 가정방문 간호의 목적: 대상자의 건강에 영향을 미치는 요인을 확인하고 실정에 맞는 건강관리 서비스를 제공해야 한다(가족 상태 파악, 환자의 가정간호, 환경위생 개선지도, 보건교육 등).

49. 정답 | ④

방문간호의 장점

- 지역사회 보건간호사 입장에서 많은 시간과 비용 소요(단점)
① 가족관계 및 가족 환경 관찰 가능, 정확한 진단(요구)을 내릴 수 있다.
② 방문대상자 가정에서 이루어지는 사업으로 가족 구성원의 상황과 실정에 맞는 서비스가 제공된다.
③ 가족의 문제점뿐 아니라 가족의 강점도 사정(가족이 발견 못한 문제 발견 가능)
⑤ 가족의 자원을 활용하여 문제 해결에 효과적

50. 정답 | ⑤

방문간호의 장점

- 같은 문제를 가진 대상자간의 서로 정보를 나누는 집단효과는 볼 수 없다.
- 가정방문의 장점
① 가족의 자원을 활용하여 가족에게 시범을 보일 수 있어 효과적
② 가정방문은 지역사회 활동 중 가장 효과적인 방법
③ 가족구성원 개개인보다는 가족 전체에 초점을 맞추어 종합상태 파악
④ 가족들의 시간과 경비를 절약해 줄 수 있고, 움직임이 불편한 대상자가 클리닉 방문이 어려울 때 가정방문을 통해 서비스를 받을 수 있다.

51. 정답 | ⑤ 기출

가정방문 전 준비사항

- 가정방문을 위한 준비로 미리 기록물을 찾아보고, 문제가 있다면 그 문제의 처리 방법을 계획한다. 가정방문 시 필요한 기구와 재료들을 정돈·보관하고 방문대상 및 간호 순서를 고려하여 내용물을 정리해 두도록 한다.
① 비용과 시간이 많이 소요되고 많은 인력이 소요되는 부분이 단점이다.
②, ④ 가족구성원들과 가정 실정에 맞는 계획을 세우도록 한다.
③ 외부로부터 감염을 방지하기 위해 오염된 물건이나 개인소지품은 따로 관리하여 청결히 하도록 한다.

52. 정답 | ③ 기출

가정방문 우선순위

- 감염성 환자는 방문간호사가 병원체의 전염매체가 되지 않도록 하기 위해 마지막에 방문
- 신생아, 미숙아 → 임산부 → 학령 전 아동 → 학동기 아동 → 성병 → 결핵

53. 정답 | ⑤ 기출

가정방문의 우선순위

- 가정방문은 지역사회 간호 활동 중 가장 많은 비중을 차지하고 가장 실제적이며 효율적인 보건교육을 실시할 수 있는 방법으로 가정방문의 우선순위는 비전염성 대상을 우선으로 한다.
① 개인보다 집단이 우선이다.
② 만성질환보다 급성질환이 우선이다.
③ 면역력이 낮은 집단일수록 우선이다.
④ 경제정도, 교육정도가 낮은 층을 우선으로 한다.

CHAPTER 06 의료관계법규

제1장 | 의료법

01. 정답 | ④ 기출

- 의료인이란, 보건복지부장관의 면허를 받은 의사·치
  과의사·한의사·조산사 및 간호사를 말한다.

02. 정답 | ②

의료인

: 보건복지부장관의 면허를 받은 사람
- 의사: 의료와 보건지도
- 치과의사: 치과 의료 및 구강보건지도
- 한의사: 한방 의료와 한방보건지도
- 조산사: 조산과 임부, 해산부, 산욕부 및 신생아에 대
  한 보건과 양호지도
- 간호사: 상병자 또는 해산부의 요양상의 간호 또는 진
  료의 보조 및 대통령령이 정하는 보건활동에 종사함
  을 임무

03. 정답 | ③ 기출

종합병원

- 의료기관: 의료인이 공중 또는 특정 다수인을 위하여
  의료·조산의업을 하는 곳

- 종합병원: 100병상 이상의 병실을 갖추어야 하며
  100병상 이상 300병상 이하인 경우, 300병상을 초과
  하는 경우 의료법에서 갖추어야 하는 진료과목이 다
  르게 제시되어 있다.
  ① 의원급 의료기관: 의원, 치과의원, 한의원
  ② 병원급 의료기관: 병원, 치과병원, 한방병원, 요양병
     원, 정신병원, 종합병원으로 30개 이상의 병상을 갖추
     어 한다.
  ④ 전문병원: 특정 질환별·진료과목별 환자의 구성 비율
     등이 보건복지부령으로 정하는 기준에 해당해야 하
     고, 보건복지부령으로 정하는 수 이상의 진료과목을
     갖추고 각 진료과목마다 전속하는 전문의를 두어야
     한다.
  ⑤ 상급종합병원: 20개 이상의 진료과목을 갖추고 각 진
     료과목마다 전문의를 두어야 한다.

04. 정답 | ③

종합병원

- 보건소: 우리나라 지방보건조직으로 보건지소, 보건진
  료소와 함께 보건사업 업무를 최말단에서 담당하는
  행정 기관 → 시·군·구 별로 1개소씩 설치
- 의료기관: 의료인이 공중 또는 특정 다수인을 위해 의
  료·조산의 업을 하는 곳
- 의원급: 의사, 치과의사, 한의사가 주로 외래환자를

대상으로 의료행위를 하는 곳(의원, 치과의원, 한의원)
①, ④ 의사, 치과의사, 한의사가 주로 입원환자를 대상으로 30개 이상의 병상을 갖추고 의료행위를 하는 곳 (병원, 한방병원, 요양병원, 치과병원)
② 조산사가 조산과 임부, 해산부, 산욕부 및 신생아를 대상으로 보건활동과 교육, 상담을 하는 곳
⑤ 100개 이상의 병상, 각 진료 과목 전속 해당 전문의의 진료가 행해지는 곳

05. 정답 | ④
종합병원

- 종합병원 병상 요건: 100개 이상의 병상, 각 진료 과목 전속 해당 전문의의 진료가 행해지는 곳
- 100~300개 이하 병상의 종합병원 → 7개 이상의 진료과목을 갖추고 각 진료과목마다 전속하는 전문의를 둘 것
- 300개 이상의 병상의 종합병원 → 9개 이상의 진료과목을 갖추고 각 진료과목마다 전속하는 전문의를 둘 것

06. 정답 | ④
의료기관 개설권자

- 간호사: 상병자 또는 해산부의 요양상의 간호 또는 진료의 보조 및 대통령령이 정하는 보건활동에 종사함이 임무이다.

07. 정답 | ①
의료인의 결격사유

가, 다: 금치산자, 한정치산자, 파산선고 후 복원되지 아니한 자, 금고 이상형 받고 종료되지 아니한 자, 금고 이상형 받고 종료되지 아니하거나 확정되지 아니한 자가 해당된다.
나, 라: 결격사유 아님
마: 3회에 한하여 국가시험 응시자격의 제한(의료법 10조 제3항 2016.12.20. 개정)

08. 정답 | ⑤
의료인의 자격정지 사유

- 의료인의 품위손상(자격정지에 해당)
①, ②, ③, ④ 다른 의료기관을 이용하려는 환자를 자기 병원으로 유인하는 행위, 전공의의 선발 등 직무와 관련 부당하게 금품을 수수한 경우, 특정 약국과 담합한 경우가 해당된다.
⑤ 300만원 이하의 벌금

09. 정답 | ②
의료인의 면허취소 사유

①, ③, ④, ⑤는 면허취소 사유에 해당
- 품위손상 행위를 한 때: 1년의 범위 내에서 면허정지에 해상

10. 정답 | ① 기출
간호조무사의 자격인정

- 간호조무사가 되려는 사람은 보건복지부령으로 정하는 교육과정을 이수하고 국가시험에 합격한 후 보건복지부장관의 자격인정을 받아야 한다.

11. 정답 | ②
간호조무사의 자격인정

- 간호조무사의 자격인정: 보건복지부장관
- 간호조무사의 업무한계: 보건복지부령

12. 정답 | ③
간호조무사의 업무 및 한계

- 진료보조업무: 의사의 지시 하에 진료를 보조
- 간호보조업무: 간호사의 지시 감독 하에 업무를 수행, 보조

13. 정답 | ⑤ 기출
간호조무사의 업무 및 한계

- 의료법상 간호조무사는 간호사를 보조하여 간호사의

업무를 수행할 수 있다. 또한 의원급 의료기관에 한하여 의사, 치과의사, 한의사의 지도하에 환자의 요양을 위한 간호 및 진료의 보조를 수행할 수 있다. 구체적인 업무의 범위와 한계에 대하여 필요한 사항은 보건복지부령으로 정한다.

14. 정답 | ④

간호조무사의 자격인정

가, 나, 다, 라: 시·도지사로부터 자격인정

- 의료유사업자(법 제81조): 접골사, 침사, 구사
- 업무범위

가: 접골사 → 골절되거나 삐거나 겹질린 환자에 대하여 그 환부를 조정하고 회복시키는 응급처치 등 접골시술행위를 하는 것

나: 침사 → 환자의 경혈에 대하여 침술 행위를 하는 것

다: 구사 → 환자의 경혈에 대하여 구(뜸질)시술 행위를 하는 것

마: 간호조무사 – 보건복지부장관으로부터 자격 인정

15. 정답 | ③

요양병원 입원대상

; 노인성질환자, 만성질환자, 외과적 수술 후 또는 상해 후의 회복기간에 있는 자로서 수로 상시요양을 필요한 자

- 정신질환자(노인성 치매환자 제외) 및 감염성 질환자는 입원대상이 아님

16. 정답 | ③ 기출

간호·간병통합서비스

; 보호자 없는 병원, 즉 간호사와 간호조무사가 한 팀이 되어 환자를 돌봐주는 서비스를 이른다.

- 본래 포괄간호서비스로 불리다가 2016년 4월부터 간호·간병통합서비스로 명칭이 변경되었다.

17. 정답 | ② 기출

진료기록부 등의 보존기간

- 「의료법」상 진료기록부, 수술기록은 10년 기간 보존하여야 한다.

① 처방전: 2년

③ 환자병부: 5년

④ 간호기록부: 5년

⑤ 검사소견기록: 5년

18. 정답 | ①

진료기록부 등의 보존기간

- 환자명부: 5년(간호기록부, 조산기록부, 환자명부, 방사선사진 및 그 소견서, 검사소견 기록부)
- 10년: 진료기록부, 수술기록부, 예방접종 기록부
- 진료기록부 기록내용 → 진료자 주소, 성명, 주민번호, 병력, 가족력, 주된 증상, 진단결과, 경과, 예후, 치료내용, 진료 일시분
- 3년: 진단서 등 부본, 보수교육기록
- 2년: 처방전(마약 & 일반 약 포함)

19. 정답 | ①

인공임신중절 허용한계

- 임신중절: 자궁에서 발육중인 태아를 인공적으로 제거하는 것
- 금치산자, 한정치산자: 심신상실상태의 행위 무능력자 → 무능력자라도 임신중절 허용 안됨, 의료인의 결격 사유에 해당
- 인공임신중절 허용한계

② 임신 지속 시 모체의 건강이 심히 해할 경우

③ 본인, 배우자가 대통령이 정하는 우생학적, 유전적 정신질환, 신체질환 시

④ 강간, 준강간 시, 본인, 배우자가 대통령이 정하는 전염성질환 시에는 허용된다.

⑤ 법률상 혼인할 수 없는 혈족, 인척간 시

제2장 | 정신건강증진 및 정신질환자 복지서비스 지원에 관한 법률 (정신건강복지법)

20. 정답 | ⑤
정신건강복지법의 기본이념

- 입원치료가 필요한 경우 자발적인 입원이 권장된다(입원 기간은 6개월 이내로 함).

21. 정답 | ③
정신건강복지법의 기본이념

- 정신보건법: 정신건강증진 및 정신질환자 복지서비스 지원에 관한 법률
- 목적(2017년 9월 시행)
  - 정신질환의 예방과 치료
  - 정신질환자의 재활·복지·권리보장
  - 정신건강 친화적인 환경조성에 필요한 사항을 규정하여 국민의 정신건강증진 및 정신질환자의 인간다운 삶을 영위하는데 이바지함을 목적으로 한다.
- 나, 라, 마: 정신보건의 목적에 해당된다.
- 다: 지역사회정신보건사업으로 정신질환자의 발견·상담·진료·사회복귀훈련을 시행하고 있다.

22. 정답 | ⑤ 기출
정신질환자의 보호의무자

- 정신질환자의 보호의무자가 될 수 없는 자
  - 피성년후견인 및 피한정후견인
  - 파산선고를 받고 복원되지 아니한 사람
  - 정신질환자를 상대로 한 소송 중이거나 소송한 사실이 있었던 사람과 배우자
  - 미성년자, 행방불명자, 부득이한 사유로 의무를 이행할 수 없는 사람

23. 정답 | ①
정신질환자의 보호의무자

- 보호의무자가 없거나, 그 의무를 이행할 수 없는 경우 관할 시장, 군수, 구청장이 보호의무자가 된다.
- 보호의무자가 될 수 없는 경우
- ②, ③, ④, ⑤, 당해 정신질환자를 상대로 소송이 계속 중인 자 또는 소송한 사실이 있었던 자

24. 정답 | ① 기출
자의입원환자의 퇴원의사 확인

- 정신의료기관 등의 장은 입원 등을 한 정신질환자에 대하여 입원 등을 한 날부터 2개월마다 퇴원 등을 할 의사가 있는 지를 확인하여야 한다.

25. 정답 | ④
보호의무자에 의한 입원

- 정신의료기관 등의 장은 정신질환자 보호의무자 2명 이상이 신청한 경우로서 정신건강의학과전문의가 입원 등이 필요하다고 진단한 경우에만 해당 정신질환자를 입원 등을 시킬 수 있다.
- ① 정신의료기관 등의 장은 자의입원 등을 한 사람이 퇴원을 신청한 경우 지체 없이 퇴원을 시켜야하며 입원한 날부터 2개월 마다 퇴원 등을 할 의사가 있는지를 확인하여야 한다.
- ② 정신질환자는 보호의무자의 동의를 받아 보건복지부령을 정하는 입원 등 신청서를 정신의료기관 등의 장에게 제출함으로써 그 정신의료기관 등에 입원 등을 할 수 있다.
- ③ 정신질환자로 추정되는 사람으로서 자신의 건강 또는 안전이나 다른 사람에게 해를 끼칠 위험이 큰 사람을 발견한 사람은 그 상황이 매우 급박하여 입원 등을 시킬 시간적 여유가 없을 때는 의사와 경찰관의 동의를 받아 정신의료기관에 그 사람에 대한 응급입원을 의뢰할 수 있다.
- ⑤ 정신건강의학과전문의 또는 정신건강전문요원은 정신질환으로 자신의 건강 또는 안전이나 다른 사람에게 해를 끼칠 위험이 있다고 의심되는 사람을 발견하였

을 때에는 특별자치시장·특별자치도지사·시장·군수·구청장에게 대통령령으로 정하는 바에 따라 그 사람에 대한 진단과 보호를 신청할 수 있다.

26. 정답 | ② 기출
응급입원

- 정신질환자로 추정되는 사람으로서 자신의 건강 또는 안전이나 다른 사람에게 해를 끼칠 위험이 큰 사람을 발견한 사람은 그 상황이 매우 급박하여 입원 등을 시킬 시간적 여유가 없을 때는 의사와 경찰관의 동의를 받아 정신의료기관에 그 사람에 대한 응급입원을 의뢰할 수 있다.
- ① 동의입원이란 정신질환자는 보호의무자의 동의를 받아 보건복지부령을 정하는 입원 등 신청서를 정신의료기관 등의 장에게 제출함으로써 그 정신의료기관 등에 입원 등을 말한다.
- ③ 정신의료기관 등의 장은 자의입원 등을 한 사람이 퇴원을 신청한 경우 지체없이 퇴원을 시켜야하며 입원한 날부터 2개월마다 퇴원 등을 할 의사가 있는지를 확인하여야 한다.
- ④ 보호의무자의 의한 입원이란 정신의료기관 등의 장은 정신질환자 보호의무자 2명 이상이 신청한 경우로서 정신건강의학과전문의가 입원 등이 필요하다고 진단한 경우에만 해당 정신질환자를 입원 등을 말한다.
- ⑤ 정신건강의학과전문의 또는 정신건강전문요원은 정신질환으로 자신의 건강 또는 안전이나 다른 사람에게 해를 끼칠 위험이 있다고 의심되는 사람을 발견하였을 때에는 특별자치시장·특별자치도지사·시장·군수·구청장에게 대통령령으로 정하는 바에 따라 그 사람에 대한 진단과 보호를 신청할 수 있다.

27. 정답 | ⑤
정신건강 전문요원

- 정신보건간호사: 정신질환자의 병력에 대한 자료 수집, 병세에 대한 판단 분류 및 그에 따른 환자관리 활동
- 정신보건 임상심리사: 정신질환자에 대한 심리평가,

정신질환자와 그 가족에 대한 심리 상담
- 정신건강 전문요원의 업무: 정신질환에 대한 개인력 조사 및 사회조사, 정신질환자와 그 가족에 대한 사회 사업지도 및 방문지도
- ③, ④ 정신질환자를 퇴원 또는 퇴소시키는 경우 관할 보건소장에게 즉시 통보하여야 한다.

28. 정답 | ④
삼차예방

- 삼차예방: 정신질환으로 인한 기능적 손상을 예방하고 빠른 시일 내에 이전의 활동능력을 회복하도록 하며 만성의 경우 지역사회 내에서 살아갈 수 있는 여건을 마련해 주는 것
- 사회복귀 촉진: 야간입원 프로그램, 낮 치료 또는 주간 보호프로그램, 주거프로그램, 직업재활프로그램, 생활훈련프로그램 등
  ①, ②, ③ 일차예방
  ⑤ 이차예방에 속함

29. 정답 | ⑤
정신요양시설

; 정신의료기관에서 의뢰된 정신질환자를 입소시켜 요양과 사회복귀촉진을 위한 훈련을 행하는 시설

30. 정답 | ①
정신건강증진시설

- 보건의료원: 보건소에 30병상 이상의 입원 시설을 갖추고 진료 기능을 강화한 지방보건조직으로 보건지소, 보건진료소와 함께 우리나라 보건사업업무를 최말단에서 담당하는 보건행정기관
- ② 정신요양시설: 정신의료기관에서 의뢰된 정신질환자와 만성정신질환자를 입소시켜 요양과 사회복귀촉진을 위한 훈련을 행하는 시설
- ③ 정신의료기관: 의료기관 중 정신질환자의 진료를 행할 목적으로 설치된 병원과 의원 및 병원급 이상의 의료기관에 설치된 정신과

④ 정신질환자 생활시설: 정신질환자가 필요한 기간 동안 생활하면서 재활에 필요한 상담·훈련 등의 서비스를 받아 사회복귀를 준비, 장애로 인한 장기간 생활하는 시설로 사회복귀시설의 종류

⑤ 정신질환자 사회복귀시설: 정신의료기관에 입원하거나 정신요양시설에 입소시키지 않고 사회복귀촉진을 위한 훈련을 행하는 시설

31. 정답 | ①

정신질환자 실태조사

- 보건복지부장관은 정신질환자의 실태조사를 매 5년마다 실시

32. 정답 | ③

정신질환자 실태조사

③ 서비스요구도 및 기타 보건복지부장관이 필요하다고 인정하는 사항

33. 정답 | ③ 기출

정신질환자 권익보호

- 정신건강증진 및 정신질환자 복지서비스 지원에 관한 법률「권익보호 및 지원」항목에서 법 제72조
- 수용 및 가혹행위 등의 금지: 정신질환자를 보호할 수 있는 시설외의 장소에 정신질환자를 수용하여서는 아니 된다.
① 「격리 등 제한의 금지」: 정신의료기관 등의 장은 치료 또는 보호의 목적으로 격리시키거나 묶는 등의 신체적 제한을 할 수가 없다. 단, 정신건강의학과 전문의의 지시에 따라하는 경우는 가능하다.
② 「통신과 면회의 자유 제한의 금지」: 정신의료기관 등의 장은 치료 또는 보호의 목적으로 통신과 면회의 자류를 제한을 할 수 없다. 단, 정신건강의학과 전문의의 지시에 따라하는 경우는 가능하다.
④ 「경제적 부담의 경감 등」: 국가 또는 지방자치단체는 정신질환자의 사회적응을 촉진하게 하기 위하여 의료비의 경감·보조나 그 밖에 필요한 지원을 할 수 있다.

⑤ 「입원 등의 금지 등」: 누구든지 응급입원의 경우를 제외하고는 정신질환자를 정신의료기관 등에 입원 등을 시키거나 입원 등의 기간을 연장할 수 없다.

34. 정답 | ③ 기출

벌칙

- 「정신건강증진 및 정신질환자 복지서비스 지원에 관한 법률」법 제85조에 의하면 입원 등을 하거나 정신건강증진시설을 이용하는 정신질환자에게 노동을 강요한자는 3년 이하 징역 3천만원 이하 벌금을 처한다.

제3장 | 결핵예방법

35. 정답 | ③ 기출

결핵의사환자

- 결핵예방법 제2조에 의하면 결핵예방법에 사용되는 용어를 정의
- 결핵의사환자: 임상적, 방사선학적 또는 조직학적 소견상 결핵에 해당되지만 결핵균 검사에서 양성으로 확인되지 아니한 자
① 폐렴은 결핵예방법에 정의되고 있지 않다.
② 결핵: 결핵균으로 인하여 발생하는 질환
④ 활동성결핵환자: 전염성 결핵환자로서 객담의 결핵균 검사에서 양성으로 확인되어 타인에게 전염시킬 수 있는 환자
⑤ 잠복기결핵감염자: 결핵에 감염되어 결핵감염검사에서 양성으로 확인되었으나 결핵에 해당하는 임상적, 방사선학적 또는 조직학적 소견이 없으며 결핵균검사에서 음성으로 확인된 자

36. 정답 | ⑤

대한결핵협회 설치 목적

; 결핵에 관한 조사, 연구, 예방, 퇴치 사업을 행하기 위함이다.

37. 정답 | ② 기출

결핵환자 신고의무

- 의사 및 그 밖의 의료기관 종사자는 다음의 어느 하나에 해당하는 경우에는 지체없이 소속된 의료기관의 장에게 보고해야 한다. 다만, 의료기관에 소속되지 아니한 의사는 그 사실을 관할 보건소장에게 신고하여야 한다. 보고를 받은 의료기관의 장은 24시간 내에 관할 보건소장에게 신고해야 한다.

38. 정답 | ③

결핵환자 신고의무

- 결핵: 제2급 감염병 → 24시간 이내 관할 보건소장에게 신고
- 제1급 감염병: 지체 없이 신고
- 제2급, 제3급 감염병: 24시간 이내 관할 보건소장에게 신고
- 제4급 감염병: 7일 이내 관할보건소장에게 신고
- 신고의무자: 의사, 한의사, 의료기관의 장, 소속부대장

39. 정답 | ① 기출

잠복결핵간연검진

- 잠복결핵감염검진 실시주기는 결핵환자를 검진 치료하는 의료인, 진단하는 의료기사, 그 밖에 감염 우려되는 의료기관의 종사자로서 질병관리청장이 정하여 고시하는 사람은 매년 실시한다.

40. 정답 | ③

결핵예방접종 의무 대상자

- 특별자치도지사 또는 시장, 군수, 구청장은 관할 보건소를 통해 예방접종을 실시해야 한다.
- 출생 후 1개월 미만의 신생아

41. 정답 | ③ 기출

업무종사의 일시 제한

- 특별자치시장·특별자치도지사 또는 시장·군수·구청장은 전염성 결핵환자에 대하여 접객업이나 그 밖에 사람들과 접촉이 많은 업무에 종사하거나 집단 생활시설에서 수행하는 업무에 종사하는 것을 보건복지부령으로 정하는 바에 따라 전염성 소실의 판정을 받을 때까지 정지하거나 금지하도록 명하여야 한다.

42. 정답 | ④

업무종사의 일시 제한

마: 보육시설종사자, 공중과 직접 접촉하는 횟수가 잦은 자, 학교에서 근무하는 교직원과 그 보조 업무자도 취업이 정지 또는 금지되는 업무이다.

43. 정답 | ⑤ 기출

결핵예방 위반 벌칙

- 결핵관리업무에 종사하는 자 또는 종사하였던 자가 업무상 알게 된 환자의 비밀을 누설한 경우 → 3천만원 이하의 징역 또는 3천만원 이하의 벌금

44. 성답 | ②

결핵예방 위반 벌칙

- 정당한 사유 없이 결핵환자의 입원을 거절한 자 : 2년 이하의 징역 또는 2,000만원 이하의 벌금

45. 정답 | ②

결핵예방 위반 벌칙

- 결핵예방법 벌칙 법 제 32조 500만원 이하의 벌금
  - 보고 및 신고의무 위반 자
  - 격리치료명령을 따르지 아니한 자

제4장 | 구강보건법

46. 정답 | ①
구강보건법의 목적

; 국민의 구강건강을 증진하기 위함이다.

47. 정답 | ③
수돗물불소농도조정사업의 목적

- 구강보건법의 목적: 국민의 구강질환 예방, 구강건강 증진
- 수돗물불소농도조정사업의 목적: 수돗물의 불소농도를 적정 수준으로 유지·조정하여 치아우식증(충치)발생을 예방

48. 정답 | ① 기출
구강보건사업계획 수립 및 실시

- 임산부 및 영유아에 대하여 다음의 사항이 포함된 구강보건교육계획을 수립하여 매년 실시

49. 정답 | ③
구강보건사업 기본계획내용

①, ②, ④, ⑤ 수돗물 불소화 사업, 임산부, 영유아 구강보건사업이다.

50. 정답 | ③ 기출
구강건강실태조사

- 보건복지부장관은 구강보건사업의 효율적인 추진을 위하여 5년마다 구강보건사업에 관한 기본계획을 수립하여야 하고, 질병관리청장은 보건복지부장관과 협의하여 국민의 구강건강상태와 구강건강의식 등 구강건강실태를 3년마다 조사하고 그 결과를 공표하여야 한다.

51. 정답 | ③
수돗물불소농도조정사업

- 수돗물불소화사업과 관련된 보건소장의 업무: 수도정수장 또는 수돗물 저장소에서 수돗물에 불소제제를 투입, 관리하거나 이와 관련된 사업
- 불소제제의 보관 및 관리: 상수도사업소장의 임무이다.

52. 정답 | ②
수돗물불소농도조정사업

; 치아우식증 예방을 위해 수돗물의 불소 농도를 적정수준으로 관리하는 사업

- 계획 및 시행자: 시·도지사, 시·군·구청장, 한국수자원공사사장

53. 정답 | ② 기출
불소용액양치사업

- 불소용액 양치사업에 필요한 불소용액의 농도는 매일 2회시 0.05%, 주 1회 양치하는 경우는 0.2%로 한다.

54. 정답 | ⑤ 기출
불소용액양치사업

- 불소용액 양치사업에 필요한 불소용액의 농도는 매일 2회시 0.05%, 주1회 양치하는 경우는 0.2%로 한다.

55. 정답 | ③
임산부 구강검진

- 임산부 구강점진: 치아우식증 상태, 구강질환 상태, 치주질환 상태, 치아마모증 상태
- 영유아 구강검진: 치아우식증 상태, 구강질환 상태, 치아 및 구강발육 상태

56. 정답 | ⑤ 기출
임산부·영유아 구강보건사업

- 「구강보건법」 제16조 모자·영유아 구강보건사업에 의

하면 시장·도지사 또는 시장·군수·구청장은 임산부 및 영유아에 대해 구강검진을 실시해야 한다고 기술 되어 있다.

제5장 | 혈액관리법

57. 정답 | ③ 기출

혈액매매행위 금지

- 자신의 헌혈증서를 타인에게 기부할 수 있음.
① 금전·재산상의 이익 또는 대가적 급부를 받거나 받기로 하고 타인의 혈액을 제공받거나 제공받을 것을 약속하여서는 안 된다.
②, ④ 금전·재산상의 이익 또는 대가적 급부를 받거나 받기로 하고 자신의 혈액을 제공하거나 이를 약속하여서는 안 된다.
⑤ 혈액 매매행위 금지 규정에 위반되는 행위를 교사·방조·알선하여서는 안 된다.

58. 정답 | ③

혈액매매행위 금지

- 혈액관리위원회의 설치 및 운영(혈액관리법 제5조)
①, ② 타인의 혈액을 금전상 댓가를 주고 제공받거나 약속
④ 혈액매매행위 금지 위반되는 행위를 교사·방조·알선
⑤ 자신의 혈액을 금전상 대가를 받고 제공하거나 약속
- 혈액매매행위 금지 규정에 위반되는 행위와 관련되는 혈액을 채혈하거나 수혈하여서는 아니 된다.

59. 정답 | ① 기출

벌칙

- 헌혈증서의 판매, 구입, 판매방조 등의 행위 : 5년 이하의 징역 및 5천만원 이하의 벌금
② 혈액제제의 수가를 위반하여 혈액제제를 공급한 자는 100만원 이하의 벌금에 해당한다.

③ 채혈 전에 헌혈자에 대하여 건강진단을 하지 아니한 자는 2년 이하의 징역 또는 2천만 원 이하의 벌금에 해당한다.
④ 부적격혈액을 수혈받은 사람에게 이를 알리지 아니한 자는 2년 이하의 징역 또는 2천만 원 이하의 벌금에 해당한다.
⑤ 건강진·채혈·검사 등 업무상 알게 된 다른 사람의 비밀을 누설하거나 발표한 자는 2년 이하의 징역 또는 2천만 원 이하의 벌금에 해당한다.

60. 정답 | ④

혈액관리업무

; 수혈, 혈액제제의 제조에 필요한 채혈·검사·제조·보존·공급·품질 관리하는 업무

61. 정답 | ④ 기출

헌혈자에게 실시하는 건강진단

- 『혈액관리법』상 헌혈자에 대하여 채혈을 실시하기 전에 다음에 해당하는 건강진단을 실시해야 한다.
- 문진·시진·촉진, 체온 및 맥박측정, 체중측정, 혈압측정, 빈혈검사(혈액비중검사, 혈색소검사, 적혈구 용적률검사), 혈소판계수검사, 과거의 헌혈경력 및 혈액검사 실과와 재휠금지대상가 여부의 조회

62. 정답 | ① 기출

헌혈자에게 실시하는 건강진단

- 『혈액관리법』상 헌혈자에 대하여 채혈을 실시하기 전에 다음에 해당하는 건강진단을 실시해야 한다.
- 문진·시진·촉진, 체온 및 맥박측정, 체중측정, 혈압측정, 빈혈검사(혈액비중검사, 혈색소검사, 적혈구 용적률검사), 혈소판계수검사, 과거의 헌혈경력 및 혈액검사 결과와 채혈금지대상자 여부의 조회

63. 정답 | ④

헌혈자에게 실시하는 건강진단

①, ② 체온, 맥박, 혈압, 체중 측정

③ 문진, 시진, 촉진

⑤ 빈혈검사, 혈소판계수검사

- 과거의 헌혈경력 및 혈액검사결과, 채혈금지 대상자 여부 조회
- 산소포화도 검사는 하지 않는다.

64. 정답 | ②

헌혈자에게 실시하는 건강진단

- 혈당검사: 당뇨병의 진단을 위한 검사, 최소 8시간 이상 칼로리를 섭취하지 않은 상태에서 최소 두 번(몇 일 간격으로) 검사한다.
- 채혈 시, 채혈 후 선별검사에서 부적격 기준에 해당되는 혈액 또는 혈액 제제
① ALT 검사: 65이상
③ B형간염 검사: 양성
④ C형간염 검사: 양성
⑤ 후천성면역결핍증 검사: 양성
- 매독 검사: 양성
- B형간염, C형간염, 후천성면역결핍증 검사의 경우 현재 선별검사에서 음성으로 판정되었다 해도 과거 양성이었던 적이 있었다면 부적격 혈액에 해당

65. 정답 | ② 기출

채혈금지대상자

; 체중, 활력징후 등의 건강진단관련요인, 감염병과 그 밖의 질병에 해당하는 질병관련요인, 약물 또는 예방접종관련요인, 임신 중 등의 진료 및 처치관련요인, 선별검사결과 부적격요인 등

- 남자는 체중 50 kg 미만, 여자는 체중 45 kg 미만이 채혈금지대상자에 해당한다.
① 수혈횟수는 채혈금지 대상자에 언급되어 있지 않다.
③ 일정기간 채혈금지 대상자 중에 홍역, 수두는 언급되어 있지 않다.
   말라리아, 브로셀라증, 매독, 급성 B형간염 그 밖의 혈액매개 감염병환자 또는 병력자에 해당한다.
④ 급성 B형간염 병력자로 완치 후 6개월이 경과하지 아니한 자는 일정기간 채혈금지 대상자에 해당한다.

⑤ 보건복지부장관이 지정하는 혈액매개 감염병의 환자, 의사환자, 병원체 보유자가 채혈금지자 대상자에 해당한다.

66. 정답 | ②

혈액제제

; 혈액을 원료로 하여 제조한 약사법 규정에 의한 의약품
①, ③, ④, ⑤ 기타 보건복지부령이 정하는 혈액관련의 약품

67. 정답 | ③

특정수혈 부작용

; 수혈한 혈액제제로 인한 부작용으로 사망, 장애, 입원 치료를 요하는 부작용, 의료기관의 장이 사망 내지 바이러스 등에 의하여 감염되는 질병에 의한 부작용과 유사하다고 판단하는 부작용

68. 정답 | ⑤

특정수혈 부작용

- 신고: 특정수혈부작용사실을 확인한 날부터 15일 이내에 보건소장에게 신고(단, 사망의 경우 즉시 신고)

69. 정답 | ④ 기출

특정수혈 부작용

- 부적격혈액: 채혈 시 또는 채혈 후에 이상이 발견된 혈액 또는 혈액제제로서 보건복지부령으로 정하는 혈액 또는 혈액제제
- 혈액원의 업무 중 혈액 등의 안전성 확보(법 제 8조)에 의거 부적격 혈액을 발견하였을 때 보건복지부령으로 정하는 바에 따라 이를 폐기처분하고 그 결과를 보건복지부장관에게 보고하여야 한다.
- 보건복지부령으로 정하는 바에 따라 부적격혈액을 폐기처분하지 아니하거나 폐기처분 결과를 보건복지부장관에 보고하지 아니한 자는 2년 이하의 징역 또는 2천만원 이하의 벌금을 받는다.

제6장 | 감염병의 예방 및 관리에 관한 법률

70. 정답 | ④ 기출

감염병의사환자

- 감염병의 예방 및 관리에 관한 법률에서 사용되는 용어로 감염병의사환자는 의심이 되나 감염병환자로 확인되기 전 단계에 있는 사람을 말한다.
① 병원체 보유자
②, ③ 감염병환자: 병원체가 인체에 침입하여 증상을 나타내는 사람으로서 감염병환자 진단이나 보건복지부령으로 정하는 기관의 실험실 검사를 통해 확인된 사람
⑤ 병원체보유자: 임상증상은 없으나 감염병병원체를 보유하고 있는 사람

71. 정답 | ② 기출

역학조사

; 감염병환자 등이 발생한 경우 감염병의 차단과 확산 방지 등을 위하여 감염병환자등의 발생 규모를 파악하고 감염원을 추적하는 등의 활동과 감염병 예방접종 후 이상반응 사례가 발생한 경우나 감염병 여부가 불분명하나 그 발병원인을 조사할 필요가 있는 사례가 발생한 경우 그 원인을 규명하기 위하여 하는 활동
- 감시: 감염병 발생과 관련된 자료 및 매개체에 대한 자료를 체계적이고 지속적으로 수집, 분석 및 해석하고 그 결과를 제때에 필요한 사람에게 배포하여 감염병 예방 및 관리에 사용하도록 하는 일체의 과정

72. 정답 | ① 기출

제1급감염병

- 감염병의 종류
- 1급: 음압격리와 같은 높은 수준의 격리가 필요한 감염병
- 2급: 격리가 필요한 감염병
- 3급: 발생을 계속 감시할 필요가 있는 감염병

- 4급: 1~3급 감염병 외에 유행여부를 조사하기 위하여 표본감시활동이 필요한 감염병

73. 정답 | ④ 기출

제3급감염병

; 발생을 계속 감시할 필요가 있어 발생 또는 유행시 24시간 이내에 신고하여야 하는 감염병
- 파상풍(T), B형간염, C형간염, 쯔쯔가무시, 렙토스피라, 신증후군 출혈열, AIDS, 지카바이러스 감염증 등

74. 정답 | ⑤

제4급감염병

- 인플루엔자, 매독, 회충증, 편충증, 요충증, 간흡충증, 폐흡충증, 장흡충증, 수족구병, 임질, 클라미디아감염증, 연성하감, 성기단순포진, 첨규콘딜롬, 반코마이신내성장알균(VRE) 감염증, 메티실린내성황색포도알균(MRSA) 감염증, 다제내성녹농균(MRPA) 감염증, 다제내성아시네토박터바우마니균(MRAB) 감염증, 장관감염증, 급성호흡기감염증, 해외유입기생충감염증, 엔테로바이러스감염증, 사람유두종바이러스 감염증

75. 정답 | ③ 기출

세계보건기구 감시감염병

- 감염병 발생양상 중에 한 지역에 국한되지 않고 전국 또는 전 세계에 퍼지는 경향이 있을 때에는 세계적 발생(유행)이라고 한다.
- 세계보건기구(WHO)가 국제 공중 보건의 비상사태에 대비해 감시 대상으로 정한 감염병
- 감염병 접촉자와 환자를 추적하는 관리시스템을 갖추고, 보건소 역학조사·확진검사·격리자 관리, 해외유입자의 검역정보, 의료현장의 병상·의료인력, 생활치료센터의 진료정보를 종합적으로 연계하도록 한다.
- 예방접종을 시행하여 팬데믹을 대응하는 단계이므로 숙주 면역력을 증강시키도록 한다.

76. 정답 | ④ 기출

의료관련 감염병

- 감염병의 예방 및 관리에 관한 법률 법 제2조의 의하면 감염병을 기생충 감염병, 세계보건기구 감시대상감염병, 생물테러 감염병, 성매개 감염병, 인수공통감염병, 의료관련 감염병으로 기술하고 있다.
- 의료관련 감염병: 환자나 임산부 등이 의료행위를 적용받는 과정에서 발생한 감염병
- ① 기생충 감염병: 기생충에 감염되어 발생하는 감염병 중 질병관리청장이 고시하는 감염병
- ② 성매개 감염병: 성 접촉을 통하여 전파되는 감염병 중 질병관리청장이 고시하는 감염병
- ③, ⑤ 생물학적, 중복 감염병: 법률에 기재되어 있지 않은 감염병

77. 정답 | ④

정기 예방접종 감염병

; DPT (디프테리아, 백일해, 파상풍), MMR (홍역, 유행성이하선염, 풍진), A·B형 간염, 수두, 폴리오, 일본뇌염, 결핵, b형 헤모필루스 인플루엔자, 폐렴구균, 인플루엔자, 인유두종바이러스 그 밖에 질병관리청장이 지정하는 감염병

78. 정답 | ③ 기출

DTaP 예방접종

; Diphtheria (디프테리아), Pertussis (백일해), Tetanus (파상풍) 질환을 예방할 수 있다.

79. 정답 | ① 기출

필수예방접종

; DPT, MMR, A·B형 간염, 수두, 폴리오, 일본뇌염, 결핵, b형 헤모필루스 인플루엔자, 폐렴구균, 인플루엔자, 인유두종바이러스 그 밖에 질병관리청장이 지정하는 감염병에 대하여 관할보건소를 통하여 접종, 의료법에 따른 의료기관에 위탁할 수 있다.

80. 정답 | ③

임시예방접종 공고 내용

- 시·군·구청장이 정기, 임시로 예방접종할 때 미리 10일 전에 기일, 장소, 예방접종의 종류, 예방접종을 받을 자의 범위를 공고한다.

81. 정답 | ①

진단서, 검안서, 증명서의 교부

- 진단서, 검안서, 증명서의 교부: 의사, 치과의사, 한의사
- 조산에 관한 출생, 사망, 사산의 증명서의 교부: 의사, 한의사, 조산사

PART

04

기본간호 실기

파워 간호조무사 국가시험 정답 및 해설 ● ● ●

CHAPTER 01 활력징후

제1장 | 활력징후

01. 정답 | ①
주관적 징후

- 주관적인 징후: 대상자 자신만이 알고 있는 숨은 징후(고통, 걱정, 감정, 가치관, 믿음 등)

  ②, ③, ④, ⑤ 객관적인 징후 → 관찰이나 신체검진에 의해 확인할 수 있는 명백한 징후(활력징후 측정결과 등)

02. 정답 | ①
활력징후의 정상범위(맥박)

- 연령에 따라 일정치 않으나 통상적으로는 소아는 성인에 비해 맥박수가 많고, 노인은 맥박의 변화가 없거나 다소 적어진다. 영아 맥박의 정상범위는 80~160회/분이다.

03. 정답 | ②
활력징후의 정상범위

- 정상맥박: 평균 1분간 60~100회 정도

① 정상호흡: 평균 1분간 12~20회 정도 호흡, 맥박 4회당 1회의 호흡
③ 정상직장체온: 36.6~37.9 ℃로 동일대상자에게 같은 체온계로 쟀을 때 가장 높은 체온측정치가 나오는 부위이다.
④ 정상평균혈압: 120/80 mmHg 미만
⑤ 정상 맥박 산소포화도: 95~100%

제2장 | 체온

04. 정답 | ⑤
체온 측정

- 체온계의 이상 여부를 확인하기 위해 다른 체온계로 재어 확인한 후 보고한다.

05. 정답 | ③
체온측정부위

- 체온측정 부위: 직장 > 구강 > 액와
- 구강이 액와보다 0.5 ℃ 높다.

06. 정답 | ②

체온측정시간

- 고막체온: 2~5초
- ① 액와체온: 10분
- ③ 구강체온: 3~5분
- ④ 직장체온: 2~3분
- ⑤ 전자체온계: 10~20초

07. 정답 | ④ 기출

액와체온

- 체온계의 수은구가 액와 중앙에 밀착되도록 함
- ① 체온 측정의 가장 안전한 부위이나 가장 부정확하며, 무의식 환자의 체온을 정확히 측정할 수 있다.
- ② 심부체온을 재는 가장 정확한 방법은 고막체온
- ③ 가장 신속하게 측정할 수 있는 방법은 적외선 체온계
- ⑤ 액와에 땀이 있으면 체온을 떨어뜨릴 수 있으므로 타월로 두드려 닦아 건조시킨다. 비벼서 닦을 경우 마찰로 인해 체온이 상승할 수 있다.

08. 정답 | ①

액와체온

- 액와 체온은 10분간 잰다.
- 가장 안전한 부위이나 가장 부정확, 구강측정(수은중독), 직장체온(직장천공) 예방 가능
- ② 다른 방법에 비해 안전하고 접근이 용이하며 심리적 불편이 덜하기 때문이다.
- ③ 땀은 체온을 떨어뜨리고, 문지르면(마찰) 체온을 올릴 수 있기 때문에 두드려 준다.
- ④ 액와의 가장 깊은 부위가 가장 정확하게 체온을 측정할 수 있는 부위이기 때문이다.
- ⑤ 정확성을 위해 반드시 체온측정 전 체온계의 수은주를 35 ℃ 이하로 떨어뜨리고 측정한다.

09. 정답 | ⑤

구강체온

- 구강체온(표준체온): 가장 편안하고 편리
- ①, ②, ③, ④: 5세 이하의 어린이, 정신혼돈 환자, 무의식 환자, 경련성 장애, 구강수술, 외상 등 구강에 문제가 있는 경우에는 측정할 수 없다.

10. 정답 | ③ 기출

고막체온

- 고막체온계 측정하고자 하는 귀의 귓바퀴를 소아는 후하방, 성인은 후상방으로 잡아당긴 후 탐침을 부드럽게 외이도에 삽입하여 체온을 잰다.
- ① 고막체온계 탐침을 부드럽게 외이도에 삽입한다.
- ② 귀에 이물질이 있으면 체온이 낮게 측정되므로 귓속을 정리하고, 보청기를 빼고서 고막체온계를 삽입한다.
- ④ 고막체온계는 탐침 삽입 후 2~5초 만에 빠르게 체온을 잴 수 있다.
- ⑤ 탐침의 방향은 소아는 후하방, 성인은 후상방으로 삽입된다.

11. 정답 | ⑤ 기출

고막체온

- 성인은 고막체온 측정 시 귓바퀴를 후상방, 소아는 후하방으로 잡아당겨 적외선 체온계의 센서가 고막을 향하도록 삽입한다.
- ① 구강체온 측정 시 전자체온계의 탐침을 혀 밑에 넣고 입을 다물도록 한다.
- ② 직장체온 측정 시 전자체온계의 탐침을 성인은 항문에 2.5~4 cm 깊이로 삽입하고, 아동은 항문에 1.5~2.5 cm 깊이로 삽입한다.
- ③ 이마체온 측정 시 적외선체온계의 센서를 앞이마에 가로질러 옆머리 쪽으로 밀면서 3~5초간 이동한다.
- ④ 액와체온 측정 시 전자체온계의 탐침이 액와부위 중앙에 놓이게 하고 팔을 꼭 껴서 빠지지 않게 한다.

12. 정답 | ⑤

수은체온계

- 수은은 체내 축적되어 중독을 일으킬 수 있으므로 손에 닿지 않게 모은 다음 간호사에게 보고 후 병원 폐기물 절차에 따라 처리한다.

13. 정답 | ②

체온계의 소독

- 70% 알코올을 사용 → 감염병 환자는 0.1% 승홍수 30분간 소독한다.
① 베타딘(=포타딘): 상처 감염, 수술 전 피부소독 시, 손 씻기 효과적
③ 헥사클로르펜: 의료진 손 소독. 수술 전 피부 소독제
④ 과산화수소수 : 분비물이 많은 개방창상에 효과적
⑤ 3~5% 석탄산수: 감염병 환자 배설물 소독약

제3장 | 맥박

14. 정답 | ⑤

맥박 증가요인

; 체온 상승, 서 있는 자세, 흥분, 운동, 스트레스, 출혈, 통증
- 부교감신경의 자극은 맥박수를 감소시킨다. → 수면, 저체온, 디기탈리스(강심제) 등

15. 정답 | ⑤

빈맥

- 정상 맥박 범위: 60~100회/분
- 빈맥: 100회/분 이상
- 서맥(강심제 투여시 주의): 60회/분 이하

16. 정답 | ⑤ 기출

맥박측정방법

- 요골맥박이 불규칙할 경우 정확한 맥박 측정을 위해 심첨 부위에서 1분간 측정하여 비교하도록 한다.
① 요골맥박 측정시 측정자가 엄지손가락으로 측정하는 경우 측정자 맥박수와 혼동이 되므로 엄지손가락은 사용하지 않는다.
② 병원 입원 시 활력징후는 환자의 심장에 이상이 있는 환자인지 확인하기 위해 정확한 맥박을 측정하는 것

이 중요하다.
③ 심첨맥박을 들을 때는 청진기의 판막형을 대로 1분 동안 측정하도록 한다.
④ 심첨맥박은 좌측중앙쇄골선과 네 번째와 다섯 번째 늑골간이 만나는 지점인 심첨부위를 확인하여 촉진한다.

17. 정답 | ③

맥박측정방법

- 엄지손가락으로 측정 시에는 간호조무사 자신의 맥박이 측정될 수도 있기 때문에 피한다.
① 맥박수를 세면서 강도, 리듬, 혈관 벽의 탄력성을 사정한다.
② 보통 1분간 측정한다.
④ 정확한 맥박 측정에 변화를 줄 수 있으므로 충분히 안정 후 맥박을 측정한다.
⑤ 2, 3, 4번째 손가락을 대상자의 요골동맥 위에 놓고 가볍게 눌러 측정한다.

18. 정답 | ①

맥박측정부위

; 큰 동맥이 지나가는 신체부위를 압박함으로써 촉지
가: 귀의 앞쪽에 위치
다: 목 좌우 양측에 위치
나, 라, 마: 맥박촉지가 불가능한 동맥
- 관상동맥: 심장에 산소와 영양을 공급하는 동맥

19. 정답 | ③ 기출

족배동맥

- 발의 순환상태 사정시 측두동맥을 이용한다.
① 경동맥: 보통 임상에서는 가장 간편하고 쉽게 요골동맥에서 맥박을 측정하지만 쇼크 상태에서 맥박이 잘 촉지 되지 않으면 경동맥에서 측정하도록 한다.
② 측두동맥: 귀 앞쪽에 측두 동맥이 지나고, 요골동맥 측정이 어려울 때 측정
④ 상완동맥: 양측 상박에 있으며 혈압측정 시 사용되는 동맥

⑤ 요골동맥: 가장 간편하고 보편적으로 사용되는 부위로서 손목부위에서 측정

제4장 | 호흡

20. 정답 | ② 기출

심첨맥박

- 심첨맥박: 대상자의 왼쪽 가슴을 노출(좌축 중앙쇄골선과 네 번째와 다섯 번째 늑골간이 만나는 지점)시켜 피부에서 청진하는 것
- 신생아나 심장에 이상이 있는 환자에게 정확한 맥박을 측정하기 위해 시행
① 측두맥박: 귀의 앞쪽에 측두 동맥이 지나고 요골동맥 측정이 어려울 때 측정하는 부위
③ 상완맥박: 양측 상박에 있으며 혈압 측정 시 사용하는 부위
④ 슬와맥박: 하지로 가는 순환 상태 사정이나 다리에서 혈압 측정 시 측정하는 부위
⑤ 족배맥박: 발의 순환 상태 사정 시 측정하는 부위

21. 정답 | ①

심첨맥박

- 맥박이 불규칙 시 심첨부(왼쪽쇄골 중앙 5번째 늑간부위)에서 직접 청진기로 측정.
- 반드시 1분간 측정(심장질환 시, 신생아나 2세 이하의 어린이)
② 왼쪽 심첨부에서 직접 청진기로 측정하므로
③ 활력징후 측정 시 표준체위: 앉거나 눕는 자세
④ 수, 강도, 특징(리듬, 강도, 동맥의 탄력성)을 정확히 측정
⑤ 심장질환이나 맥박이 매우 불규칙할 때 정확성을 위해 반드시 1분간 잼
- 심첨-요골맥박: 맥박이 매우 불규칙적일 때(한 명은 심첨부에서, 한 명은 요골맥박에서 측정 후 양자의 차이(차질맥)를 측정 → 10 이상 차이 시 → 맥박결손을 의미함)

22. 정답 | ④ 기출

호흡측정방법

- 맥박을 측정한 후 대상자에게 대상자가 의식하지 못하도록 호흡을 측정한다는 말을 하지 않고 대상의 손목을 잡은 채로 가슴의 움직임으로 호흡을 측정한다.
① 운동 후나 정서적 장애 시는 안정된 후 호흡수를 측정하도록 한다.
② 흡기와 호기가 합쳐져서 1회의 호흡이 된다.
③ 호흡 측정 시 대화는 호흡수에 영향을 미칠 수 있으므로 침묵하도록 한다.
⑤ 호흡이 규칙적이면 30초 측정하여 2배를 하고, 불규칙한 경우나 영아, 아동의 경우에는 1분간 측정한다.

23. 정답 | ② 기출

호흡

- 호흡 측정 시 가장 중요한 것은 호흡은 의식적으로 조절 가능하므로 맥박을 잰 다음 손목을 잡은 채 환자가 알지 못하도록 측정하는 기술이 필요하다(여자: 흉식호흡, 남자: 복식호흡).

24. 정답 | ④

호흡

- 정상 성인의 호흡은 15-20회/분이므로 보고를 요하지 않는다.
① 일시적, 영구적으로 호흡이 중단된 상태로 즉각적인 조치가 필요하다.
② 당뇨병 혼수 시 나타나는 쿠스마울 호흡으로 호흡 시 아세톤(썩은 과일) 냄새가 난다.
③ 뇌내압 상승, 뇌종양 시 나타나는 바이옷 호흡
⑤ 체인-스톡호흡으로 반드시 임종 시 나타나는 호흡

25. 정답 | ①

저산소증

; 폐에서부터 조직까지 신체 어느 곳이든 산소가 불충분한 것 → 혈압 상승

제5장 | 혈압

26. 정답 | ④

혈압증가요인

- 이외에도 나이가 증가할수록, 혈관벽 탄력성이 감소 시, 스트레스 상황 시 상승된다.

마: 혈압을 저하시키는 요인→출혈, 수면, 금식, 탈수, 약물복용(이뇨제, 전신마취제, 진정제 등)

27. 정답 | ⑤

혈압저하요인

- 혈관이 이완되면 말초혈관의 저항이 줄어 혈압이 낮아진다.

28. 정답 | ⑤

수축기압

; 좌심실의 수축 시에 생기는 가장 높은 압력(최고혈압)

① 맥압: 수축기압과 이완기압의 차이, 30~50 mmHg

② 고혈압: 비정상적으로 높은 혈압(140/90 mmHg 이상)

③ 평균압: 수축기압과 이완기압의 평균치(120/80 mmHg)

29. 정답 | ⑤ 기출

혈압측정방법

- 혈압 측정 시 들리는 첫 번째 심박의 지점이 수축기 혈압이고, 계속 들리다가 갑자기 약해지거나 소리가 사라지는 지점이 이완기 혈압이다.

① 커프는 팔꿈위 2~5 cm 위로 감고, 청진기는 상완동맥위에서 청진한다.

② 커프의 크기는 측정부위의 직경보다 20% 정도 커야 한다. 팔의 경우 커프의 넓이가 상박길이의 2/3와 같아야 한다.

③ 팔을 심장보다 높이 올리면 혈압이 낮게 측정되므로 심장 높이에 두고 측정한다.

④ 커프의 바람을 완전히 뺀 상태에서 커프를 팔에 감는다.

30. 정답 | ① 기출

혈압측정방법

- 심장과 팔의 높이가 같을 때 혈압이 일정해지므로 누운 자세에서 측정하는 게 좋다. 서 있는 자세에서 측정할 경우 중력의 영향을 받아 혈액이 복부와 다리 방향으로 쏠리게 되어 심장이 뇌에 혈액을 공급하기 위해 더 많은 일을 하기 때문에 혈압이 높게 측정된다.

② 팔꿈치에서 약 2~5 cm 위로 손가락 하나가 들어갈 정도의 여유를 두고 커프를 감는다.

③ 커프의 공기는 2 mmHg/초의 속도로 뺀다.

④ 맥박이 촉지되지 않는 지점에서 20~30 mmHg 더 올린다.

⑤ 첫 심박소리가 들리는 지점에서 측정 바늘 눈금을 읽고 수축기 혈압으로 기록한다.

31. 정답 | ④

혈압측정방법

- 팔꿈치에서 2~5 cm 위로 손가락 하나가 들어갈 정도의 여유를 주고 커프를 감는다.

① 가장 중요: 팔을 심장과 같은 높이로 측정

② 팔: 상완동맥, 대퇴혈압: 슬와동맥

③ 커프 폭이 좁은 경우: 높게, 넓은 경우: 낮게 측정될 수 있다.

⑤ 90 cm 이상 떨어지면 계기의 숫자를 정확히 읽기가 어렵다.

32. 정답 | ③

혈압측정방법

- 혈압측정: 상완동맥(팔꿈치), 슬와동맥(대퇴혈압): 팔에서 잴 수 없거나 팔과 비교 위해서 슬와동맥 측정 시: 상완보다 수축기압은 10~40 mmHg 높고(대퇴두께), 이완기압은 팔과 동일
① 관상동맥: 심장에 산소와 영양을 공급하는 동맥
⑤ 요골동맥: 손목(가장 많이 사용되는 맥박 측정 동맥)

33. 정답 | ②

혈압측정방법

- 정맥 주입한 쪽 팔(왼쪽)에 잴 경우 압력에 의해 피가 역류되고 정맥 주입이 차단되므로 오른쪽 팔에서 측정한다.
① 예상되는 수축기압보다 30 mmHg 더 올린다.
③ 커프의 폭을 상박둘레보다 40% 넓은 것을 사용한다.
④ 다시 측정 시 최소한 1~2분 후에 측정한다(정맥울혈 예방하기 위함).
⑤ 수은주 눈금이 초당 2~3 mmHg 속도로 내려가게 한다(잘 들을 수 있게 천천히 내림).

CHAPTER
02 영양과 배설

제1장 | 식사돕기

01. 정답 | ① `기출`
환자의 일반적 식사 간호

- 음식 섭취를 스스로 할 수 없는 환자라 할지라도 일상생활 수행 능력을 증진시키고 독립심을 길러주기 위해서는 필요하면 특수도구를 사용해서라도 스스로 식사할 수 있도록 간호해야 한다.
② 식사시간에 고통이 없도록 안위를 위해 식사 선 불유쾌한 시술·드레싱을 금지시킨다.
③ 연하곤란이 환자에게는 묽은 액체 음식보다 연두부 정도의 점도가 있는 음식을 제공하도록 한다.
④ 똑바로 앉아 음식물이 기도로 들어가지 않도록 머리를 앞으로 약간 숙이고 턱을 당긴 채 90°로 똑바로 앉는 식습관 자세가 필요하다.
⑤ 음식물이 완전히 넘어간 상태에서 음식물을 제공한다.

02. 정답 | ③ `기출`
연하곤란환자의 식사 간호

- 연하곤란 환자는 식사 시 삼킨 음식물이 식도가 아닌 기도로 들어가지 않도록 머리를 앞쪽으로 약간 숙이고 턱을 당긴 채 90°로 똑바로 앉는 식습관 자세가 필

요하다.
① 식사는 서두르지 말고 가능한 한 앉아서 먹도록 하며 한번에 조금씩 준다.
② 흡인을 예방하기 위해 묽은 액체 음식보다 연두부 정도의 점도가 있는 음식을 제공하도록 한다.
④ 신맛이 강한 음식은 타액 분비로 인해 흡인의 위험이 있으므로 자극적인 식이를 피하도록 한다.
⑤ 편마비가 있는 환자의 경우 건강한 쪽으로 음식을 주고, 저작이 편한 쪽으로 식사를 하게 한다.

03. 정답 | ③ `기출`
연하곤란환자의 식사 간호

- 연하곤란은 음식물이 입에서 위로 통과하는데 장애를 받는 느낌이 있는 증세로 삼킴장애라고도 한다.
- 신경학적인 원인으로는 뇌졸중, 외상성 뇌손상, 파킨슨병, 치매, 뇌신경마비 등이 있다.
- 연하곤란으로 폐흡인의 위험이 있어 지속되면 흡인성 폐렴이 발생할 수 있고, 고체류가 기도에 걸리면 질식이 발생할 수도 있다.
- 치료방법에는 약물치료, 수술 등이 있지만 생활습관을 바꾸는 것도 효과가 있는데, 이는 음식 자주 소량씩 섭취, 술과 커피삼가기, 체중과 스트레스 줄이기, 취침할 때 머리를 높이고 자는 것 등이 해당된다.

04. 정답 | ④

비위관 삽입환자의 간호

마: 산소는 부족 시에 공급함

05. 정답 | ③ 기출

비위관 삽입 길이의 측정

- 비위관 삽입길이를 측정은 코끝–귓볼–검상돌기의 길이를 반창고로 표시하여 길이를 표시하도록 한다.

06. 정답 | ⑤ 기출

위관영양

- 위관의 위치를 확인하기 위해 위 내용물을 확인 후 흡인한 내용물은 소화액이 분비된 영양물과 전해질 손실방지를 위해 내용물을 다시 중력에 의해 밀어 넣도록 한다.

07. 정답 | ③ 기출

위관영양

- 위관(비위관)영양은 구개반사가 불완전한 경우나 정상적인 방법으로 음식물을 섭취할 수 없는 경우 위내로 위관을 통해서 음식을 넣어주는 방법으로 주입이 완료된 경우 위관개방을 유지하기 위해 미온수를 30~60 cc 정도 주입하여 위관을 씻어준다.
① 위관의 위치를 확인하고 영양액 주입 전에 위관 내용물을 확인 후 버리지 않고 다시 중력에 의해 넣어준다.
② 1회에 250~400 cc의 영양액을 20~30분에 걸쳐서 중력을 이용해 주입하는 방법이다.
④ 골반 위나 위에서 30~50 cm 정도의 높이에 영양백이 위치하도록 한다.
⑤ 영양액 주입 후 물을 30~60 cc 정도 주입해 위관을 씻어내준다.

08. 정답 | ③ 기출

위관영양 후 체위

- 위관영양 후 가능하면 주입 후 반좌위로 30분 이상 앉아 있게 하여 토하지 않도록 하고 소화를 촉진시켜 준다.

09. 정답 | ⑤ 기출

위관영양

- 위관영양은 구개반사가 불안정한 경우나 연하곤란 시 위내로 위관을 통해서 음식을 넣어주기 위함이다.
- 너무 빠르게 주입될 경우 설사 등의 부작용이 나타날 수 있으므로 처방된 유동식을 1분에 50 cc 이상 주입되지 않도록 조절기를 조정
① 가능하면 주입 후 반좌위로 30분 이상 앉아 있게 한다.
② 주입 시 반좌위를 취해준다.
③ 위관의 위치를 확인하기 위해 위 내용물을 흡인해서 흡인한 내용물이 100 ml 이상 나왔을 때 주입을 연기하거나 내용물을 다시 밀어 넣고 간호사에게 보고해야 한다.
④ 주입 용기를 골반위에서 30~50 cm 정도의 높이에 위치하도록 한다.

10. 정답 | ③

위관영양

; 구강 섭취가 불가능할 때 비강으로 위관(레빈 튜브)을 삽입하여 공급한다.
나: 매 급식 전에 소화되지 않은 잔류량이 100 cc 이상이면 공복지연 의미 → 의사에게 보고한다.
라: 투약 후 역류되지 않게 튜브를 잠근다.
마: 중력에 의해 주입, 계속주입은 공기주입과 가스 형성을 막아 준다.
가: 체온보다 약간 높게(40 ℃), 영양액 주입 전후로 물을 통과시킨다. 찬 음식은 불쾌감과 오한, 혈관을 수축시켜 소화액 분비 감소, 위경련을 초래할 가능성이 있다.
다: 음식 주입 후 좌위 또는 반좌위로 30분 이상 있게 하여 역류 방지한다.

제2장 | 섭취량과 배설량 측정

11. 정답 | ⑤ 기출

섭취량과 배설량의 측정

- 섭취량: 경구 섭취한 음식, 비위관으로 주입되는 음식, 비경구로 투여된 수액과 수혈 등
- 배액량: 배뇨, 설사, 구토, 상처·흉관 배액, 출혈 젖은 드레싱, 심한 발한 등

12. 정답 | ③ 기출

섭취량과 배설량의 측정

- 소변주머니의 양으로 배설량을 측정한다.
① 가글액은 배설량의 측정이 불가능해서 배설량에 포함시키지 않는다.
② 비경구로 투여된 수혈·혈액 또는 혈액 성분은 섭취량에 포함시킨다.
④ 영아는 기저귀의 무게로 측정한다.
⑤ 경구 섭취한 음식, 물은 모두 섭취량에 포함시킨다.

13. 정답 | ② 기출

배설량 측정

- 포함: 소변, 설사, 젖은 드레싱, 심한 발한, 과도 호흡 시 수분 소실량, 상처 배액량, 흉관 배액, 출혈, 구토 등
- 불포함: 정상 대변이나 정상 호흡 시 수분 소실량, 발한, 가글액 등(측정이 불가능하기 때문)

14. 정답 | ④

배설량의 측정

- 배설량: 신체에서 배설되는 수분을 말함. 즉, 소변, 구토물, 설사, 상처 배액, 심한 발한, 위장관 흡인량
마: 흡인량〔정상대변, 호기시 수분(구강호흡), 발한은 측정 불가능하므로 포함하지 않는다〕

15. 정답 | ② 기출

섭취량과 배설량의 기록

① 매 근무시간의 끝에 8시간마다 기록지에 기록하되 모든 기록은 잘 변하지 않도록 검정색의 펜을 이용한다 (연필 사용 불가).
③ 외국어나 약어를 사용할 경유 철자 표기를 올바르고 정확하게 기록한다. 특히 약어를 사용할 경우 공식적인 것만 사용한다.
④ 환자의 기록은 사실에 기초하여 보고, 듣고, 느낀 것을 서술적이며 객관적인 양식으로 작성해야 한다.
⑤ 기록은 과거시제와 현재시제로 쓴다. 간호행위가 이루어진 직후에 기록되어야 한다.

16. 정답 | ⑤ 기출

섭취량의 기록

- 섭취량에 포함시켜야 할 것: 경구, 비위관 투여, 비경구 투여된 수액·혈액 또는 혈액성분 등
①, ②, ③ 배설량에 포함시켜야 할 것: 소변, 흡인, 구토, 설사, 복강천자액, 흉곽천자액, 상처배액량 등
④ 정상 대변이나 정상 호흡 시 수분 소실량, 발한, 가글액 등은 배설량의 측정이 불가능해서 배설량에 포함시키지 않는다.

제3장 | 배변돕기

17. 정답 | ③

정결(청결, 배출)관장

- 관장 시 체위: 좌측위(심스위)
① 직장튜브의 삽입은 배꼽 방향으로 부드럽게 천천히 7~10 cm를 삽입한다.
② 심한 팽만감과 통증 호소 시 약 30초 정도 용액주입 중단 후 다시 서서히 주입한다.
④ 괄약근을 통한 삽입을 용이하게 하고 외상을 최소화시킨다.

⑤ 구강호흡은 복부근육을 이완시키고 용액을 잘 보유할 수 있도록 한다.

18. 정답 | ⑤ 기출

정결(청결, 배출)관장

- 관장액의 보유 시간은 관장의 종류에 따라 다르며, 정체 관장은 적어도 1시간이상, 배출 관장 포함 그 외는 5~15분 정도이다.
① 관장시 관장액을 주입하는 동안 배에 힘을 주지 말고 입을 벌리고 심호흡을 하도록 하여 복부 근육의 긴장을 예방하고 신체가 이완되도록 한다.
② 관장액의 온도가 너무 높으면 대장 점막에 손상을 주고, 너무 찬 경우 괄약근의 경련을 일으키므로 어른은 40.5~43 ℃, 어린아이는 37 ℃ 정도를 사용한다.
③ 배변 관장 시 관장통의 높이가 너무 높으면 직장에 큰 압력을 줄 수 있다. 성인은 항문에서 40~60 cm, 소아는 항문에서 30~40 cm 정도가 적당하다.
④ 관장은 항문으로 관을 넣어 직장 내로 용액을 주입하는 과정으로 항문과 S장 결장의 해부학구조상 좌측 심스체위를 취하도록 한다.

19. 정답 | ④ 기출

심스 체위(좌측위)

; 관장, 항문 검사 시에 적절한 자세를 유지하기 위해서 취하는 자세
① 앙와위는 모든 체위의 기초이며 머리와 어깨를 지지하지 않을 때의 자세를 말한다. 휴식 또는 수면 시에 편안감을 주고 척추 천자 후 요통이나 두통을 방지하며 남성의 인공 도뇨 시와 복부 검사 시에 적절한 자세를 유지하기 위함이다.
② 반좌위는 파울러씨 체위라고도 하며 호흡곤란 환자, 흉부 수술, 심장 수술한 환자를 편안하게 하고 자궁의 오로와 질 분비물의 배출을 촉진하기 위함이다.
③ 절석위는 쇄석위라고도 하며 회음부, 질 등의 생식기와 방광 검사, 자궁경부 및 질 검사를 위하며 분만 시 자세이기도 하다.
⑤ 트렌델렌버그 체위는 복부 진찰, 쇼크 시 신체 하부의

혈액을 심장으로 모으기 위한 체위로 쇼크 체위라고도 한다.

20. 정답 | ④

변비 환자의 간호

- 배설을 촉진하는 자세는 복부의 근육을 긴장시켜 복압을 증가하며 압력을 상승시켜 배변할 수 있도록 도운다.
① 운동과 활동 부족은 근육 긴장을 약화시키고 장 활동을 저하시킨다.
② 개인 분위기를 조성시키고 충분한 시간을 준다.
③ 수분이 많은 섬유질이 많은 과일과 채소 곡류 섭취시 대변의 부피를 증가시켜 배변을 도와준다.
⑤ 장 운동에 도움이 되므로 치료나 섭취하도록 한다.

21. 정답 | ②

관장의 종류

- 구충관장: 기생충을 제거하기 위해 시행하는 관장이다.
① 배출관장: 배변배출, 변비나 분변 매복완화, 외과수술 전 장 준비 등
③ 영양관장: 수분과 영양분을 공급하기 위해 시행하는 관장이다.
④ 투약관장: 약물치료제를 사용하는 관장, 전해질 불균형을 교정, 내장점막의 진정 등
⑤ 구풍관장: 가스 배출을 돕고 복부팽만을 경감시킨다.

22. 정답 | ②

정체관장

- 용액 양: 정체관장의 종류에 따라 다름 → 청결관장 (성인 750~1,000 ml 보다는 소량)
  (ex) 기름관장: 90~120 ml
① 수분, 영양공급, 약물투여, 장내벽의 완화 등의 목적으로 일정시간 보유해야 하므로 서서히 주입한다.
③ 처방된 약은 30~50 ml의 물에 용해시켜 사용한다.
④ 목적: 관장용액이 장 내에 장시간(1~3시간) 머무르게

하는 것

⑤ 투약 전에 청결관장을 하면 결장이 깨끗해져서 약물의 흡수가 잘 된다.

23. 정답 | ④

좌약의 사용

* 좌약 삽입 후 흡수를 위해 보통 15~20분 정도 참고 있도록 한다.
① 배변 욕구를 억제하도록 하기 위함
② 직장 벽을 따라 항문으로 부드럽게 삽입
③ 항문의 조직손상을 방지하기 위함
⑤ 좌약은 직장 내에 들어가 체온에 의해 녹는다.

24. 정답 | ④ 기출

부동환자의 배변 간호

* 환자가 엉덩이를 스스로 올릴 수 없는 부동환자의 경우는 간호조무사 쪽으로 등을 대고 옆으로 눕는 자세를 취하게 한 후 엉덩이에 대변기를 대준 후 반듯하게 눕힌다.
* 금기가 아니라면 침대머리를 30° 정도 올려주고, 침상 난간을 올려준다.

25. 정답 | ⑤ 기출

부동환자의 배변 간호

* 환자가 엉덩이를 스스로 올릴 수 없는 부동환자의 경우는 간호조무사 쪽으로 등을 대고 옆으로 눕는 자세를 취하게 한 후 엉덩이에 대변기를 대준 후 반듯하게 눕힌다.
* 금기가 아니라면 침대머리를 30° 정도 올려주고, 침상 난간을 올려준다.

26. 정답 | ⑤ 기출

부동환자의 배변 간호

* 허리를 들 수 없거나 협조가 불가능한 대상자일 경우 대상자를 옆으로 돌려 눕혀 기저귀를 교환한다.

① 기저귀는 부득이한 경우에만 기저귀를 사용하고, 교환시간을 수시로 교체하도록 한다.
② 요실금예방을 위해 수분섭취를 제한할 필요는 없고, 2,500 cc (10컵) 정도의 수분을 섭취하는 것이 바람직하나 잠자기 전 두 시간 전에는 수분 섭취를 피한다.
③ 진정제는 배뇨를 방해하는 역할을 하기 때문에 주의한다.
④ 기저귀의 배설물을 안으로 말아 넣어 깨끗한 부분이 보이도록 말아 넣는다.

27. 정답 | ⑤

인공항문(장루세척) 간호

* 세척용액 및 온도: 38~40 ℃ (미지근한 물), 체온과 같은 생리식염수
* 1회 세척용액: 750~1,000 ml
* 세척통의 높이: 30~45 cm

28. 정답 | ③

인공항문(장루세척) 간호

* 영구적인 결장루를 가진 대상자는 스스로 세척할 수 있도록 격려한다.
① 세척법으로 배변시간을 조절하고자 할 때 에는 매일 같은 시간에 시행한다.
② 가스를 형성하는 양배추, 마늘, 옥수수, 콩류와 배설물의 냄새를 증진시키는 치즈, 오이, 배추 종류, 양파 등을 피한다.
④ 파슬리나 요구르트 등은 대변의 냄새를 감소시킨다.
⑤ 감염예방을 위해 누 주변을 깨끗이 하고 건조시킨다.
   → 발적, 자극, 누의 변색 관찰

제4장 | 배뇨돕기

⑤ 더운물주머니를 대주면 방광 근육이완으로 배뇨를 도움

29. 정답 | ④

핍뇨증

- 탈수나 신장의 혈액순환장애, 신장기능장애, 비뇨기관의 폐쇄로 인함
① 요의가 일어나면 참지 못하고 즉시 배뇨하고 싶은 상태
② 1일 소변량이 증가(2,500 cc 이상)되는 것
③ 괄약근의 기능이 약하거나 배뇨조절을 상실한 상태
⑤ 배뇨가 어렵거나 배뇨 시에 통증이 수반되는 상태

30. 정답 | ② 기출

자연배뇨 간호

- 환자가 소변을 보지 못하는 경우 가장 먼저 자연 배뇨를 하도록 유도하도록 한다.
- 구체적인 방법으로는 물 흐르는 소리는 들려주거나 방광부위를 가볍게 눌려준다.
① 따뜻한 변기에 앉도록 하고 따뜻한 물을 회음부 부위에 조금씩 붓는 것도 도움이 된다.
③ 손이나 발을 따뜻한 물로 씻어주거나 담가주는 것도 도움이 된다.
④ 하복부에 더울물 주머니를 적용하는 것도 도움이 된다.
⑤ 도뇨관을 삽입하기 전에 먼저 자연 배뇨를 하도록 유도하도록 한다.

31. 정답 | ③ 기출

자연배뇨 간호

- 물소리를 들으면 배뇨자극이 될 수 있음
① 의사의 특별한 제한이 없으면 수분섭취를 증가
② 편안하고 이완될 수 있는 개인적인 환경을 조성해주어야 한다(프라이버시 유지).
④ 손과 발을 따뜻한 물로 씻어줌으로써 말초부위를 자극하여 배뇨를 유도

32. 정답 | ④

잔뇨량 측정 방법

- 신장에서 만든 소변을 완전히 비우지 못하는 요정체 시 잔뇨량이 많아지는데, 잔뇨량은 소변을 다본 후에도 방광에 남아 있는 소변량을 측정해야 하므로 단순 도뇨관을 삽입하여 측정한다(100 ml 이상 요정체).

33. 정답 | ② 기출

단순도뇨관 삽입환자의 간호

① 도뇨관은 1회용을 사용한다.
③ 요도 부위가 따끔거리는 증상은 삽입이 잘 된 증상이라 볼 수 없다.
④ 도뇨관 삽입 시 불편감이 있을 수 있다.
⑤ 도뇨관 삽입 후 풍선에 증류수나 공기를 주입한다. 생리식염수는 풍선 내에 결정체를 형성할 수 있고 풍선을 부식시킬 수 있어 사용을 금한다.

34. 정답 | ③ 기출

단순도뇨관 삽입환자의 간호

- 도뇨관 삽입 시 무균술을 지키기 위해 엄지와 검지로 대음순을 벌려 요도를 노출시켜 삽입하도록 한다.
① 여자는 도뇨시 배횡와위 자세를 취하게 한다.
② 단순도뇨는 소변이 다 나온 후 도뇨관을 뽑아 곡반에 담는다.
④ 남자는 요도구 안에서 바깥쪽으로 닦으면서 소독한다.
⑤ 도뇨관에 풍선은 유치도뇨관을 고정시키기 위해서 사용한다.

35. 정답 | ①

단순도뇨관 삽입환자의 간호

- 시간당 소변량을 측정하는 경우는 유치도뇨관(정체도뇨관)을 삽입한다.

36. 정답 | ③ 기출

유치도뇨관 삽입환자의 간호

- 소변 배액 주머니: 요로감염 예방을 위해 폐쇄형을 유지하고 역류되지 않도록 방광의 위치보다 아래에 놓되 바닥에 닿지 않게 한다.
① 도뇨관은 반창고를 이용하여 대퇴부에 고정시키고 배액주머니는 침상틀에 고정한다.
② 요로 감염을 예방하기 위하여 적절한 회음부 위생을 유지하고 도뇨관을 잠그지 않도록 한다.
④ 도뇨관은 재사용하지 않는다.
⑤ 소변배액주머니와 도뇨관은 감염되지 않도록 분리하지 않고 소변을 비울 때는 잠금장치 후 소변을 비우고 잠금장치를 풀도록 한다.

37. 정답 | ②

유치도뇨관 삽입환자의 간호

- 무균적 소변 검사물을 받아야 하는 경우에는 단순도뇨관을 실시하여 무균적으로 멸균뇨를 멸균시험관에 받는다(요배양 검사).

38. 정답 | ④ 기출

유치도뇨관 삽입환자의 간호

- 유치도뇨관이 삽입된 환자의 요로 감염예방을 위해서 도뇨관에서 소변배액 주머니까지는 폐쇄적으로 유지되도록 하고, 역류하지 않도록 소변수집주머니를 방광보다 아래에 두도록 한다.

39. 정답 | ①

유치도뇨관 삽입환자의 간호

- 배출관에 고여 있는 소변은 세균을 증식시키고(요로 감염), 위쪽으로 세균을 보내므로 중력에 의해 흐르도록 배뇨용기가 환자의 방광위치 아래에 있게 한다.

40. 정답 | ⑤ 기출

유치도뇨관 삽입환자의 간호

① 소량의 검체가 필요한 경우에는 유치 도뇨관을 빼지 않고, 유치 도뇨관의 검체 채취포트를 소독제로 닦아 낸 후 멸균주사기로 흡인한다.
② 일반 소변검사용 소변을 받는 경우는 50 cc 정도를 배뇨하다가 소변 컵에 30~50 cc 받게 한다.
③, ④ 소변주머니와 도뇨관 내에 고여있는 소변은 오염된 소변으로 간주한다.

41. 정답 | ④

비뇨기계

- 도뇨관 등에 의한 요로감염이 가장 높다.

42. 정답 | ④ 기출

인공배뇨 시 회음부 간호

- 유치도뇨관 삽입 전 소독솜을 닦을 시에 요도에서 항문쪽으로 닦는다.
① 환자의 무릎을 세우고 다리를 벌린 체위인 배횡와위를 취한다.
②, ③ 수건과 휴지가 아닌 소독솜으로 닦는다.
⑤ 요도에서 항문쪽으로, 대음순에서 소음순 순서로 일방향으로만 닦는다.

43. 정답 | ⑤ 기출

인공배뇨 시 회음부 간호

① 환자의 가슴과 배를 덮어주고 환의를 벗기고, 홑이불을 마름모꼴로 접어 복부에 높아 회음부의 지나친 노출을 피하도록 한다.
② 한번 닦을 때마다 새 소독솜으로 바꿔 사용하고, 한 개의 솜으로 1회만 사용한다.
③ 요도구에서 항문쪽으로 닦는다.
④ 엄지와 검지로 대음순을 벌려 요도를 노출시켜 대음순에서 소음순 순서로 일방향으로만 닦는다.

CHAPTER 03 감염과 상처

제1장 | 소독과 멸균

01. 정답 | ①

소독과 멸균

가: 무균 – 감염되지 않은 상태로 병원성 미생물이 없는
　　상태
나: 소독 – 아포를 제외한 병원성 미생물을 사멸
　　살균 – 세균을 죽이는 것
라: 방부 – 유해한 미생물 성장, 번식, 전파를 억제
마: 정균 – 세균의 성장과 발육을 저지하는 것

02. 정답 | ③

소독과 멸균

나: 우유소독(영양가 손실 방지 위해)
라: 외과적 기기(금속기구, 직물류, 각종세트, 멸균장갑
　　등)이상적, 병원에서 가장 많이 사용
마: 감염병환자 식기 소독(끓인 후 씻음)
가: 건열멸균은 140 ℃로 3시간 또는 160 ℃로 1~2시간
　　으로 미생물을 사멸(바세린거즈, 솜, 종이 등 소독)
다: E/O gas는 인체에 유해성 논란이 있어 주의(열에 민감
　　한 플라스틱, 도뇨관 등)

03. 정답 | ①

소독물품의 분류

– 고위험 기구: 무균조직, 혈관계에 사용 → 높은 수준
　의 소독 요구
– 준위험 기구: 점막이나 손상된 피부와 접촉에 사용 →
　보통 수준의 소독 요구
– 비위험 기구: 손상이 없는 피부와 접촉에 사용 (청진
　기) → 낮은 수준의 소독 요구
② 이동겸자: 고위험 기구
③ 검사용 바늘: 고위험 기구
④ 외과기구: 고위험 기구
⑤ 대장내시경 기구: 준위험 기구

04. 정답 | ④ 기출

소독물품의 분류

• 외과용 칼은 손상부위의 절개를 위해 삽입되는 기구
　로 높은 수준의 소독이 요구된다.
①, ②, ④, ⑤는 피부에 접촉되는 정도이므로 높은 수준
의 소독이 요구되지 않는다.

05. 정답 | ② 기출

고압증기멸균법

: 외과용 수술기구나 주사기, 방포, 가운, 면직류(섬유),
　도뇨세트(도뇨관 제외), 거즈, 스테인리스곡반, 드레싱

세트, 린넨류, 직물 등 열과 습기에 강한 물품 멸균에
이용

①, ③, ⑤ 연고, 솜 거즈, 종이, 유리제품, 예리한 기구
등은 건열멸균, 예리한 기구, 내시경 플라스틱, 고무제
품 등은 에틸렌옥사이드 가스멸균법 사용한다.

④ 종이는 건열멸균, 외과용 수술기구는 고압증기멸균법
을 사용한다.

06. 정답 | ③

고압증기멸균법

: 120 ℃, 20분, 15파운드 압력으로 멸균

- 구멍이 뚫리지 않은 방포에 두 겹으로 소독물품을 종
류별로 싼다.

① 겹쳐지는 부위 등을 철저히 씻고 건조시킨다.

② 여러 번의 소독으로 끝이 무녀질 수 있으므로

④ 유효기간(2주, 14일)이 있으므로 반드시 품명과 날짜
를 기입

⑤ 소독물품의 내부까지 침투할 수 있도록 뚜껑은 열어
서 포장

07. 정답 | ① 기출

건열멸균

: 120~140 ℃에서 3시간 또는 1~2시간 정도 160 ℃의
열을 이용하여 건조하는 멸균 방법

- 유리제품, 종이, 연고, 파우더, 솜, 거즈, 예리한 기구
등이 해당

② 급속 멸균: 플라즈마 소독기, 혹은 고압증기멸균으로
활용

③ 여과 멸균: 열에 불안정한 액체의 멸균에 이용되는 것
으로 가열에 의해 변질 가능성 있는 재료의 멸균이나
바이러스 분리 및 세균의 대사물질을 균체로부터 분
리하고자 할 때 이용되는 멸균법

④ E.O.가스 멸균: 에틸렌옥사이드가스를 이용한 화학적
멸균 방법으로 38~55 ℃ 낮은 온도에서 멸균하는 냉
멸균법

⑤ 고압증기멸균: 120 ℃ 고온을 이용한 멸균 방법으로

20~30분의 짧은 시간이 소요되며, 독성이 없고 습열
이 침투되어 멸균하는 고온멸균법

08. 정답 | ⑤ 기출

EO가스멸균법

: 고열이나 습도에 민감하기 때문에 섬세한 물품, 예리한
기구, 내시경, 플라스틱, 고무 제품 등의 멸균에 적합
하다.

① 급속멸균: 플라즈마 소독기 혹은 고압증기멸균으로
활용

② 건열멸균: 고온 증기가 침투되지 않는 물품의 멸균에
사용되므로 유리 제품, 종이, 연고, 솜, 거즈 등에
적합

③ 여과멸균: 열에 불안정한 액체의 멸균에 이용되는 것
으로 혈청, 당, 요소 등과 같은 재료의 멸균이나 바이
러스의 분리 및 세균의 대사물질을 균체로부터 분리
하고자 할 때 이용

④ 고압증기멸균: 120 ℃의 고온을 이용한 병원에서 가
장 많이 쓰이고 가장 이상적인 물리적 멸균 방법. 외
과용 수술 기구(금속 수술 기구), 주사기, 방포, 가운,
면직류, 도뇨관을 제외한 도뇨 세트, 거즈, 스테인리
스 곡반, 드레싱 세트, 린넨류, 직물 등 열과 습기에
강한 물품 멸균에 이용

09. 정답 | ⑤

EO가스멸균법

: 비화염성, 비폭발성 기체인 화학물질로, 세균 및 아포
를 멸균, 인체에 해롭고 가스침투력이 강하여 열에 민
감하거나 손상되기 쉬운 고무제품, 플라스틱, 날이 있
는 기구 멸균에 적합(카테터, 내시경 등)

① 페놀: 3~5% 감염병 환자 배설물 소독에 사용

② 알코올: 70~75% 살균력이 가장 강하고 주사 시 피부
소독에 사용

③ 과산화수소수: 창상, 분비물이 많은 상처 소독에
사용

④ 과망간산칼륨: 살균, 소독, 감염치료

10. 정답 | ⑤

EO가스멸균법

- 고무카테터: 산화에틸렌가스(E/O gas) 멸균법

11. 정답 | ①

저온살균법

- 우유: 저온 살균(63 ℃ 30분간)해야 영양소가 파괴되지 않는다.
② 세균여과법: 여과기를 이용하여 세균을 제거(혈청, 백신 소독)
③ 자비살균법: 100 ℃ 10~20분 끓이는 방법(감염병 환자 식기소독)
④ 방사선이용법: 약물, 음식, 열에 약한 물품 소독
⑤ 자외선멸균법: 전자기의 낮은 에너지 형태로 미생물 파괴(화상치료실)

12. 정답 | ④ 기출

자비소독

; 물을 100 ℃ 끓이고 물품을 담궈서 소독하는 방법
- 물품이 완전히 끓기 시작해서 10~20분간 끓인다.
① 아포형성균은 100 ℃ 끓는 물에도 죽지 않는다.
② 기름이 묻은 물품은 비누로 씻고 깨끗이 닦은 후 소독한다.
③ 물품이 물에 완전히 잠기도록 한다.
⑤ 유리 제품은 처음부터 찬물에 넣은 다음 끓기 시작 후 10분간 소독하고 유리 제품이 아닌 것은 물이 끓기 시작할 때 소독기에 넣는다.

13. 정답 | ③

자비소독

; 물에 끓이는 것(자불), 아포형성균(세균의 포자 포함), 전염성 간염바이러스를 제외한 모든 병원균 파괴, 멸균기가 없는 가정에서 사용하는 방법
나:소독물품이 물에 완전히 잠기게 넣고 기포가 생기기 않도록 뚜껑을 완전 밀폐시킨다.
라:끝이 날카로운 기구는 거즈에 싸서 소독기에 넣는다.
마:물이 완전히 끓기 시작했을 때부터 100 ℃, 10~20분간 끓인다.
가:유리제품은 처음부터 넣고, 금속기구는 물이 끓기 시작할 때 소독기에 넣는다.
다:자비 소독은 물에 끓이는 것이므로 소독 후 바로 꺼내 사용한다.

14. 정답 | ①

소각법

- 결핵균은 자외선과 열에 약하므로 객담은 휴지에 싸서 불에 태우는 소각방법이 좋다.
- 환자가 사용한 침구, 의류, 서적 등은 일광소독(오전 10시~오후 15시)한다.
② 건열멸균법: 140 ℃로 3시간 또는 160 ℃로 1~2시간으로 미생물을 사멸(바세린 거즈, 파우더 등)
③ 저온살균법: 63 ℃로 30분(우유나 예방주사약 소독)
④ 화학적 소독법: 소독력을 갖고 있는 약품으로 소독(방광경, E/Ogas 멸균)
⑤ 고압증기멸균법: 120 ℃로 20분간, 15파운드의 압력으로 아포 사멸(병원에서 가장 많이 사용)

15. 정답 | ③

알코올

- 70~75% 알코올이 소독력이 가장 강하다(20~50% 등마사지, 30~50% 알코올 목욕 시 사용).

16. 정답 | ①

식기 소독

- 감염병 환자의 식기는 끓인(균 제거) 후 씻어야 한다.

제2장 | 감염관리

17. 정답 | ③

마스크의 착용

- 마스크 겉쪽은 공기를 통해 오염된 것으로 간주, 습기가 있으면 균이 증식할 수 있으므로 시간과 상관없이 젖으면 즉시 교환, 이외에 간호를 마친 후에는 바꿈, 1회용 마스크 사용을 원칙으로 한다.
- 안경을 쓸 때에는 마스크 위로 안경을 써서 안경에 김 서림을 방지한다.
- 마스크는 가장 먼저 쓰고 가장 나중에 벗는다.

18. 정답 | ①

내과적 손씻기

- 손 씻기: 병원감염을 예방하기 위한 방법, 일시적 집락균을 제거하여 교차감염을 줄일 수 있다.
- 교차 감염: 병원내의 사람과 사람 사이, 사람과 진료용 기구나 물품 사이에서 일어나는 감염
- 흡인과 같이 감염원을 전파하기 쉬운 절차 전·후, 투약을 준비하기 전, 근무 시작 전·후 등에 필요하다.
- 수술시자 전·후 멸균술이 요구되는 외과적 손씻기이다.

19. 정답 | ④ 기출

내과적 손씻기

- 물이 팔에서 손가락 끝으로 흐르도록 손을 팔꿈치 아래로 향하게 씻는다.
① 손을 씻은 후에는 수도꼭지를 손을 직접 만지지 않고 종이 타월로 감싼 후 만져야 한다.
② 간호업무 시작과 끝에는 2분간 씻고, 환자접촉 전 후에는 10~15초간 씻는다.
③ 손가락 끝을 다른 손의 손바닥에 문질러 씻는다.
⑤ 손을 씻은 후 한 번에 한 손과 팔을 점 찍듯이 눌러가며 물기를 완전히 제거한다.

20. 정답 | ④ 기출

내과적 손씻기

- 내과적 손씻기 방법은 30초~1분 이상 흐르는 물이 팔에서 손가락 끝으로 흐르도록 손을 팔꿈치 아래로 향하게 씻는다.
- 가장 오염된 부분이 손톱 밑이나 손가락 사이 손바닥을 주의 깊게 씻는 방법으로 손을 씻은 후에는 수도꼭지를 손으로 직접 만지지 않도록 하고 만져야 할 경우 타월로 감싼 후 만져야 한다.
① 팔꿈치보다 손가락을 위로 하여 씻는 방법은 외과적 손씻기 방법이다.
② 손목에 있는 시계는 풀고 손과 팔을 충분히 적시고 씻도록 한다.
③ 손을 씻은 후에 타월로 감싼 후 만져야 한다.
⑤ 손을 씻은 후 마른 새 종이타월로 손을 닦는다.

21. 정답 | ②

내과적 손씻기

; 미생물의 확산을 예방하기 위해 손에 일시적으로 묻은 먼지나 단기균을 제거하는 것
가: 마찰행위는 최소한 15초간 계속한다(시간은 오염 정도에 따라 결정함).
니: 차기운 물보더 미온수가 모공은 덜 열고 피부 유분을 덜 제거시키므로
다: 장식 안에 미생물이 축적될 수 있으므로 세척을 쉽게 하기 위해 제거한다.
라: 손바닥, 손등, 손가락, 손목, 전박을 씻는다(팔꿈치 위까지: 외과적 손씻기).
마: 깨끗한 손이 더러운 표면에 접촉되는 것을 방지하기 위해 종이타올을 사용한다(무릎이나 발로 조절하는 수도꼭지 이용은 외과적 손씻기임).

22. 정답 | ①

가운 착용

- 모자, 마스크쓰기 → 손씻기 → 가운입기 → 장갑 착용하기

23. 정답 | ② 기출
장갑 착용

- 멸균장갑이므로 멸균되지 않는 손과 부위가 접촉되지 않도록 일정한 순서에 의해 주의해서 착용한다.

24. 정답 | ③ 기출
격리병동에서의 감염예방

- 병원감염을 예방하기 위해 격리지침을 준수하도록 한다.
- 격리실 안에 의료폐기물박스를 두고 의료폐기물을 함께 수거하도록 한다.
① 사용한 침구는 주변 환경을 오염시키지 않는 방법으로 사용 후 오염 세탁물은 분리수거한다.
② 병실의 복도 바닥 청소 시에는 먼지를 일으키지 않도록 비질을 하지 않고 매일 마른 걸레로 먼지를 닦도록 한다.
④ 사용한 후두경 날에 피나 점액으로 단백질 성분이 묻으면 먼저 찬물에 헹군 다음 더운 비눗물로 씻는다. 민감하고 섬세한 물품이나 예리한 기구, 내시경은 E.O 가스 멸균법을 사용한다.
⑤ 입원실 청소는 오염이 적은 구역에서 많은 구역으로, 높은 곳에서 낮은 곳으로 하도록 한다.

25. 정답 | ⑤ 기출
격리병동에서의 감염예방

- 격리실 안에서 가운을 벗을 때는 깨끗한 면이 보이게 돌돌 말아서 버린다.
①, ② 격리실에서 가운을 벗을 때는 허리끈을 푼 다음 손을 씻은 후 가운 안쪽과 목둘레가 오염되지 않도록 목 뒤의 끈을 푼다.
③ 가운의 겉면이 손이 닿지 않도록 주의한다.
④ 격리실 안에서 가운을 걸어둘 때 가운의 외면(오염된 부분)이 겉으로 나오게 건다.

26. 정답 | ⑤ 기출
격리병동에서의 감염예방

- 활동성 폐결핵은 공기 매개 감염질환으로 주로 결핵

환자의 기침이나 재채기를 통해 호흡기분비물에 있는 결핵균이 사람에서 사람으로 전파되는 것이 가장 흔한 감염 경로이다.
- 활동성 결핵환자는 음압격리실이나 환기장치를 설치하고 N95 마스크를 사용하도록 한다.
① 농가진은 세균성 전염성 피부질환, 유·소아의 피부병으로 어린아이들에게 전염성이 높다. 환부에 접촉, 환자의 의복, 장난감, 수건 등 간접적으로 전염될 수 있다.
② 봉와직염은 진피와 피하조직에 나타나는 급성 화농성 세균성 감염증의 하나로 주로 다리에 발생하고 국소, 전신염증반응이 나타나는데 림프관을 따라 주위로 급격히 퍼진다.
③ 심내막염은 심장 가장 안쪽을 싸는 막이나 판막에 생긴 세균성 감염으로 심장질환이 있는 경우 혈액흐름이 불규칙해서 생기는 경우가 많다.
④ 세균성이질은 오염된 식수와 음식물로 인한 전파로 수인성 감염병, 소화기계 감염병에 속한다.

27. 정답 | ⑤ 기출
격리병동에서의 감염예방

- N95마스크는 공기 중의 미세과립의 95% 이상을 걸러준다는 뜻으로 공기 중으로 전파하는 미생물의 전파 및 감염을 막기 위해 사용하는 호흡기구이다.
- 바이러스 차단을 위해서 N95 이상의 마스크를 착용할 것을 권장한다.
① 환자의 식기, 침구나 가구 등으로는 전염되지 않는다고 교육한다.
②, ④ 병실을 음압격리실로 만든다. 음압격리실은 외부 기압과 최소 2.5.Pa 이상 차이가 나도록 하여 공기는 곧바로 건물 밖으로 배출되도록 하거나 헤파 필터가 있는 공조시스템을 통과하도록 해야 하고, 출입 시 외에는 문은 항상 닫아두도록 한다.
③ 환자를 격리실 밖으로 이동시키지 않도록 한다.

28. 정답 | ④
격리병동에서의 감염예방

- 감염예방 일반지침 중 표준주의와 전파 경로별 격리지

침이 명시되어 있다.
- 접촉주의 권고는 환자의 이동과 배치, 개인보호구 사용, 환자의 이동에 관한 내용으로 구성되어 있다.
- 접촉주의가 필요한 환자를 직접 접촉하거나 환자의 주변 물건을 만져야 할 때에는 손 위생 수행 후 장갑을 착용하고, 옷이 오염된 것으로 예상될 때에는 가운을 착용한다.
① 병실을 나올 때는 장갑과 가운을 벗어 의료폐기물통에 버리고 손 위생을 수행한다.
② 청진기, 혈압커프, 체온계 등 물건은 다른 환자와 같이 사용되지 않도록 환자 개인별로 사용되도록 한다.
③ 장갑 착용이 손씻기를 대신할 수 없으므로 장갑을 벗고 손 위생을 수행한다.
⑤ 가능하면 1인실로 입원해야 하나 1인실이 여유가 없는 경우, 동일한 병원균에 감염되었거나 보균 중인 환자들끼리는 한 병실에 입원(코호트)할 수 있다.

29. 정답 | ③ 기출
표준주의(일반격리)
; 질병의 종류나 감염 질환의 유무에 관계없이 환자의 가족 및 방문객, 의료진을 보호하기 위해 환자에게 적용하는 것
① 공기주의: 비말핵이 먼 거리를 이동하여 전파되는 질병으로 폐결핵, 수두, 홍역과 같은 질병이 해당
② 보호격리(역격리): 감염에 민감한 사람을 위해 주위 환경을 무균적으로 유지하는 것. 환자의 저항력이 낮아서 다른 환자나 병원 직원으로부터 감염되는 것을 막기 위해 적용되는 격리 방법
④ 접촉주의: 접촉으로 인한 감염병의 전파 가능성이 높은 환자에게 적용되는 격리 방법
⑤ 비말주의: 호흡기 비말, 콧물, 기침 대화 시 전파우려가 있는 질병으로 유행성이하선염, 풍진, 독감, 폐렴과 같은 질병이 해당

30. 정답 | ②
역격리법(보호격리)
; 감염에 민감한 환자의 감염예방을 위해 주위 환경을 무균적으로 유지하는 것으로 내과적 무균법에 해당

- 내과적 무균술: 병원체의 수와 전파를 줄이는 모든 절차와 실행(손 씻기, 장갑 착용 등)
- 외과적 무균술: 상처 드레싱, 개방창상 소독 시, 분만실, 수술실, 신생아실 등

31. 정답 | ④ 기출
역격리법(보호격리)
- 보호격리(역격리): 감염에 민감한 사람을 위해 주위 환경을 무균적으로 유지하는 것
- 보호적 격리를 받고 있는 환자: 백혈병, 화상환자, 항암제 사용 환자, 면역력이 떨어져 있는 환자

32. 정답 | ⑤
역격리법(보호격리)
- 화상 환자, 백혈병, 항암제 다량투여, 조산아, 신장이식환자 등에게 감염예방을 위해 주위환경을 무균적으로 유지하는 것(내과적 무균술이 적용됨)
- 일반 격리: 감염성 환자로부터 일반환경이 오염되는 것을 막는 것

33. 정답 | ①
역격리법(보호격리)
; 감염에 민감한 환자의 감염예방을 위해 주위 환경을 무균적으로 유지하는 것으로 내과적 무균법에 해당
- 코호트 격리: 같은 질병을 앓고 있는 환자들을 함께 격리
  ex) 결핵요양원

34. 정답 | ④
외과적 무균술
마: 항문에 관을 삽입하므로 무균술이 필요 없다.
- 외과적 무균법: 기구와 물체의 일부 영역에 모든 미생물이 없도록 하는 방법
- 무균적 드레싱 교환, 정맥 내 카테터 삽입, 주사 시, 수술 시, 침습적 행위 시 필요

35. 정답 | ①

외과적 무균술

- 수술실에서 소독가운 입은 사람끼리 통과 시는 서로의 손과 가운의 앞면(가슴부분은 멸균영역)이 오염되지 않도록 서로 등을 향하고 지나간다.

36. 정답 | ② 기출

외과적 손씻기

- 손가락 끝에서 팔꿈치 방향으로 손을 씻는다.
① 항균비누, 항생제 비누나 소독제를 사용하여 손가락 끝에서 팔꿈치 방향으로 손을 씻는다.
③ 외과적 손씻기 후 수도꼭지를 손으로 직접 만지지 않고 만져야 할 경우 멸균타월로 수도꼭지를 잡고 잠근다.
④ 외과적 손씻기 후 손에 남아 있는 물기는 멸균타월로 닦아낸다.
⑤ 손씻기 후 손끝 위치를 가슴 이하로 내리지 않는다.

37. 정답 | ④

외과적 손씻기

다: 일반적으로 2~5분 정도가 추천됨, 장시간의 손 소독은 불필요하다.
마: 물과 비누의 사용은 내과적 손위생 방법(손씻기)이다.
- 외과적 손위생 방법
  - 손 위생 전에 인공손톱, 반지, 시계, 장신구를 제거한다.
  - 소독력이 있는 적절한 항균비누나 알코올이 함유된 손소독제를 이용한다.
  - 솔을 이용한 손 위생은 권고되지 않는다.

38. 정답 | ④

수술실에서의 멸균영역

- 마스크의 겉쪽은 오염된 것으로 간주하며, 피부는 비멸균된 것으로 간주한다.

39. 정답 | ③ 기출

수술실에서의 멸균영역

- 멸균물품이 멸균되지 않은 물품과 접촉하면 오염된 것으로 간주하나 다른 멸균물품과 접촉한 경우는 멸균상태를 유지하고 있다고 본다.
① 멸균 물품이 시야에서 벗어난 것은 오염된 것으로 간주한다.
② 멸균 물품도 공기 속의 미생물에 장기간 노출되면 오염된 것으로 간주한다.
④ 알코올로 소독했다 하더라도 이동겸자가 닿으면 오염된 것으로 간주한다.
⑤ 멸균영역의 가장자리는 균이 있다고 간주한다. 포장의 안쪽 면은 가장자리 경계선 2~3 cm 내에서부터 다른 멸균 물품을 놓을 수 있는 멸균 영역으로 간주한다.

40. 정답 | ⑤

수술실에서의 멸균영역

- 소독가운 착용 시 가운 앞면 중 가슴부분은 멸균영역, 허리 아래는 오염으로 간주한다.
① 멸균포의 안쪽만을 멸균영역으로 간주
② 멸균영역 이외의 시야 밖이나 허리수준 밑은 오염으로 간주
③ 멸균포의 가장자리(테두리) 2.5 cm 부위는 오염으로 간주
④ 젖은 멸균품은 미생물에 오염된 것으로 간주

41. 정답 | ⑤ 기출

소독물품의 세척

- 혈액은 단백질 성분이므로 먼저 찬물에 헹군 다음 더운 비눗물로 씻는다.
- 소다수는 기름때를 제거하는데 효과적이다.

42. 정답 | ① 기출

멸균물품의 사용

- 이동 겸자의 끝이 손잡이보다 아래로 가도록 잡는다.
② 물품의 뚜껑을 내려놓을 때 안쪽이 위로 가게 한다.

③ 멸균 물품은 허리 높이보다 낮으면 허리근육을 사용해야 하므로 허리 높이 작업대에서 사용한다.

④ 멸균 물품의 사용 방법 중에 소독 용액 따르는 방법으로 병이나 병마개의 가장자리는 오염된 것으로 간주하므로 용액을 조금 따라 버린 후 쓴다.

⑤ 멸균 물품에 멸균 표시 용지가 없으면 멸균 날짜표시 후 재멸균하도록 한다.

43. 정답 | ③

멸균물품의 사용

- 무균물품은 공기속의 미생물에 장기간 노출되면 오염으로 간주되므로 사용 직전에 풀어서 사용

② 말하거나 웃으면 미세한 침방울로 통한 비말감염이나 공기를 매개로 한 감염이 전파될 수 있으므로 제한한다.

④ 팔이 멸균영역 위로 넘나들지 않도록 한다.

44. 정답 | ⑤

멸균물품의 사용

- 소독용기에서 꺼낸 물건은 사용하지 않았더라도 공기 중에 노출되어 오염으로 간주되므로 다시 용기에 넣지 않는다.

45. 정답 | ① 기출

이동겸자의 사용

- 이동겸자는 24시간마다 멸균, 소독솜을 주고 받을 때는 서로 닿지 않게 한다.

② 겸자통에서 꺼낼 때에는 겸자 끝의 양쪽 면을 맞물린 상태로 꺼낸다.

③ 겸자를 손에 들 때는 겸자의 끝이 항상 손목보다 아래로 향하게 한다.

④ 한 용기에 겸자는 오염 방지를 위하여 하나씩만 꽂아야 한다.

⑤ 허리높이 아래, 멸균 영역의 가장자리, 시야에서 벗어나면 오염된 것으로 간주한다.

46. 정답 | ③

이동겸자의 사용

나: 섭자통 가장자리(테두리)는 오염으로 간주하여 끝을 붙이고 수직방향으로 꺼낸다.

라: 오염방지를 위해 섭자끼리 닿지 않게 솜을 주고받는다.

마: 섭자의 끝은 항상 아래로 들고 허리(멸균영역) 이하로 내려가지 않게 한다.

가: 섭자통에 섭자를 한 개씩 넣어 사용 시 오염 방지.

다: 섭자 끝이 그 면에 닿지 않도록 살짝 떨어뜨린다.

47. 정답 | ② 기출

뚜껑이 있는 소독용기의 사용

- 병이나 병마개의 가장자리는 오염된 것으로 간주하므로 용액을 조금 따라 버린 후 쓴다.

① 일단 따른 것은 오염된 것으로 간주하므로 다시 부어 채우지 않는다.

③ 뚜껑의 내면이 아래로 향하게 들고 있는다.

④ 필요할 때만 열고 가능한 한 빨리 닫는다.

⑤ 뚜껑을 바닥에 내려놓을 때는 내면이 위로 향하게 한다.

48. 정답 | ②

뚜껑이 있는 소독용기의 사용

가: 최대한 소독물품의 공기 중 노출을 피한다.

나: 뚜껑을 들고 있을 때는 내면이 아래로 향하게 한다.

다: 뚜껑을 놓을 때는 내면이 위로 향하게 한다.

라: 소독용액을 따를 때는 조금 따라 버려서 입구를 한 번 씻어내고 쓴다.

마: 한번 꺼낸 물품은 사용하지 않았더라도 공기 중에서 오염된 것으로 간주하여 다시 용기에 넣지 않는다.

49. 정답 | ⑤ 기출

멸균 소독포의 사용

- 멸균된 물품을 열 때는 처치자와 멀리 있는 쪽 멸균포부터 먼저 손으로 잡고 펴도록 한다.

① 이동겸자는 24시간마다 멸균해주되 오염되었다면 즉시 멸균된 이동겸자로 교환해준다.
② 멸균상태를 유지하기 위하여 멸균포 위로 물건이 오가지 않도록 한다.
③ 멸균 물품도 공기 속의 미생물에 장기간 노출되면 오염된 것으로 간주한다.
④ 소독캔의 뚜껑을 열때는 뚜껑 안쪽이 아래로 향하게 들고 있다.

제3장 | 상처관리

50. 정답 | ④
드레싱의 목적
; 분비물 흡수, 상처 보호, 지지, 지혈(출혈 방지), 오염방지 등
• 통증을 완화하기 위해서는 진통제를 투여

51. 정답 | ① 기출
드레싱 주의사항
② 드레싱 세트는 환자마다 따로 사용한다.
③ 시술 전에 손을 깨끗이 씻고 마스크와 멸균장갑을 착용한다.
④ 드레싱 세트는 드레싱 직전에 열어 사용하도록 한다.
⑤ 환자의 통증이 심할 경우 드레싱 간호 30분 전에 진통제를 투여한다.

52. 정답 | ④ 기출
드레싱 방향
• 상처 소독 시 가장 오염이 안 된 부위에서 심한 쪽으로, 중심에서 가장자리로 닦되, 소독솜은 1회만 사용하도록 한다.

53. 정답 | ⑤
드레싱 방향
• 오염이 가장 적은 곳부터 가장 심한 부위로, 소독 솜은 두 번 사용하지 않는다.
① 위에서 아래로 닦는다.
② 왼쪽에서 오른쪽으로
③, ④ 안쪽(중심)에서 바깥쪽(가장자리)으로

54. 정답 | ④
• 젖은 멸균품은 미생물에 의해 오염된 것으로 간주하므로 새것으로 교환하여 사용한다.

55. 정답 | ①
회귀대
; 손, 발끝과 같은 신체의 말단부위와 머리에 사용
② 나선대: 상박과 같이 굵기가 고른 신체부위에 사용
③ 환행대: 붕대법의 시작과 끝맺음에 사용(이마, 목, 발목에 적용)
④ 사행대: 겹치지 않게 감는 방법(부목고정에 적용)
⑤ 나선절전대: 굵기가 급변하는 신체부위에 사용(전박, 종아리에 적용)
• 8자 붕대: 관절부위에 사용

56. 정답 | ② 기출
붕대 적용 방법
• 붕대 감을 때의 주의점은 정맥귀환의 증진을 위하여 말단부로부터 체간을 향해 감는다.
① 붕대를 감을 부위 중 말단 부위의 색깔, 감각, 온도, 부종을 관찰하기 위하여 말단 부위를 노출시키도록 한다.
③ 약간 관절을 구부린 상태의 정상 체위를 유지하도록 붕대를 감는다.
④ 상처 부위나 압박받는 부위에서는 자극될 수 있으므로 붕대를 감기 시작하거나 끝내지 않도록 한다.
⑤ 상처부위 삼출물이 있는 곳은 분비물이 흡수되고 지지될 수 있도록 충분히 두껍게 감되 삼출물이 마르면

서 수축되어 국소 빈혈을 일으킬 수 있으므로 느슨하게 감아준다.

57. 정답 | ④ 기출

붕대 적용 방법

- 상처를 지지하고 고정하는 데는 붕대와 바인더가 주로 사용된다.
- 붕대는 특정한 부위의 운동을 제한하거나 정상적인 기능을 할 수 있는 체위로 놓아 기형과 불편감을 막아주고 드레싱, 부목을 제자리에 고정시키고 지지하기 위해 적용한다.
- 붕대를 적용할 시에 압박이 균등하게 가해지도록 감고 뼈 돌출 부위와 오목한 부위는 솜을 대어 주어 균일한 압박이 가해지도록 한다.
① 붕대를 감을 부위 중 말단 부위는 색깔, 감각, 온도, 부종을 관찰하기 위해 노출시키도록 한다.
② 상처 위나 압박 받는 부위에서 붕대를 감기 시작하거나 끝내지 않도록 하며, 붕대는 고루 감되 너무 단단하거나 느슨하게 감지 않는다.
③ 정맥귀환의 증진을 위해 말단부로부터 체간을 향해 감는다.
⑤ 붕대가 오염되거나 젖은 경우 교체해 준다.

58. 정답 | ④

석고붕대 적용 방법

- 젖은 석고붕대 위에 담요를 덮으면 압박의 원인이 되어 혈액순환장애를 일으키므로 보온을 위해 담요를 사용할 때는 크래들을 사용
① 청색증, 냉감, 무감각증상은 의사나 간호사에게 보고 (석고붕대를 제거해야 함)
② 처음의 자세를 유지하면서 마르도록 한다.
③ 한 곳에 집중하여 쪼이면 석고붕대가 부숴지므로
⑤ 건조기를 가까이 하면 금이 갈 수 있으므로 일정거리를 유지한다.

CHAPTER

04 개인위생

제1장 | 목욕 돕기

01. 정답 | ④
침상목욕

• 목욕은 말초신경을 자극하여 근육을 이완시킴

02. 정답 | ④ 기출

침상목욕

• 팔은 하박(손끝)에서 상박(겨드랑이)으로 닦는 이유는 정맥혈의 정체를 막고 혈액순환을 촉진시키기 위함이다.
① 발톱은 일직선으로 잘라서 양끝이 안으로 말려 들어가는 것을 막는다.
② 눈은 비루관의 감염방지를 위해 눈의 안쪽에서 바깥쪽으로 닦는다.
③ 침상 목욕시 43~46 ℃의 물의 온도, 병실온도는 22~23 ℃ 가량이 좋다.
⑤ 침상목욕순서는 눈 → 코 → 볼 → 입 → 이마 → 턱 → 귀 → 목 → 손·팔 → 가슴 → 복부 → 발·다리 → 등·둔부 → 음부 → 손톱·발톱 순서로 한다.

03. 정답 | ⑤ 기출

침상목욕

; 피부순환촉진, 안녕감 증진, 이완과 편안함 제공, 불쾌한 냄새 제거
• 하박에서 상박(말초 → 중추)으로 닦는다.
① 외음부는 가능한 스스로 닦도록 한다(대상자의 당황감을 줄이기 위함).
② 중환자나 기동이 불가능한 환자에게 의사 지시 하에 실시한다.
③ 먼 쪽부터 닦는다(씻어서 깨끗해진 부분이 오염되는 것을 방지하기 위함).
④ 얼굴-목-양팔-가슴-복부-다리-등-음부 순으로 씻는다.

04. 정답 | ⑤ 기출

침상목욕

• 침상목욕 시 장운동을 활발하게 하여 배변에 도움이 될 수 있도록 배꼽을 중심으로 시계 방향에 따라 마사지하듯 씻는다.
① 상지를 닦을 때 하박에서 상박으로 닦아 정맥혈액의 정체를 막고 혈액순환을 촉진시킨다.
② 혈액순환을 돕기 위해 혈행을 따라 말초에서 중추로 닦는다.
③ 눈은 안쪽에서 바깥쪽으로 닦아 비루관의 감염을 예방한다.

④ 얼굴은 눈, 코, 볼, 입, 이마, 턱, 귀, 목을 빠짐없이 순서대로 닦아준다.

05. 정답 | ① 기출

침상목욕

- 침상 목욕 시 하박에서 상박으로 씻어 내리도록 한다. 이는 정맥혈액의 정체를 막고 혈액순환을 촉진시키는 효과가 있다.
② 목욕물의 온도는 43~46 ℃를 유지한다.
③ 눈은 비루관의 감염 방지를 위해 안쪽에서 바깥쪽으로 닦되 비누는 사용하지 않는다.
④ 문을 닫고 통풍을 차단하여 프라이버시를 지켜주고 체온을 뺏기지 않도록 해야 한다.
⑤ 왼팔에 정맥주사를 맞고 있는 경우 오른팔의 환의부터 벗긴다.

06. 정답 | ④ 기출

통목욕

- 통목욕은 목욕통에 43 ℃ 정도의 물을 받고 치료적 목욕인 경우 처방된 약물을 섞어서 치료의 방법으로도 활용된다. 안전사고 예방을 위해 바닥에 발판을 깔아 미끄럼을 방지하여 낙상의 위험에서 보호하도록 한다.
① 사생활에 침해 받지 않고 실내 온도를 유지하기 위해 창문은 열어두지 않는다.
② 통목욕은 목욕통에 1/2~1/3 정도의 물을 받는다.
③ 환자에게 20분 이상 물 속에 있지 않도록 교육한다.
⑤ 뜨거운 물을 더 받을 경우에는 환자를 통 밖으로 나오게 하고 받도록 한다.

07. 정답 | ⑤

통목욕

- 목욕 중 어지러운 증세를 일으키거나 실신케 되면 환자를 안전하게 보호해야 하므로 즉시 통의 물을 뽑고 머리는 수평으로 유지하고 다리를 올려준다.

08. 정답 | ④

미온수 드펀지 목욕

: 27~37 ℃의 미온수로 얼굴 → 팔 → 다리 → 등 → 엉덩이 순으로 3~5분 동안 시행(천천히 부드럽게 물수건으로 닦는다)

- 복부는 닦지 않는다: 복부에 찬 것이 닿으면 장의 연동운동을 증진시켜 복통 초래

09. 정답 | ② 기출

미온수 드펀지 목욕

: 주로 고열 환자에게 해열의 목적으로 이용되며 간혹 소양증 완화를 위해서도 시행

- 미온수 마사지 시 서혜부, 겨드랑이, 경정맥 등 큰 혈관이 지나가는 곳을 집중적으로 하되, 말초 혈관인 손발은 오히려 따뜻하게 하는 것이 열을 떨어뜨리는 효과가 있다.
① 복통 및 설사를 유발할 수 있으므로 복부는 제외한다.
③ 20~30분을 초과하지 않도록 하고, 시행 후 활력증후를 측정한다.
④ 물의 온도는 체온보다 낮은 30~33 ℃ 정도로 20~30분간 시행한다.
⑤ 손바닥 끝에서 시작하여 사지말단부에서 중앙 쪽으로 서서히 닦아준다.

10. 정답 | ⑤

미온수 드펀지 목욕

미온수 스펀지 목욕: 27~37 ℃의 미온수로 얼굴 → 팔 → 다리 → 등 → 엉덩이 순으로 3~5분 동안 시행(천천히 부드럽게 물수건으로 닦는다)

- 복부는 닦지 않는다: 복부에 찬 것이 닿으면 장의 연동운동을 증진시켜 복통 초래

11. 정답 | ④ 기출

좌욕

- 좌욕을 하는 동안 허약감과 피로감이 발생할 수 있으므로 잘 관찰하도록 한다.
① , ⑤ 좌욕 시 발생할 수 있는 허약감과 피로감으로 혼자 두거나 문을 안에서 잠그지 않도록 한다.
② 좌욕 시 온도는 약 40~43 ℃로 식힌 다음 사용한다.
③ 좌욕 시 쪼그려 앉는 자세는 피가 아래로 몰려 혈액순환에 방해가 된다.

12. 정답 | ①

좌욕

- 좌욕: 회음부의 염증 감소 및 울혈 예방, 골반강 내의 충혈 및 염증 완화, 자연 배뇨를 돕고 부위의 불편함 완화, 방광경 검사 후의 동통 제거, 치질로 인한 상처 치유 촉진과 소염 작용을 위해 실시
② 샤워: 보행이 가능한 환자가 샤워를 할 수 있고 필요 시 간호사와 간호조무사가 환자를 도와주는 목욕법
③ 냉목욕: 따뜻한 물로 시작하여 서서히 차게 하여 환자의 체온을 떨어뜨리는 목욕법
④ 완전 침상목욕: 환자가 침대에 누워 있고 간호사를 도와 간호조무사가 환자의 전신을 씻어 주는 목욕법
⑤ 자기보조 침상목욕: 환자가 침대에 누워 스스로 목욕하면서 간호사를 도와 간호조무사가 환자의 등이나 발 등 스스로 할 수 없는 부위를 씻어 주는 목욕법

13. 정답 | ①

좌욕

- 냉 요법은 혈관 수축시켜 지혈작용을 한다(좌욕 온도는 38 ℃이므로 열 적용).
② 신경전달 세포의 속도를 느리게 하여 통증을 없앤다.
③ 순환이 촉진되고 부종을 경감시킨다.
④ 혈액순환 촉진으로 상처치유가 촉진된다.
⑤ 따뜻한 물은 혈액순환을 촉진시켜 상처 치유를 돕는다.

제2장 | 부위별 개인위생 돕기

14. 정답 | ⑤ 기출

구강간호

- 구강간호는 일반 구강간호와 무의식 환자와 중환자에게 수행하는 특수 구강간호가 있다.
- 입가의 물기를 닦고 구강 점막이 마르지 않도록 입술에 글리세린이나 바셀린 크림, 미네랄 오일을 발라 주거나 거즈에 물을 적셔 입술에 대어 주도록 한다.
① 칫솔은 부드럽고 털이 많은 것이 좋으며 구강의 모든 부분에 충분히 닿을 수 있는 크기의 칫솔을 사용한다.
② 장기간 금식 환자에게는 특수 구강 간호를 실시하여 측위를 취해 주거나 고개를 옆으로 하거나 상반신을 약간 올려주도록 한 뒤 가슴 위 턱 밑에 수건을 대고 곡반의 오목한 부분을 환자의 턱 밑으로 가도록 놓고 치아를 닦는다.
③ 입안을 닦아 낼 때 혀 안쪽이나 목젖을 자극하면 구토나 질식을 일으킬 수 있기 때문에 깊숙이 닿지 않도록 한다.
④ 잇몸이 상했을 경우 칫솔 대신 면봉이나 압설자로 준비해놓은 구강 간호 약에 적셔 치아의 안팎, 혀와 잇몸, 볼 안쪽을 닦아준다.

15. 정답 | ① 기출

구강간호

- 구강간호는 환자가 의식이 있거나 움직일 수 있을 때 수행하는 일반구강간호와 무의식 환자이거나 움직일 수 없는 중환자에게 수행하는 특수 구강간호가 있다.
- 치아, 잇몸을 닦고 다음으로 입천장, 혀, 볼 안쪽을 닦아낸다.
② 이동겸자는 멸균상태를 유지하도록 한다.
③ 클로르헥시딘은 희석해서 사용해야 한다.
④ 곡반의 오목한 부분을 환자의 턱밑으로 가도록 놓는다.
⑤ 과산화수소는 과산화수소1:물4로 희석해서 사용한다.

16. 정답 | ③ 기출

특별구강간호

: 무의식 환자와 편마비환자의 경우이거나 산소요법을 받
고 있는 자, 탈수, 기관내 삽입 환자(비위관삽입), 장기
간 금식환자 등에게 필요

17. 정답 | ⑤

특별구강간호

: 구강문제를 초래할 위험성이 높은 대상자 → 무의식환
자, 금식환자, 비위관 삽입환자, 산소요법 시행환자, 마
비환자 등 구강건조와 감염예방을 위해 실시

• 사용용액
– 생리식염수, 과산화수소수(마르고 백태가 낀 혀의 죽
은 조직을 제거)
– 과산화수소수는 치아의 에나멜층을 손상시키므로 철
저히 헹구어 낸다.

18. 정답 | ②

구강간호 용액

• 알코올은 피부소독 시 사용(점막을 자극하므로 구강
간호에 사용할 수 없음)
①, ③ 바셀린, 글리세린: 윤활제는 입술이 마르고 갈라
지는 것을 방지해 준다.
④, ⑤ 과산화수소수: 마르고 백태가 낀 혀의 죽은 조직
제거 시 효과적
• 구취원인 제거 시: 생리식염수:과산화수소수=4:1로
희석

19. 정답 | ④ 기출

모발 간호

• 과신전 예방을 위해 수건을 말아서 목에 대어 준다.
① 엉킨 머리는 두피 가까이 있는 머리를 붙잡고 손가락
으로 머리카락을 조금씩 분리한다.
② 환자를 침상 가장자리로 옮겨 침상 세발하도록 한다.
③ 손톱으로 문지르는 경우 모발이 상할 수 있으므로 주
의하고, 손가락 끝으로 두피를 문지르도록 한다.

⑤ 혈액 용해를 위해 머리를 과산화수소수로 닦고 헹구
도록 한다.

20. 정답 | ③ 기출

모발 간호

• 침상세발은 두피와 모발의 청결과 두피의 혈액순환을
증진시키고 안녕감을 향상시키기 위함이다. 환자의 눈
과 외이도에 비눗물이 들어가지 않게 수건을 덮어주
도록 한다.
① 손가락 끝으로 두피를 문지르도록 하고 손톱으로 문
지르는 경우 모발이 상할 수 있으므로 주의한다.
② 세발 후 환자체온이 빼앗길 수 있으므로 남은 습기를
완전히 말리도록 한다.
④ 머리에 샴푸액이 남아 있지 않도록 헹궈준다.
⑤ 환자를 침상 가장자리로 옮기고 신체역학 원리로 침
대높이를 간호조무사의 허리 높이로 조정한다.

21. 정답 | ⑤ 기출

회음부 간호

• 미생물 전파방지를 위해 대음순 → 소음순 → 요도
순으로 소독
① 오염되지 않도록 매번 닦을 때마다 새로운 솜으로 갈
아순나.
② 대상자의 프라이버시를 지키기 위해 최소한으로 노출
한다.
③ 감염이 적은 치골(위, 앞, 질쪽)에서 감염이 많은 항문
쪽(아래, 뒤)으로 닦는다.
④ 붕산수나 생리식염수를 사용, 알코올은 점막을 자극
하므로 사용하지 않는다.

22. 정답 | ③ 기출

회음부 간호

• 회음부 간호: 회음부의 청결을 유지하여 감염의 위험
을 낮추고 환자에게 편안함을 제공하고 상처 치유를
촉진하기 위해 실시
• 요도 → 질 → 항문의 순서대로 닦아 준다.

① 회음부 간호 시 자세는 배횡와위로 누워 무릎을 굽히고 회음부를 노출시킨다. 환자 발치 부분의 홑이불을 걷어 올려 가슴 부위에 놓고 하의를 내려 회음부를 노출시키도록 한다.

② 음순을 벌려 깨끗이 닦는다.

④ 정체 도뇨관 삽입 환자인 경우 물에 적신 솜을 사용하여 회음부 간호를 실시하고 생리 중이거나 유치 도뇨를 하고 있는 환자인 경우 물에 적신 솜이나 거즈를 사용한다. 과산화수소수가 아닌 소독수(붕산수, 생리식염수)를 사용하도록 한다.

⑤ 매번 닦을 때마다 새로운 면의 솜이나 수건의 다른 면을 사용한다.

23. 정답 | ④ 기출

회음부 간호

- 남자 환자의 회음부 간호시에 포경수술을 하지 않은 남성은 포피를 뒤집어 닦아 준다.

① 회음부는 예민한 부위이므로 온도가 자극적이지 않도록 한다.

② 남성은 귀두, 음경, 치골, 항문의 순으로 닦는다.

③ 요도구 부위는 안쪽에서 바깥쪽으로 원을 그리며 닦아내되, 하나의 거즈로 하나의 원 만큼만 닦는다.

⑤ 유치도뇨관이 삽입된 경우 소독솜을 사용하여 매일 회음부 간호를 시행한다.

24. 정답 | ③ 기출

욕창 간호

- 욕창: 조직의 압박으로 인해 생기는 압력이 조직에 장시간의 혈액순환 장애를 초래하여 산소와 영양 공급이 부족하게 될 때 발생하는 피부 괴사
- 욕창 호발 대상자: 자극에 반응 없는 무의식 환자, 마비환자 그리고 악액질, 노인, 부종이 심한 환자, 이완기압이 60 mmhg 이하, 당뇨병 환자 등

25. 정답 | ⑤

욕창 간호

- 욕창: 뼈 돌출된 피부 → 지속적인 압력 → 혈액순환

장애 → 조직 손상(발적, 피부 벗겨짐, 궤양 등)

- 위험 요인: 마비, 부동, 감각상실, 순환장애, 열, 영양불량, 실금, 마취상태, 연령, 탈수, 부종 등

가: 지속적인 압력으로 인한 통증을 지각하거나 대처 능력이 떨어져 욕창발생 가능성이 높다.

나: 부동은 스스로 압력을 제거하는 능력이 없어 지속적인 압박을 받게 되어 욕창의 주원인이 된다.

다: 실금으로 생긴 습기는 피부 연화를 촉진하여 표피를 쉽게 손상시킨다.

라: 단백질, 탄수화물, 수분, 비타민C가 부족하면 욕창 발생 가능성이 커진다.

마: 감각소실로 인한 온·냉 감각을 잃어 욕창에 대처하지 못하므로 발생 가능성이 높다.

26. 정답 | ②

욕창 간호

- 충수염은 급성질환으로 장기간 치료가 필요치 않아 압박의 요인이 아니다.
- 욕창: 뼈 돌출된 피부 → 지속적인 압력 → 혈액순환 장애 → 조직손상(발적, 피부 벗겨짐, 궤양 등
- 위험요인: 마비, 부동, 감각상실, 순환장애, 열, 영양불량, 실금, 마취상태, 연령, 탈수, 부종 등

27. 정답 | ①

부동환자의 간호문제

- 빈뇨: 방광염, 임신 등의 원인으로 정상인보다 자주 배뇨하는 것

② 피부계: 피부긴장도 감소, 피부파괴 등

③ 근골격계: 불용성 위축, 경축, 관절의 뻣뻣함과 통증 등

④ 심맥관계: 의존성 부종, 혈전형성 등

⑤ 호흡기계: 호흡운동 감소, 호흡기계 분비물 축적 등

- 비뇨기계: 신장결석, 요로감염 등

28. 정답 | ②

욕창 간호

- 노인의 경우 피부가 건조하므로 알코올은 점막을 자

극하고 피부를 건조시키는 단점이 있으므로 알코올 대신 피부로션을 사용하도록 한다.

29. 정답 | ③

욕창 간호

- 욕창: 뼈 돌출된 피부 → 지속적인 압력 → 혈액순환 장애 → 조직손상(발적, 피부 벗겨짐, 궤양 등)
- 위험 요인: 마비, 부동, 감각상실, 순환장애, 열, 영양 불량, 실금, 마취상태, 연령, 탈수, 부종 등
- 욕창 예방을 돕는 기구: 오버레이 매트리스와 압력과 마찰을 감소시키는 특수침대 피부에 가해지는 압력을 완화시키는 공기침요를 사용

나: 매 2시간마다 체위를 변경시켜 압박을 감소

라: 구김이나 부스러기는 압박의 원인이 되므로 늘 건조하고 청결하게 유지

마: 20~50% 알코올로 등 마사지를 실시하여 혈액순환을 도움

가: 도넛이나 링 모양의 쿠션은 정맥압이 증가되어 오히려 욕창발생이 우려되므로 사용 금지

다: 크래들은 위 침구가 직접 환자에게 닿지 않기 위한 경우, 화상, 피부이식 등 표피에 압력을 가하면 안 될 때 사용한다.

30. 정답 | ② 기출

체위에 따른 욕창 호발부위

- 앙와위의 욕창 발생 부위: 후두골, 견갑골, 팔꿈치, 척골, 발꿈치, 미골 등이며, 천골에서 잘 발생
- ①, ③, ④, ⑤은 복위일 때 발생하는 부위로 경골, 전두골, 하악골, 상완골, 흉골, 뺨과 귀, 유방, 생식기, 무릎 등을 포함한다.

31. 정답 | ② 기출

욕창의 단계

- 1단계: 피부손상은 아직 발생하지 않은 상태로 욕창 부위가 분홍색, 붉은 색으로 관찰
- 2단계: 표피는 물론 진피가 부분적으로 손상된 상태로 일반적으로 붉은색으로 관찰

- 3단계: 표피, 진피와 더불어 피하조직 일부까지 손상된 상태로 주로 노란색으로 보이는 괴사조직과 상처가 파인 동로가 관찰
- 4단계: 근막 이하의 조직까지 손상된 상태로 근육이나 힘줄, 뼈 등이 노출되며 보다 짙은 색의 괴사조직과 동로가 관찰
- 미분류: 상처 기저부가 괴사조직으로 덮여 조직손상 깊이를 알 수 없는 욕창

32. 정답 | ④

욕창 간호

- 욕창의 첫 번째 증상인 발적은 압력으로 인한 조직의 혈액공급의 감소로 생기므로 압력을 가하지 않는 것이 중요하고 2시간마다 체위 변경을 자주하고 마사지하지 않는다.
① 마사지는 이미 있는 연조직의 손상을 악화시키므로 금지한다.
② 상체를 올려주는 것은 응전력을 증가시켜 조직손상을 악화시킨다.
③, ⑤ 패드와 쿠션은 압력증가 요인이 되므로 대주지 않는다.

33. 정답 | ① 기출

욕창 간호

- 둔부의 발적은 욕창의 1단계로 피부에 가해지는 압력을 완화시키기 위해 변압침요, 진동침요, 공기침요나 물침요를 사용할 수 있다.
② 알코올은 피부를 건조하게 하거나 자극할 수 있으므로 피하도록 한다. 욕창부위는 초기에 생리식염수, 과산화수소, 욕창 드레싱할 때 베타딘 소독액으로 소독한다.
③ 이미 발생한 욕창부위는 더 이상의 조직에 손상을 막기 위해 마사지하는 것은 금해야 한다.
④ 매 2시간마다 체위를 변경시켜 욕창부위에 압력이 가지 않게 한다.
⑤ 좋은 영양은 욕창을 예방하는데 필수적이다. 단백질은 신체 조직 형성에 도움을 주므로 고단백식이, 체액

의 균형을 적당하게 유지하기 위해 수분섭취를 격려
한다.

34. 정답 | ④ 기출

욕창 간호

- 습기는 피부의 통합성 유지에 영향을 줄 수 있다.
① 적절한 영양공급이 중요한데 상처회복을 위해 단백질
과 비타민C의 공급이 중요하다.
② 2시간 간격으로 환자의 체위를 변경시킨다.
③ 침상의 주름이 욕창의 원인이 될 수 있으므로 팽팽하
게 유지되도록 한다.
⑤ 마찰은 피부표면에 열을 일으키고 열은 말초혈관을
팽창시켜 그 부위에 혈액 공급을 증가시키나 압력받
는 부위는 마찰을 피하도록 하고, 이미 발생한 욕창의
마찰은 조직에 손상을 증가시킬 수 있으므로 피한다.

35. 정답 | ④ 기출

요실금 환자의 간호

- 복압성 요실금이란 복압 상승시 소변이 불수의적으로
흘러나오는 증상으로 기침, 재채기, 줄넘기 등 복부의
압력이 올라가는 상황에 요실금이 발생하는 것을 말
한다.
- 케겔법이라 불리는 골반근육 강화운동으로 골반근을

강화시킨다.
① 침상안정보다는 골반강근육운동을 통해 약해진 골반
근을 강화시킨다.
② 진정제복용은 요실금을 악화시키는 요인이 된다.
③ 부적절한 수분 섭취로 고농축된 소변은 방광을 불수
의적으로 수축시켜 요실금을 일으키므로 하루 2,500
cc 정도의 수분을 섭취하는 것이 바람직하다.
⑤ 일정한 간격으로 변기를 대어 주거나 규칙적으로 소변
을 보게 하는 것이 도움이 된다.

36. 정답 | ② 기출

요실금 환자의 간호

- 노인의 노화로 인한 요실금은 피부위생문제와 대인관
계 위축 등의 이차적인 문제가 발생하는 건강문제
- 가장 간단한 간호법: 일정한 간격으로 소변을 보게 하
며, 케겔운동(골반주위근육운동)을 권하는 것
① 차, 커피, 콜라, 초콜렛 등의 카페인과 알코올 섭취를
제한한다.
③ 실금할 때마다 주의를 주는 것은 자존감을 저하시켜
노인 우울감을 증가시킬 수 있으므로 스스로 관리할
수 있도록 돕는다.
④ 잠자기 2시간 전에는 수분섭취를 피하도록 한다.
⑤ 하루에 2,500 cc 정도의 수분을 섭취하게 한다.

CHAPTER 05 활동관리

제1장 | 운동

01. 정답 | ④ 기출

등척성 운동

; 관절을 움직이지 않아 근육의 길이에는 변화가 없고 근육 긴장만이 변화하는 운동이다.
① 등장성 운동: 대부분의 신체 운동과 능동적 가동 범위 운동에 해당
② 등장성 운동: 관절이 움직여서 근육의 길이는 변하지만 근육에 걸리는 힘은 변하지 않는 운동
③ 수동 운동: 환자 스스로 움직일 수 없는 경우 수동적으로 하는 운동
⑤ 침상에 늘어뜨리게 하는 것은 운동의 종류에 해당하지 않는다.

02. 정답 | ③ 기출

등척성 운동

; 관절을 움직이지 않고 특정 근육을 강화시키는 운동
• 석고붕대 시 부동적인 환자의 다리에 손상된 다리의 근육의 힘을 유지하도록 돕는 운동
① 등속성 운동: 근육의 길이 변화가 일정한 속도를 유지하도록 하여 재활운동에 유용한 운동
② 등장성 운동: 관절이 움직여서 근육의 길이는 변하지만 근육에 걸리는 힘(장력)은 변하지 않는 운동
④ 점진저항 운동: 저항의 강도를 점차 증가시키거나 감소시키는 운동
⑤ 스트레칭 운동: 관절가동범위향상, 혈액순환증진을 위한 운동

03. 정답 | ③ 기출

등척성 운동

• 견인을 하고 있는 상태는 관절을 움직이지 않고 특정 근육을 강화시키는 등장성 운동이 요구되며, 손상된 다리의 근육 힘을 유지하도록 돕고, 근육의 크기와 운동 부위의 순환을 증가시키고 뼈를 재생시키는 효과가 있다.

04. 정답 | ③ 기출

수동적 관절범위운동

• 어깨의 능동적 관절범위운동: 굴곡, 신전, 과신전, 외회전, 내회전, 외전, 내전, 수평외전, 수평내전이 가능
① 손목의 굴곡운동에 해당
② 손목의 신전운동에 해당
③ 어깨의 외전운동에 해당
④ 머리와 목의 측면굴곡에 해당
⑤ 손목의 외전과 내전에 해당

05. 정답 | ⑤ 기출

수동적 관절범위운동

①, ②, ③ 발가락의 굴곡과 신전의 가동 범위는 35~ 60°
④ 발목의 외번의 동작으로 발바닥이 바깥쪽을 향하도록 발을 꼬는 운동으로, 발의 외측면이 위로 올라간다.

06. 정답 | ③ 기출

수동적 관절범위운동

; 본인 스스로 힘을 주어서 상지나 하지 등을 올리지 않고, 의사나 치료사 등이 간접적으로 사지나 하지를 움직여서 다소 통증을 견디면서 관절운동을 하는 것
• 신체역학 원리를 이용하여 관절 옆에 가까이 서서 운동시키도록 한다.

07. 정답 | ③

굴곡

; 관절의 운동 각이 줄어드는 것(ex : 팔꿈치 굽히는 것) / 반대는 신전
① 신체의 정중선을 향하는 움직임
② 손바닥이 아래쪽으로 향하게 하기 위해 상완을 움직이는 것
④ 손바닥이 위쪽으로 향하게 하기 위해 상완을 움직이는 것
⑤ 관절의 운동 각이 증가하는 것(ex : 팔꿈치에서 팔을 펴는 것)

08. 정답 | ① 기출

외전

; 사지가 인체의 정중선에서 멀어지는 것
② 외번: 발바닥이 바깥쪽을 향하도록 발을 꼬는 운동으로, 발의 내측연이 위로 올라가는 것
③ 회내: 전완을 내측 회전하여 손등을 앞쪽으로 돌려 요골와 척골이 서로 꼬이는 운동
④ 외회전: 차렷 자세에서 팔꿈치를 굽히고 밖으로 회전시키는 것

⑤ 과신전: 곧게 편 위치를 지나쳐 뒤로 구부리거나 손등 쪽으로 구부리는 것

09. 정답 | ⑤ 기출

굴곡

• 굴곡: 두 골의 각이 감소하는 운동이며, 서로 가까워지는 운동
• 측방굴곡: 측면으로의 굴곡을 의미
① 외전: 사지가 인체의 정중선에서 멀어지는 것
② 외번: 발바닥이 바깥쪽을 향하도록 발을 꼬는 운동을 말하며, 외측연이 위로 올라가는 것
③ 외회전: 차렷 자세에서 팔꿈치를 굽히고 밖으로 회전시키는 것
④ 과신전: 곧게 편 위치를 지나쳐 뒤로 구부리거나 손등 쪽으로 구부리는 것

10. 정답 | ④

견인

• 골절된 골편을 겹치지 않도록 하기 위해 뼈를 직선으로 배열하여 이 상태대로 계속 유지시키기 위한 방법
가 : 등 마사지를 실시하여 욕창을 예방한다.
나 : 부주의로 인한 요로감염을 예방한다.
다 : 부동으로 인한 장운동 촉진을 위해 섭취한다.
라 : 조임, 국소적 통증, 압박 등의 불편함을 관찰하고 이상 시 즉시 보고한다.
라 : 조임, 국소적 통증, 압박, 청색증, 냉감, 아림, 혈액순환, 운동, 감각상태를 견인 후 24시간 동안 관찰이 중요하며 그 이후에는 매일 3~4회 관찰하고 이상 시 즉시 보고한다.
마 : 목 운동 시 척수신경을 다쳐서 마비를 일으킬 수 있으므로 움직이면 절대 안 된다.
– 견인장치의 추 제거 시기: 의사의 명령이 있을 때까지 제거해서는 안 된다.

제2장 | 이동과 보행

11. 정답 | ④
신체역학의 원리

가: 무릎과 발목을 굽히고 몸을 앞으로 숙인다.

나: 큰 근육군을 동시에 사용하면 근력을 증가시키고 근육의 피로와 손상을 막는다.

다: 다리를 벌린다.

라: 대상자를 움직이려는 방향으로 가서 가능한 침상 가까이 선다.

마: 밀 때는 물체를 향하여 몸을 기울이고, 잡아 끌 때는 끄는 방향으로 몸을 당긴다.

12. 정답 | ⑤ 기출
신체역학의 원리

- 침상 머리 쪽으로 이동시
  - 환자가 협조한 경우 무릎과 발바닥에 힘을 주어 엉덩이를 들면서 침대 머리맡으로 이동
  - 협조가 어려운 환자일 경우는 두 사람이 어깨와 등 밑, 다른 팔은 엉덩이와 대퇴를 지지하고 동시에 옮기도록

13. 정답 | ④ 기출
신체역학의 원리

- 신체역학의 원리를 이용함으로써 효과적이고 안전하게 환자와 물건을 이동시킬 수 있다.
- 환자를 들어 올릴 때 허리의 힘보다는 다리와 엉덩이, 배 근육으로 들어 올리는 것이 좋다.
① 무게중심점을 기저면에 가까이 함으로써 신체 안정성을 증가시킬 수 있다.
② 발을 넓게 벌림으로써 기저면을 넓히는 것이 신체역학의 원리를 이용하는 것이다.
③ 허리높이에서 일하면 허리의 긴장을 줄일 수 있다.
⑤ 허리를 펴고 다리를 구부린 자세가 신체역학의 원리를 이용하는 것이다.

14. 정답 | ⑤ 기출
신체역학의 원리

- 신체 균형은 기저면이 넓을수록, 중심이 낮을수록, 기저부에 가까이 올수록 더 잘 이루어진다.
① 엎드린 자세는 허리근육의 긴장을 증가시킨다.
② 장기간 같은 자세는 신체의 균형을 깨트리고 근골격의 긴장을 증가시킨다.
③ 무거운 것을 들어 올릴 때는 힘의 방향으로 마주하고 척추의 뒤틀림을 방지하기 위해 몸과 사지를 축으로 하여 돌린다.
④ 몸을 숙일 때 등을 펴고 무릎을 구부린다.

15. 정답 | ①
편마비 환자의 보행 보조

- 대상자가 편마비, 한 쪽이 약할 때: 간호자는 항상 약한 쪽에 선다(오른쪽에 선다).
② 대상자의 무게를 좀 더 쉽게 지지하고 쉽게 눕기 위해
③ 대상자가 불안정할 때는 이동 벨트를 사용

16. 정답 | ① 기출
지팡이 보행 보조

- 편마비 환자가 지팡이로 계단을 내려갈 때 간호조무사는 환자의 마비된 쪽에 서고, 환자는 건강한 쪽 손을 지팡이를 잡고 선다.
- 지팡이 → 마비된 다리 → 건강한 다리 순서로 이동

17. 정답 | ① 기출
지팡이 보행 보조

- 지팡이를 이용하여 계단을 오를 때 순서는 지팡이 → 건강한 다리 → 불편한 다리 순서로 이동

18. 정답 | ③
목발보행

- 체중이 손이나 손목으로 가도록 한다.
- 액와에 의지하면 액와 밑의 상완신경총이 눌리게 되어 목발마비가 온다.

19. 정답 | ④ 기출

목발보행 방법

- 3점 보행은 건강하지 못한 하지가 체중부하를 할 수 없고 건강한 하지가 전체 체중 유지가 가능할 때 사용하는 방법으로 목발 후 건강하지 못한 다리(오른쪽) 다리가 이동해서 해당한다.
- ①, ② 2점 보행은 양쪽 하지가 어느 정도 몸무게를 지탱할 수 있고 균형유지가 가능할 경우 시행하는 보행방법이므로 해당하지 않는다.
- ③ 3점 보행은 건강하지 못한 하지가 체중부하를 할 수 없고 건강한 하지가 전체 체중 유지가 가능할 때 사용하는 방법으로 목발 후 건강한 다리(왼쪽)가 이동해서 해당하지 않는다.
- ⑤ 4점 보행은 양쪽하지에 체중 부하를 할 수 있으나 균형을 잡기가 어려운 환자가 시행하는 보행방법이므로 해당하지 않는다.

20. 정답 | ⑤ 기출

목발보행 보조

- 액와 목발보행 시 목발의 위치: 앞으로 약 15 cm, 옆으로는 약 15 cm
- ① 정상 보행 시의 신체 선열을 유지하기 위해 머리를 들고 앞을 보면서 걸으며 등은 곧게 펴고 발목과 고관절은 구부리도록 한다.
- ② 겨드랑이가 아닌 손목이나 손바닥으로 몸무게를 지탱하도록 한다.
- ③ 처음 목발 보행을 할 때 넘어지더라도 자신감을 잃지 않게 독려해주고, 처음부터 보폭을 넓게 하여 시작하지 않고 좁게 시작한 후 서서히 넓힌다.
- ④ 팔은 팔꿈치를 20~30° 정도 굽힌 상태에서 손잡이를 잡을 수 있도록 높이를 조절한다.

21. 정답 | ⑤

목발보행 보조

- 올라갈 때는 건강한 다리 먼저, 내려올 때는 아픈 다리를 먼저 옮긴다.
- ① 머리를 들고 앞을 보면서 걸으며 등은 곧게 펴고 발목과 고관절은 구부린다.

- ② 액와에 체중을 지탱하면 상완신경총 눌리게 되어 목발마비가 오므로 손목에 지탱한다.
- ③ 목발보행 시는 어깨와 상지근육은 체중을 지탱하므로 어깨와 상지근육으로 힘을 기르는 근육운동을 하는 것이 좋다.
- ④ 목발은 대상자의 발 15 cm 앞과 발가락 끝으로부터 옆으로 15 cm 정도 떨어진 지점에 가볍게 놓는다.

22. 정답 | ⑤ 기출

휠체어 이동 시 보조

- 침상에서 휠체어로 이동시 휠체어를 환자의 건강한 쪽 침대난간에 붙이되 30~45° 비스듬히 놓은 다음 반드시 잠금장치를 잠그고 이동하도록 한다.

23. 정답 | ③ 기출

휠체어 이동 시 보조

- 휠체어를 환자의 건강한 쪽 침대난간에 붙인(30~45° 비스듬히 놓은) 다음 반드시 잠금장치를 잠근다.

24. 정답 | ②

환자 이동시 보조

- 대상자의 안전을 위해 휠체어 바퀴를 고정한다.
- ① 대상자를 이동시킬 때는 이동할 방향을 향하여 마주 보도록 하고, 대상자의 중심이 가까이 한다.
- ③ 대상자를 앞으로 밀거나 뒤로 끌어당길 때 체중을 이용한다.
- ④ 이동시키려는 대상자를 자신의 몸 쪽으로 미끄러지게 당기면 힘이 덜 든다.
- ⑤ 대상자의 중심과 가까이에서 이동 시 팔과 등같이 작은 근육의 긴장을 감소시킴.

25. 정답 | ⑤

운반차 이동 시 보조

가: 내리막길에서는 발을 진행 방향 앞으로 향하게 한다 (머리가 낮아지지 않도록 항상 주의).
나: 간호조무사는 대상자의 머리 쪽에 서야 한다.
다: 오르막길에서는 머리를 진행 방향 앞으로 향하게 한

다(머리가 낮아져서 오는 불쾌감과 불안감을 제거하기 위함).

라: 낙상하지 않도록 침상난간을 올려준다.

마: 운반차로 환자를 옮길 때는 발을 진행 방향으로 향하게 하는 것이 원칙이다(환자의 시야가 넓게 확보되도록 하기 위함).

26. 정답 | ⑤

운반차 이동 시 보조

• 환자를 침상에서 이동용 침상으로 옮길 때 안전사고 예방을 위해 잠금장치를 확인하고, 정맥주사와 됴뇨관과 같은 의료기구들이 역류하지 않도록 일시적으로 잠그고 이동한 후 푼 것을 확인하도록 한다.

27. 정답 | ④ 기출

운반차 이동 시 보조

• 환자를 옮긴 후 베개를 베고 이불을 덮어 편안하게 해 주고 환자의 팔을 몸 양 옆에 붙인 후 난간을 올려 주도록 한다.

① 침상의 높이를 이동차의 높이와 같게 하거나 이동차보다 약간 높게 조절한다.

② 이동차를 침대 옆에 붙이고 바퀴를 고정시킨다.

③ 수액이 꼬이거나 빠지지 않도록 주의해야 하며 이동 시에만 일시적으로 잠글 수 있기 때문에 간호사의 지시에 따른다.

⑤ 이동차는 침대 옆에 붙이도록 한다.

28. 정답 | ③

체위성 저혈압 환자의 보조

• 누워 있는 사람이 갑자기 일어나면 (위치상) 심장보다 위에 있는 머리 쪽에는 혈액의 흐름이 느려져 어지러운 체위성 저혈압이 생기므로 심장의 수축력, 혈관의 수축과 이완이 적응할 때까지 잠시 앉아 있도록 한다.

② 낮에는 다리의 혈관을 지지하여 심장으로 귀환하는 혈액을 도와 탄력양말을 신도록 하지만, 밤에는 누워 있으므로 중력의 영향을 받지 않고 심장과 같은 높이에서 순환하므로 탄력양말은 필요 없다.

제3장 | 체위

29. 정답 | ⑤ 기출

절석위(쇄석위)

; 회음부, 질 등의 생식기와 방광검사, 자궁경부 및 질 검사를 위해 적절한 체위를 유지하기 위함

① 측위: 주로 체위 변경시에나 안위 대책 시에 이용되는 체위로 마비환자나 부동환자의 식사를 용이하게 하거나 천골 부위에 욕창에 압력을 주지 않기 위함

② 복위: 엎드려 누운 체위로 등 근육의 휴식과 구강으로부터 분비물의 배액을 촉진하고 토물이 기도로 흡입되는 것을 방지하기 위함

③ 반좌위: 폐확장을 최대로 하여 호흡곤란, 흉부수술 또는 심장 수술 후에 환자를 편안하게 하기 위한 자세, 자궁 질분비물의 배출을 촉진시키기 위한 자세

④ 앙와위: 모든 체위의 기초로 휴식이나 척추수술 또는 척추 손상 시 척추 선열을 유지하기 위한 자세

30. 정답 | ② 기출

반좌위(파울러씨 체위)

; 폐 확장을 최대로 하여 호흡곤란환자, 흉부수술 또는 심장수술 후에 환자를 편안하게 하는 체위

① 앙와위: 모든 체위의 기초이다. 휴식 시 또는 척추 손상시 척추 선열을 유지하기 위함

③ 절석위(쇄석위): 회음부, 질 등의 생식기와 방광검사, 자궁경부 및 질 검사를 위해 체위

④ 배횡와위: 복부 검사, 질 검사, 여자의 인공 도뇨 시와 회음열 요법시 적절한 자세

⑤ 트렌델렌버그 체위: 쇼크 시에 신체 하부의 혈액을 심장으로 모으기 위해 취해주는 체위

31. 정답 | ② 기출

반좌위(파울러씨 체위)

; 폐확장을 최대로 하여 호흡곤란 환자, 흉부 수술 또는 심장 수술 후에 환자를 편안하게 하는 체위

① 슬흉위: 골반 내 장기를 이완시키는 체위로 산후 자궁

후굴을 예방하는 운동, 자궁 내 태아 위치 교정, 월경
통 완화, 직장이나 대장 검사시에 적절한 자세를 유지
하기 위함

③ 트렌델렌버그 체위: 쇼크시에 신체 하부의 혈액을 심
장으로 모으기 위해 취해주는 체위

④ 앙와위: 모든 체위의 기초이다. 휴식시 또는 척추 손
상시 척추 선열을 유지하기 위함

⑤ 복위: 엎드려 누운 체위로 장기간 이 체위를 취할 경
우 척추와 목에 긴장을 줄 수 있으므로 척추장애가
있는 경우에는 사용하지 않도록 한다.

32. 정답 | ④ 기출

심스체위

- 관장 시에는 중력에 의해 용액이 잘 흘러갈 수 있도록
하기 위해 오른쪽 다리를 굴절시켜 좌측위를 취하도
록 한다. 아래쪽다리는 일직선으로 하거나 무릎을 약
간 구부리게 하고, 위쪽에 있는 다리는 무릎을 많이
구부리게 하는 심스체위를 취하도록 한다.

33. 정답 | ② 기출

측위

- 구토반사가 없는 무의식 환자는 흡인의 위험성이 매우
높아 주의하여야 한다.
- 구강간호 시 소독액이나 타액이 입에 고여 폐로 흡인
되지 않도록 측위를 취해서 입 밖으로 배출되도록 하
기 위해 측위를 취해준다.

34. 정답 | ③

트렌델렌버그 체위

- 어지럼증을 호소하고 피부는 차고 축축하며, 혈압이
떨어진 증상은 쇼크증상으로, 쇼크 시에는 신체 하부
의 혈액을 심장으로 모으기 위해 취해주는 트렌델렌
버그 체위를 적용

① 배형 잭-나이프 체위: 등 체위로 방광경 검사 시에 적
절한 체위를 유지하기 위함

② 측형 잭-나이프 체위: 새우등자세로 요추 천자 시 제
3~4요추사이 간격을 최대로 넓히기 위해 가능한 턱

을 향하여 무릎을 붙이고 등을 굴곡 시킨 자세

④ 고파울러씨 체위(90°), 반파울러씨 체위(30°), 파울러
씨 체위(45°): 침대머리 부분을 적당히 올린 체위

⑤ 복위: 등 근육의 휴식과 구강으로부터 분비물의 배액
을 촉진하고 토물이 기도로 흡인되는 것을 방지

35. 정답 | ③

트렌델렌버그체위(골반고위)

; 쇼크 치료 시

- 절석위(쇄석위): 방광·질 검사
① 슬흉위: 산후운동, 자궁위치교정, 월경통 완화, 직장
경 검사 시
② 배횡와위: 복부검사, 질 검사, 여자의 인공도뇨 시, 신
체검진 시
④ 심스위: 체위변경 시, 관장, 항문검사, 구강분비물
배액
⑤ 반좌위(파울러 체위): 호흡곤란, 배농관의 배액, 흉곽
수술 후, 심장수술 후

제4장 | 안전

36. 정답 | ⑤

억제대 사용 목적

; 스스로 근육을 수축하여 운동하는 능동적 운동으로
위축이나 경축을 예방한다.

37. 정답 | ③

억제대 사용 시 주의사항

- 혼돈상태 있는 대상자가 타인이나 자신을 위해 할 위
험 방지, 소양증(가려움증)이 있는 피부질 환자, 낙상
우려가 있는 환자 등 꼭 필요한 경우에 의사 처방에
의하여 억제대를 사용하므로 내과적 질환을 치료하기
위한 환자는 적용 대상이 아니다.

38. 정답 | ③

억제대 사용 시 주의사항

- 억제대 실시 전 사용목적을 설명하고, 제한된 범위 내에서 환자 움직임을 자유롭게 한다.
- 혈액순환장애를 방지하기 위해 적어도 2시간마다 30분간 풀고 관절운동과 피부를 관찰한다.
① 의사의 처방이 필요하므로 환자의 요구에 따라 중단할 수 없다.
② 난간이 움직이면 근골격계의 손상이 초래되므로 침대틀에 고정한다.
④ 불안, 공포, 혼돈을 증가시키므로 신체적·심리적 지지와 관찰이 필요하다.
⑤ 억제대는 낙상방지, 혼돈환자나 어린이 자해위험 감소, 특별 치료 시 환자의 움직임 방지, 의식불명환자나 회복단계 환자, 피부가 가렵거나 상처 보호해야 할 영유아 등을 위해 실시한다.

39. 정답 | ②

자켓 억제대

; 호흡을 곤란하게 하거나 질식되지 않도록 정확하게 적용
① 8자 억제대: 침상에서 떨어질 우려가 있는 대상자나 의식이 없거나 분명치 않은 대상자 보호
③ 전신 억제대: 머리에 정맥주사를 하거나 목 부위 채혈 시에 적용
④ 장갑 억제대: 정맥주사나 각종 튜브, 드레싱을 제거하지 못하게 하고, 긁어서 피부손상 방지
⑤ 팔꿈치 억제대: 영아의 정맥주사나 상처부위를 긁지 못하게 팔꿈치를 구부리는 것을 방지

40. 정답 | ④ 기출

팔꿈치 억제대

- 영아나 어린아이에게 주로 적용되며 수술 상처나 피부 병변을 긁지 못하도록 팔꿈치를 구부리는 것을 방지하도록 하는 보호대
① 재킷 보호대: 지남력이 상실된 혼돈 환자나 진정제를 투여한 환자에게 사용하여 낙상을 방지하기 위함

② 벨트 보호대: 이동차로 운송 중에 대상자 안전을 위한 것
③ 장갑 보호대: 혼돈된 환자가 자신의 손으로 긁거나 손상을 입히는 것을 방지하기 위함
⑤ 손목 보호대: 주로 천으로 만들어 손과 발의 움직임을 제한하기 위함

41. 정답 | ③ 기출

장갑 보호대

① 재킷 억제대: 지남력이 상실된 혼돈된 환자나 진정제를 투여한 환자에게 낙상을 방지하기 위해 또는 의자나 휠체어나 앉아 있는 동안 떨어지는 것을 방지하기 위해 사용
② 손목 또는 발목 억제대: 하나 혹은 모든 사지를 움직이지 못하게 하기 위해 사용된다. 의식이 없는 대상자이거나 낙상의 위험을 예방하기 위해 사용
③ 장갑 보호대: 혼돈된 환자가 자신의 손으로 긁거나 치료적 목적으로 삽입된 튜브나 카테터 등을 빼지 못하도록 손과 손가락의 움직임만을 제한하는 억제대
④ 벨트 억제대: 운반차나 휠체어로 환자를 이동시킬 때 대상자를 안전하게 하기 위해서 사용하는 억제대
⑤ 주관절(팔꿈치) 보호대: 영아나 어린아이의 정맥주사 부위를 구부리지 못하게 할 때, 수술 상처나 심한 소양증으로 긁지 못하도록 팔꿈치를 구부리는 것을 방지하기 위해 적용하는 억제대

42. 정답 | ⑤

팔꿈치 억제대

- 정맥주사나 상처부위를 긁지 못하게 팔꿈치를 구부리는 것을 방지한다.
① 8자 억제법: 침상에서 낙상우려, 의식이 명료하지 못한 대상자에게 적용
② 전신 억제법: 머리에 정맥주사를 하거나 목 부위에 채혈을 할 때 적용
③ 벨트 억제법: 운반차나 휠체어로 대상자 이동시 침대나 의자에서 낙상 방지
④ 자켓 억제법: 침대나 의자에서 낙상 방지

43. 정답 | ④ 기출

전신 보호대(홑이불 보호대)

- 홑이불 보호대: 영아나 유아가 움직여서 검사나 치료에 방해받게 될 때 홑이불이나 목욕 담요를 이용하여 보호대를 만든다. 검사나 치료하는 동안 영아나 유아의 움직임을 억제하기 위함
① 재킷 보호대: 지남력이 상실된 혼돈 환자, 진정제를 투여한 환자에게 사용하고 환자가 자해하려 하거나 폭력적 행동을 보이거나, 환자를 운반차나 휠체어에서 안전하게 이동시킬 때 사용

② 장갑 보호대: 혼돈된 환자가 자신의 손으로 긁거나 손상을 입히는 것을 방지하기 위함이지만 손과 손가락의 움직임만을 제한할 뿐 팔의 움직임은 제한하지 않아 팔을 자유롭게 사용할 수 있다.
③ 벨트 보호대: 운반차 및 들것이나 휠체어를 사용하는 대상자의 안전을 위해 사용
⑤ 팔꿈치 보호대: 영아나 어린아이에게 주로 적용하며 수술 상처나 피부 병변을 긁지 못하도록 팔꿈치를 구부리는 것을 방지하기 위함

CHAPTER 06 체온 유지

제1장 | 온요법

01. 정답 | ③ 기출

온요법의 효과

; 통증 및 울혈생태, 근육 경련을 덜기 위함

① 혈관을 확장시켜 조직과 혈관 사이의 산소나 영양분 및 노폐물의 교환을 증진시키기 위한 목적이 있다.

② 혈액의 점성이 낮아지고 혈류가 증가하는 효과가 있다.

④ 조직의 대사작용 및 순환을 증진시키는 효과가 있다.

⑤ 모세혈관의 투과성이 증가하는 효과가 있다.

02. 정답 | ②

온요법의 효과

가, 나: 근육긴장 감소 → 근육이완 증진, 경축, 경직으로 인한 통증 경감

다: 혈관확장으로 인한 혈류 증가 → 영양소 운반과 노폐물 제거 증진

라: 대사 증진 → 국소적 보온 제공

마: 혈액점도 감소 → 상처부위로 백혈구, 항생제 이동 증진

03. 정답 | ⑤ 기출

더운 물주머니

• 더운 물주머니를 적용 시 화상을 주의해야 하는데, 이를 예방하기 위해 물주머니를 거꾸로 들고 흔들어서 새는 곳이 있나 확인하고 적용하도록 한다.

① 피부에 직접 대어 주는 것은 화상의 위험이 있기 때문에 광물성 기름이나 바셀린을 바르고 난 후 수건을 대어 준다.

② 20~30분간 대어 주고 45분 이상 대어 주면 혈관 수축 등의 부작용이 갑자기 발생할 수 있으므로 45분 이상은 넘기지 않도록 한다.

③ 발적이 나타나면 더운 물의 온도를 낮추어 적용하는 것이 아니라 바로 멈추도록 한다.

④ 더운 물주머니를 발치에 넣을 경우에는 주머니의 2/3만 채우고 다른 부분에 넣을 경우에는 1/3~1/2만 채우도록 한다.

04. 정답 | ⑤

더운 물주머니

• 공기를 뺀 후 사용(주머니의 유연성 감소와 열전도를 차단함), 물이 식으므로 자주 갈아 준다.

• 온요법 효과: 혈관 확장, 대사작용 증가, 염증과정 증가, 근육긴장 완화, 혈액점도 저하 등

① 물의 온도는 46~52 ℃를 유지한다.

② 물주머니의 ½~⅔ 정도를 채운다.

③ 주머니는 커버나 타올 등으로 싸서 대준다: 피부보호, 땀과 습기(화상 위험 증가) 제거

④ 염증과정 증가로 화농을 촉진하므로 금지한다(부종, 급성충수염, 화농성 치주염, 내출혈 등).

05. 정답 | ④ 기출

온습포

; 대사 작용을 촉진하고 체온을 상승시키고, 통증과 근육을 경감시키기 위해 적용

• 49 ℃의 물을 준비하고 2~3분마다 갈아주면서 15분 정도 적용하며 화상주의하며 피부 관찰

② 피부 발적 시에는 바로 중단하도록 한다.

③ 온습포의 온도는 49 ℃ 정도이다.

① 피부가 젖은 채 그냥 두면 체온을 뺏길 수 있다.

⑤ 열적용 후 20~30분 내에 최고조로 확장되는데, 30~45분의 계속적인 열적용은 반대 효과가 일어나는 반발현상이 있다.

06. 정답 | ①

온습포

• 치료받을 부위에 멸균면봉으로 바셀린을 바르는데 상처 시는 주위만 바른다.

• 바셀린은 습열의 투과를 느리게 하여 화상의 위험을 줄일 수 있다.

제2장 | 냉요법

07. 정답 | ① 기출

얼음주머니

• 얼음주머니는 출혈 시 혈관수축을 도와 지혈을 목적으로 적용할 수 있다.

② 얼음주머니 적용 시 근육의 긴장도를 증가시킨다.

③ 얼음주머니 적용 시 타박상이나 염좌 시 부종을 감소시킨다.

④ 얼음주머니 적용 시 염증이나 화농을 덜어주고 대사활동을 감소시킨다.

⑤ 얼음주머니 적용 시 관절활액 점도는 증가한다.

08. 정답 | ④

얼음주머니

• 주머니에 공기를 제거해야 얼음이 빨리 녹지 않고 피부에 밀착시킬 수 있다(½ 정도 채움).

① 개방상처나 순환장애, 감각장애가 의심되는 부위에는 적용을 피한다.

② 얼음은 주머니에 ½정도 채운 후 적용해야 효과적이다(호두알 크기).

③ 직접 피부에 적용하면 너무 차가워 혈액순환이 안 되므로 수건으로 싸서 대준다.

⑤ 모가 나면 얼음조각이 주머니를 손상시켜 대상자에게 불편감을 주기 때문이다.

09. 정답 | ② 기출

얼음칼라

• 편도선 수술 후의 출혈 방지와 염증방지 및 동통경감을 위해서 얼음 칼라를 적용한다.

10. 정답 | ④

얼음칼라

편도선절제술 후 합병증으로 올 수 있는 출혈 예방과 통증 감소를 위해 얼음칼라를 대주고, 찬유동식, 열감 음식(오렌지, 포도주스 등)은 피한다.

CHAPTER 07 수술과 진단검사 돕기

제1장 | 수술

01. 정답 | ⑤

수술 전 간호

- 수술 후에 흔한 호흡기 합병증으로 무기폐, 폐렴 등의 호흡기염을 예방하기 위해 수술 전에 기침과 심호흡을 시범을 보인 후 심호흡과 기침을 하게 한다.

02. 정답 | ②

전신마취 수술환자의 수술 전 간호

- 전신마취를 요하는 충수절제수술은 마취 중이나 수술 도중에 구토로 인해 위 내용물이 기도로 넘어가 폐합병증을 발생시키거나 질식할 우려가 있으므로 수술 전날 밤 10시부터는 수분이나 음식을 구강으로 섭취하는 것을 일체 금한다.

03. 정답 | ⑤

전신마취 수술환자의 수술 전 간호

- 수술 전 환자교육을 하는 가장 큰 이유는 수술 후 합병증을 예방하여 효과적인 간호를 하기 위해서이다. 그 중에 수술 후 호흡기 합병증 예방을 위해 심호흡과 기침의 시범을 보이고 연습하도록 하는 교육이 중요하다.

04. 정답 | ⑤

수술 전 투약

- 수술 중 기관지 분비물 감소를 위해 아트로핀을 사용 (수술 30분 전에 투약)
- 데메롤이나 모르핀: 수술 전 스트레스나 불안감 감소하기 위해 사용

05. 정답 | ④

전신마취 수술환자의 수술 전 간호

- 수술 전날 저녁에 수술에 방해가 될 수 있으므로 매니큐어를 지우도록 하고 수술 날 아침 신체적 준비시에 머리, 의치 및 보철 제거하며 매니큐어가 지워져 있는지 재확인한다.
- ① 전신마취 수술 전날 밤 10시 이후부터는 수분이나 음식을 구강으로 섭취하는 것을 일체 금한다.
- ② 전신마취 수술 시에는 유치도뇨관을 삽입한다.
- ③ 수술 날 아침 신체적 준비로 속옷을 벗긴 뒤 수술 가운을 입힌다.
- ⑤ 입원 시 귀중품 및 옷가지는 집으로 보내거나 환자의 가족이 책임지도록 한다.

06. 정답 | ①

수술 당일 환자 준비

- 귀중품 분실의 위험을 배제하기 위해 의치와 함께 보

호자에게 맡긴다.
② 수술 도중 대상자 사정을 위해 제거한다(콘택트렌즈, 속눈썹, 광택제, 회장, 의치 등).
③ 속옷까지 벗고 수술가운만 입는다.
④ 핀이나 장신구는 모두 제거한다.
⑤ 기도폐쇄 우려 때문에 제거하여 뚜껑 있는 불투명한 물컵에 잠기게 보관한다.

07. 정답 | ⑤ 기출
수술 부위 삭모

- 수술 전 피부준비는 삭모에 관한 간호보조 활동으로 살균된 새 안전 면도날을 사용
- 제모제를 사용할 경우에는 피부민감성반응 확인 후 사용하도록 한다.
① 피부준비가 끝나면 말초순환을 확인하기 위해 손톱에 매니큐어를 지운다.
② 면도기는 30~45° 각도로 피부에 대고, 털이 난 반대 방향으로 면도한다.
③ 제모의 범위는 수술부위보다 넓게 정하되 예로 복부 수술의 경우는 상부는 유두선부터, 하부는 서혜부 중간까지이다.
④ 다른 환자에게 사용한 면도날을 재사용하지 않고 살균된 새 안전 면도날을 사용한다.

08. 정답 | ②
수술 부위 삭모

- 삭모(면도)는 수술 부위 감염을 예방하기 위하여 대개 수술 전날 시행한다.
가: 따뜻한 물과 비누를 사용한다.(지방 유화 - 단기균 제거)
나: 털이 난 방향대로 면도를 하면(30~45° 각도) 상처로 인한 감염을 방지하고 피부 자극을 감소시킨다.
다: 수술부위보다 넓고 길게 삭모한다(솜털까지 제거).
라, 마: 털의 난 방향대로 수술부위보다 넓고 길게 삭모한다.

09. 정답 | ①
수술 후 간호

- 금기가 아니면 수술 후 24~48시간 이내에 침대에서 일어나 걸어서 수술 후 합병증을 예방한다.

10. 정답 | ② 기출
수술 후 간호

- 수술 후 심호흡과 기침을 격려하는 간호는 허탈된 폐를 팽창시키는 데 도움이 되고 수술 후 합병증인 폐렴이나 무기폐를 예방한다.

11. 정답 | ②
수술 후 합병증

- 호흡기 합병증(폐렴, 무기폐), 순환계 질병(심맥관 허탈, 혈전성 정맥염)
- 부동으로 인한 복부팽만 등의 합병증이 올 수 있다.
- 빈혈은 적혈구수, 혈색소(헤모글로빈), 헤마토크릿치가 정상보다 낮은 상태를 말하므로 수술 후 합병증이라 볼 수 없다.

12. 정답 | ④ 기출
수술 후 합병증 예방

- 전신마취 수술 후 합병증인 폐렴이나 무기폐를 예방하기 위해 기침과 심호흡을 연습하도록 하고 혈전성 정맥염 같은 순환기계 합병증과 소화기계 가스 팽만을 감소시킬 수 있도록 사지운동, 조기이상 하도록 한다.

13. 정답 | ②
조기이상

; 수술 후 24~48시간 이내에 일어나 걷는 것
- 적어도 2시간마다 체위변경 실시
가, 나, 다: 조기이상 및 체위변경으로 장운동이 증진되고 기관지 분비물 배출을 돕고, 호흡기 합병증(폐렴, 무기폐), 순환계 합병증(심맥관 허탈, 심부전 혈전증,

혈전성정맥염), 부동으로 인한 복부팽만 등을 예방하기 위함이다.

라, 마: 적혈구가 부족한 빈혈과 상처감염은 운동이나 체위를 변경한다고 좋아지는 것은 아니다.

14. 정답 | ②

조기이상

; 수술 후 24~48시간에 침대에서 일어나 걷는 것으로 수술 후 장운동이 증진되고 기관지 분비물 배출 돕고, 복부 팽만증, 폐렴, 혈전성 정맥염 등을 예방 위해 실시

- 금기 환자: 눈(안압 상승), 척수(척수신경 손상), 뇌(뇌압 상승) 수술환자, 출혈환자, 골절환자, 봉합이 불완전한 환자는 금기

15. 정답 | ④

수술 후 갈증호소 환자의 간호

- 수술 후 갈증 호소 시: 양치질을 시키고 거즈에 물을 적셔 입속에 물려주거나 작은 얼음조각을 입 안에 넣어주면 갈증완화에 도움이 된다(수술환자는 장운동이 있고 난 후에 음식을 먹을 수 있기 때문).

16. 정답 | ⑤

수술 후 무의식환자의 간호

- 의식이 없을 때에는 기관분비물을 받아내지 못하므로 머리를 옆으로 돌려 놓으면 분비물이 잘 흘러나오기 때문에 구토 시 토물로 인한 기도 폐색을 예방할 수 있다.

17. 정답 | ④ 기출

수술 후 혈전정맥염 예방 간호

- 수술 후 순환기계 합병증으로 혈전성 정맥염을 예방하기 위해 조기이상과 다리운동을 격려하고 적당한 수분 섭취하고 항혈전 스타킹을 착용하도록 한다.
① 적당한 수분을 섭취하도록 한다.
②, ③ 수술 후 24~48시간 내에 침대에서 일어나도록 조기이상을 권장하도록 한다.

⑤ 적정체온을 유지하는 것이 중요하다.

18. 정답 | ④ 기출

수술 후 혈전정맥염 예방 간호

- 수술 후 심부정맥 혈전증 예방을 위해 조기이상을 실시하도록 하되 곤란한 경우에는 침대에 걸터앉아서 다리를 흔드는 운동을 격려한다.
- 심부 혈전증은 정맥 혈관 내에 혈전이 생겨 혈류를 방해하거나, 혈전이 심폐 혈관에까지 흘러 들어갈 경우 자칫 치명적일 수 있다.

19. 정답 | ④ 기출

수술 후 무의식 환자의 간호

- 수술 후 의식이 없는 환자는 이완된 혀가 기도를 막거나 점액 흡인, 토물 흡인으로 생기는 기도 폐색과 같은 호흡기 합병증을 예방하기 위해서 머리를 옆으로 돌려 눕히도록 한다.

제2장 | 진단검사

20. 정답 | ⑤ 기출

진단검사 시 간호 보조

- 즉시 운반 검체: 혈액, 항문, 도말, 바이러스 배양 검사, 혐기성 검사
① 요추천자검사가 끝난 후에는 멸균된 거즈를 대어주고 몇시간 동안은 평편한 곳에 앙와위 자세를 취하도록 한다.
② 복수천자 시 방광·장관의 손상을 막기 위해 시행 전에 환자에게 배설·도뇨하게 한다.
③ 대변은 검체 운반이 지연될 경우에는 냉장 보관하되 아메바검사, 기생충 검사 시는 즉시 검사실로 보내도록 한다.
④ 객담 검사는 이른 아침 첫 기침을 하여 받는 것이 가장 정확하다.

21. 정답 | ④

검체에 따른 취급방법

- 검체는 즉시 운반하며 지연될 경우 냉장고에 보관, 실온보관: 뇌척수액
① 검사물이 손실된 경우는 다시 수집
② 소변 검사물은 첫소변은 버리고 중간뇨를 수집
③ 검사물은 채취 즉시 검사실로 운반
⑤ 24시간 소변검사 시 첫소변은 버리고 마지막 소변은 수집

22. 정답 | ④

신체검진 전 준비

- 방광 손상 및 불편감을 예방하기 위해 검진 전에 소변을 보도록 하여 방광을 비운다.

23. 정답 | ③ 기출

금식 필요 검사

- 대장 내시경 검사는 시야 확보를 위해 검사 3일 전부터 잡곡, 김, 씨있는 과일 등을 피하고 검사 전날 자정부터 금식이 필요한 검사로 검사 일정에 맞추어 처방된 관장약이나 하제를 안내에 따라서 복용하여 장을 깨끗하게 비워 정확한 검사가 이루어지도록 한다.
① 심전도 검사: 피부에 전극을 부착하여 심장에서 나타나는 전기적 활성도를 감지하여 모눈종이에 선으로 기록하는 검사방법으로 금식이 요구되지 않는 검사이다.
② 소변 배양 검사: 요로감염의 원인균을 확인하기 위한 검사로 금식이 요구되지 않고 멸균상태로 소변을 채취하는 것이 중요하다.
④ 흉부 엑스선 검사: X−선을 투과하여 내부 상태에 따라 X−선이 흡수되는 양이 달라 음영이 생기게 되어 병변을 확인하는 검사로 금식이 요구되지 않는다.
⑤ 대변 기생충 검사: 뚜껑이 있는 채변 용기에 대변이 마르지 않도록 뚜껑을 닫아 즉시 검사실로 보내는 것이 중요한 검사로 금식이 요구되지 않는다.

24. 정답 | ② 기출

금식 필요 검사

- 기관지경검사는 기관지경을 구강을 통해 기관 내에 삽입하는 검사로 기관지의 이물, 종양, 염증, 협착 등의 진단에 사용한다. 검사를 위해서는 최소 4시간 이상 금식을 하여야 한다.
① 기관지경을 삽입할 때 목을 신전시키도록 한다.
③ 검사 시 목을 통과할 때 불편을 줄이기 위해 국소마취 스프레이(리도카인)을 목에 뿌리고 진행하도록 한다.
④ 틀니를 한 경우에는 기도흡인과 폐색을 막기 위해 틀니를 제거하고 검사하도록 한다.
⑤ 검사 후 마취와 약물의 효력이 없어질 때 까지 침상안정하고 음식물을 삼킬 수 있을 때 까지 금식이며, 금식 후 부드러운 음식부터 식사하도록 한다.

25. 정답 | ④ 기출

금식 필요 검사

- 상부 위장관 촬영법(UGI Series): 위장관 조영술로서, 방사선 불투과성 바륨을 삼키는 동안 형광 투시법으로 장의 연동운동을 관찰하는 검사로 금식이 필요한 검사법
① 골밀도 검사: 뼈의 밀도를 측정하기 위한 검사로 금식이 요구되지 않는 검사
② 일반 대변 검사: 흔히 잠혈 반응을 보는 검사로 금식이 요구되지 않는 검사
③ 24시간 소변검사: 요단백이 어느 정도 배설되는지 알기 위한 검사법으로 금식이 요구되지 않는 검사
⑤ 단순 흉부X선 촬영: X선 흉곽 부위를 투과시켜 촬영하는 폐와 심장계통의 질환에 대한 검사로 금식이 요구되지 않는 검사

26. 정답 | ⑤

소변검사의 목적

; 백혈구 검사(요로감염 여부), 신염 진단, 당뇨병 진단, 세균 배양검사
- 장출혈은 잠혈반응검사에서 파악할 수 있다.

① 신우신염과 사구체 신염은 소변에서 나오는 단백뇨, 혈뇨, 농뇨로 판단 가능하다.
② 요로의 어느 부분의 감염이 있음을 표시한다.
③ 혈액속의 당의 한계치를 넘으면 신장의 재흡수 능력을 초과하여 소변으로 포도당이 배설된다.
④ 소변은 무균이므로 요를 배양검사해서 세균의 존재를 확인한다.

27. 정답 | ②
일반소변검사

- 일반소변검사는 첫 소변을 50 cc 버리고, 중간뇨 30~50 cc를 소변컵에 ⅔ 정도 수집

28. 정답 | ⑤ 기출
요배양검사

- 유치도뇨관 삽입환자의 소변 배양검사를 위해 소변수집주머니의 검체 채취구를 소독솜으로 닦고 멸균 주삿바늘을 도뇨관에 삽입하여 멸균주사기로 흡인하여 무균적 방법으로 소변을 채취하도록 한다.
① 일반 소변검사용 소변의 경우 처음 소변 50 cc 정도를 배뇨하다가 소변컵에 중간뇨를 받도록 한다.
② 유치도 뇨관과 소변수집주머니 분리는 무균술에 적합하지 않은 방법이다.
③, ④ 소변수집 주머니 하단부위 수집과정에서 오염되면 결과의 오차가 발생할 수 있다.

29. 정답 | ④ 기출
24시간 소변검사

- 24시간 소변수집 검사가 시작되면 소변을 보게 하며, 첫 소변은 버린 후 마지막 소변까지 포함시킨다.
① 일반소변 검사 시에 중간뇨 30~50 cc를 받게 한다.
② 중간에 흘렸을 경우에는 다시 처음부터 시작하도록 한다.
③ 검사가 끝나는 마지막까지 배뇨를 하게 하여 검사물에 포함시킨다.
⑤ 방광을 비운 정확한 시간을 24시간 소변검사 시작시간으로 간주한다.

30. 정답 | ①
24시간 소변검사

- 검사 시작 첫 소변은 버린 후 그 이후로 보는 소변을 모아 다음날 똑같은 시간까지 소변을(마지막 소변)수집한다.
② 부패하지 않도록 첨가물이 든 특수용기 2병(2 L) 준비
③ 의사가 지시한 시간이 시작되면 소변을 보고 첫 소변은 버린다.
④ '24시간 소변'이라는 표지를 붙여 소변을 버리지 않고 수집하도록 한다.
⑤ 마지막 소변은 수집한다.

31. 정답 | ③ 기출
대변검사

- 대변검사의 목적이 잠재출혈검사인 경우 3일 전부터 붉은 색 야채, 철분 제제, 육류식사는 피한다.
① 검체 운반이 지연될 경우는 냉장 보관한다.
②, ⑤ 소변, 물, 혈액(생리혈) 등이 섞이지 않게 한다.
④ 대변에 점액이 나올 경우 점액부분을 채취하도록 한다.

32. 정답 | ② 기출
잠혈반응검사

; 대변 속에 존재하고 육안으로 보이지 않으며 화학적 방법에 의해 증명되는 혈액을 잠혈이라 하고, 이것을 검사하는 방법을 잠혈반응검사법이라 한다.
- 잠혈: 위장의 궤양이나 암, 기타 소화관의 궤양성 기전을 일으키는 질환에서 볼 수 있으므로, 암 프로그램 중 잠혈반응검사 결과 양성이 나온 이후 먼저 대장내시경 검사를 실시하게 된다.

33. 정답 | ⑤
잠혈반응검사

; 대변 속에 혈액이 있는지 검사하는 것. 위장관 출혈여부를 확인한다.
- 검사전 3일 동안 생고기 가공육(붉은색 살코기), 간,

겨자, 일부 과일, 채소(붉은색 과일과 채소), 철분제제 복용 등 음식과 약물을 제한함, 치질 시에도 양성으로 나올 수 있으므로 사정할 것
- 출혈성 치질이나 혈뇨가 있을 때는 검사를 연기한다(위양성 우려).
① 금식하거나 음식의 형태는 바꿀 필요가 없다.
② 대변 검사물에 소변이 포함되면 검사가 부정확해질 수 있으므로 먼저 소변을 본다.
③ 생리가 끝난 3일 후까지 검사를 연기한다.
④ 정확한 진단을 위해 3번 이상 반복검사를 실시한다.

34. 정답 | ⑤

객담검사

- 밤에 분비물이 고였다가(병원체 보유) 아침에 나오므로 가장 정확하다.

35. 정답 | ⑤ 기출

전혈구검사

- 진단검사 중 일반혈액검사 CBC는 혈액내 혈구수, 혈색소치, 헤마토크릿, 상대적인 백혈구수를 파악하여 혈액질환, 감염성 질환을 보기 위한 검사로 항응고제가 들어 있는 검체 용기를 사용한다.
① 상부위장관 촬영 후 바륨에 의한 변비와 매복이 있을 수 있으므로 하제투여와 수분 섭취를 많이 하도록 권장한다.
② 뇌파검사(EEQ)는 금식에 상관없이 두피에 전극을 부착하고 뇌의 미세한 전기활동을 증폭하여 기록하는 검사로 뇌 기능의 변화를 볼 수 있는 진단 검사이다.
③ 위내시경검사는 정상적인 위 운동에 따른 움직임을 줄여 검사를 용이하게 하기 위해 위장관 운동억제제, 검사를 용이하게 하기 위해 가스제거제를 복용한다.
④ 소변배양검사 시 도뇨관을 소독솜으로 닦고 멸균 주삿바늘을 도뇨관에 삽입하여 멸균적으로 소변을 채취한다.

36. 정답 | ④ 기출

혈액검사

- 채혈된 혈액이 검체용기의 벽에 부딪치거나 채혈 시 너무 빠르거나 세게 피스톤을 당길 경우 용혈되기 쉽다. 용혈(Hemolysis)은 적혈구막이 변성되거나 파괴되어서 헤모글로빈이 유리되는 현상으로 용혈이 되면 정확한 수치를 얻을 수 없다.
① 혈관 채혈 후 문지르면 혈관이 파열되어 혈관 주변에 계속 손상이 발생하여 멍이 든다.
② 채혈 전 팔을 심장위치 혹은 심장보다 낮게 유지한다.
③ 채혈 부위의 혈관 확장을 위해 온찜질이 도움이 된다.
⑤ 채혈된 혈액과 시약이 골고루 섞이도록 손목 스냅을 이용해 부드럽고 가볍게 8자를 그리며 8~10회 정도 흔들어 준다.

37. 정답 | ⑤ 기출

동맥혈가스분석(ABGA)검사

- 헤파린 코팅된 주사기를 사용하여 채혈하여 혈액의 응고를 차단할 수 있으나 헤파린의 양이 많으면 pH에 영향을 줄 수 있으므로 주의한다.
① 검사 전 금식이 필요하지 않는 검사이다.
② 채혈 부위가 동맥 혈관으로 채혈 후 천자부위에 드레싱을 하고 5~10분간 압박하여 지혈하도록 한다.
③ 채혈 즉시 검사물을 얼음 상자 안에 넣어 검사실로 보내도록 한다.
④ 채혈 검사물에 공기가 섞이면 가스분석 결과가 틀리게 나오므로 채혈 후 바늘 끝에 고무마개를 하여 공기를 차단시킨다.

38. 정답 | ⑤

동맥혈가스분석(ABGA)검사

HCO_3: 중탄산: 22~26 mEg/L이 정상이므로 이를 벗어난 수치는 반드시 보고
① pH: 7.35~7.45(약 알카리성)
② HCO_3: 중탄산: 22~26 mEg/L
③ $PaCO_2$: 동맥혈이산화탄소분압: 35~45 mmHg
④ PaO_2: 동맥혈산소분압: 80~100 mmHg

39. 정답 | ④

상부위장관 촬영

; 방사선 불투과성 바륨을 삼키면서 식도, 위, 십이지장의 폐쇄, 염증 등의 병변을 보기 위한 검사

① 바리움관장: 직장이나 S상 결장암 진단 검사
② 정맥신우촬영: 신장, 신우, 요관, 방광 등의 병변 유무를 파악하기 위한 검사
③ 기초신진대사율: 생명유지에 필요한 최소의 에너지량을 측정, 갑상선 질환 진단의 필수 검사
⑤ 파파니콜라우 도말검사: 자궁경부암 진단 검사

40. 정답 | ⑤ [기출]

상부위장관 촬영

- 조영술: 조영제를 넣고 사진을 찍어 형태적인 변화를 검사하는 방법(혈관조영술, 신우 조영술, 위장관 검사, 척수 조영술 등)
① 흉강천자: 바늘을 늑막강 내로 삽입하여 액체나 공기를 제거하는 침투적 검사법
② 심전도 검사: 피부에 전극을 부착하여 심장에서 나타나는 전기적 활성도를 감지하여 모눈종이에 선으로 기록하는 검사방법으로 순환기 질환의 진단에 많은 검사들이 이용되고 있으나 그중에서도 심전도는 많은 장점을 가지며 임상에서 가장 많이 사용되는 검사법
③ 초음파 검사: 초음파를 생성하는 탐촉자를 검사 부위에 밀착시켜 초음파를 보낸 다음 되돌아오는 초음파를 실시간 영상화하는 방식이 간편하고, 검사 시 환자가 편안하며, 인체에 해가 없기 때문에 영상 검사 중 가장 기초가 되는 검사법
④ 자기공명영상검사: 자석으로 구성된 장치에서 인체에 고주파를 쏘아 인체에게 신호가 발산되면 이를 되받아서 디지털 정보로 변환하여 영상화하는 검사법

41. 정답 | ① [기출]

심전도검사

; 피부에 전극을 부착하여 심장에서 나타나는 전기적 활성도를 감지하여 모눈종이에 선으로 기록하는 검사방법

- 순환기 질환의 진단에 많은 검사들이 이용되고 있으나 그중에서도 심전도는 많은 장점을 가지며 임상에서 가장 많이 사용되는 검사법
② 초음파 검사: 초음파를 생성하는 탐촉자를 검사 부위에 밀착시켜 초음파를 보낸 다음 되돌아오는 초음파를 실시간 영상화하는 방식이 간편하고, 검사 시 환자가 편안하며, 인체에 해가 없기 때문에 영상 검사 중 가장 기초가 되는 검사법
③ X-ray: X선을 인체에 투과시켜 촬영하는 검사법
④ 자기공명영상검사: 자석으로 구성된 장치에서 인체에 고주파를 쏘아 인체에게 신호가 발산되면 이를 되받아서 디지털 정보로 변환하여 영상화하는 검사법
⑤ 컴퓨터 단층촬영: X선을 이용하여 인체의 횡단면상의 영상을 획득하여 진단에 이용하는 검사법

42. 정답 | ⑤ [기출]

자기공명영상(MRI)검사

- 검사 전 모든 금속물질, 자성물질은 자기장을 변화시킬 가능성이 있기 때문에 제거 후 검사해야 한다.
① 자기공명영상(MRI)은 X-선 촬영이나 CT와는 달리 비전리 방사선인 고주파를 이용하는 검사이므로 인체에는 사실상 해가 없다.
② 자기공명영상(MRI)은 침습적인 검사가 아니므로 검사 부위에 면도가 필요하지 않다.
③ 인체를 단면으로 보여준다는 점에서는 CT와 유사하지만 인체를 가로로 자른 횡단면영상이 위주가 되는 CT와는 달리 원하는 방향에 따라 횡축, 세로축, 사선 방향 등의 영상을 자유롭게 얻을 수 있다.
④ 환자의 자세 변화 없이 원하는 방향에 따라 영상을 자유롭게 얻을 수 있다.

43. 정답 | ⑤ [기출]

자기공명영상(MRI)검사

; 자석으로 구성된 장치에서 인체에 고주파를 쏘아 인체에서 신호가 발산되면 이를 되받아서 디지털 정보로 변환하여 영상화하는 것

- 원통형 검사대 안에 20~40분 정도 들어가 있어야하

므로 폐쇄공포증이 있는 환자를 위해 수면검사를 준비할 수 있다.

① 심전도 검사: 피부에 전극을 부착하여 심장에서 나타나는 전기적 활성도를 감지하여 모눈종이에 선으로 기록하는 검사방법, 순환기 질환의 진단에 많은 검사들이 이용되고 있으나 그중에서도 심전도는 많은 장점을 가지며 임상에서 가장 많이 사용되는 검사법

② 심장초음파 검사: 초음파를 이용해 심장의 해부학적 구조와 기능을 평가하는 검사법

③ 근전도 검사: 말초신경, 근육의 상태를 알기 위하여 근육의 전기적 활성 상태를 검사하는 방법

④ 정맥신우촬영: 조영제를 정맥에 주입한 후에 조영제가 신장에서 걸러지고 방광으로 모이고 배설되는 과정을 엑스선으로 순차적으로 촬영하여 신장, 요로, 방광의 종양 또는 결석 등의 유무를 확인하는 방법

44. 정답 | ⑤ 기출

흉강천자

- 흉강천자 시의 자세는 늑골간 공간을 넓게 하고 검사 동안의 외상을 줄이도록 자세를 유지시켜야 한다.

①, ③ 천자할 부위의 상지를 머리위로 올리게 하거나 의자 등받이 쪽을 안으며, 걸쳐 안게 한 뒤 베개를 받히고, 팔짱을 낀 채 몸을 앞쪽으로 기울이게 한다.

② 검사 도중 바늘이 늑막을 찌르는 것을 방지하기 위해 대상자에게 기침을 하거나 움직여서는 안 됨을 설명한다.

④ 다량의 액체를 제거할 경우 종격동변위가 나타나기 때문에 혈압, 맥박, 호흡의 길이, 흉통을 관찰해야 한다.

45. 정답 | ⑤ 기출

흉강천자

; 바늘을 늑막강 내로 삽입하여 액체나 공기를 제거하는 침투적 검사

- 검사 도중에 바늘이 늑막을 찌르는 것을 방지하기 위해 대상자에게 기침을 하거나 움직여서는 안 됨을 설명

① 복수 천자 시행 전·후에 복부 둘레를 측정하여 비교한다.

② 복수 천자 시에 장관의 손상을 막기 위해 시행 전에 환자에게 배설·도뇨하도록 한다.

③ 뇌파 검사시에 환자의 머리에 전극을 밀착하여 부착한다.

④ MRI 검사시에 폐쇄 공포증이 있는 환자를 위해 수면검사를 준비할 수 있다.

46. 정답 | ② 기출

복수천자

복수천자: 복강내 이상액체로 호흡곤란이 오므로 반좌위

① 측위: 요추천자 시(새우등이 되도록 함)

③ 앙와위: 무의식환자 기도유지, 요추천자 후 두통 감소

④ 심스위: 관장, 항문검사 시, 무의식환자 구강분비물 배액

⑤ 슬흉위: 산후자궁후굴 예방, 월경통 완화, 태아위치 교정, 직장경검사 시

47. 정답 | ④ 기출

요추천자

; 척수의 지주막하강에 바늘을 삽입하여 뇌척수액을 채취하는 검사 방법

① 골수천자: 혈액이나 골수의 병증을 진단하기 위하여 골수에 침을 꽂아 골수액을 채취하는 검사 방법

②, ⑤ 늑막천자: 흉강천자, 늑강천자의 유사어로 바늘을 늑막강 내로 삽입하여 액체나 공기를 제거하는 침투적 검사 방법

③ 복수천자: 복강과 횡경막의 압력을 제거하기 위한 침투적 검사 방법

48. 정답 | ① 기출

요추천자

- 검사 후 뇌척수액의 누출을 확인하기 위해 환부를 살펴보도록 한다.

- 누출로 인해 감염, 두통 등의 부작용을 잘 관찰해야 한다.
- 검사가 끝난 후 멸균된 거즈를 그 부위에 대어주고 검사 후 몇 시간 동안은 평편한 곳에서 똑바로 누워 있도록 한다.

49. 정답 | ⑤ 기출

요추천자

- 검사 후 척수액 누출을 막고 동통을 감소하기 위해 머리와 다리를 수평(앙와위)이 되게 자세를 취해준다.
① 요추천자 검사 전 복부 둘레 측정과는 관련이 없다.
② 검사 후 천자부위에 멸균된 거즈를 대어 주고 상처로부터 척수액누출을 막고 감염을 예방한다.
③ 요추천자는 척수의 지주막하강에 바늘을 삽입하여 뇌척수액을 채취하는 것으로 금식이 필요하지는 않고 검사시행 전 대소변을 보도록 한다.
④ 요추천자 시행의 자세는 제3~4번 요추 사이 간격을

최대로 하기 위해 가능한 한 턱을 향하여 무릎을 붙이고 등을 굴곡 시키는 새우등자세를 취하도록 한다.

50. 정답 | ④

요추천자

- 요추천자 시 뇌척수액을 다량 제거했거나 천자 후 지속적으로 뇌척수액 누출이 있을 때 뇌압이 저하되어 두통이 올 수 있다(8~10시간 동안 앙와위를 취해 줌).
① 심스위: 체위변경 시, 관장, 항문검사, 구강분비물 배액
② 반좌위(파울러 체위): 호흡곤란, 배농관의 배액, 흉곽수술 후, 심장수술 후
③ 쇄석위(절석위): 방광경, 질검사, 직장검사, 회음부 검사
⑤ 배횡와위: 복부검사, 질검사, 여자의 인공도뇨 시, 신체검진 시

CHAPTER 08 응급상황 대처

제1장 | 심폐소생술

01. 정답 | ⑤

심폐소생술

- 심폐소생술시 가슴압박과 인공호흡의 비율 → 성인의 경우 구조자가 1인 또는 2인에 상관없이 30:2
- 심폐소생술의 순서: Circulating (순환유지) → Airway (기도유지) → Breathing (호흡유지)
- ③ 8세 미만의 소아의 경우 구조자가 1인일 경우: 가슴압박과 인공호흡의 비율 → 15:2

02. 정답 | ③ [기출]

심폐소생술

- 가슴압박위치는 흉골의 아래쪽 절반이며, 압박의 위치를 찾기 위해 젖꼭지를 연결하는 가상의 선을 이용할 수 있으나 환자의 특성에 따라 정확한 압박 위치 선정에 도움이 되지 않을 수 있다.

03. 정답 | ① [기출]

영아 심폐소생술

- 환자를 바로 눕힌 후 발바닥을 가볍게 치면서 의식이 있는지, 숨을 정상적으로 쉬는지 확인하여 의식·호흡을 확인하는 것이 중요하다.
- ② 기도를 개방하기 위해 한손으로 귀와 바닥이 평행할 정도로 턱을 들어 올리고, 다른 손으로 머리를 뒤로 젖힌다.
- ③ 가슴 압박은 검지와 중지 또는 중지와 약지 손가락을 모은 후 첫마디 부위를 환자의 흉골부위에 접촉시킨다.
- ④ 가슴 압박 위치는 검상 돌기를 피해서 흉골 부위(양쪽 젖꼭지 부위를 잇는 선 정 중앙의 바로 아래부분)에 접촉시킨다.
- ⑤ 가슴 압박 속도는 분당 100~120회의 속도로 눌러준다.

04. 정답 | ③ [기출]

성인 심폐소생술

- 성인이 경우 흉골이 약 5 cm 내려가도록 손꿈치로 압박을 가한다.
- ① 가슴압박비율은 분당 100~120회로 중단하는 시간은 10초가 넘지 않아야 한다.
- ② 검상돌기 부위를 압박하면 골절의 위험이 있다.
- ④ 성인은 가슴압박과 인공호흡의 비율은 30:2로 한다.
- ⑤ 손가락은 펴거나 깍지를 껴서 손가락 끝이 가슴에 닿지 않도록 한다.

05. 정답 | ④

인공호흡

- 효율적인 구강대 구강 호흡법을 위해 제일 먼저 구강 내의 이물질을 제거
- 입 안에 이물질이 있거나 환자의 혀가 말려 기도를 막고 있을 경우 인공호흡의 효과를 기대할 수 없으므로 입 안의 이물질 유무를 확인
- 환자의 머리를 뒤로 젖혀서 혀가 말리는 것을 예방

06. 정답 | ④ 기출

자동심장충격기(제세동기)

- 자동심장충격기: 짧은 순간에 강한 전류를 흘려보내 심장 근육에 전기화학적 신호를 줌으로써 심장이 다시 정상적인 박동을 찾도록 돕는 의료기기
- 자동심장충격기를 사용하기 전에 환자의 몸에 패드를 부착하는데 해당 부위에 땀이나 이물질이 묻어 있다면 밀착되지 않아 효과가 없으므로 반드시 피부에 물기를 제거하고 사용하도록 한다.
- ① 피부에 부착하여 전류가 흐르도록 한다.
- ② 심장 버튼을 누르면 전기화학적 신호를 줄 수 있다.
- ③ 심장리듬 분석 중에는 가슴 압박을 멈추고 환자와 접촉하지 않은 채 환자의 몸이 움직이지 않도록 한다.
- ⑤ 심장충격이 가해질 때 환자와 접촉하면 감전이 위험이 있으므로 피하도록 한다.

07. 정답 | ⑤ 기출

자동심장충격기(제세동기)

; 짧은 순간에 강한 전기를 방출시켜 심장의 기능이 정지하거나 호흡이 멈추었을 때 사용하는 응급처치 기기

- ① 가슴압박(흉부 압박): 심정지 환자에게 인위적인 혈액 순환을 시키는 방법, 인공호흡은 하지 않고 가슴압박만을 하는 심폐소생술을 '가슴압박소생술'이라고도 한다.
- ② 인공호흡: 호흡이 없는 경우, 기도 유지한 상태에서 공기를 불어 넣는 응급처치기술
- ③ 흉관삽입: 가슴에 관을 삽입하여 공기나 고인 체액, 혈액 등을 배액시켜주는 시술

④ 기관내삽관: 기도확보를 위해 기관 내에 관을 삽입하는 응급처치기술

08. 정답 | ④ 기출

자동심장충격기(제세동기)

- 자동심장충격기 순서: 전원키기 → 전극패드부착 → 심장리듬분석 → 심장충격시행 → 즉시 심폐소생술 다시 시행
- 심장리듬분석 단계에서 분석 중이라는 음성지시가 나오면, 심폐소생술을 멈추고 대상자에게서 손을 뗀다. 이유는 심장리듬분석 후에 심장충격의 필요를 결정하게 되므로 대상자에게 심폐소생술을 시행하던 손의 외부 움직임이 제거되어야 한다.
- 분석 후에 심장충격이 필요하면 음성 지시와 함께 자동심장충격기 스스로 설정된 에너지로 충전을 시작하고 분석 후에 심장충격이 필요 없는 경우에는 즉시 심폐소생술을 다시 시작한다.

제2장 | 응급처치

09. 정답 | ⑤

응급처치의 정의

- 전문 의료인의 처치를 받기 전까지 질병이나 사고발생 현장에서 행해지는 즉각적이고 임시적인 처치·생명을 구하고, 상태의 악화 방지 및 통증 경감

10. 정답 | ①

의식 확인

- 의식수준은 사람, 장소, 시간에 대한 지남력을 확인하기 위해 이름, 자신의 주소, 장소, 자신의 질병, 등 대상자의 진술능력을 바탕으로 의식수준을 평가한다.
- 언어적 자극: 의식 상태를 알아보기 위한 "여기가 어디예요?", "손들어 보세요?", "이름이 뭐예요?", "제가 누굽니까?" 등을 물어보는 것

11. 정답 | ③ 기출

기도 유지

- 의식이 없는 환자의 경우 기도유지를 위한 구개반사와 구토반사가 억제되고 혀가 후두 쪽으로 말려 기도를 막아 사망이 초래될 수 있다.
- 무의식환자의 응급처치: 기도유지(A) → 호흡평가(B) → 순환평가(C) 순서로 시행

12. 정답 | ⑤ 기출

무의식환자의 응급처치

- 의식 확인(반응이 없으면 무의식 상태로 간주) → 기도 유지(환자를 편평한 바닥에 앙와위로 눕힌 후) → 119에 신고 → 심폐소생술

13. 정답 | ⑤

무의식환자의 응급처치

- 심폐소생술 시 가장 먼저 환자의 반응, 즉 의식수준을 사정한다.
- 반응이 없으면 무의식 상태로 간주하고 주변사람에게 119신고 및 자동심장 충격기를 요청하고 심폐소생술을 시행하도록 한다.

14. 정답 | ⑤

기도 폐색 방지

- 무의식으로 인해 물이나 약을 구강으로 주었을 때 구개반사가 없어 식도로 삼키지 못하고 기도로 흡인 되어 질식이 우려되기 때문

15. 정답 | ①

119 구조요청 시 고지내용

- 환자는 응급상황에 놓여 있어서 신원파악은 추후에 할 수 있다.
② 응급상황의 내용 및 실시하고 있는 응급처치의 내용
③ 응급상황이 발생한 지역(환자의 위치와 상태)
④ 필요한 응급처치 도구

⑤ 전화 거는 사람의 신원, 현장에서 누군가 받을 수 있는 전화번호
- 그 외 부상자의 수와 상태

제3장 | 상황별 응급처치

16. 정답 | ① 기출

경련환자의 응급처치

- 가장 먼저 기도확보가 중요하고, 혀를 깨물지 않도록 압설자나 부드러운 천을 물도록
- 측위나 고개를 옆으로 돌려 이물질이 흡입되지 않도록
② 조명을 밝게 하는 것은 경련을 더 악화시킬 수 있으므로 병실을 어둡게 유지한다.
③, ④ 억제대나 보호대는 경련을 더 악화시킬 수 있고 오히려 손상을 입힐 수 있다.
⑤ 환자의 목과 가슴주변의 옷을 풀어주고 허리띠를 풀어 준다.

17. 정답 | ④ 기출

경련환자의 응급처치

- 무의식, 경련 시에 이물질 흡인을 예방하기 위해 머리를 옆으로 돌려주는 처치가 안전하다.
① 경련 시 흡인 예방을 위해 수분 공급은 피한다.
② 억제대는 경련을 더 악화시킬 수 있으므로 피하고 안전한 환경을 확보하도록 한다.
③ 경련 시 침대난간을 내리면 낙상의 위험이 있다.
⑤ 경련 시에는 기도유지, 안전, 산소공급, 약물 투여하고 혈액검사는 혈장전해질농도, 혈소판 등의 결과를 확인하기 위한 것으로 경련 시 응급간호에 우선순위가 낮다.

18. 정답 | ③

경련환자의 응급처치

- 기도유지가 중요
- 환자가 혀를 깨물지 않도록 구강 내 압설자나 깨끗한 수건을 삽입
- 나: 구강 내 분비물이 기도로 흡인될 수 있으므로 고개나 몸을 옆으로 돌린다.
- 라: 단추, 넥타이, 허리띠 등의 조이는 옷을 느슨하게 해서 호흡을 편하게 돕는다.
- 마: 의식소실과 근육의 과도한 긴장 등의 발작은 갑자기 나타나 예상하지 못한 손상을 초래할 수 있으므로 주변의 위험한 물건은 치워둔다.
- 가, 다: 발작 시작 전이면 안전한 장소로 옮겨 미리 눕는 경우도 있지만 이미 발작이 시작되었다면 억제대의 사용과 환자 운반 등의 처치는 해서는 안 된다. → 근육의 긴장을 더욱 야기시키기 때문

19. 정답 | ① 기출

골절환자의 응급처치

- 대퇴골 골절은 심한 통증과 함께 외관상 변형과 종창, 단축이 나타나므로 고정하는 치료가 가장 중요
- 응급처치 시 부목으로 골절부위를 고정하여 부종을 예방하고 움직이기 않도록 하는 간호가 가장 중요

20. 정답 | ④

골절환자의 응급처치

- 두개골 골절: 머리를 상승(뇌압 상승 방지 위해)시키고, 응급수술의 가능성에 대비해 금식
① 견인장치를 하여 고정과 견인을 동시에 실시(대량출혈과 쇼크에 주의)
② 팔걸이(삼각건)를 이용(혈관과 신경의 손상 유무를 확인)
③ 쇄골띠를 이용하여 8자형 붕대법 적용
⑤ 앙와위를 취하고 척추고정판(전신부목)을 사용해 전체 척추를 일직선 유지

21. 정답 | ③

척추손상(골절)환자의 응급처치

- 척추손상(골절)환자: 머리가 흔들리거나 고개를 들면 신경계 손상 정도가 심해지므로 움직이기 전에 척추고정판(전신부목)을 사용해 전체 척추를 일직선으로 유지한 다음 환자를 똑바로 눕힌다.
- 체위변경 시에는 통나무 구르기 법을 이용한다.
① 1인 운반법(척추손상과 다른 큰 부상이 없는 경우 적용함)
② 등 마사지나 기관분비물의 배출시 적용
④ 좁은 길, 계단 같은 곳에서 환자를 2인이 운반할 때 적용
⑤ 경추손상이 의심되면서 호흡곤란이 있다면 전문 의료인이 도착할 때까지 기다리거나 최대한 환자를 움직이지 않도록 해야 한다.

22. 정답 | ② 기출

교상환자의 응급처치

- 뱀에 물려 독이 퍼지면 치료하기 곤란하므로 퍼지지 않게 처치를 빨리 해야 한다.
- 몸을 움직이면 독이 빨리 퍼지므로 환자는 되도록 움직이지 않게 한다.
- 물린 부위를 심장보다 아래쪽으로 위치시키고, 물린 부위를 부목으로 고정시킨다.
① 물린 부위의 위쪽을 넓은 천으로 묶는 것은 정맥을 통하여 심장으로 흐르는 혈관을 막기 위함이다.
③ 가능하면 독을 입으로 빨아내지 않는 것이 바람직하다. 뱀에 물린 지 15분 이내에 상처를 입으로 빨아내게 되면 독의 30% 정도가 제거되지만 입안의 상처가 있는 경우에는 오히려 독이 구조하는 사람에게 퍼져서 위험할 수 있다.
④ 물린 부위를 움직이면 독이 빨리 퍼지므로 되도록 움직이지 않도록 한다.
⑤ 물린 부위에 온찜질을 하면 혈관이 확장되어 독이 쉽게 퍼지고, 얼음찜질도 권장되지 않는데, 이는 독소를 비활성화시키지 못할 뿐만 아니라 조직괴사의 위험성이 높아지기 때문이다.

23. 정답 | ② 기출

교상환자의 응급처치

- 몸을 움직이면 독이 빨리 퍼지므로 되도록 움직이지 않게 하고, 물린 부위를 부목으로 고정시킨 다음 병원으로 이송한다.
① 가능한 한 물을 금하도록 한다.
③ 압박대로 묶는 상황은 병원까지 이송하는데 장시간이 소요되는 경우에 심장 쪽으로 흐르는 혈관을 막기 위해 환부의 상부를 묶는다.
④ 환부를 심장보다 아래쪽으로 위치시켜 독이 퍼지지 않도록 한다.
⑤ 환부의 얼음찜질은 권장되지 않는데, 이는 독소를 비활성화 시키지 못할 뿐만 아니라 조직괴사의 위험성이 높아지기 때문이다.

24. 정답 | ⑤

교상환자의 응급처치

가: 동맥손상의 가능성, 소독하지 않은 칼로 절개하는 것은 파상풍의 위험 증가시키기 때문
나: 독이 빠르게 번지는 것을 막기 위해 움직이지 말 것
다: 독이 퍼지면서 쇼크 상태가 바로 오는데 물을 마시게 되면 의식을 잃으면서 기도흡인의 위험이 있기 때문
라: 구조자의 치주염, 충치 등 구강질환이나 빨아내는 동안 부주의로 독을 삼킬 수 있기 때문
마: 물린 부위를 심장보다 아래로 해서 혈액이 심장으로 귀환하는 시간을 최대한 늦춘다.
- 그 외
- 냉찜 적용(통증 완화, 혈관수축 효과로 독이 퍼지는 시간이 지연)
- 정맥 혈관을 차단하는 지혈대를 사용하되 손가락 1개가 들어갈 수 있도록 한다(괴사 방지).
- 물린 위치가 머리나 몸통인 경우 호흡마비, 쇼크, 혼수, 사망의 치명적 증상이 더 빨리 진행될 수 있기 때문에 빨리 의사에게 연락하여 항독처치를 한다.

25. 정답 | ② 기출

하임리히법

- 이물에 의한 기도폐쇄 시 의식이 있는 경우에는 가장 먼저 대상자에게 스스로 기침을 하도록 하고 하임리히법을 반복 시행한다.
① CPR: 의식을 잃은 경우 시행하고 인공호흡을 하기 전에 입안을 확인하여 이물질이 보이는 경우에만 제거
③ head-tilt 방법: 무의식상태에서의 혀가 기도를 막는 상태를 예방할 수가 없다.
④ jaw-thrust 방법: 하악각을 잡고 양손으로 밀어올리는 기도개방방법으로 목을 신전시키지 않으므로 목 부상이나 목 골절이 의심되는 경우 기도 개방을 위한 안전한 접근법
⑤ head-tilt/chin lift 방법: 머리를 기울이고 턱을 들어올리는 일반적인 기도개방 방법

26. 정답 | ⑤ 기출

동상환자의 응급처치

- 동상은 심한 추위에 피부가 노출되어 조직이 얼고, 그 자리에 혈액이 공급되지 않아 피부 조직에 손상이 발생하는 것을 말한다. 동상부위를 37~39 ℃ 정도의 따뜻한 물에 20~40분간 담그면 증상을 완화시킬 수 있다.
① 동상으로 인해 감각이 저하되어 있으므로 동상부위에 직접 열을 가하면 전기담요로 추가적인 조직손상이나 화상이 발생할 수 있다.
② 동상에 마사지를 적용하면 조직손상이 진행된다.
③ 물집을 터트리면 감염의 위험이 있으므로 터트리지 않도록 한다.
④ 통증과 부종을 예방하기 위해 동상 부위를 심장보다 올리도록 한다.

27. 정답 | ⑤

동상환자의 응급처치

- 체온조절중추의 기능부전으로 인해 발생하는 것은 고온다습한 환경에서 발생하는 사망률이 높은 열사병

① 젖은 옷은 체온을 더욱 떨어지게 할 수 있으며, 젖은 무게의 압력으로 순환에 방해를 받아 더 심한 의학적 손상을 입을 수 있다.

② 동상부위를 만지거나 마사지를 하면 얼음결정이 손상을 입은 조직에 열상을 입힐 수 있다.

③ 동상 부위를 상승 시켜 부종과 통증을 최소화한다.

④ 동상으로 감각과 지각이 거의 없기 때문에 추가 조직 손상이나 순환에 방해가 될 수 있기 때문에 가벼운 담요나, 이피가(크래들)를 설치한다.

28. 정답 | ② 기출

비출혈(코피)환자의 응급처치

- 외상, 염증, 악성종양 등의 국소적 원인과 혈액질환, 고혈압 등 전신적인 원인에 의해서 발생한다.
- 혈액이 기도로 넘어갈 수 있으므로 입으로 숨을 쉬게 한다.

① 고개를 앞으로 숙인 채 반좌위나 좌위를 취한다.

③ 코피가 멈춘 후에는 한동안은 자극되지 않도록 코를 풀지 않는다.

④ 목으로 넘어오는 피나 구강 내의 피는 오심구토를 유발하기 때문에 삼키지 말고 뱉는다.

⑤ 목덜미와 콧등에 얼음찜질이나 찬물 찜질을 하면 지혈을 도울 수 있다.

29. 정답 | ⑤ 기출

비출혈(코피) 환자의 응급처치

- 비출혈 시 우선적으로 코피가 비인두로 넘어가서 기도로 흡인되지 않도록 환자의 머리를 앞으로 숙이도록 한다.

① 코를 세게 풀면 혈관이 자극되어 지혈을 방해하므로 한동안은 코를 풀지 않도록 한다.

② 목덜미와 콧등에 얼음찜질이나 찬물 찜질을 하여 지혈을 돕는다.

③ 코로 숨을 쉬면 건조해져 혈관이 자극되므로 구강호흡을 하도록 한다.

④ 목뒤로 넘어오는 피는 삼키지 말고 뱉도록 한다.

30. 정답 | ③

쇼크환자의 증상

- 쇼크 : 전신순환이 부적절하여 산소공급이 안되어 나타나는 비정상적인 현상으로 심장, 혈액, 혈관의 이상 시 발생한다.
- 쇼크 시 피부는 저산소중에 오래 견디므로 피부로 가는 혈액이 줄어들면서 차고 체온이 하강된다.

① 혈액의 감소는 산소운반에 부족을 초래하여 청색증이 나타난다(입술과 손톱).

② 혈액순환량이 감소되면 보상작용으로 맥박수가 증가된다.

④ 전체 혈액량 감소로 혈압이 떨어진다.

⑤ 혈액의 감소는 소변량을 감소시킨다.

31. 정답 | ⑤

쇼크환자의 응급처치

가 : 쇼크환자는 심한 저혈압, 의식혼탁 등의 증상을 동반하므로 절대안정을 통해 환자의 안위를 도모한다.

나 : 국소적으로 열을 적용하는 것은 피하고 혈액순환 촉진과 체온 유지를 위해 따뜻하게 해준다.

다 : 호흡을 좀 더 편하게 해서 뇌와 심장으로 가는 혈액의 양을 증가시킨다.

라 : 상체를 편평하게 하고 다리를 올려주는 곡반고위를 취해준다(심장과 뇌로의 혈액 순환을 위함).

마 : 쇼크환자의 상태 변화를 파악하기 위해 활력징후 측정이 매우 중요하다. 혈압은 매5분, 맥박과 호흡은 10분마다 체크한다.

32. 정답 | ① 기출

저혈량 쇼크환자의 응급처치

- 저혈량성 쇼크를 초래할 수 있는 상황은 구토, 설사 등의 탈수현상, 25%이상 출혈로 인한 혈액손실, 화상 등의 혈장 소실 등의 상황이다.
- 쇼크의 일반적인 증상은 체온 하강, 혈압 하강, 청색증, 호흡 증가, 빠른 맥박, 심계항진, 중심정맥압 하강 등이 나타난다.
- 저혈량으로 인하여 쇼크가 발생한 환자의 경우 가장 먼저 다리를 올려 주어야 한다.

33. 정답 | ⑤ 기출
저혈량 쇼크환자의 응급처치
- 저혈량 쇼크시 혈압을 올리고 신체하부의 혈액을 심장과 뇌로 모으기 위해 머리와 가슴은 일직선으로 하고 엉덩이 부위에서부터 발목을 45° 상승시킨 체위를 변형된 트렌델렌버그 체위를 취해준다.

34. 정답 | ②
아나필라틱 쇼크(과민성 쇼크)
- 과민성 쇼크: 외부 물질의 노출에 과민하고, 즉각적으로 나타나는 급성 알레르기성 반응
  - 과도한 혈관확장으로 호흡계, 심장계 등의 생명을 위협하는 상황이 발생
  - 불편하고 절박함 호소, 두통, 후두부종, 쉰 목소리, 호흡곤란, 기침, 두드러기, 입술과 혀의 부종
  - 산소공급, 에피네프린을 피하, 아미노필린과 항히스타민을 정맥내 주사
① 특정 물질에 노출되었을 때 즉각적으로 나타나는 비정상적 생체 반응
③ 아나필라틱 쇼크는 특정 물질에 즉각적으로 알레르기 반응을 보이는 것으로 개인의 과민성에 따라 다르므로 예측하거나, 의도할 수 있는 것이 아니다.
④ 단순히 체액 소실만 있다면 탈수이나 탈수증이 계속 진행되는데 이는 저혈량 쇼크의 원인이 된다.
⑤ 면역요법, 음식, 특정 약물, 벌레등에 대해 알레르기 반응이 예민하게 즉각적으로 나타나 순식간에 치명적 상태에 빠진 것

35. 정답 | ② 기출
아나필라틱 쇼크(과민성 쇼크)
- 벌에 쏘인 환자는 알러지가 있을 경우 아나필락틱 쇼크가 발생할 수 있으므로 두드러기, 발적, 소양감, 청색증, 호흡곤란 등의 증상을 관찰하도록 한다.
① 쏘인 부위를 침이 박혀 있는지 주의 깊게 확인하는 것이 우선적인 간호이다.
③ 쏘인 부위에 침을 뺀 뒤 상처부위에 얼음주머니를 대어 독소가 혈류로 흡수되는 속도를 감소시킨다.

④ 피부에 박힘 침을 손가락으로 잡아뽑는 행위나 족집게, 핀셋 등으로 뽑는 행위는 벌침 끝 부분에 남아 있는 벌 독이 몸 안으로 더 들어갈 수 있기 때문에 금지해야 한다.
⑤ 부위를 심장보다 아래에 위치하게 해주어 독이 퍼지는 것을 예방하는 방법은 뱀에 의한 교상 시 효과가 있다.

36. 정답 | ③
염좌환자의 응급처치
- 우선적으로 냉찜질을 실시하여 부종과 통증을 완화한다.
- 염좌(삔 것): 건 또는 인대 주변 관절에 외상성 손상
② 다리를 상승시켜 부종을 경감시킨다.
④ 환부의 지지와 휴식
⑤ 손상부위를 고정하여 추가 손상을 방지한다.

37. 정답 | ①
염좌환자의 응급처치
- 염좌: 인대가 지나치게 늘어난 상태
가: 다친 발목을 올려준다(부종 완화).
다: 찬 습포나 얼음주머니를 대준다(부종과 통증 완화).
나, 라: 온습포나 마사지의 적용은 인대를 더욱 늘어나게 할 수 있으므로 금지한다.
마: 염좌 부분을 안정시키기 위해 탄력붕대나 석고붕대를 감고 가급적 걷지 않도록 하고 보행시 목발을 이용할 것

38. 정답 | ②
염좌환자의 응급처치
- 냉 또는 얼음찜질: 혈관과 근육이 수축하여 부종과 통증을 완화(타박상, 염좌 적용)
① 앉아서 하는 목욕(골반내 염증 완화, 항문 또는 회음부위 수술 후, 치질의 통증 감소, 분만 후, 배뇨곤란 등에 적용)
③ 피부가 유성인 환자에게 등 마사지 시 알코올(30~50%) 목욕을 적용

④ 체온하강을 위해 27~37 ℃의 미온수로 3~5분 동안 시행

⑤ 근육의 이완과 혈액순환 촉진(근육 강직 시 적용)

39. 정답 | ⑤ 기출

일사병환자의 응급처치

- 일사병은 고열의 직사광선의 적외선을 장시간 받아서 일어나는 열 손상 중 가장 흔하게 발생하는 것
- 더운 환경에서 그늘지고 신선한 공기순환이 있는 장소로 이동시키면 회복되나 의식이 나빠지거나 체온이 더욱 상승하면 즉시 병원으로 후송한다.

① 의식이 있으면 수분이나 전해질용액을 먹이거나 의식이 없을 경우는 식염수를 주사한다.

② 얼음찜질이나 얼음물 마사지 실시는 시상하부에 위치한 인체의 체온조절 중추가 기능을 잃게 되지 않도록 하기 위해 열사병일 때 실시한다.

③ 30~50% 알코올로 치료적 목욕 혹은 마사지를 통해 열을 떨어뜨린다.

④ 체온을 낮추기 위해 체온보다 낮은 30~33 ℃ 정도로 20~30분간 미온수 목욕을 실시한다.

40. 정답 | ⑤ 기출

열사병환자의 응급처치

- 열사병: 40 ℃ 이상의 심부체온, 중추신경계 기능 이상, 무한증의 세 가지 증상이 나타나는 것
- 과도한 고온의 환경에 오랜 시간 노출되거나 더운 상태에서 육체노동이나 운동을 지속할 때 시상하부에 위치한 인체의 체온조절 중추가 그 기능을 잃게 되면 발생하는 열 손상질환

① 화상: 건열, 습열, 방사선, 전기, 화학물질로 인한 시체 조직의 손상

② 일사병: 열손상 중 가장 흔히 발생하는 것으로 고열의 직사광선의 적외선을 장기간 받아서 일어난 열손상 질환

③ 열경련: 다량의 염분소실로 인해 근육에 강직이 일어나는 열손상 질환

④ 열피로: 혈관과 조직에 충분한 염분과 수분이 공급되지 못할 때 생기는 열손상 질환으로 일종의 순환성 쇼크

41. 정답 | ⑤

열사병환자의 응급처치

- 열사병: 고온 다습한 환경에서 체온조절중추의 기능 부전으로 인해 발생, 사망률이 높은 응급질환

가: 우선 환자를 시원한 장소로 옮겨 체온을 내리고 휴식을 취하도록 한다.

나: 얼음주머니를 목, 서혜부, 겨드랑이에 대기, 찬 생리식염수로 관장, 방광 세척하기 → 체온을 내리기 위한 처치법

다: 몸을 시원하게 하면서 호흡을 편하게 해주기 위해

라, 마: 체온상승으로 조직의 산소요구량이 증가해 대사성 산독증이 유발, 그로 인한 호흡곤란을 조금이나마 완화시키기 위해서 머리를 15° 정도 상승시키고 산소 호흡기로 산소를 공급

42. 정답 | ③ 기출

열경련환자의 응급처치

- 열경련: 무더운 날씨에 심한 발한으로 땀을 많이 흘려 다량의 염분이 손실되어 팔, 다리, 복부 등의 근육에 강직이 일어나는 상태

43. 정답 | ③

열경련환자의 응급처치

- 고온에서 심한 노동으로 휴식, 수분과 염분 공급이 제대로 되지 못해 생긴 열피로 환자에게 충분한 휴식, 쇼크 체위, 염분이 함유된 유동식을 공급한다.

① 염분이 함유된 다량의 수분을 공급한다.

② 경련이 일어난 근육을 지압으로 풀어준다.

④ 의식이 있으면서 구강 섭취가 가능한 환자에게 식염수나 찬 음식을 준다.

⑤ 우선 환자를 시원한 장소로 옮겨 체온을 내리고 휴식을 취하도록 한다.

44. 정답 | ① 기출

음독환자의 응급처치

- 구토 금지 물질, 구토 금기 대상자 여부 확인 후 좌측 횡와위와 기도확보 후 재빨리 위세척 실시
② 아트로핀은 부교감신경차단제로 분비선억제, 동공산대, 평활근 이완, 심박수 증대 등의 다양한 약리효과가 있다.
③ 약물과다복용 상태에서 희석, 해독 등을 치료목적이 있으므로 수액공급을 제한 할 이유는 없다.
④ 약물과다복용으로 인한 호흡장애가 유발되었을 시 산소요법이 요구되나 고산소요법보다는 약물희석 및 해독에 우선순위가 높다.
⑤ 바르비루트산염은 뇌신경 흥분억제제로서 약물과다 복용상태에서 중추신경계제제 투여할 이유는 없다.

45. 정답 | ⑤

음독환자의 응급처치

- 약물이 든 용기를 가져와야 성분을 파악하여 해독 방법을 모색할 수 있다.
② 환자의 토물 → 중독 환자의 경우 해독과 치료 방법을 모색하기 위해 남은 약병이나 용기를 가져가야 하지만, 약병이 없는 경우 환자의 구토물이라도 가져가는 것이 중요

46. 정답 | ①

음독환자의 응급처치

- 구토 금지 물질, 구토 금기 대상자 여부 확인 후 좌측 횡와위와 기도확보 후 재빨리 위세척 실시(위관으로 중독물질의 흡입과 위를 씻어 내는 방법)
② 반투막을 이용(혈액투석)하거나, 복막을 이용(복막투석)해 혈액속의 노폐물을 제거하고 체액의 균형, 과잉 수분을 제거하기 위해 적용
③ 배뇨곤란, 잔뇨량 측정, 무균적 소변채취, 방광 약물 투약 등을 목적으로 적용
④ 신장에서의 수분 재흡수 억제, 독성 물질이 체내 흡수, 축적 방지 목적
⑤ 남은 중독 물질을 활성탄이 흡수하여 위세척 후 하제와 함께 사용한 방법

47. 정답 | ④ 기출

일산화탄소 중독환자의 응급처치

- 일산화탄소 중독: 산소를 운반하는 헤모글로빈과 일산화탄소가 결합력이 강하여 헤모글로빈의 산소 결합 작용을 방해
- 고압산소탱크를 이용하여 100% 산소를 공급
① 산성과 알칼리성의 부식성 물질을 섭취했을 경우 조직손상이 크므로 식도나 후인두가 재손상을 받지 않도록 구토를 유발하지 않고, 우선적으로 물로 희석시키도록 한다.
② 농약 중독인 경우 신속히 아트로핀을 투여한다.
③ 쥐약 중독 시는 프로트롬빈 시간을 측정하고 필요시 비타민K를 근육주사한다.
⑤ 바비튜레이트는 중추신경계 억제제로 신속히 제거시키기 위해 위관 삽입 후 위세척을 하도록 한다.

48. 정답 | ④

일산화탄소 중독환자의 응급처치

- 가장 먼저 공기가 맑은 곳으로 환자를 옮기거나 창문이나 출입문을 열어 환기로 신선한 공기를 마시게 하면서 단추, 넥타이, 허리띠 등의 조이는 옷을 느슨하게 해서 호흡이 원활하도록 해야 한다.
① 중추신경계 손상으로 인한 의식소실과 경련에 대비해 설압자를 삽입해 둔다.
② 환자를 안정시키고 체온 유지를 위해 보온에 힘써 체내 대사량을 최소화할 수 있다.
③ 호흡을 도와주고, 구토로 인한 질식방지를 위해 회복자세
⑤ 산소결핍으로 오심, 구토, 의식소실, 호흡부전 등의 중추신경계손상 증상이 나타날 수 있으므로 기관분비물 배출을 쉽게 하고, 기도흡인을 예방하기 위한 자세

49. 정답 | ②

찰과상

- 찰과상: 바닥 면이나 물체의 면과의 마찰에 의해 피부 표면이 떨어져 나가거나 긁힌 상처

① 자상: 날카롭고 뾰족한 물체에 의해 찔린 상처(감염될 가능성이 많은 상처)
③ 열상: 기계나 둔한 기구에 의해 찢어진 상처(출혈은 작지만 조직손상, 감염위험)
④ 절상: 칼등에 베인 상처, 감염되지는 않지만 혈관 손상으로 많은 출혈이 문제된다.
⑤ 미생물이 존재하는 개방된 상처(피부나 점막이 파괴 출혈과 감염이 동반)

50. 정답 | ④ 기출

자상

① 찰과상은 마찰에 의하여 피부 또는 점막 표면이 떨어져 나가거나 긁힌 상처를 말한다.
② 열상은 끝이 둔한 기구 또는 물체로 조직이 찢어지고 그 면이 불규칙한 상처를 말한다.
③ 관통상은 실탄이 몸의 깊은 기관 및 조직을 통과하여 뚫고 나간 상처를 말한다.
⑤ 절상은 예리한 기구에 의하여 조직을 단순히 분리된 상처를 말한다.

51. 정답 | ④

창상환자의 응급처치

• 자상: 가늘고 뾰족한 물체에 찔린 상처
• 열상: 둔한 기구에 피부가 톱니모양처럼 불규칙하게 찢어진 상처
• 연고 사용은 상처부위의 폐쇄적 환경을 만들어 미생물의 성장을 촉진해 감염의 위험이 증가하므로 일반적으로 사용하지 않는다.
① 열상의 경우 출혈과 감염의 위험이 높으므로 필요시 봉합한다.
② 자상의 경우 창상의 크기는 작지만 깊어서 파상풍의 감염률이 높은 상처이므로 접종을 실시한다.
③ 열상은 감염의 위험이 높으므로 소독된 거즈로 직접압박법을 실시한다.
⑤ 자상과 열상 모두 감염에 주의해야 하지만 상처가 너무 깊거나 이물질이 있는 경우 의료진의 처치를 받도록 한다.

52. 정답 | ③

타박상

; 맞거나 부딪쳐서 생긴 상처(폐쇄성 상처)
• 폐쇄성 상처: 피부파괴 되지 않고 조직이 손상된 경우 (타박상, 좌상)
• 감염 가능성이 높은 상처(개방상처)
① 둔한 기구에 피부가 톱니모양처럼 불규칙하게 찢어진 상처
② 가늘고 뾰족한 물체에 찔린 상처(①, ② 피부가 찢어져 출혈이 생긴 개방성 창상)
④ 2도 이상, 체표면적의 10% 이상의 화상환자, 감염 가능성 매우 높다.
⑤ 개방성 복합 골절 환자

53. 정답 | ④

출혈환자의 응급처치

가: 감염의 위험성보다 우선 적용
나: 심장으로의 귀환 혈량을 증가(혈류 속도를 감소시켜 출혈 속도를 늦추는 방법)
다: 직접압박, 지압법을 사용해도 지혈되지 않을 때 최후 사용
라: 체내 정상 혈액의 양은 체중의 1/13, 이 중 1/2이 소실되면 사망할 수 있으므로 수액을 공급하여 혈량을 보충하고 수혈에 대비한다.
마: 감염의 위험성보다는 출혈로 인한 부상자의 생명이 우선이므로 상처 출혈 시 직접압박법을 가장 먼저 시행한다.

54. 정답 | ⑤

지혈대 사용방법

• 지혈대 사용: 직접압박, 지압법을 사용해도 출혈이 멎지 않을 때 최후 사용
• 장시간 사용 시 말단부위의 괴사 예방을 위해 20분 정도마다 살짝 푼 뒤 2~3분 뒤 다시 맨다.
① 출혈되는 부위를 심장보다 높여주면 출혈의 속도를 늦추고, 심장으로 가는 혈액의 양을 모아서 쇼크를 조

금이나마 예방하기 위함

② 심한 출혈의 경우 쇼크 상태, 쇼크에 대한 처치 전에 음료 등을 줄 경우 기도질식과 같은 또 다른 문제가 야기될 수 있으므로 의사의 처치 전까지는 금식을 유지

③ 지혈대는 상처 가까이, 정확하게 묶되, 동맥까지 차단해서는 안 된다.

④ 지혈대를 장시간 매고 있을 경우 조직괴사 우려, 정맥을 차단할 정도로 지혈대를 묶는다(손가락 1개 정도가 들어갈 정도).

55. 정답 | ①

화상환자의 응급처치

가: 신속하게 냉 요법을 적용, 조직파괴와 화상의 심각도를 감소시켜 통증과 부종을 최소화

다: 외투나 커튼 등의 천으로 단단히 감싸서 산소를 차단해 바닥에 몸을 굴려서 불을 빨리 끄도록 한다.

나: 부종이 시작되기 전에 옷, 압박 장신구 등은 빨리 제거한다(통증과 추가 손상의 위험).

라: 수포나 피부의 부스러기는 터트리거나 제거하지 말아야 한다(감염예방, 흉터를 최소화). 연고 사용은 상처의 열 발산을 막아 회복 속도를 느리게, 통증을 지속시키는 원인이 된다.

마: 저체온 유발 가능성이 있으므로 멸균된 건조한 드레싱을 적용한다.

56. 정답 | ③ 기출

화상환자의 응급처치

- 화상: 화상의 정도와 범위(체표면적)을 확인하여 치료
- 2도 화상은 수포성으로 표피 전부와 진피의 상당 부분에 손상을 입는 것으로 수포가 생기고 동통이 매우 심하다. 물집을 터트리지 말아야 하며, 화상 부위의 수포나 너덜한 조직 파편을 제거해서는 안 된다.

① 화상연고, 바셀린연고, 소독제 등을 사용하지 말아야 한다.

② 감염의 위험으로 손상된 조직을 제거해서는 안 된다.

④ 상처를 찬물이나 얼음물에 담그거나 찬물찜질을 하고, 건조한 멸균 거즈로 화상 부위를 덮어서 상처를

보호해야 한다.

⑤ 화상 부위에 얼음주머니를 직접대어 주면 저체온증을 유발할 수 있고 혈관을 수축시켜 순환장애를 유발할 수 있으므로 흐르는 물을 사용하는 것이 좋다.

57. 정답 | ④

화상의 범위

- 화상을 입은 체표 면적을 평가하는 방식(9의 원칙을 적용)
- 두부 9%, 양팔 각각 9%, 양쪽다리 각각 18%, 체간 앞면 18%, 체간 뒷면 18%, 회음부 1%

제4장 | 산소요법

58. 정답 | ②

산소요법 환자 간호

- 산소 사용 시 가장 주의점: 화재예방(산소는 발화 보조물질, 금연) → 가연성 물질의 접근을 피해야 한다.
- 손 씻기(미온수): 교차감염을 예방하기 위해 실시하므로 산소투여와는 관련 없다.

59. 정답 | ③ 기출

산소요법 환자 간호

- 습윤병에 기포 발행 유무를 확인하여 멸균 증류수를 채운다.

① 안전한 산소요법을 위해 휘발성, 가연성 물질을 치우고, 폭발성, 인화성 있는 물건의 반입을 금하고, 침대에서 성냥이나 라이터 등을 사용하지 않는다.

② 모, 합성섬유 등 정전기를 일으키는 물건을 치우고, 면 담요를 사용한다.

④ 멸균 생리식염수는 결정체가 생길 수 있으므로, 멸균 증류수로 채우도록 한다.

⑤ 건조예방을 위해 70~80% 고습도 유지 필요

60. 정답 | ⑤

산소요법 환자 간호

- 산소(발화 보조물질)사용 시에는 담요나 합성섬유는 정전기를 발생시켜 화재의 위험이 있으므로 면 담요나 면 의복을 사용한다.

61. 정답 | ④ 기출

비–재호흡 마스크

: 6~15 L/분, 60~100% 산소농도로 주입 가능
① 비강 카테터: 6 L/분, 44~67% 산소농도로 주입 가능
② 비강 캐뉼라: 2~6 L/분, 23~44% 산소농도로 주입 가능
③ 벤추리 마스크: 4~15 L/분, 24~40% 산소농도로 주입 가능
⑤ 단순안면 마스크: 6~8 L/분, 40~60% 산소농도로 주입 가능

62. 정답 | ② 기출

비강캐뉼라

: 대상자에게 적용하기 쉽고, 대상자가 편안해 하기 때문에 가장 많이 사용하는 방법
• 마스크를 쓰고 있는 환자 식사 시에 무리가 되지 않을 시 비강캐뉼라로 변경 가능
• 비강 캐뉼라를 적용한 환자는 말하고 먹을 수 있어 편안해 한다.

63. 정답 | ② 기출

단순안면 마스크

: 귀 뒤나 뼈 돌출 부위의 피부자극방지를 위해 거즈나 패드를 대어 준다.
① 산소투여로 호흡곤란을 예방하기 위해 반좌위를 취해 준다.
③ 마스크를 환자 얼굴로 가져가 코에서부터 아래로 씌운다.
④ 마스크에 습기가 찰 수 있다.

⑤ 산소로 인해 눈이 자극될 수 있으므로 눈 부위를 꼭 맞게 씌운다.

64. 정답 | ②

가습요법

- 상기도의 감염치료는 증상에 따른 대증요법 및 항생제, 소염제, 해열진통제 등을 투여하여 치료한다.
- 흡기 시 증기를 공급하여 점막건조와 자극을 예방, 분비물을 묽게 하여 쉽게 배출되도록 한다.

65. 정답 | ①

기관절개술 환자의 간호

가: 한 부위의 점막이 손상되지 않도록 삽입한 카테터는 회전시키면서 흡인한다.
다: 세균에 오염되는 것을 예방하기 위해 무균용기에 생리식염수나 멸균수를 사용
나: 카테터는 코에서 귓불까지의 거리 측정 후 보통 10~15 cm 정도 삽입한다.
라: 1회 총 흡인시간은 10~15초(흡인시간이 길면 저산소증의 원인이 됨)
마: 좌위(기침과 호흡을 쉽게 함), 무의식 환자는 측위(기도폐색을 예방하고 분비물의 배액 촉진)

66. 정답 | ⑤

기관절개술 환자의 간호

- 끈이 조여서 질식하거나 혈관 압박을 방지하기 위해 손가락 두 개 들어갈 여유
① 의사소통을 위해 호출기 가까이 연필과 종이를 준비
② 외부로부터 먼지 막고 습기제공을 위해 생리식염수에 적신 거즈로 덮어준다.
③ 저산소증의 증상을 관찰(흡인 사이에 1분간 휴식을 취해 예방)
④ 과산화수소수는 건조하고 굳어져 있는 분비물을 불려주고 분비물이 쉽게 제거되게 한다.

CHAPTER 09 환자와 보호자 관리

제1장 | 입원, 퇴원, 전동

01. 정답 | ⑤

환자 본인 확인

• 수혈 및 투약, 각종 검사 및 수술 등의 진료 상황 시에 환자를 재 재확인하게 된다.

02. 정답 | ③

입원환자 간호

; 환자를 맞이하고 오리엔테이션과 환자의 병실을 준비하여 불안감을 완화시키고 신뢰감을 느껴 안심할 수 있도록 한다.

① 외래 방문 날짜는 퇴원 환자에 대한 간호이다.

② 귀중품은 및 옷가지는 집으로 보내거나 환자의 가족이 책임지도록 한다.

④ 치료 경과에 대한 설명은 담당의사가 하도록 한다.

⑤ 퇴원 환자에게 필요시 가정방문 서비스를 연결해준다.

03. 정답 | ⑤ 기출

입원환자 간호

• 입원 시 환자간호는 크게 오리엔테이션(병원 내 시설, 검사일시, 수술예정일 등), 환자 맞이(담당간호사소개 등), 병실 준비(청결, 물품 등)로 나눌 수 있다.

04. 정답 | ⑤

입원환자 간호

• 입원환자 절차

⑤ 지정된 병실 안내 → ④ 규칙 안내 → ② 환의 → ① 활력증상 측정 → ③ 기록

05. 정답 | ④ 기출

수액을 맞고 있는 환자의 환복

• 수액세트를 분리하지 않고 대상자 환의 갈아입히는 순서

– 상의를 탈의: 수액이 연결되지 않은 팔부터 벗는다.

– 상의를 착의: 수액이 연결된 팔부터 입는다.

06. 정답 | ③

크래들 침상

- 크래들: 쇠나 나무로 만들어진 반원형의 침구 버티기, 침구가 몸에 닿지 않도록 할 때 사용(화상, 피부염, 궤양, 피부이식 환자, 쇠약한 노인 등)
① 빈 침상: 퇴원 후 병실정리정돈(질병감염 예방), 새로 입원할 환자 위한 침상
② 수술 침상: 수술 후 돌아오는 환자를 위해 만드는 침상(고무포 2장 필요)
④ 골절환자 침상: 척추나 등의 근육을 반듯하게 유지하기 위해 딱딱한 널판자(침요 밑)를 깐 침상
⑤ 스트라이커 침상: 척추손상환자 침상, 욕창예방 침상

07. 정답 | ③ 기출

요추골절환자의 침상

- 척추골절 환자는 더 이상의 신경손상을 막기 위해 판자처럼 단단한 침상을 사용하도록 한다.
- 요추골절환자에게는 또 다른 손상을 예방하기 위해 머리와 목을 고정시키는 것이 가장 우선순위가 크다.

08. 정답 | ④ 기출

대상자별 침상

- 사용 중 침상: 환자가 누워 있는 상태에서 침대를 손질하거나 홑이불을 교환하는 것
① 빈 침상: 새로 환자가 입원하였을 때 침대를 이용할 수 있도록 하기 위함
② 개방 침상: 환자가 입원하여 사용 중인 침상
③ 크래들 침상: 쇠나 나무로 만들어진 반원형의 침구 버티개를 말한다. 화상, 피부염, 피부이식 환자에게 침구가 직접 몸에 닿지 않도록 하기 위한 침상
⑤ 골절환자 침상: 환자의 척추나 등의 근육을 반듯하게 유지하기 위해 준비한 딱딱한 침상을 말한다.

09. 정답 | ⑤ 기출

환자의 전동

- 환자 전동을 위해 기록지, 검사물, 특수 기구, 사용 중 약물, 개인물품을 확인하여 이동할 병동으로 보내도록 한다.

10. 정답 | ④ 기출

환자의 전동

① 중간병원비 정산은 원무과에서 관리한다. 퇴원지시가 나면 원무과로 퇴원서류를 보내 퇴원수속하며 최종정산을 하게 된다.
②, ③, ④ 전동 시 환자의 물품, 남은 약과 의무기록지 등의 차트를 정리하여 해당 병동으로 보낸다.
⑤ 병실전동 시 환자의 정보를 공유하여 간호의 연속성을 유지하기 위해 환자에 대한 설명이 필요하다.

11. 정답 | ② 기출

환자의 전동

- 전동: 같은 병원의 병동에서 다른 병동으로 옮겨 오는 것을 돕기 위한 것으로, 전입 시 지정된 병실로 안내하며 병동시설에 대해 안내하도록 한다.
① 전입 시 가져온 약물은 의무기록지 등의 차트를 확인하여 약물치료가 지속될 수 있도록 한다.
③ 전출 시 입원계 및 영양실에 전산입력 혹은 전화로 전동을 알리도록 한다.
④ 전출 시 의무기록과 환자의 물품과 남은 약은 해당 병동으로 보내도록 한다.
⑤ 전출 시 불필요하게 대기하는 것을 예방하기 위해 전동할 병동에 미리 연락하여 가능한 시간을 확인하고 전동을 보조할 보조요원을 요청하도록 한다.

12. 정답 | ④ 기출

퇴원 간호

- 퇴원환자에 대한 간호는 퇴원 후 병원 외래 방문 일자를 알려줌으로써 추후관리가 이루어질 수 있도록 외래진료서비스와 연결해준다.
- 나머지 보기는 입원 시 환자간호에 해당한다.

13. 정답 | ④ 기출

퇴원 시 안내사항

- 환자 퇴원 후 추후 병원 방문 일자와 장소, 집에서 시행해야 하는 운동, 투약법, 활동 수준, 식이요법, 이상 증상 등에 대하여 환자뿐만 아니라 가족에게도 교육시킨다.

14. 정답 | ② 기출

퇴원 시 안내사항

- 퇴원 후 추후 병원 방문일자와 장소, 투약법, 활동수준, 식이요법, 이상증상 등을 환자와 가족에게 교육시킨다.
① 병동 안내는 입원 시 교육해야 할 내용이다.
③ 진단 결과는 간호사, 의사를 통해 설명되도록 한다.
④ 의무기록지는 입원진료과정 중에 의사가 작성한다.
⑤ 환자의 퇴원결정은 의사의 책임이다.

15. 정답 | ②

침상 정리 순서

- 밑홑이불(솔기 밑으로) → 고무포 → 반홑이불 → 윗홑이불(솔기 위로) → 담요(침상상부 20 cm) → 침상보 → 베개와 베갯잇(터진 곳이 출입구 반대편으로 가게)

16. 정답 | ④ 기출

발지지대

; 족저굴곡(하수족)이 되는 것을 막기 위해 사용되며, 의식 없는 환자의 수족 예방에도 도움이 된다.

17. 정답 | ② 기출

크레들

- 크레들(앤더슨 장치): 윗 침구의 무게가 가해지지 않도록 하기 위해 사용
- 화상환자, 피부나 개방 상처가 심한 환자에게 적용

18. 정답 | ③

침상 보조기구

- 발 지지대: 판자를 홑이불에 싸서 움직이지 않도록 잘 고정시켜 대주면 족저굴곡을 예방할 수 있다.
① 침상 판: 침요 밑에 판자를 받쳐서 지지해 준다(척수손상이나 골절환자에게 적용).
② 침상 난간: 낙상을 방지하기 위한 것으로 침상 옆에 붙어 있다(항상 올려 줌).
④ 크레들: 쇠나 나무로 만들어진 반원형의 침구 버티기(화상, 피부염, 궤양, 피부이식환자, 골절환자, 쇠약한 노인 등의 침구가 몸에 닿지 않도록 할 때 사용)
⑤ 손 두루마리가 손바닥에 닿으면 손목이나 엄지손가락을 올바른 자세로 유지시켜 줄 수 있다.

제2장 | 의사소통

19. 정답 | ①

치료적 의사소통

- 상담자와 대상자간의 라포 형성을 위해 충고나 질책 등 불필요한 행동 삼가
② 대상자의 말, 감정변화, 행동양상까지 잘 들어주는 자세가 무엇보다 중요
③ 대상자의 상황과 입장이 되어 이해하기
④, ⑤ 상담 중간 대상자와 눈 맞춤, 고개 끄덕임, 개방적 수용 태도, '음'하고 관심주기가 필요

20. 정답 | ⑤ 기출

치료적 의사소통(재진술)

- 환자가 이야기한 것을 다시 말해줌으로써 말한 사건에 동반하는 감정을 강조하는 것이다.
- 환자의 말을 그대로 반복할 수도 있고, 내용이나 느낌을 다른 말로 바꾸어 말할 수도 있다.

21. 정답 | ③ 기출

치료적 의사소통(재진술)

- 치료적 의사소통은 비지시적이고 비판단적이며 개방적인 대화를 한다.
- 환자가 이야기한 것을 그대로 반복해주는 재진술의 기술은 치료적 의사소통 기술이다.
① 조언보다 효과적인 것은 그 문제 상황에 대한 느낌을 다루어 주는 것이 치료적 의사소통 기술이다.
② 잠재적인 메시지에 비판이나 비난은 비치료적 의사소통 기술이다.
④, ⑤ 잘못된 안심은 표현된 감정을 경시하는 경향이 있다. 환자의 불충분한 정보를 가지고 주는 거짓된 안심은 비치료적 의사소통기술이다.

22. 정답 | ② 기출

치료적 의사소통(침묵)

- 침묵: 환자가 자신이 말한 것을 소화하고 결정을 위한 시간을 갖기 위해 필요
① 반영: 환자가 이야기한 것을 다시 말해줌으로써 말한 사건에 동반하는 감정을 강조하는 것이다.
③ 조언: 여러 가지 대안을 제시함으로써 최종적인 선택은 환자가 하도록
④ 안심: 무엇이 일어나거나 일어나지 않는다는 불충분한 정보를 가지고 환자에게 거짓 보증을 주면 잘못된 안심이기 때문에 충분한 정보를 가지고 환자에게 보증을 주도록
⑤ 개방적 질문: 환자의 말문을 열게 하고, 환자가 원하는 제목을 선택하여 이야기를 시작하도록

23. 정답 | ⑤ 기출

치료적 의사소통(탐색)

- 환자가 어떤 생각이나 의견을 더 깊이 생각하도록 탐색하기 위한 치료적 의사소통기법으로 구체적인 질문이 계속되도록 한다.
① 환자에 대한 충분한 정보나 환자 자신의 해결책 탐색이 없음에도 조언을 두는 것은 비치료적 의사소통 기법이다.

②, ④ 거절하는 태도는 흔히 자신의 약점이 노출되는 것을 막거나 증가되는 불안으로부터 방어하기 위해서 사용하게 되는 비치료적 의사소통 기법이다.
③ 잠재적인 메시지에 비판적인 태도를 취하는 비난은 비치료적 의사소통 기법이다.

24. 정답 | ① 기출

치료적 의사소통(반영)

; 환자가 이야기 한 것을 다시 말해 줌으로써 말한 사건에 동반하는 감정을 강조하는 것
② 거절: 비치료적 의사소통법으로 환자의 말에 반응하기보다 주제를 이동하여 환자의 문제에 민감하지 못한 것
③ 조언: 비치료적 의사소통법으로 조언을 구할 경우 여러 가지 대안을 제시함으로써 최종적인 선택은 환자가 하도록 하는 것이 좋다.
④ 자기 노출: 치료적 의사소통법으로 상담자 자신의 경험을 환자와 나누는 것이 유익하다고 믿을 때 일어난다.
⑤ 개방적 질문: 치료적 의사소통법으로 환자의 말문을 열게 하고, 환자가 원하는 제목을 선택하여 이야기를 시작하게 한다.

25. 정답 | ④ 기출

치료적 의사소통(반영)

- 간호조무사가 환자와 효과적인 의사소통을 하려면 대상자에게 깊은 관심과 흥미가 있음을 표현하는 방법으로 '반영'의 치료적 의사소통 기술을 사용한다.
- 환자가 이야기한 것을 다시 말해줌으로써 사건에 동반하는 느낌, 경험, 내용의 세가지 영역이 있다.

26. 정답 | ③ 기출

비치료적 의사소통(일시적 안심시키기)

- 잘못된 안심이나 조언은 비치료적 의사소통에 해당
① 반영(치료적 의사소통): 환자가 이야기한 것을 다시 말해줌으로써 말한 사건에 동반하는 감정을 강조하는 것이다.

② 먼저 다가감(치료적 의사소통): 개방적 질문에 해당하며 환자의 말문을 열게 하는 효과가 있다.

④ 평가 격려하기(치료적 의사소통): 환자가 자기의 경험에 대한 느낌을 평가하도록 한다.

⑤ 탐색(치료적 의사소통): 환자가 어떤 생각이나 의견을 더 깊이 생각하도록 한다.

27. 정답 | ①
시각장애 환자와 의사소통

· 차분한 저음이 효과적이고 말은 분명히 천천히 하고 큰소리로 말하지 말 것

② 대화를 시작할 때 자기가 누구인지를 먼저 소개하고 이름을 확인시켜 준다.

③ 시력장애 환자는 만지고, 냄새를 맡고, 듣는 것을 통해 상황을 인식함을 알아야 한다.

④ 구체적으로 사물의 이름을 사용한다(저기, 이것, 저기 등의 표현은 쓰지 않음).

⑤ 주변 환경이나 상황을 자세히 설명해주는 것이 좋다.

28. 정답 | ⑤ 기출
난청환자와 의사소통

· 몸짓, 얼굴 표정 등 비언어적 의사소통이 때로는 더 중요하게 활용된다.

① 전달이 정확하게 이루어질 수 있도록 간단하고 짧은 문장으로 천천히 이야기 한다.

② 밝은 방에서 입술을 천천히 움직이면서 입모양을 볼 수 있도록 크게 벌리며 정확하게 말한다.

③ 환자가 입모양을 볼 수 있도록 환자의 눈을 보며 말한다.

④ 보청기를 착용할 때는 입력은 크게, 출력은 낮게 조절한다.

29. 정답 | ③ 기출
난청환자와 의사소통

· 밝은 방에서 입모양을 볼 수 있도록 환자의 눈을 보며 정면에서 간단히 이야기 하되, 몸짓 얼굴표정 등으로 이야기 전달을 돕고 큰소리보다 중저음으로 입을 크게 벌리며 정확히 말한다.

30. 정답 | ⑤ 기출
노인환자와의 의사소통

① 노인성 난청은 고음 장애부터 나타나기 때문에 대화 시 중음 또는 저음을 사용하도록 한다.

②, ③ 얼굴을 마주보면서 천천히 또박또박 말하며, 입모양을 뚜렷하게 한다.

④ 보청기를 착용할 때는 입력은 크게, 출력은 낮게 조절한다.

31. 정답 | ④
노인환자와의 의사소통

· 노인성 난청은 고음에 대한 청력장애로 인해 대화 내용을 정확하게 이해하지 못하므로 대면하고 애기할 때 과장된 발음이나 큰 소리를 내지 말며, 천천히, 또박또박, 저음으로 한다.

① 청력장애 노인들에게 몸짓 및 얼굴 표정은 매우 중요하므로 눈을 맞추고 이야기한다.

② 조용한 환경에서 대화한다(TV, 라디오를 끄고 실내의 소음을 줄임).

③ 잘 들을 수 있게 분명하게 말한다.

⑤ 입술 모양을 정확하게 하여 청각장애 노인이 입술을 볼 수 있게 한다.

CHAPTER 10 투약, 수혈, 임종간호

제1장 | 투약

01. 정답 | ③

약효가 빠른 순서

정맥(약물이 혈관 속으로 직접 투여되기 때문에 신속한 효과, 부작용 빠름) → 근육(피하조직보다 혈관분포가 많아 효과 빠름) → 피하 → 경구

02. 정답 | ⑤

경구 투약 5원칙

- 경구투약: 가장 편리, 경제적, 안전한 방법
- 정확한 환자(대상자), 약, 방법(경로), 시간, 용량(분량)을 줄 것

03. 정답 | ①

일회처방

: 약물을 특정시간에 한 번만 투여하라는 처방

　ⓔ 아나필락틱쇼크 및 반응 후 에피네프린과 항히스타민 투여

② 즉시처방: 처방이 내려진 즉시 1회 투여하는 처방

③ 정규처방: 약물투여를 중단하라는 처방이 내려질 때까지 계속 수행되는 처방

④ 구두처방: 응급상황에서 내는 처방으로 법적효력이

없으므로 24시간 내에 서명처방을 받는다.

⑤ 필요 시 처방: 간호자가 필요하다고 판단되는 경우 투약할 수 있는 처방

04. 정답 | ②

관리 필요 약물

- 헤파린(항혈액응고제): 주사부위 출혈예방을 위해 주사 부위를 바꾸고 주사 후 마사지를 피해야 한다.

① 철분제: 위 자극을 막기 위해 식후에 복용한다.

③ 모르핀: 호흡중추 억제로 호흡마비 일으키면 → 투여 전 반드시 호흡을 측정한다.

④ 강심제: 디기탈리스(심근수축력 증가) 서맥(60회/분)을 나타내므로 반드시 맥박 측정한다.

⑤ 인슐린: 계속적인 피하주사로 지방조직의 위축과 비후가 일어나므로 손상된 부위를 피하고 팔, 대퇴부, 복부 등을 돌려가면서 주사한다.

05. 정답 | ①

경구투약의 장점

; 가장 편리, 경제적, 안전한 방법

가: 약병들은 그 자체 코드번호를 가진다(부작용 시 약들이 섞이면 원인 찾기 어려움).

다: 변질된 약은 반드시 약국에 반납한다.

나: 한 번 공기 중에 노출된 약은 다시 붓게 되면 오염될 수 있다.

라: 위장관 자극을 감소하기 위해 식후에 복용한다(치아에 착색될 수 있으므로 빨대를 사용).

마: 약은 지시된 시간에 정확히 투약한다(정확한 약, 환자, 용량, 시간, 방법을 지킴).

06. 정답 | ①

경구투약의 장점

; 가장 편리, 경제적, 안전한 방법

07. 정답 | ⑤

경구투약 간호

- 치아 착색 약: 빨대로 먹거나 복용 후 물로 잘 헹구어 낸다. → 액체철분제제, 염산제제 등
- 기름진 약 복용 시: 약물복용 후 따뜻한 차를 마시거나 약을 처음부터 차게 해서 복용

08. 정답 | ③

경구투약 대상자

- 경구투약은 구강을 통해 약을 삼켜서 소화기계의 소화·흡수 작용이 가능한 환자에게 적용·가능한 투약 방법
① 무의식환자는 구개반사가 없으므로 불가능하다.
② 토하는 환자는 금식해야 한다.
④ 연하곤란 환자는 삼킬 수 없다.
⑤ 금식 중에는 입으로 아무것도 들어가면 안 된다.

09. 정답 | ⑤

눈 세척 간호

- 내안각 → 외안각으로 흐르게 하여 감염을 방지한다.
①, ④ 37 ℃ 멸균된 세척용액
② 점적기 끝이 눈에 직접 닿지 않도록 주의(눈에서 1~2 cm 떨어지게)
③ 환측의 눈 쪽으로 고개를 돌린다(세척액이 곡반으로 흘러 건강한 눈 오염방지 위함).

10. 정답 | ③

눈 세척 간호

- 약물이 비루관을 통해 흘러 나가는 것을 막기 위해 안쪽 내안각 위를 30초간 눌러준다.
① 대상자에게 위를 쳐다 보도록 하고, 내안각에서 외안각으로 바른다.
② 안약 점적기 끝이 눈에 직접 닿지 않도록 주의한다(눈에서 1~2 cm 떨어지게).
④ 연고 투여 후 눈동자를 굴려서 골고루 약이 퍼지도록 한다.
⑤ 내안각에서 외안각으로 연고를 바르고 튜브의 방향을 살짝 돌려서 약을 끊는다.

11. 정답 | ③

코 약물 투여

- 사골동 치료 시에는 똑바로 누운 자세에서 침대 끝에 머리를 늘어뜨린다.

12. 정답 | ④

귀 약물 투여

- 귀에 약물 투여시나 고막체온(심부체온 측정 시) 외이도를 바르게 하기 위해 이개(귀바퀴)를 성인은 후상방, 소아는 후하방으로 잡아당긴다.

13. 정답 | ③

귀 약물 투여

- 귀약 점적은 외이도의 정결과 통증을 감소시키고 감염을 방지하기 위함, 내이도 질환을 치료할 수는 없다.

14. 정답 | ⑤

질 약물 투여

- 정상 질의 위치대로 아래쪽을 향해 좌약을 6 cm 정도 삽입한다.

15. 정답 | ①
투약관련 용어

나: ac – 식전
라: prn – 필요 시 마다, hrs – 매시간
마: hs – 취침시간, npo – 금식

16. 정답 | ⑤
바이알

• 공기의 양이 충분치 않으면 주사약병 안이 음압으로 약물이 잘 뽑아지지 않기 때문이다.

17. 정답 | ②
색전증 예방

• 공기방울을 모두 제거하는 것은 공기 색전물로서 작용할 수 있는 다량의 공기를 튜브에서 제거하는 것이다.

18. 정답 | ① 기출
피내주사

; 투베르쿨린반응(결핵초기반응검사)이나 알레르기 반응 등의 질병의 진단방법 또는 항생제 등 약물이 과민 반응 검사를 하기 위한 주사 방법
② 피하주사: 예방주사, 인슐린, 헤파린 주사 등에 사용되는 주사 방법
③ 근육주사: 피하주사보다 많은 약을 투여하고, 피하조직을 자극하는 약물을 안전하게 투약하는 주사 방법
④ 정맥주사: 약물, 영양물질 등을 직접 정맥계로 주입하는 주사 방법, 약의 빠른 효과와 산염기균형과 영양분, 수분과 전해질을 보충하기 위함
⑤ 골내주사: 약물 투여를 위한 대안으로 골수 내로 주사 바늘을 삽입하여 약물이나 수액을 주입하는 주사 방법

19. 정답 | ④
피내주사

• BCG 접종(튜베르클린반응검사)은 피내용과 경피용

두 가지 방법의 주사법이 있다.
• 피내용은 세계보건기구 WHO에서 권장하는 방법이다.
• 피내주사의 장점은 약물에 대한 반응을 쉽게 눈으로 확인할 수 있고, 약물의 반응 정도가 쉽게 비교되므로 피부 반응 검사나 진단 검사의 목적으로 사용된다.

20. 정답 | ⑤
피하주사

• 피하주사 약물: 인슐린, 헤파린, 예방백신, 마약 등
• 페니실린 같은 항생제는 자극적인 약물이므로 근육주사 방법으로 투여한다.
• 헤파린 주사 시에는 문지르지 않는다. → 주사부위 출혈을 예방하기 위함

21. 정답 | ④
피하주사 부위

; 견갑골, 상박 외측, 복부, 대퇴의 앞쪽
• 대퇴직근: 대퇴앞쪽 중간과 옆쪽 중간으로 영아와 어린이에게 사용되는 근육주사 부위

22. 정답 | ①
근육주사 부위

; 굵은 신경, 혈관, 뼈를 피해 근육이 발달된 곳을 선택한다.
• 견갑골 부위는 피하주사 부위
② 대퇴앞쪽 부위(성인과 어린이에게 사용)
③ 대퇴앞쪽 중간과 옆쪽 중간(영아와 어린이 사용)
④ 중둔근과 대둔근
⑤ 중둔근과 소둔근(큰 신경과 혈관이 없고 뼈 조직과도 멀다)

23. 정답 | ③
근육주사의 장점

• 근육은 피하조직보다 혈관분포가 많아 약물의 흡수

와 효과가 빠르다.
① 헤파린(항혈액응고제): 주사부위 출혈예방을 위해 주사부위를 바꾸고 주사 후 마사지를 피해야 한다.
② 피내주사 진단목적: 피부반응검사, 알러지 반응검사, 투베르쿨린 반응 검사 등
④ 정맥주사: 항생제 투여 시 효과를 위해 혈중농도를 일정하게 유지한다.
⑤ 정맥주사: 정맥 → 근육 → 피하 → 경구투여 순으로 효과가 나타난다.

24. 정답 | ②

근육주사 시 주의사항

• 10초를 기다렸다가 주사침을 뽑는다.
① 보통보다 좀 긴 주사침을 사용하여 근육 깊숙이 주사하여 흡수를 돕는다.
③ 피하조직으로 약물이 흡수되는 것을 방지하기 위함이다.
④ 약물이 완전히 조직 속으로 흡수될 수 있도록 주입 후 10초 정도 지난 후 바늘을 제거한다.
⑤ 주사침에 남아 있는 약물까지 주입, 약물의 역류로 조직손상을 예방하기 위함이다.

25. 정답 | ⑤

정맥주사

; 정맥을 통해 바로 흡수되어 가장 효과가 빠르다.
• 과민반응(알러지)을 알아보기 위해서는 피내주사를 사용하여야 한다.

26. 정답 | ③

정맥주사

• 주입속도와 바늘의 길이는 관계없다.
①, ②, ④, ⑤ 정맥주입 시 주입속도에 영향을 미친다.
• 그 외 환자의 자세변화, 용액의 온도 변화, 바늘과 카테터의 막힘, 수액의 점도, 튜브의 매듭과 꼬임 등이 주입속도에 영향을 미친다.

27. 정답 | ⑤

수혈의 목적

; 정맥 내로 혈액 성분제재(혈소판, 적혈구, 혈장)나 전혈을 주입하는 것, 수술, 외상 또는 출혈에 따른 쇼크예방과 순환 혈액량 및 산소 운반능력을 증가하기 위함이다.
⑤ 정맥주사의 목적이다.

28. 정답 | ①

전혈

• 심한 출혈은 혈액 중 어떤 성분이 빠져나가는 것이 아니라 피의 전체성분이 부족하여 전혈을 수혈한다.
② 급성 탈수와 화상으로 혈장이 부족한 경우
③ 알부민은 혈액의 삼투압을 유지하여 부종을 막는 역할을 하므로 수술로, 혈액손실로 알부민이 부족한 경우 주입
④ 혈소판 수가 낮은 경우
⑤ 혈량은 정상이나 적혈구 수가 부족한 경우

29. 정답 | ① 기출

수혈 시 이상반응

; 용혈 반응, 알레르기 반응, 공기색전증, 오한, 호흡곤란, 두드러기, 소변량 감소, 발열, 혈압 하강, 맥박 수의 증가, 두통, 혈뇨 등
• 수혈 시 이상반응이 발견되면 즉시 수혈을 중지하고 즉시 간호사나 의사에게 보고한다.
② 수혈세트를 교체하는 상황은 수혈 시 이상반응과 관련이 없다.
③ 온도 상승 시 용혈이 발생할 수 있으므로 주의한다.
④ 임상병리 검사실보다 즉시 간호나 의사에게 보고가 우선적인 처치이다.
⑤ 수혈할 때 생리식염수 사용: 수액세트를 채울 때 / 수혈이 끝나고 튜브에 남아 있는 혈액을 집어넣을 때 / 수혈 부작용 시 정맥 확보를 위해 사용한다.

30. 정답 | ③

수혈 시 주의사항

- 수혈: 정맥 내로 혈액 성분제재나(혈소판, 적혈구, 혈장) 전혈을 주입하는 것

나: 용혈반응(부작용)을 피하기 위해 교차시험 검사를 실시한다.

라: 수혈반응이 첫 15분에 발생할 가능성이 높으므로 수혈 후 첫 15분은 대상자 옆에서 관찰하는 것이 중요하다.

- 부작용(발열, 두드러기, 쇼크증상)과 혈압, 호흡, 맥박, 활력징후를 체크한다.
- 쇼크 증상: 창백, 식은땀, 허탈, 혈압저하, 맥박증가, 호흡부전, 정신불안 및 흥분, 의식수준저하 등

마: 부작용 시 즉시 중단하고 의사에게 보고 후 쇼크와 체온을 사정하기 위해 15분마다 활력징후를 측정한다.

가: 수혈 시 부작용이 나타나면 즉시 중단 후 의사에게 보고한다.

다: 18~20 G 바늘을 사용하는데(혈액의 점성 때문), 이는 적혈구의 용혈(파괴되는 것)을 방지하기 위함이다 (바늘의 크기인 게이지는 숫자에 반비례 함 → 게이지가 작을수록 바늘구멍이 굵고 길다. 보통 주사바늘은 21~23 G를 사용).

제3장 | 임종(호스피스 간호)

31. 정답 | ②

호스피스 간호의 목적

- 호스피스: 죽음을 앞둔 말기 질환자와 그 가족을 돌보는 행위로서 대상자가 남은 인생 동안 인간으로서 존엄성과 삶의 질을 유지하면서 평안하게 임종을 맞이하도록 신체적·정서적·사회적·영적으로 도우며, 사별가족의 고통과 슬픔을 경감시키기 위한 총체적 돌봄을 의미한다.
② 치료는 해당되지 않는다.

32. 정답 | ① 기출

호스피스 간호의 목적

; 환자, 가족, 친구들의 대한 사회적·정서적·영적인 지지를 한다.

②, ④ 호스피스란 임종을 앞둔 사람과 그의 가족이 죽음을 자연스럽게 수용할 수 있도록 돌보는 과정을 말한다.

③ 호스피스의 기본원칙은 환자의 다각적 간호 요구에 응할 수 있도록 한다.

⑤ 환자의 요구 등을 고려한 환경과 존엄한 죽음을 맞이할 수 있도록 사회적 지지를 한다.

33. 정답 | ⑤

임종 간호

- 돕는 관계를 계속 유지하기 위해 환자의 말에 관심을 보이며 잘 경청한다.

34. 정답 | ②

임종 간호

- 청각이 가장 마지막까지 남아 있으므로 말을 주의해야 한다.

35. 정답 | ④ 기출

임종 간호

; 최후의 순간까지 환자의 요구를 충족시키려는 노력과 함께 환자 스스로 자신의 죽음에 대해 긍정적으로 수용할 수 있도록 도와주는 것으로 환자와 함께 있어주고 경청하고 공감해 주는 것이 기본적인 간호

① 임종을 앞둔 환자는 독방을 주어 개인성을 유지하되 혼자 있게 하지 않는다.

② 주위의 소음을 줄이고, 분명한 발음과 조금 낮은 어조로 환자의 시야 내에서 소통하도록 하며 천천히 또박또박 말하도록 한다.

③ 26 ℃ 이상의 높은 실내 온도는 에너지 소모량을 증가시키고 혈관을 이완시키므로 병실환경을 적당한 온도 (20~22 ℃)를 유지하도록 한다.

⑤ 시력이 약해질 수 있으므로 텔레비전 시정이나 책읽기가 어려워질 수 있다.

36. 정답 | ④

임종 증상

• 근육 긴장도 감소로 위장관의 기능 감소 → 계속되는 오심, 가스 축적, 복부팽만 등
① 사지의 반점과 청색증, 발부터 시작하여 점차 피부가 차가워짐 등
② 시야가 흐려지고 미각과 후각 상실
③ 맥박: 약해지고 감소, 혈압강하, 호흡: 빠르고 불규칙, 체인스톡성 호흡 등
⑤ 얼굴 근육의 이완, 연하곤란, 구토반사 소실, 실금, 신체 움직임 감소 등

37. 정답 | ②

임종환자 사후처치

; 사망한 대상자의 외모를 단정하고 편안하게 보존하기 위함이다.

• 사후강직이 오기 전에 자연스런 얼굴 모습을 위해 제거했던 의치를 끼운다.
• 사후강직: 사망한 지 1~2시간 후에 신체가 경직되는 것을 말한다.
① 자연스런 모습을 만들기 위해 눈을 감긴다.
③ 사후강직이 오기 전에 사체를 자연스럽고 편안하게 보이도록 반듯이 눕힌다.
④ 항문, 코, 입, 귀, 질 등을 솜으로 막는다.
⑤ 괄약근의 이완으로 대·소변이 배출될 수 있다.

38. 정답 | ④

사후처치 간호기록

; 사망 전 대상자 상태, 사망시간, 담당의사, 처치해 준 내용, 사체운반 시간 등
④ 보호자 도착시간은 기록하지 않는다.

PART

05

실전 모의고사

파워 간호조무사 **국가시험 정답 및 해설**

제1회 **모의고사**
제2회 **모의고사**

제1회 실전 모의고사

01. 정답 | ④

주의의무태만

; 업무능력이 있는 사람이 주의해야 할 의무를 다하지 않음으로써 남에게 손해를 입게 하는 행위

→ 환자가 상해, 사망 또는 건강상의 변화 등 예기치 않은 부정적 결과가 발생하는 것

① 고도화된 전문직업인이 유해한 결과가 발생되도록 정신 집중을 태만히 하는 행위

② 고의 또는 과실에 의한 행위로 남에게 해를 끼치는 행위

③ 특수한 업무를 수행하다가 저지른 과실로 합리적이고 철저한 행위의 실패로 인하여 초래되는 손해를 포함

⑤ 의료인이 위험성 있는 의료행위를 시행하기 전에 환자로부터 동의를 얻지 않고 시행한 의료행위

02. 정답 | ①

사례별 대응방법

- 환자에게 검사의 결과는 간호사에게 문의하도록 말해 주고, 그 상황을 간호사에게 보고한다.

03. 정답 | ③

병원물품관리

- 병원에서 사용한 물품은 의료폐기물처리 절차에 따라 물품을 관리한다.

나: 일반 의료폐기물 – 검은색(생물재해표시의 색상), 탈지면(혈액, 체액, 분비물, 배설물이 함유된 솜), 붕대, 거즈, 일회용 주사기, 수액세트, 일회용 기저귀, 생리대가 포함된다.

가: 고막 체온계의 탐침 커버는 매 환자 사용 시마다 교환한다(1회용 사용).

다: 더운물주머니는 고무로 햇볕에 약하므로 그늘에 말려서 공기를 넣어 보관한다.

04. 성납 | ②

혈소판 – 혈액응고

① 백혈구: 식균 작용, 적혈구: 산소운반

③ 혈청은 혈장성분 중 혈액응고작용을 하는 피브리노겐을 제외한 성분

④ 혈장은 90%가 수분, 6~8% 단백질, 3% 기타

⑤ 백혈구: 과립백혈구(호중구, 호산구, 호염구) / 무과립백혈구(림프구, 단핵구)

05. 정답 | ③

췌장의 소화효소

- 췌장에서 분비되는 지방 소화효소(지방 → 글리세롤과 지방산)

① 위에서 분비되는 단백질 소화효소(단백질 → 펩신)

② 췌장에서 분비되는 단백질 소화효소(단백질 → 아미

노산)

④ 전분이 포도당으로 전환되는 과정의 중간물질

⑤ 췌장에서 분비되는 탄수화물 소화효소(전분 → 말토스(맥아당)

06. 정답 | ⑤

갑상샘호르몬

; 요오드, 단백질, 비타민 등이 필요한 물질인데, 특히 요오드는 갑상선 호르몬을 합성하는데 기본 물질이다. 미역, 다시마 등 해조류에 많다.

07. 정답 | ④

교감신경

; 말초혈관을 수축해 혈압을 높인다.

① 상황 판단 위해 동공은 확대된다.

② 기관지는 확장되고 호흡수는 증가한다.

③ 교감신경은 신체가 응급 상황 시 재빨리 반응할 수 있도록 돕는 자율신경 심박동수와 수축력이 증가하여 순환을 돕는다.

⑤ 응급 상황 시 소화샘, 연동운동을 억제한다.

08. 정답 | ⑤ 기출

약물의 부작용

- 스트렙토마이신(SM)과 가나마이신(KM)은 제8뇌신경(청신경)손상의 부작용이 있다.

① 광범위 항균제의 부작용

③ 1차 결핵약 이소나이아지드(INAH)의 부작용

09. 정답 | ②

철분제

- 빈혈의 치료에 사용되는 철분제는 치아를 검게 착색하므로 빨대를 구강 깊이 삽입한 후 투여하고, 입안에 오래 머금고 있지 않도록 한다(위장관 자극감소 위하여 식후에 투여).

① 진정제: 긴장 감소, 불안 제거, 감정을 평온한 상태로 유지 시켜주려는 약물

③ 진통제: 통증을 완화, 소실시키는 약물로 중추신경에 작용해 의식 소실 없이 진통작용에만 작용(몰핀)

④ 항생제: 감염성 질환을 치료하기 위해 미생물의 발육을 억제하거나 사멸시키는 약물(페니실린)

⑤ 진해제: 심한기침과 마른기침의 조절에 사용: 마약성(코데인)과 비마약성(코푸시럽)

10. 정답 | ①

약품의 관리

가, 다: 판독할 수 없는 라벨약은 약명을 정확히 확인할 수 없으므로 사용을 금지한다.

나: 한번 공기 중에 노출된 약은 본래 약병에 다시 넣지 않는다.

라: 별도 장소에 이중 잠금 장치, 반드시 열쇠로 잠그고, 항상 수량을 확인하고, 책임간호사가 보관한다.

마: 체온으로 용해, 흡수되는 삽입제로 상온에 보관한다.

11. 정답 | ④

요오드

- 갑상선 기능 유지
- 결핍 시 갑상선 장애(갑상선 부종, 크레틴병 등) 유발, 특히 임산부에게 필요

12. 정답 | ②

부종 환자의 식이

- 염분(소디움=나트륨): 신장에 부담 → 수분축적을 초래 → 혈액내 노폐물 축적 → 소변량 감소
- 부종과 고혈압, 수분과 전해질 불균형을 나타내므로 염분 제한

13. 정답 | ②

영구치의 맹출시기

- 가장 마지막 치아: 사랑니(=지치=제3대구치)

① 송곳니(견치): 음식이나 물건을 찢는 역할

③ 제1대구치: 6세 구치

④ 제2대구치: 12세 구치

⑤ 하악 유중절치: 6~10개월에 맹출하여 6~7세에 탈락

14. 정답 | ⑤
기구전달 방법
- 오른손 진료 시 간호조무사의 진공흡입기도 오른손으로 잡고 조정한다.
① 치아를 갈아 내기 위해 사용하는 기구로 저속, 고속 핸드피스 사용
② 간호조무사 의자가 조금 높아야 함: 진공흡입기 사용 시 시야가 확보되기 때문 → 의사의 의자는 보조자의 의자보다 10~15 cm 정도 낮게 조절
③ 기구는 좌측에서 우측으로 배열
④ 국소마취는 환자가 통증을 느끼지 않고 치료를 받는 데 필요하며 의사가 실시

15. 정답 | ①
맥진
: 전승의학의 여러 진단법 중 가장 우위를 차지하고 경락의 허실을 파악하기 위해 결정적인 역할을 하는 진단법
② 망진: 환자의 정신상태, 색, 모양, 자세와 움직이는 모습을 관찰(시진)
③ 문진(聞診): 환자의 목소리, 숨소리, 기침소리를 듣는 것과 몸의 배설물의 냄새를 맡고 병을 판별하는 것 / 문진(問診): 환자가 호소하는 자각증상을 물어보는 것
④ 절진: 맥을 보는 절맥
⑤ 안진: 부위를 눌러 보는 방법

16. 정답 | ③
침 시술을 받은 환자의 간호
- 침구법: 침, 뜸, 부항 등으로 혈자리를 자극하는 치료법
가: 출혈 양이 적거나 푸른 반점만 생긴 경우는 자연히 없어지나 청색으로 붓고 동통, 활동이 불편한 경우에는 알코올 솜으로 지혈시켜야 한다.
다: 발침 시에는 소독한 솜으로 침 맞는 주위를 누른다.

17. 정답 | ③
치료적 의사소통(경청)
: 환자와 대면하여 눈을 마주치고, 개방적이고 집중하는 태도로 적절한 반응을 보여준다.

18. 정답 | ④
객담분비 환자의 간호
- 저산소혈증 환자는 죽을 것 같은 느낌과 불안감이 있으므로 환자를 안심시키는 적절한 방법을 사용(설명, 적절한 정보제공, 불안 표현)
① 기도를 건조하지 않게 수분섭취를 격려하여 호흡기 분비물을 묽게 만든다.
② 찬 공기는 기도를 자극하고 수축하여 악화시킬 수 있으므로 차지 않게 한다.
③ 호흡곤란이 있으므로 구강체온계를 사용하지 말고 고막체온계를 사용한다.
⑤ 호흡곤란 시 상체를 올린체위는 호흡을 편하게 한다.

19. 정답 | ④
슬흉위
: 산후운동, 자궁위치교정, 월경통 완화, 직장경 검사 시
① 측위: 등마사지, 기관부비물의 배출, 체위변경 시
② 복위: 등근육 휴식 시, 구강분비물 배액촉진
③ 쇄석위(절석위): 방광경, 질 검사, 직장 검사, 회음부 검사
⑤ 골반고위(트렌델렌버그위): 상복부 검사, 쇼크치료 시

20. 정답 | ④
맥박측정부위
- 관상동맥: 심장에 산소와 영양을 공급하는 동맥
- 맥박 촉지가 불가능한 동맥: 대동맥, 폐동맥, 관상동맥.
- 맥박 측정 부위: 큰 동맥이 지나가는 신체 부위를 압박함으로써 촉지한다.
① 경동맥: 목 좌우 양측에 위치
② 상완동맥: 팔꿈치 양쪽에 위치(상박 동맥)
③ 측두동맥: 귀의 앞쪽에 위치

⑤ 요골동맥: 손목 양쪽에 위치(가장 보편적인 맥박측정 동맥)

21. 정답 | ④
섭취량과 배설량의 측정
- 총섭취량은 경구, 비경구(수액)섭취량을 모두 포함한다.
- ①, ③, ⑤ 총배설량은 체외로 배출된 모든 형태의 수분으로 소변, 구토, 설사, 땀, 상처배액량(젖은드레싱)이 포함된다: 정상 대변은 포함되지 않는다.

22. 정답 | ④
목발보행 방법
- 4점 보행(가장 안전): 두 다리에 체중 지탱이 가능한 경우
- 오른 목발 → 왼발 → 왼 목발 → 오른발 순으로 나간다.
- 3점 보행 (한 다리만 불완전): 한 다리만 체중 지탱이 가능한 경우
- 양쪽 목발과 불편한 발 → 정상 발이 나간다.
- 2점 보행: 두 다리에 체중 지탱이 가능한 경우, 4점 보행보다 빠르다.
- 오른 목발, 왼발(동시에 나가고) → 왼 목발, 오른발 동시에 나간다.
- 그네보행: 한 발만 체중 지탱이 가능한 경우
- 양쪽발의 체중부하가 불가능 시, 양쪽 목발이 먼저 나가고 허약한 두 발이 그 다음에 나간다.

23. 정답 | ②
활력징후의 특징
- 혈압: 나이 많을수록, 운동, 스트레스 시 증가. 약물. 열. 통증. 출혈 등과 관계있다.
① 호흡(18회):맥박(72회)=1:4
③ 호흡: 유아>성인, 노인은 변화가 없다.
④ 맥박: 소아>성인, 노인 – 거의 변화가 없거나 약간 감소한다.
⑤ 호흡수가 증가 시 맥박수도 증가한다.

24. 정답 | ①
일회처방
; 약물을 특정시간에 한 번만 투여하라는 처방
　　⒠ⓧ) 아나필락틱쇼크 및 반응 후 에피네프린과 항히스타민 투여
② 즉시처방: 처방이 내려진 즉시 1회 투여하는 처방
③ 정규처방: 약물투여를 중단하라는 처방이 내려질 때까지 계속 수행되는 처방
④ 구두처방: 응급상황에서 내는 처방으로 법적효력이 없으므로 24시간 내에 서명처방을 받는다.
⑤ 필요 시 처방: 간호자가 필요하다고 판단되는 경우 투약할 수 있는 처방

25. 정답 | ④
욕창 간호
- 욕창: 뼈 돌출된 피부 → 지속적인 압력 → 혈액순환 장애 → 조직손상(발적, 피부 벗겨짐, 궤양 등)
- 똑바로 누워 있을 때 닿는 곳은 두부 후면(머리) → 견갑골(어깨) → 팔꿈치 → 천골, 미골(엉덩이) → 발꿈치

26. 정답 | ②
과도호흡
- 혈액 속에 이산화탄소가 증가하면(산소부족하므로) 호흡중추를 자극해서 호흡수를 증가시킨다.

27. 정답 | ②
관장용액 주입 시 주의사항
- 심호흡을 유도하거나 관장체위 변경, 관장통의 높이 등으로 복통이 어느 정도 해소될 수 있으나 대상자가 심한 복통을 호소하는 경우는 일시적으로 주입을 중단하도록 한다. → 직장관을 강제로 밀어 넣으면 장벽에 손상을 줄 수 있기 때문

28. 정답 | ①
피내주사
; 질병의 진단 및 알러지 반응검사, 튜베르클린반응검사(결핵진단) 시 사용

29. 정답 | ⑤

안과수술 환자의 간호

- 수술 부위의 손상 예방을 위한 간호로 눈의 안정을 취하기 위해 안대와 보호가리개로 안구운동을 감소시킨다.
- 수술 초기 통증은 안압상승이나 출혈을 의미하므로 의사에게 보고한다.

30. 정답 | ②

격리병동에서의 감염예방

: 미생물의 확산을 예방하기 위해 손에 일시적으로 묻은 먼지나 단기균을 제거하는 것

가: 손 씻기를 마친 후 손의 오염방지를 위해 수도꼭지를 타월로 싸서 잠근다.

나: 분비물 접촉으로 인한 감염예방을 위해 고무커버를 사용한다.

다: 오염물질을 안전하게 처리하여 주변 환경오염방지를 위해 이중 포장한다.

라: 격리실 안(병실 안, 오염구역) 걸 때는 외면(오염부위)이 밖(겉)으로 나오게 건다.

마: 내과적 무균술이 적용되는 격리병동에서 손씻기는 손끝이 팔꿈치보다 낮게 한다.

- 매번 손 위생이 필요한 상황
  - 환자와 접촉 전과 후
  - 장갑을 벗은 후
  - 환자의 주변 환경 접촉 후
  - 투약과 음식 준비 전
  - 치료적 행위 시행 전 등

31. 정답 | ⑤

심부전 환자의 간호

- 심부전은 심근에 산소공급이 원활하지 못할 경우 심근의 수축력이 감소한다.
- 안정으로 심박동수가 감소되면 심장의 부담이 감소되고 조직의 산소 소모율이 높아진다.

32. 정답 | ⑤

빈혈 환자의 간호

- 산소 운반하는 헤모글로빈이 부족하면 → 산소량 증가시켜 산소포화도를 유지하여 호흡곤란을 감소시킨다.
- ① 빈혈환자는 적혈구수가 적으나 혈량은 거의 정상이므로 혈액을 수혈하면 순환혈액량이 증가되고 폐부종이 생길 수 있으므로 증상이 없는 사람에게는 수혈하지 않는다.
- ② 빈혈은 적혈구수, 헤모글로빈 수치, 헤마토크릿치 수가 감소되는 질환이다.
- ③ 헤모글로빈 수치가 낮으면 허약감과 피로감을 느끼므로 휴식도 해야 한다.
- ④ 순환 산소량이 증가해야 한다(적혈구 부족을 의미하므로).

33. 정답 | ②

성인 1일 소변배출량

- 정상 성인의 1일 소변배출량: 1일 1,000 cc~2,000 cc
- 시간당 소변량: 50~60 cc
- 1일 600 cc 이하, 시간당 50 cc 이하 시 보고

34. 정답 | ⑤

재활의 목적

- 재활: 신체적, 정신적, 사회적, 정신적, 직업적, 경제적 능력을 가능한 최상의 상태로 되돌려 놓은 것

35. 정답 | ①

당뇨병 환자의 간호

- 발톱은 양쪽 끝을 둥글게 하지 말고(양쪽 발톱모서리 부분이 살을 파고들면서 상처가 생길 수 있으므로) 직선으로 다듬어야 한다.
- ② 티눈이나 각질 제거 시 상처가 생기면 손상 받은 조직에 산소공급이 제대로 되지 않아 감염이 생겨 절단할 수 있다.
- ③ 하지의 혈액순환이 불충분하여 괴저가 잘생기고 상처 또한 낫지 않아 잘 맞는 신발 신을 것

④ 앞이 트인 신발 신는 것은 상처가 쉽게 생길 수 있으므로 금한다.

⑤ 뜨거운 것의 접촉으로 연조직의 상처가 생겨 발 궤양을 일으킬 수 있다.

36. 정답 | ③

의식수준 분류

- 의식수준: 명료 → 졸린상태 → 착란 → 혼미 → 반혼수 → 혼수
- 혼미: 큰 소리에만 반응하고 꼬집으면 그 곳으로 손이 간다. 반혼수는 해로운 자극에 찡그리거나 피하려는 반사반응이 나타난다. 자발적 움직임은 없다.
① 졸린 상태=기면: 소리 지르면 눈떴다가 잠든 상태
② 명료: 자신과 주변 환경에 반응하며 깨어있는 상태
④ 혼수: 어떠한 자극에도 전혀 반응이 없는 상태
⑤ 착란: 지남력 장애 부적합한 행동을 하거나 말하는 상태

37. 정답 | ⑤

유방절제술 환자의 간호

- 재활은 빠르면 빠를수록 좋다. 가능한 수술 후 조기에 팔 운동하게 하여 관절의 기능과 순환을 유지하게 한다.

38. 정답 | ④

급속이동증후군 예방법

- 음식물이 급속히 이동하므로 천천히 내려가도록 소량씩 자주 줄 것
① 위관영양투입은 액체이므로 안 된다.
② 한 번에 많은 음식은 이동속도를 빠르게 한다.
③ 소화제 복용 시 더 빨리 이동한다.
⑤ 식사 중 수분 제한하고 저탄수화물, 고지방, 고단백식이 줄 것

39. 정답 | ④

신생아의 활력증상

- 체온: 36.5~37 ℃, 호흡: 35~50회/분, 맥박:

120~140회/분, 평균 혈압: 70/40 mmHg

40. 정답 | ⑤

DPT 예방접종

- DPT: 디프테리아(Diphtheria), 백일해(Pertussis), 파상풍(Tetanus)
- 생후 2, 4, 6개월이 기본접종 / 추가접종은 4~6세에 실시
① MMR → 홍역, 볼거리(유행성이하선염), 풍진 12~15개월에 접종
② B형 간염 → 출생 후 가장 먼저 시행해야 하는 예방접종(출생 2일 사이 접종: 3회 기본 접종함)
③ BCG (결핵 예방 접종약)으로 생후 0~4주내에 접종
④ 경구용 소아마비 백신은 부작용으로 04년 11월부터 주사용만 사용
- 생후 24개월까지 실시할 예방 접종
  B형 간염 → BCG (결핵) → 소아마비, DPT → MMR (홍역, 볼거리, 풍진) → 일본뇌염

41. 정답 | ①

신생아 임균성 안염 예방

: 1% AgNO₃ (질산은)액을 점안하고 곧 생리식염수로 세척

42. 정답 | ④

미숙아 간호

- 미숙아의 특징: 매우 작고 야윈 외모, 신체에 비해 머리가 크다.
① 손·발바닥의 주름이 적거나 없고, 귀 연골의 발달이 미약
② 체온조절능력 저하와 빈번한 무호흡, 파악반사, 빠는 반사, 연하반사가 없거나 미약
③ 솜털이 과다하고, 가늘고 솜털 같은 머리카락
⑤ 태지는 거의 없고, 여아는 음핵 돌출, 남아는 음낭 발달 미약, 고환이 하강되지 않는다.

43. 정답 | ⑤

수두 환아의 간호

- 수두바이러스에 의한 비말감염, 감염자의 기도 분비물, 수포 내용물에 의한 감염
- 긁지 않도록 장갑을 끼우고 손톱을 짧게 깎아 2차 감염과 합병증 예방(괴저, 단독 등)
① 2차 감염예방 위해 항생제 투여
② 격리: 발진 1일 전(전구기)부터 첫 수포 출현 6일 후 가피가 형성될 때까지 일주일 정도
③ 발진부위를 마사지하거나 긁어 2차 감염되지 않도록 주의
④ 비누 사용하지 않은 차가운 스펀지 목욕, 전분목욕, 칼라민 로션 도포(소양증 완화)

44. 정답 | ④

골절환자의 응급처치

- 골절: 뼈가 부러진 상태
- 가장 중요: 추가 손상 방지를 위해 부목을 댄 후에 환자를 옮기거나 움직이게 해야 한다(복합골절 예방).
- 골절 시 응급처치의 기본 원칙: 안정, 고정, 냉찜질, 골절 부위 상승

45. 정답 | ④

기도폐쇄환자의 응급처치

- 의식이 있을 때 → 기침을 하도록 하거나 환자의 양쪽 견갑골 사이를 4번 정도 친다.
- 무의식일 때 → 환자를 앙와위로 눕히고 환자의 복부에 처치자의 손을 올린 다음 환자의 복부를 빠르게 위로 밀어 올린다.
① 자발적 호흡이 없을 때 구강 내 이물질 유무 확인 후 실시한다.
② 기도 흡인으로 인한 질식 증상을 더욱 악화시킬 수 있다.
③ 기도흡인 방지 자세

46. 정답 | ②

응급처치 우선순위

- 응급처치 시 우선순위: 대량출혈, 심정지, 호흡정지 환자가 1순위
- 얼굴, 가슴, 목 부위의 부상은 호흡을 방해할 수 있으므로 우선순위가 높다.
- 응급처치 4단계: 기도유지 → 지혈 → 쇼크예방 → 감염예방

47. 정답 | ③

보건교육의 목적

- 지역사회 전 주민에게 보건교육을 통해 건강을 위한 지식, 태도, 실천에 영향을 주는 것으로 스스로 자신의 건강을 관리할 능력을 갖도록 하는 것이 보건교육의 목적이다.

48. 정답 | ⑤

보건교육의 평가시기

- 보건교육의 평가는 사업 마무리 단계에서만 시행되는 것이 아니라 계획과 진행, 결과의 전 과정에서 이루어져야 한다.
① 계획수립 이전: 절대평가
② 계획수립 시: 진단평가(사전평가)
③ 교육진행 중: 형성평가
④ 마무리 단계: 총괄평가(총합평가)

49. 정답 | ⑤

유병율

; 어떤 집단 내에서 한 시점 또는 일정기간 동안 특정 질병에 이환되어 있는 환자 수가 얼마 인지를 나타내 주는 것

- 질병의 관리 대책을 세우는 중요한 자료

① 질병발생율 $= \dfrac{\text{같은 기간 동안 새로 발생한 환자 수}}{\text{일정기간 위험에 폭로된 인구수}} \times 1,000$

③ 발병율 $= \dfrac{\text{같은 기간 동안의 발병자 수}}{\text{일정기간 위험에 폭로된 인구수}} \times 1,000$

50. 정답 | ⑤

보건간호 내용의 기록 중요성

- 사업의 계획, 진행, 성과를 분석하고 재계획 시 중복을 피하기 위함
- 환자와 가족의 계속적인 간호를 위해
- 가족간호에 있어서 부수적인 조력여하를 결정하기 위함

51. 정답 | ③

의료급여

; 보험료 부담능력이 없는 사람들을 위해 공적부조방식으로 의료를 보장하는 구빈제도
① 사회보험: 의료와 소득을 보장하는 제도
  - 소득보장: 산업재해보험, 국민연금보험, 고용보험
  - 의료보장: 국민건강보험, 산업재해보험
② 건강보험: 갑작스런 질병과 부상에 대해 국가가 보험제도를 활용해 강제성을 가지고 보호하기 위한 제도
④ 민간사보험: 갑작스런 질병과 부상, 노동력 상실에 의한 소득감소 등에 대비해 여러 사람들이 모여 위험에 대한 부담을 조금씩 나누어 갖는 방식으로서 강제 가입의 적용을 받는 사회보험과는 달리 임의 성격을 띠는 것
⑤ 산업재해보험: 근로자의 업무상 재해에 대해 의료와 소득을 함께 보장하는 제도

52. 정답 | ③

보건의료전달체계의 목적

- 보건의료 수요자에게 적정한 의료 제공을 목적으로 적절한 시간과 때, 적절한 장소, 적절한 의료인에게 적정 진료를 효과적으로 받도록 하는 제도

53. 정답 | ⑤

행위별수가제

; 각각의 의료행위에 값을 정해 의료서비스를 제공하는 것
- 장점: 의사의 적극적인 서비스 제공 욕구, 새로운 의료기술의 도입과 연구개발 촉진 유인

- 단점: 의료인에 대한 과잉 진료 및 과잉 투약, 시설 및 장비에 대한 과잉투자, 치료 중심의 서비스에 치중, 국민 총 의료비의 증가
① 인두제: 방문당, 질병당, 사람당 일정액을 지불
- 장점: 개업의들의 지리적 분포 조정, 관리운영상 간편, 사전에 지출비용 예상 가능, 주민들에 대한 예방의료, 공중보건, 개인위생을 위해 노력
- 단점: 환자에 대한 과소진료, 의학기술 발달의 지연
② 봉급제: 일정 근무시간에 대해 정기적으로 같은 금액의 보수를 지불하는 것 → 1차 진료 의사에게 적용하는 지불 방식
③ 포괄수가제: 질병에 따라 미리 책정된 일정액을 진료비로 지급하는 제도
- 장점: 진료비 청구 및 심사업무 간소화로 과잉진료 억제, 입원 재원일수 단축
- 단점: 진료코드 조작을 통한 과잉진료, 예후가 불량한 질병군의 적극 진료 여부에 분쟁의 소지
④ 총액 계약제: 병원에 주는 급여비를 1년 단위로 한꺼번에 먼저 지급하는 것(일종의 선불제도)

54. 정답 | ⑤

보건소의 설치 기준

- 시·군·구: 지방보건 행정조직으로 지역보건법 규정에 의한 보건소 설치 기준
- 읍·면: 보건소의 하부조직으로, 보건지소의 설치 기준(보건소가 있는 읍·면은 설치 제외)
- 시·군·구청장이 주민의 보건의료를 위해 필요하다고 인정한 경우는 보건소가 있는 읍·면에도 설치 가능(인근보건지소를 통합해 운영할 수도 있음)

55. 정답 | ③

보건진료원

- 1980년 12월 「농어촌 특별법」에 의해 농어촌 벽·오지에 보건진료소에서 일차보건의료를 행하는 간호사나 조산사로서 일정한 직무 교육을 받은 자
① 보건교사: 학교 현장에서 학생 및 교직원의 건강관리, 보건교육, 환경위생관리, 보건실운영 등의 업무를 담당하는 학교보건 교육 관리자

② 보건관리사: 지역사회 간호사가 지역사회 내의 다양한 보건의료 서비스를 대상자의 요구와 관심을 파악하여 제공 → 가족을 관리·감독, 건강관리실 운영, 보건조직의 개발과 활용, 보건 팀의 인력배치 등

④ 전문 간호사: 간호사 면허 외에 보건복지부 장관으로부터 자격인정을 받은 전문 간호사 → 보건, 마취, 정신, 가정, 감염관리, 산업, 응급, 노인, 중환자, 호스피스, 종양, 임상, 아동

⑤ 가정 간호사: 가정에 있는 대상자와 가족의 건강을 회복, 유지, 증진할 수 있도록 돌보는 역할

56. 정답 | ⑤

기온역전현상

; 지상고도에 따라 기온이 상승하는 현상

• 상부의 온도가 하부의 온도보다 높을 때의 기온 변화

• 스모그 현상을 유발: 대기오염의 주범

• 바람 없이 맑은 날, 겨울밤, 눈·얼음이 지면을 덮을 경우 발생

57. 정답 | ②

용존산소량(DO)

; 수중에 녹아 있는 산소로 수질검사의 지표

• 용존산소 높다. → 깨끗한 물 → 물의 오염도가 낮다.

① 순수한 물: 용존산소 최대

③ 용존산소 낮다. → 더러운 물 → 물의 오염도가 높다.

④ 물의 오염도를 나타내는 지표

⑤ 5 ppm 이상: 생물 생존 가능

58. 정답 | ⑤

장염비브리오 식중독

• 원인 식품: 생선회, 어패류 생식 시

• 증상: 급성 위장염(복통, 설사, 구토증)

• 잠복기는 8~20시간 정도

• 여름철에 국한해서 발생(7~9월)

• 이 균은 열에 약하며 예후는 좋은 편

① 계란, 육류: 살모넬라 식중독

② 감자, 버섯: 감자(솔라닌), 버섯(무스카린)

③ 햄, 소시지: 장구균 식중독

④ 빵, 떡, 우유: 포도상구균 식중독

59. 정답 | ⑤

환경보호 대책

가: 직접 규제법 위반 시 행정상 강제조치나 형법상 제재를 가하는 방법

나, 다, 라, 마: 경제적 유인제도

60. 정답 | ④

작업환경관리의 기본원칙

; 대치, 격리, 환기, 교육

• 대치: 독성이 적은 물질로 대치(생산공정의 변경 또는 개선)

①, ② 희석, 환기: 작업장의 오염된 공기를 신선한 공기로 치환(펌프실, 탈의실, 휴게실)

③ 격리: 작업자와 유해인자 사이에 장벽을 설계하는 방법

⑤ 보호구 착용: 작업자를 보호하는 마지막 수단. 안전안경, 귀마개, 덮개

61. 정답 | ③

B형간염

• 혈액, 모유수유를 통한 구강경로, 성접촉(정액), 수혈, 오염된 주사기나 면도날에 의해서도 전파되거나 오염된 상처를 통해서도 발생

• 혈청성 간염은 의료진이 주사바늘을 통해 발생할 수 있는 전염병

62. 정답 | ③

하인리히(Heinrich) 법칙

; 한 사람의 휴업부상자(사망/중대사고, 0.3%)가 발생하였다고 하면 같은 원인으로 29명의 경미사고(8.8%)가 생기고, 또 같은 성질의 사고가 있으면서 무상해사고(90.9%)로 끝나는 것이 300건 있다고 한다.

63. 정답 | ⑤

장티푸스

- 감염원은 환자나 보균자의 대소변, 오염된 물과 음식물을 매개로한 간접 전파
- 수인성 전염병 장티푸스의 원인균은 살모넬라균
- 예방대책: 환경위생관리, 환자 및 보균자의 철저한 관리, 보건교육 및 예방접종의 강화가 필요

64. 정답 | ④

감염원 처리

: 감염병에 예방에 있어 환자나 보균자를 조기 발견하여 치료하는 것

65. 정답 | ②

인공능동면역

: 예방접종에 의해 획득한 면역

① 인공능동면역: 예방접종(백신, 톡소이드)후 획득한 면역
③ 인공수동면역: 회복기 환자 혈청주사후 면역, 치료목적으로 이용되며 접종즉시 효력이 생기는 반면 저항력이 약하고 효력의 지속시간이 짧다.
④ 자연수동면역: 태반 또는 모유에 의한 면역
⑤ 자연능동면역: 과거에 현성, 불현성 감염에 의해 획득한 면역

66. 정답 | ③

자궁내 장치

: 자궁내 장치를 넣어 정자와 난자를 못 만나게 하게나 수정됐더라도 수정란의 착상방지, 피임을 원하지 않을 경우 제거하면 다시 정상적으로 돌아오면서 임신 가능하여 터울 조절시 사용

① 질외사정: 남성이 사정하고자 할 때 질 내와 근처에 사정하지 않고 질에서 먼 외부에 사정하는 것
② 난관결찰술: 난관을 폐쇄하여 난자와 정자가 결합하는 것을 막는 피임법으로 영구적인 피임 방법
④ 경구용피임약: 배란억제 호르몬을 복용하여 배란 억제, 수유부에게 불가능

⑤ 월경주기법(오기노 방법): 월경주기를 이용하여 수태 가능한 기간을 피하는 자연피임법. 월경 주기가 규칙적이여야 가능

67. 정답 | ③

항아리형

: 출생률과 사망률이 모두 낮고 출생률이 사망률보다 낮아 인구가 감소하는 유형

- 0~14세 인구가 65세 이상 인구의 2배가 안 된다.
① 종형: 출생률과 사망률이 낮다, 보통 선진국형, 0~14세 인구가 65세 이상 인구의 2배와 같음으로 인구가 정지하는 유형
② 별형: 생산연령의 인구비율이 높은 도시형 15~64세 인구가 전체인구의 50% 차지
③ 호로형(농촌형)이 있다. 15~64세 인구가 전체인구의 50% 미만, 인구 유출형
⑤ 피라미드형: 출생률과 사망률이 모두 높다. 저개발국가 형, 0~14세 인구가 65세 이상 인구의 2배가 넘어 인구가 증가하는 유형

68. 정답 | ②

월경주기법

- 자연주기법으로 월경이 불규칙 시:
- 짧은 주기-18(금욕 시작해야 하는 첫날)=27-18=9일
- 긴 주기-11=31-11=20일
  그러므로, 월경 주기 9일째부터 20일까지 금욕기간이다.

69. 정답 | ⑤

모성사망률

- 모성사망률=임신, 분만, 산욕기 합병증으로 사망한 모성 수 / 일 년간의 출생자 수×100,000
- 한 국가의 기초보건 수준의 지표(세계보건기구) → 임산부의 산전, 산후 관리수준과 지역사회 의료전달체계, 사회경제적 수준 반영

70. 정답 | ①

지역사회보건 간호사업 과정(진단)

; 사정(자료 수집과 분석) → 진단(문제 확인) → 계획 →
수행(집행) → 평가 → 재계획

- 사정(자료 수집과 분석): 자료 수집과 분석을 통해 지역 사회를 진단하는 첫 단계

71. 정답 | ①

모자보건 대상자

- 광의: 초경에서 폐경까지의 모든 여성과 출생 후에서 사춘기에 이르는 남녀
- 협의: 임신 중이거나 분만 후 6개월 미만인 여성과 출생 후 6년 미만인 영유아

72. 정답 | ④

지역사회보건 간호사업

; 지역사회와 주민에 대한 충분한 자료조사가 선행되어야 정확한 진단과 우선순위가 결정되므로 가장 중요한 것은 보건실태 파악이다(주민의 교육수준, 경제상태, 전통관습, 주민의 관심사, 인구의 특성, 질병의 범위, 환경조건, 기타 의료기관의 시설 등).

73. 정답 | ⑤

보건소 건강관리실

- 같은 문제를 가진 대상자간 서로의 경험을 나누는 기회를 가져볼 수 있다.

74. 정답 | ④

지역사회보건 간호사업

- 개인의 질병보다는 가족전체에 영향 미치는 문제로 활동하므로 가족 전체의 요구를 우선적으로 고려한다.

75. 정답 | ⑤

보건소 간호조무사의 역할

- 주민의 불평을 효과적으로 해결하기 위해선 치료적

의사소통 기술인 라포와 경청, 공감이 형성되어야 가능하며, 이 중 무엇보다 공감을 바탕으로 한 긍정적 자세를 가지고 대상자의 말, 감정 변화, 행동양상까지 잘 들어주는 경청의 자세가 무엇보다 중요하다.

76. 정답 | ③

불소용액양치사업

주1회 하는 경우 불소용액: 0.2%, 매일하는 경우 불소용액: 0.05%

77. 정답 | ⑤

보건소 간호조무사의 역할

- 치료와 상담이 필요한 대상자 발견 시에는 의사나 간호사에게 의뢰(의뢰자 역할)
- 임신 4~5개월쯤 태반으로 감염되므로 → 임신 16~20주 이내 치료해야 한다.

78. 정답 | ②

1인 1회 채혈량

; 전혈채혈: 400 mL

- 다종성분채혈: 600 mL

⑤ 혈소판성분채혈: 400 mL

79. 정답 | ①

관할 보건소장

- 지방보건행정기관인 보건소가 결핵을 비롯한 감염의 관리 업무를 수행
- 관할보건소는 지방자치단체(시, 군, 구)의 보건행정업무를 일선에서 관리·책임지는 곳 → 결핵예방, 결핵환자의 조기발견 및 치료, 퇴치를 위한 결핵관리업무를 수행해야 할 의무를 가진다.

80. 정답 | ③

수정

; 난자와 정자가 만나 결합하는 현상

- 난관의 구성: 자궁 쪽부터 간질부, 협부(자궁외임신가 능성), 팽대부(수정), 난관채(난자 끌어당김)

81. 정답 | ①
산전관리
- 임신 전·중 및 분만 이후의 임신부의 안녕을 유지하고 자가 간호를 증진하고 모성사망률을 줄이기 위한 가장 좋은 방법
- 산전방문은 임신 28주까지는 1회/4주, 36주까지는 1회/2주, 37주부터 1회/1주
- 산전 진찰 시마다 임신성 고혈압의 유무를 알기 위해 혈압, 소변, 체중 검사 필수

82. 정답 | ①
산후유방관리
- 유두를 보호하는 피지를 닦아 내면 유두가 갈라지게 되어 유두균열이 생기므로 비누 사용하지 말 것
② 유방 마사지하기 전 온찜질하고 마사지하면 효과적이다.
③ 유방의 근상세포의 수축으로 유즙을 흐르게 하여 젖 분비를 촉진하는 것은 옥시토신이다.
④ 유두균열 시 일시적으로 수유를 중단하고 손이나 유축기로 짜낸다.
⑤ 수유를 금지하면 젖 생산이 중단된다.

83. 정답 | ⑤
임신의 확정적 징후
; 초음파(6주)와 방사선 촬영(12주)으로 태아확인 태아의 심박동(18~20주), 검사자의 태아 움직임(20주), 3개월부터 초음파로 태아심음 청취 가능

84. 정답 | ②
임부의 신체적 변화
- 잇몸은 에스트로겐 상승으로 쉽게 출혈이 일어난다.
① 질 분비물은 혈액의 증가로 증가한다.
③ 심박출량은 32~34주에 약 20~40% 크게 증가한다.

④ 임신 전 기간 동안 증대된 자궁이 방광을 압박하므로 요량이 증가한다.
⑤ 혈색소는 감소한다. 그래서 생리적 빈혈이 생긴다(임신2기와 3기에 백혈구는 증가함).

85. 정답 | ①
제왕절개술
- 산모의 복벽과 자궁벽을 절개하여 태아를 분만하는 외과적 수술방법
- 소변량 1일 400~500 ml 이하, 시간당 30 mL 이하 → 즉시 보고

86. 정답 | ④
혈청검사
- 산전 혈청검사는 매독검사를 위해 시행한다.
- 매독은 16주 이후 태반을 통해서 태아에게 감염되므로 16주 이전 치료할 것
① 소변검사: 비뇨기계통이나 전신 상태를 알 수 있는 방법으로 당뇨, 단백뇨, 혈뇨, 농뇨를 통해 질병의 유무를 발견한다.
② 임신 초기 3개월 이내 X-ray 촬영은 기형아 발생 원인이므로 금한다.
③ 대변 속에 혈액을 검사하는 잠혈 검사는 위장관 출혈 시에 하는 검사이다.
⑤ 간기능검사: 간의 기능 장애 시 검사함. 간염, 간경화 등

87. 정답 | ③
산욕기 오로
- 분만직후~3일: 적색오로 / 3~10일: 갈색오로 / 10일~3주: 백색오로
① 산모는 길고도 힘든 분만으로 에너지를 많이 소모하였기 때문에 편안한 휴식이 필요하지만 절대안정할 필요는 없고 조기이상(분만 후 8~24시간 내)으로 혈전증을 예방하고 산모의 회복을 빠르게 해야 한다.
② 통목욕은 자궁경부가 복구되는 4~6주 후에 가능하다.

④ 자궁근의 간헐적 수축으로 산후통은 분만 후 2~3일 정도 지속한다.

⑤ 수유는 자궁수축을 촉진시켜 자궁회복을 촉진한다.

88. 정답 | ④
임신 중 빈뇨

• 초기에 자궁아래에 방광이 위치하여 압박
• 말기에 아기의 머리가 진입하면서 방광을 압박

89. 정답 | ④
노인성 우울증

• 사랑하는 사람의 죽음 뒤 비통도 주요 우울장애 및 경중 우울의 중요한 위험요인이다.
① 여성노인에게 3배 정도 많다.
② 노인 우울 대상자 다소는 우울이 경감되면 가역적인 치매증후군을 나타낸다.
③ 약물요법과 정신요법(인지치료, 행동치료, 단기 정신역동적 치료)을 병용한다.
⑤ 피로감, 식욕결핍, 체중감소, 변비, 성적 흥미 감소, 자기비하, 죄책감, 무관심 등

90. 성납 | ④
노인성 치매

• 치매노인은 인지기능의 저하뿐만 아니라 언어장애까지 동반되므로 짧고 분명하며 익숙한 단어를 사용하고 간단한 문장으로 천천히 낮은 목소리로 부드럽게 이야기하며, 명령조로 애기해서는 안 된다.
• 치매: 뇌의 만성 또는 진행성 질병에 의해 발생하는 증후군으로, 기억력, 사고력, 이해력, 계산력, 학습능력, 언어 및 판단력 등을 포함하는 뇌 기능의 다발성 장애이다.
① 치매는 인지장애로 타인의 돌봄을 필요로 한다.
② 요실금이 있으므로 취침 전 수분 공급은 피한다.
③ 새로운 것이나 최근 기억이 현저히 감소하므로 한 번에 과다한 정보를 제한한다.
⑤ 새로운 환경은 지남력(시간, 장소, 사람)장애를 더 악화시키므로 피한다.

91. 정답 | ②
노인 운동

• 관절염의 경우는 관절을 압박하고 있는 중력의 효과(물의 부력효과)를 완화하도록 하는 수중 운동인 수영이 좋다(수영, 유산소운동). → 관절통, 심혈관계 질환, 비만, 폐질환 등에 적합하다.
① 유산소운동: 많은 양의 산소를 운반하고 인체의 큰 근육군을 움직이고 일정기간 특정수준의 강도를 유지하는 종류의 활동 → 조깅, 자전거타기, 수영, 춤 등
③ 통증이나 불구로 관절운동을 제한하거나 힘든 운동을 위한 준비 운동(등척성 운동)
④ 낙상을 예방하고 저하된 균형감각을 향상시킨다(균형운동).
⑤ 저항성을 강화해 근육군을 강화하기 위해 사용된다(등장성 운동).
   – 노인의 체력에 맞는 적정 운동을 선택해야 한다. → 주 3회, 1회 30분, 유산소운동이 효과적이다.

92. 정답 | ②
손목 억제대

• 무의식환자 고정, 정맥주사나 삽입된 튜브제거 우려 시 적용, 뼈 돌출부위에는 패드를 댄 후 사용한다.
① 매 2시간마다 30분간 억제대를 풀어 놓는다.
③ 대상자와 가족에게 적용 이유와 방법을 설명하여 흥분을 감소시킨다.
④ 대상자가 풀지 못하도록 침상난간이 아닌 침대틀에 묶는다.
⑤ 매듭을 당길 때 조여서는 안 되며, 응급시에는 쉽게 풀 수 있는 고리매듭을 사용한다.

93. 정답 | ④
수술 후 간호

• 심호흡운동은 폐확장과 용량을 증진시켜 흡입성 마취제와 점액 배출을 돕는다.

94. 정답 | ②

수술 후 위장관 튜브 환자의 간호

- 수술 후 위장관 삽입은 위장내용물, 가스로 생긴 압력을 완화하고 부종, 위운동 저하로 위장통과 분비물 제거하기 위해 삽입 → 장운동(가스배출)이 된 후에 제거한다.

95. 정답 | ⑤

흉강천자

- 늑막(=흉막=흉강)천자: 바늘을 늑막강 내로 삽입하여 액체나 공기를 제거하는 검사
- 검사 시 앉은 자세에서 시술 측의 팔과 어깨를 올려 늑골사이를 벌어지게 하여 바늘을 주입(5~6 늑간근 사이)
① 반좌위: 복수천자 시
③ 측위: 요추천자 시(새우등이 되도록 함)

96. 정답 | ⑤

고압증기멸균법

; 120 ℃로 20분간, 15파운드의 압력으로 고온, 고습, 고압을 이용해 짧은 시간에 아포 사멸, 외과적 기기(병원에서 가장 많이 사용, 이상적인 방법)
- 멸균: 아포를 포함한 모든 미생물을 사멸하는 멸균법
① 소각법: 결핵환자(감염병)객담소독(종이에 싸서), 가장 완전한 방법
② 저온살균법: 63 ℃로 30분 소독(우유, 예방주사약)
③ 여과멸균법: 혈청, 시약, 증류수 소독(바이러스는 파괴하지 못함)
④ 자비소독법 : 100 ℃로 10~20분 소독, 감염병 환자 식기소독(끓인 후 씻음), 우유병 소독
- E/O gas 멸균법: 열에 민감한 물품 멸균(도뇨관, 플라스틱제품, 내시경 등)
- 건열멸균법: 140 ℃로 3시간 또는 160 ℃로 1~2시간으로 미생물을 사멸(바세린거즈, 파우더 소독)

97. 정답 | ⑤

요추골절환자의 침상

② 입원환자마다 새로운 홑이불을 사용한다.
③ 감염병 환자 사망 시에는 소독(종말소독) 실시, 12시간 후에 새로운 환자를 받는다.
⑤ 물 컵은 다시 소독하여 다음 환자가 사용할 수 있게 한다.

98. 정답 | ⑤

체위성 저혈압 환자의 보조

- 혈압: 혈액이 혈관벽에 부딪힐 때 나타나는 힘으로 혈관의 저항은 중요한 요인
- 장기간 누워 있는 환자의 경우 자율신경계의 장애로 특히 상체를 올리면(체위) 하지의 혈액이 정체되고 뇌로 가는 혈류의 감소로 저혈압이 올 수 있고 그로 인해 어지러움을 느낄 수 있다(혈관수축, 이완).

99. 정답 | ①

수동적 관절범위운동

- 대상자가 독립적으로 움직일 수 없을 때 간호자가 관절의 강직과 경축을 방지하며 가동성 유지를 위해 움직여 주는 것으로 무리하게 움직여서는 안 된다.
② 압력을 골고루 주면서 다시 천천히 운동을 시작한다.
③ 우선 중단하고 근육을 풀어주고 근육이 이완되면 다시 운동을 계속한다.
④ 운동을 하지 않도록 한다.
⑤ 큰 근육에서 작은 근육들을 운동시킨다(운동은 천천히, 고르게, 조심스럽게 함).

100. 정답 | ②

금식환자의 음식 섭취 시 조치 방법

- 위장관 X-ray는 바륨(조영제)를 삼키면서 식도, 위, 십이지장의 통과 경로를 따라 촬영하는 검사이므로 먹었을 경우 연기해야 한다.

제2회 실전 모의고사

01. 정답 | ③

간호조무사의 업무와 한계

- 진료에 지장이 없도록 필요한 기구를 손질하고 소독한다.
① 의사의 업무(간호조무사는 환부드레싱에 필요한 물품을 준비할 수 있음)
② 간호사의 업무(간호조무사는 간호사의 지시 감독 하에 투약할 수 있음)
④ 검체를 받은 즉시 지시에 따라 검사실로 운반한다.
⑤ 환자의 병실 배정은 간호조무사의 업무가 아니다

02. 정답 | ②

병원환경관리

- 실내온도는 20~22 ℃를 유지한다(야간 18 ℃).
① 실내습도는 40~60%를 유지한다.
③ 먼지가 날릴 수 있으므로 먼지털이는 사용을 금지한다.
④ 불쾌한 냄새 제거를 위해 자주 환기시킨다.
⑤ 조명은 어둡거나 눈부심이 없는 간접조명이 좋고, 야간에는 대상자의 안전을 위해 완전 소등하면 안 되며 부분 조명을 켜 두어야 한다.

03. 정답 | ③

병실물품관리

- 일반의료폐기물: 탈지면, 붕대, 거즈, 일회용 주사기, 수액세트, 일회용 기저귀, 생리대 등
① 고무포는 둥근 막대기에 걸어서 말린다.
② 고막 체온계의 탐침 커버는 1회용을 사용한다.
④ 더운물 주머니는 고무로 햇볕에 약하므로 그늘에 말려서 공기를 넣어 보관한다.
⑤ 주사기에 묻은 혈액은 용혈제나 과산화수소수에 담근다.

04. 정답 | ③

감염병 환자의 물품관리

- 감염병 환자가 가지고 있던 물품은 감염방지를 위해 고압증기멸균법으로 소독하여 봉투에 넣어 보관한다.

05. 정답 | ②

혈소판 – 혈액응고

① 식균작용은 백혈구
③ 산소운반은 적혈구
④ 면역작용은 혈장 내 항체(글로블린)
⑤ 이산화탄소와 산소, 즉 가스운반은 적혈구

06. 정답 | ③

담즙

- 간에서 생성, 지방을 소화 흡수한다.
① 지방소화효소이며 췌장에서 분비되는 리파아제도 지방소화효소이다.
② 담즙은 지방 소화 효소이다.
④ 간에서 생성되어 담낭에 저장, 농축되며 지방을 소화한다.
⑤ 간에서 생성되어 십이지장으로 배설된다.

07. 정답 | ⑤

근육주사

- 페니실린 같은 항생제는 자극적인 약물이므로 근육주사 방법으로 투여한다.
- 피하주사 약물: 인슐린, 헤파린, 예방백신, 마약 등

08. 정답 | ②

디곡신

; 울혈성 심부전과 부정맥을 치료하는 데 효과적인 강심 배장체 약물
① 헤파린: 혈액 응고를 방지하는 약물
③ 모르핀: 마약성 진통제로 사용되는 약물
④ 에피네프린: 교감신경 흥분성 혈관수축제로 과민성 쇼크인 아나필락시스, 급성기관지경련 등에 사용되는 약물
⑤ 니트로글리세린: 협심증, 울혈성 심부전증 치료에 사용되는 강력한 평활근 이완제 약물

09. 정답 | ⑤

탄수화물

- 소장에서 포도당, 과당, 갈락토오스 등의 단당류로 흡수 → 문맥을 통하여 간으로 가서 글리코겐으로 전환 → 간과 근육에 저장, 과잉 섭취할 경우 지방으로 전환
- 특히 뇌세포는 포도당만을 영양원으로 사용하므로 뇌의 기능 유지를 위해서 필수적으로 섭취되어야 한다.

10. 정답 | ①

급속이동증후군(덤핑신드롬)

- 덤핑증후군: 음식물이 위액과 잘 섞이지 않은 채 고농도의 당질이나 전해질 음식물이 위에서 바로 소장으로 통과할 때 발생
- 식사보조방법: 고단백·고지방식으로 위에 음식물이 머무르도록 한다.
② 위를 천천히 비워야 하므로 소화제를 제공은 하지 않는다.
③ 횡와위로 식사하도록 돕는다.
④ 고탄수화물 식이를 제공한다.
⑤ 수분 섭취는 제한한다.

11. 정답 | ④

치아우식증의 예방

; 타액 점성 감소, 저작운동 증가, 타액 당질 감사, 타액 분비 증가, 적할한 불소 농도

12. 정답 | ⑤

치과진료실에서 간호조무사의 역할

; 진료기록부 기록, 진료기구 준비, 환자 안내, 진공흡입기 사용 등 진료보조의 업무
① 치석 제거: 치과위생사의 역할
② 충치 치료: 치과의사의 역할
③ 구강 마취: 치과의사의 역할
④ 치아 모형 제작: 치과의사 및 치과기공사의 역할
⑤ 진공흡입기 사용: 치과위생사 및 간호조무사의 역할

13. 정답 | ②

탕제

; 약물을 넣고 물을 부어 가열하여 성분을 삼출시키는 방법
① 산제: 마른 약재를 균등한 세말로 하여 체로 쳐서 고르게 혼합한 형태
③ 고제: 꿀이나 설탕 등의 보조물을 넣고 농축시킨 반유동의 상태
④ 주제: 약물을 알코올 용액이나 양조주 등에 담그고 유

효 성분을 삼출시켜 복용하는 것

⑤ 좌제: 환제나 정제를 만들어 질내 또는 항문에 삽입하여 치료하는 약물의 형태

14. 정답 | ④
구법(뜸)의 작용

- 유도작용: 아픈 부위를 직접 자극하지 않고, 경혈이나 뜸으로 자극, 혈관확장, 수축을 유도한다.
① 흥분작용: 지각신경, 운동신경, 자율신경이 약화, 저하되었을 때 해당조직의 기능을 활성화한다.
② 억제작용: 체표에 강한 자극으로 진통, 진정작용이 있다.
③ 반사작용: 기혈을 자극하여 내장, 혈관, 선, 기관에 반사되는 영향을 준다.
⑤ 면역작용: 항체를 만들어 저항력을 갖게 한다.

15. 정답 | ①
요추천자

- 요추천자 시 자세는 측위로 제3~4요추 사이 간격을 최대로 넓히기 위해 가능한 턱을 향해서 무릎을 붙이고 등을 구부린다(새우등 자세).
② 반좌위(파울러 체위); 호흡곤란, 배농관의 배액, 흉곽수술 후, 심장수술 후
③ 앙와위: 무의식환자 기도유지, 요추천자 후 두통 감소
④ 절석위(쇄석위): 방광경, 질검사, 직장검사, 회음부 검사
⑤ 배횡와위: 복부검사, 질검사, 여자의 인공도뇨 시, 신체검진 시

16. 정답 | ③
치료적 의사소통(반영)

; 환자가 이야기 한 것을 다시 말해 줌으로써 말한 사건에 동반하는 감정을 강조하는 것
① 거절: 비치료적 의사소통법으로 환자의 말에 반응하기보다 주제를 이동하여 환자의 문제에 민감하지 못한 것
② 조언: 비치료적 의사소통법으로 조언을 구할 경우 여

러 가지 대안을 제시함으로써 최종적인 선택은 환자가 하도록 하는 것이 좋다.
④ 자기 노출: 치료적 의사소통법으로 상담자 자신의 경험을 환자와 나누는 것이 유익하다고 믿을 때 일어난다.
⑤ 개방적 질문: 치료적 의사소통법으로 환자의 말문을 열게 하고, 환자가 원하는 제목을 선택하여 이야기를 시작하게 한다.

17. 정답 | ②
트렌델렌버그 체위

- 어지럼증을 호소하고 피부는 차고 축축하며, 혈압이 떨어진 증상은 쇼크증상으로, 쇼크 시에는 신체 하부의 혈액을 심장으로 모으기 위해 취해주는 트렌델렌버그 체위를 적용
① 고파울러씨 체위(90°), 반파울러씨 체위(30°), 파울러씨 체위(45°): 침대머리 부분을 적당히 올린 체위
③ 측형 잭-나이프 체위: 새우등자세로 요추 천자 시 제3~4요추사이 간격을 최대로 넓히기 위해 가능한 턱을 향하여 무릎을 붙이고 등을 굴곡 시킨 자세
④ 배형 잭-나이프 체위: 등 체위로 방광경 검사 시에 적절한 체위를 유지하기 위함
⑤ 복위: 등 근육의 휴식과 구강으로부터 분비물의 배액을 촉진하고 토물이 기도로 흡인되는 것을 방지

18. 정답 | ⑤
당뇨병 환자의 간호

- 당뇨환자는 피부를 깨끗하게 유지하고, 상처가 나면 잘 치유되지 않으므로 상처가 생기지 않도록 조심하고, 특히 발의 상태를 자주 체크하여 상처가 나지 않도록 주의한다.
① 당뇨병은 말초순환부전을 진전시킬 수 있으므로 발간호를 잘 해야 하고 다리의 혈액순환을 증진시키는 방법으로 간호해야 한다.
② 발이 건조하지 않도록 바셀린 연고나 보습제를 발라준다.
③ 티눈은 발견되면 병원치료를 하도록 한다.
④ 발을 보온하기 위한 뜨거운 열패드는 화상의 위험으

로 상처가 발생하기 쉽다.

19. 정답 | ②
간염 환자의 간호
- 바이러스가 원인이므로 예방접종을 실시하여 미리 예방하는 것이 중요(B형간염 백신접종)
① 성 접촉(정액)을 통한 감염예방을 위해 콘돔 사용
③ 혈액으로 인한 전염을 예방하기 위해 곡반은 개인별 사용 후 멸균 처리
④ 사용한 주사기 바늘에 뚜껑을 닫기 위해 찔리는 경우가 많으므로 주사기에서 바늘을 분리하여 손상성 폐기물 침통에 버린다.
⑤ 전염을 예방하기 위해 칫솔과 면도기는 개인별로 사용할 것(B형 간염 바이러스는 주로 혈액이나 체액을 통해 전파되므로)

20. 정답 | ①
고혈압 환자의 간호
- 지방과 콜레스테롤 제한은 고혈압 환자에게 도움을 준다.
② 포화지방의 섭취를 제한한다.
③ 냉탕과 온탕을 교대로 들어가는 것은 혈액압력이 높은 환자에게 좋지 않다.
④ 비만인 경우 체중을 감소시켜 혈압을 조절한다.
⑤ 정상혈압이라도 임의로 약물을 중단하지 않도록 한다.

21. 정답 | ⑤
백내장 환자의 간호
- 환측이 위로 가게 누워 수술부위에 대한 압박을 금지한다.
① 수술 부위에 보호용 안대를 착용한다.
② 수술한 눈의 안구운동을 최소화한다.
③ 무거운 물건을 잡을 때도 허리는 펴고 무릎을 구부리도록 한다.
④ 안압상승을 최소화하기 위해 기침 시 입을 벌리고 한다.

22. 정답 | ①
고관절 골절
; 대부분 넘어지면서 고관절부의 외측을 직접 부딪치면서 발생
- 외측 대퇴부와 서혜부에 심한 통증을 유발
② 척추 측만증: 척추가 비틀어지면서 옆으로 구부러지는 질환
③ 퇴행성 관절염: 관절의 연골이 손상되면서 국소적으로 퇴행성 변화가 나타나는 질환
④ 추간판 탈출증 (허리 디스크): 추간판이 돌출되어 요통 및 신경 증상을 유발하는 질환
⑤ 류머티스 관절염: 관절을 싸고 있는 얇은 막(활막)에 염증이 발생하는 질환

23. 정답 | ①
난소
; 배란이 일어나는 곳, 호르몬 분비기능(에스트로겐, 프로게스테론)
② 자궁: 태아가 발육하는 장소
③ 제대: 태아와 태반을 연결해주는 생명선
④ 질: 분만 시 산도, 월경 배출, 성교 시 음경을 받아드리는 통로
⑤ 난관: 난자를 난소로부터 자궁으로 운반하는 역할을 하며, 정자와 난자가 수정이 이루어지는 곳

24. 정답 | ⑤
회음부 삭모 실시
; 회음부 절개 부위의 감염을 예방하기 위해

25. 정답 | ①
산후유방관리
- 비누를 사용하면 유륜 피부를 건조시키므로 비누는 사용을 금지한다.
② 수유 전 온찜질, 수유 후 냉찜질이 도움이 될 수 있다.
③ 유두균열: 24~48시간 동안 수유를 금할 것
④ 3~4분씩 유방에 찬물 찜질 후 더운물 찜질을 하면

유즙분비가 잘 된다.
⑤ 상처가 나을 때까지 3시간마다 규칙적으로 젖을 짜내
분비가 중단되지 않게 한다.

26. 정답 | ③
신생아의 이행변

- 신생아는 태변을 다 본 후 생후 4일~2주 사이에 묽
은 점액을 포함하는 녹황색 변(이행변)을 나타낸다.

27. 정답 | ①
발작아동의 간호

- 발작 시 아동이 상처를 입지 않도록 안전한 환경을 제
공한다.
- 의복의 끈, 허리띠, 단추 등을 풀어 눕힌다.
- 혀를 깨물거나 기도가 막히는 것을 방지하기 위해 잘
관찰한다.

28. 정답 | ⑤
정신적 학대

: 아동의 건강 또는 복지를 해치거나 정상적 발달을 저해
할 수 있는 정신적 폭력이나 가혹행위

29. 정답 | ③
에릭슨의 심리사회적 발달

에릭슨의 심리사회적 발달	
영아기	신뢰감 대 불신감
유아기	자율성 대 수치감
학령 전기	자발성(주도성) 대 죄책감(죄의식)
학동기	근면성 대 열등감
청소년기	자아정체감 대 역할혼돈
성인 초기	친밀감 대 고립감
중년기	생산성 대 침체성
노년기	자아통합감 대 절망감

30. 정답 | ④
노인성 우울증

- 사랑하는 사람의 죽음 뒤 상실감도 주요 우울장애 및
경증 우울의 중요한 위험 요인
① 여성 노인에게 3배 정도 많이 발생
② 많은 노인 우울 대상자는 우울이 경감되면 가역적인
치매증후군을 나타낸다.
③ 우울증 치료는 약물요법과 정신요법을 병용한다.
⑤ 우울증이 심할 경우 피로감, 식욕감퇴, 체중감소, 수
면저하, 자기비하 등이 나타난다.

31. 정답 | ③
골관절염 환자의 간호

- 냉온요법, 마사지, 물리치료가 골관절염 치료에 도움
이 된다.
① 수영, 걷기, 체조 등 관절에 무리를 주지 않는 운동을
규칙적으로 한다.
② 관절에 부담을 주지 않도록 체중 조절하여 비만을 예
방한다.
④ 등산이나 계단 오르기 등은 관절에 무리를 줄 수 있
으니 제한한다.
⑤ 자세를 자주 바꿔주어 관절의 부담을 완화시킨다.

32. 정답 | ④
치매환자의 간호

- 치매환자가 당황하고 흥분되어 있음을 잘 이해하고
공감한다는 표현을 한다.
- 여유를 가지고 치매환자의 관심을 돌리도록 한다.
①, ②, ③, ⑤ 치매환자는 늘 관심을 갖고 보살펴야 하
며, 일상적인 생활에 대해 자상하게 설명하고 도와주
는 행동을 말로 표현하도록 한다.

33. 정답 | ④
염좌환자의 응급처치

- 염좌: 인대가 지나치게 늘어난 상태
- 우선적으로 냉찜질을 실시하여 부종과 통증을 완화
한다.

①, ③ 온습포나 마사지의 적용은 인대를 더욱 늘어나게 할 수 있으므로 금지한다.

② 다친 발목을 올려준다(부종 완화).

⑤ 염좌 부분을 안정시키기 위해 탄력붕대나 석고붕대를 감고 가급적 걷지 않도록 하고 보행 시 목발을 이용할 것

34. 정답 | ③

심폐소생술의 순서

- 환자의 반응확인: 어깨를 가볍게 두드리며 "여보세요, 괜찮으세요?"를 외친다.
- 119 신고: 환자의 의식이 없으면 큰 소리로 주변 사람에게 119 신고를 요청하고 자동 심장충격기를 가져오도록 부탁한다.
- 환자의 얼굴과 가슴을 10초 이내로 관찰하며, 호흡이 있는지를 확인한다.
- 가슴압박 실시: 압박 깊이 5 cm, 분당 100~120회
- 기도개방: 환자의 머리를 젖히고, 턱을 들어 올려서 기도를 개방한다.
- 인공호흡 실시: 환자의 코를 막은 다음, 환자의 가슴이 올라올 정도로 1초 동안 숨을 불어 넣는다.
- 가슴압박과 인공호흡 반복: 119 구급대원이 도착할 때까지 반복 시행
- 회복자세: 환자의 호흡이 회복되면 옆으로 돌려 눕혀 기도가 막히는 것을 예방한다.

35. 정답 | ①

열경련환자의 응급처치

- 고온에서 심한 노동으로 휴식, 수분과 염분 공급이 제대로 되지 못해 생긴 열피로 환자에게 충분한 휴식, 쇼크 체위, 염분이 함유된 유동식을 공급한다.
- 경련이 일어난 근육을 지압으로 풀어준다.
② 얼음찜질이나 얼음주머니를 이용해 마사지를 해준다.
③ 우선 환자를 시원한 장소로 옮겨 체온을 내리고 휴식을 취하도록 한다.
④ 편안한 자세로 눕히고, 단추나 허리띠를 풀어 체온 하강과 혈액순환을 돕는다.
⑤ 머리를 약간 높여 주고 다리를 올려준다.

36. 정답 | ②

금연교육 프로그램

- 동기부여 단계: 자신의 흡연습관과 갈등을 겪으며 마음을 준비하는 시기
- 행동화 단계: 흡연 습관의 변화 시도 단계
- 금연유지 단계: 흡연욕구에 대항해 스스로 조절하는 시기로 가장 어려운 단계

37. 정답 | ①

도입

: 동기유발, 학습목표 제시, 주의집중(자극), 문제인식

- 보건교육의 단계: 도입 → 전개 → 요약(정리) → 평가
② 전개: 자료 제시, 문제해결 방법 탐색
③ 요약: 학습과제 요약 및 정리, 만족과 자신감을 통한 실천
④ 평가: 보건교육 결과에 대한 평가가 이루어지는 단계

38. 정답 | ④

심포지엄

: 여러 명의 연사가 각기 다른 입장에서 강연을 한 후 청중을 공개토론의 형식으로 참여시키는 방법

- 발표자, 사회자, 청중 모두 주제에 대한 한 전문가
① 패널토의(배심토의): 어떤 주제에 관하여 상반된 의견을 가진 각각의 전문가 4~7명이 사회자의 진행에 따라 찬·반 토론을 진행하는 것
② 분단토의(버즈토의): 집단 구성원을 몇 개의 분단으로 나누어 토의하고 그 각각의 견해를 전체 집단에 발표하여 의견을 종합하는 방법
③ 집단토의(그룹토의): 10~15명으로 구성된 인원이 자유로운 분위기에서 토의하는 방식
⑤ 브레인스토밍(묘안 착상법): 특정 주제에 대해 모든 면을 다방면으로 해결방안을 찾기 위해 구성원들의 협동으로 결론을 도출하는 토의 방식

39. 정답 | ②

절대평가

: 목표지향평가로 미리 도달할 목표를 설정해놓고 교육

을 실시 후 목표에 도달되었는지를 평가하는 방법

① 진단평가: 교육활동이 시작되는 초기상태에서 학습결함이나 실패의 근본적인 원인을 발견하여 그에 대한 대책을 마련하기 위하여 실시하는 평가 방법

③ 상대평가: 기준지향평가로 학습자의 학습 결과를 미리 만들어 놓은 기준에 비추어 보아 기준보다 높다 낮다는 판정하는 방법

④ 총괄평가: 교육활동이 끝난 다음에 실시하는 대상자 학업성취수준을 종합적으로 확인하려는 방법

⑤ 형성평가: 보건교육 시 학습자들의 이해 정도와 참여 정도 파악 및 학습자들의 수업능력, 태도 변화 정도, 학습방법 등을 확인함으로써 학습지도 방법과 교육과정 개선을 위한 것을 목적으로 하는 방법

40. 정답 | ⑤
보건소장의 지휘·감독

- 보건소장: 시장·군수·구청장의 지휘·감독을 받는다.
- 우리나라 보건행정 체계 이원화: 행정 – 행정안전부, 기술지도 및 감독 – 보건복지부

41. 정답 | ③
일차보건의료 접근의 필수요소

- WHO에서 제시한 일차보건의료 접근의 필수요소: 접근성, 수용가능성, 주민의 참여, 지불부담능력
- 접근성: 지역적, 지리적, 경제적, 사회적 이유로 차별이 있어서는 안 된다.
- 수용가능성: 주민이 수용가능한 과학적 방법으로 접근해야 한다.
- 주민의 참여: 주민의 적극적 참여를 통해 이루어져야 한다.
- 지불부담능력: 주민의 지불능력에 맞는 보건의료수가로 제공해야 한다.

42. 정답 | ①
보건의료체계 하부 구성요소

- 경제적 지원: 공공재원, 기업주, 조직화된 민간기관, 지역사회의 기여, 외국의 원조, 개별 가계, 기타(복권 등)

② 자원의 조직적 배치: 국가보건당국, 건강보험기관, 기타정부기관, 비정부기관, 독립 민간부문 보건의료전달체계

③ 보건의료자원 개발: 인력, 시설, 장비 및 물자, 지식 및 기술

④ 보건의료정책 및 관리: 지도력, 의사결정(기획, 실행 및 실현, 감시 및 평가, 정보지원), 규제 등

⑤ 보건의료 서비스의 제공: 1, 2, 3차 예방

43. 정답 | ⑤
국민건강보험

- 보험료 부담은 소득이나 능력에 따른 차등 부담
① 보험자: 국민건강보험공단, 피보험자: 국민
② 건강보험의 적용 대상은 크게 직장가입자와 지역가입자로 나눈다.
③ 모두에게 필요한 기본 의료에서부터 적정 의료까지 균등하게 제공받는다.
④ 요양병원 간병비는 노인장기요양보험 표준서비스에 속한다.

44. 정답 | ④
노인장기요양보험제도

- 방문 간호는 2년 이상의 경력의 간호사와 3년 이상의 경력 간호조무사, 치위생사가 자격이 된다.
① 판정 등급 결과에 따라 달리 적용된다.
② 재정은 요양 서비스를 제공하는 사회보험제도로 장기요양보험료, 국가 지원 및 본인일부부담금으로 한다.
③ 방문 간호는 2년 이상의 경력의 간호사와 3년 이상의 경력 간호조무사, 치위생사가 자격이 된다.
⑤ 피보험자는 국민건강보험 가입자와 동일한 국민이다.

45. 정답 | ①
포괄 수가제

; 진단명에 따라 진료비를 포괄적으로 책정하여 지불하는 방식
- 진료비가 사전에 결정되므로 진료의 표준화를 이루기 쉽다.

②, ③, ④, ⑤는 행위별 수가제(사후보상결정 방식)이다.

46. 정답 | ④
온실효과
; 탄산가스 증가로 적외선부근의 복사열을 흡수하기 때문에 기온상승, 생태계의 파괴, 해수면 상승 등으로 기후변화의 요인으로 작용되고 있다.

47. 정답 | ①
; 도시하수나 농업폐수의 유입으로 질소와 인 등의 영양염류를 증가시켜 동식물성 프랑크톤이 과도하게 번식하는 수질오염현상
② 적조 현상: 미세한 프랑크톤이 바다에 무수히 발생하여 해수가 적색을 띠는 현상
③ 부활 현상: 염소처리 얼마 후에 세균이 평상시보다 증가하는 경우를 말함.
④ 열섬 현상: 도심은 인위적으로 교외에 비해 약 5 ℃ 정도 높게 되어 대기오염물질, 수증기, 열의 발생량이 커지는 현상
⑤ 밀스-라인케 현상: 물의 여과, 소독 시 전염병의 발생이 감소하는 현상

48. 정답 | ④
대기오염도 측정 지표
• 대기오염의 주요 원인: SO_2 (아황산가스), 일산화탄소(CO), 분진(먼지)
① O_2 (산소): 21%, 호흡작용에 절대적으로 필요, 영양소 연소에 사용된다.
② N_2 (질소): 78%, 질소산화물($NO\chi$)을 형성하여 대기오염의 원인이 된다.
③ CO_2 (이산화탄소): 무색, 무취의 비독성 가스, 실내공기 오염의 지표이다.
⑤ HC (탄화수소): NO와 함께 태양광선에 의해 2차 오염물질을 생성한다.

49. 정답 | ⑤
보툴리누스 식중독
• 보툴리누스균: 독소형 세균성 식중독, 통조림이나 소시지 등의 밀폐된 혐기성 상태의 식품에서 번식한다. 신경계 급성중독, 호흡곤란 등 치사율이 높은 식중독이다.
① 웰치균: 독소형 세균성 식중독, 토양에 널리 분포된 웰치균 등으로 식품에 침입하여 번식하면서 독소를 생성
② 포도상구균: 당분이 함유된 식품에 침입하여 번식하고 기온이 높은 여름철에 많이 발생하며 집단 식중독을 일으킬 때가 많다.
③ 연쇄상구균: 비강이나 편도에 침입하여 비강내 염증반응을 일으키는 균, 뇌막염, 패혈증 화농성 관절염. 인후두염. 설사 등을 유발
④ 살모넬라균: 감염형 세균성 식중독, 저온과 건조에 비교적 저항성이 강하여 생존. 날고기나 알, 오염되기 쉬운 샐러드 등의 조리식품 위험

50. 정답 | ④
직업병
• 고산병: 항공기 조종사, 등산가
① 수은중독: 축전지제조공, 인쇄업 근로자, 납 제련공
② 규폐증: 채석공, 채광부, 연마공
③ 잠함병: 잠수부, 갱내 터널작업자, 해녀
④ 레이노드씨병: 착암공, 연마공, 분쇄기공

51. 정답 | ②
초기병원성기
• 질병 자연사 단계(5단계)
– 1단계(비병원성기): 건강한 상태로 병인, 숙주 및 환경 간의 상호작용에 있어서 숙주의 저항력이나 환경 요인이 숙주에게 유리하게 작용하여 병인의 숙주에 대한 작용을 억제 또는 극복할 수 있는 단계
– 2단계(초기 병원성기): 병인의 자극이 시작되는 질병 전기로서, 숙주의 면역강화로 인하여 질병에 대한 저항력이 요구되는 단계
– 3단계(불현성 질병기): 병인의 자극에 대한 숙주의 반

응이 시작되는 조기의 병적이 변화기로서, 전염병의 경우는 잠복기에 해당, 비전염성 질환의 경우 자각 증상이 없는 초기단계

- 4단계(현성 질병기): 임상적 증상이 나타나는 시기로, 해부학적 또는 기능적 변화가 있으며 적절한 치료를 요하는 단계
- 5단계(회복기): 재활의 단계로 회복기에 있는 환자에게 질병으로 인한 신체적, 정신적 후유증을 최소화시키고 잔여 기능을 최대한으로 재생시켜 활용하도록 도와주는 단계

52. 정답 | ②

바이러스성 질환

- 호흡기계 감염성 질환
- 세균성 질환: 디프테리아, 백일해, 성홍열, 뇌막염, 폐결핵 등
- 바이러스성 질환: 인플루엔자, 홍역, 유행성 이하선염(볼거리) 등
- 소화기계 감염성 질환
- 세균성 질환: 장티푸스, 콜레라, 세균성 이질 등
- 바이러스성 질환: 소아마비, B형 간염(혈청성 간염), A형 간염(전염성 간염)

53. 정답 | ①

X-ray 촬영

- X-ray 직접 촬영: 진단의 정밀도가 가장 우수하여 결핵 감염에 대한 질병의 진행 정도를 알아볼 때 사용
- X-ray 간접 촬영: 비용이 적게 들고, 촬영이 간편하여 집단검사 시 사용
- ② PPD test(투베르쿨린 반응검사): IV형 알레르기 반응으로 24시간 이후에 일어나는 지연형 과민반응, 음성이면 결핵균에 노출된 적이 없으므로 예방접종대상자가 된다.
- ③ 객담검사: 객담을 채취하여 항산성간균이 검출되면 결핵을 진단
- ④ MMR 백신: 홍역, 유행성이하선염, 풍진의 예방백신
- ⑤ DTaP 백신: 디프테리아, 파상풍, 백일해 예방백신

54. 정답 | ④

발병률과 유병률

- 질병이환기간이 짧을 때(전염병유행기간): 발병율과 유병률이 낮다.
- ① 급성 전염병일 때 발병율은 높고 유병률은 낮다.
- ② 유병률의 분모는 전체 인구수이다.
- ③ 발병률의 분자는 일정기간 내에 새로 발생한 환자 수이다.
- ⑤ 국가 또는 지역별 보건사업 수준을 평가할 때 가장 많이 사용하는 지표는 영아사망률이다.

55. 정답 | ④

만성질환

- 만성질환은 완치가 어렵고 평생 관리하며 살아간다.
- ① 서서히 장기간에 발생, 장기간 치료와 간호가 필요(3개월 이상)
- ② 조기발견하고 생활습관을 바꾸면 관리가 가능하다.
- ③ 폐렴은 급성으로 진행, 폐결핵은 급성, 만성으로 진행
- ⑤ 여러 가지 원인에 의해 발생, 여러 가지 질병이 동시 존재한다. 원인이 명확하게 알려진 것이 드물다.

56. 정답 | ④

성비

- 성비 $= \dfrac{\text{남자인구수}}{\text{여자인구수}} \times 100$

  여자인구수 100명당 남자인구수를 말한다.
- 현재 우리나라의 성비는 0~4세는 남자가 많고, 연령이 증가하면서 차이가 줄어 결혼연령까지 점차 비슷해지다가 50~54세에서 균형을 이루며, 고령이 되면 여자인구가 남자인구를 넘어 선다.
- ① 노령기에는 남자가 적다. 그래서 여성 100명당 남성은 적어서 성비는 낮아진다.
- ② 3차 성비는 현재 30~40대 성비를 말한다.
- ③ 1차 성비는 태아의 성비로 남자가 많다.
- ⑤ 2차 성비는 출생 시 성비로 장래인구수를 추정하는 데 도움이 된다.

57. 정답 | ④

모자보건의 중요성

- 모자보건: 모성 및 유아 건강의 유지·증진을 도모하는 것
- 가정·지역·국가·세계적인 차원의 조직적인 활동에 의해서 지지된다.
- 모자보건사업은 다음 세대의 인구 자질에 직접적인 영향을 준다.
① 모자보건 대상자가 전체 인구의 약 50~70%로 인구의 다수를 차지한다.
② 모성과 아동은 의학적인 보호를 필요로 한다.
③ 모성과 아동의 질병은 예방은 쉽지만 사망률이 높다. 모자보건사업 자체가 예방사업이다.
⑤ 모성과 아동은 질병에 이환되기 쉽고, 영유아기의 건강문제는 치명률이 높거나 휴유증으로 장애가 되기 쉽다.

58. 정답 | ④

산전관리

- 산전관리: 건강한 임신과 분만이 되도록 돕기 위해 임부를 관찰, 교육하고 필요한 의학적 조치를 하는 것
- 산모 측면에서 볼 때 안전한 분만 및 산후건강, 신체적·정신적 건강유지증진, 임신중 합병증 최소화하여 모성사망을 저하시키는 목적
- 태아 측면에서 볼 때 저체중아· 사산·유산 등 신생아 사망률을 저하시키고, 신생아의 건강을 유지시키는 데 목적

59. 정답 | ②

임신성 고혈압

- 임신 20주 이후나 산욕 초기에 발생하는 것으로, 자간전증은 혈압상승, 부종, 단백뇨 증상이 동반한다.
① 자간증으로 진행될 시 근육경련이 일어 날 수 있으므로 병실을 어둡게 한다.
③ 활동을 제한하거나 침상안정을 하도록 한다.
④ 고단백, 절절한 탄수화물, 저지방, 고비타민식이, 저염 수분제한 식이를 권장한다.

⑤ 부종예방을 위해 수분 섭취를 제한하되 수분 섭취량과 배설량을 기록하도록 한다.

60. 정답 | ⑤

방어기전

- 억압: 불안에 대한 1차적 방어기제로 의식에서 제외시키는 정신적 과정
① 부정: 무의식적인 거부
② 전치: 공격 대상을 보다 힘없는 대상으로 옮김
③ 해리: 본래 성격과는 다른 독립적인 성격으로 행동
④ 반동: 생각이나 행동이 반대되어 나타나는 현상

61. 정답 | ②

질병의 예방활동

- 일차예방: 예방접종, 산전간호, 비만증 예방, 질병 예방, 금연, 금주 건강유지&증진 활동, 보건교육, 건강상담, 생활조건 개선
- 이차예방: 질병 발생 후 병의 진전지연, 조기 발견, 조기 치료
  ⓔⓧ 신체검사, 정기검진, 결핵환자 X-ray 촬영, 자궁암, 유방암검진 등
- 삼차예방: 질병 잔재효과 최소화, 불구예방, 사회복귀
  ⓔⓧ 재활, 물리치료, 직업치료 등
- 보호, 보건교육, 상담, 건강검진 등

62. 정답 | ⑤

방문간호의 목적

; 가족을 단위로 가족의 실정(건강, 교육, 생활수준, 경제상황, 위생습관, 정서상태)에 맞는 건강관리를 위함(스스로 문제를 해결할 수 있는 능력을 개발함)

63. 정답 | ⑤

가정방문 우선순위

- 감염성 환자는 방문간호사가 병원체의 전염매체가 되지 않도록 하기 위해 마지막에 방문

• 신생아, 미숙아 → 임산부 → 학령 전 아동 → 학동기
아동 → 성병 → 결핵

64. 정답 | ④
방문간호의 목적

• 집안의 내부 구조를 파악해야 한다.
• 가정방문 간호의 목적: 대상자의 건강에 영향을 미치
는 요인을 확인하고 실정에 맞는 건강관리 서비스를
제공해야 한다(가족상태 파악, 환자의 가정간호, 환경
위생개선지도, 보건교육 등).

65. 정답 | ③
진료기록부 등의 보존기간

• 10년: 진료기록부, 수술기록부, 예방접종 기록부
• 5년: 간호기록부, 조산기록부, 환자명부, 방사선사진
및 그 소견서, 검사소견 기록부
• 3년: 진단서 등 부본, 보수교육기록
• 2년: 처방전(마약&일반 약 포함)

66. 정답 | ②
자의입원자의 퇴원의사 확인

• 정신의료기관의 장은 자의입원을 한 사람에 대하여
2개월마다 퇴원 의사 확인

67. 정답 | ⑤
결핵환자 발생 시의 조치

• 시·도지사 또는 시장·군수·구청장: 결핵예방법상 동
거자 또는 제3자에게 결핵을 전염시킬 우려가 있다고
인정할 경우 질병관리청장이 지정한 의료기관에 입원
할 것을 명할 수 있다.

68. 정답 | ③
수돗물불소농도조정사업

• 보건소장의 업무: 불소농도 측정 및 기록, 불소화합물
첨가시설의 점검, 수돗물불소농도조정사업에 대한 교

육 및 홍보
• 상수도사업소장의 업무: 불소화합물 첨가, 불소농도
유지, 불소농도 측정 및 기록, 불소화합물첨가시설의
운영·유지관리, 불소화합물첨가 담당자의 안전관리,
불소제제의 보관 및 관리 등

69. 정답 | ③
혈액 채혈 후 검사항목

; B형 간염검사, C형 간염검사, 후천성면역결핍증검사,
매독검사, 간 기능 검사, 인체 T 림프영양성 바이러스
검사
• 채혈 전 검사 항목: 문진·시진·촉진, 체온 및 맥박측
정, 체중측정, 혈압측정, 빈혈검사(혈액비중검사, 혈색
소검사, 적혈구 용적률검사), 혈소판계수검사, 과거의
헌혈경력 및 혈액 검사 결과와 채혈금지대상자 여부의
조회

70. 정답 | ①
제2급감염병

; 전파가능성을 고려하여 발생 또는 유행시 24시간 이내
에 신고하고 격리가 필요한 감염병
• 결핵, 수두, 홍역, 콜레라, 장티푸스, 파라티푸스, 세
균성이질, 장출혈성대장균감염증, A형간염, 백일해,
유행성이하선염, 풍진, 폴리오, 수막구균 감염증, b형
헤모필루스인플루엔자, 폐렴구균 감염증, 한센병, 성
홍열, 반코마이신내성황색포도알균(VRSA) 감염증,
카바페넴내성장내세균속균종(CRE) 감염증, E형간염
② 매독: 제4급감염병
③ 파상풍: 제3급감염병
④ B형간염: 제3급감염병
⑤ 중동호흡기증후군: 제1급감염병

71. 정답 | ①
활력징후의 정상범위

① 정상호흡은 평균 1분간 12~20회 정도 호흡하며 맥박
4회당 1회의 호흡을 보인다.
② 정상맥박은 평균 1분간 60~100회 정도 맥박을 보

인다.
③ 정상직장체온은 36.6~37.9 ℃로 동일대상자에게 같은 체온계로 쟀을 때 가장 높은 체온측정치가 나오는 부위이다.
④ 정상평균혈압은 120/80 mmhg 미만이다.
⑤ 맥박 산소포화도 정상치는 95~100%이다.

72. 정답 | ③
맥박측정 부위

• 맥박측정 불가능 동맥: 관상동맥, 폐동맥, 대동맥

73. 정답 | ④
위관영양

; 구개반사가 불완전한 경우나 정상적인 방법으로 음식물을 섭취할 수 없는 경우 위내로 위관을 통해서 음식을 넣어주는 방법
• 1회에 250~400 cc의 영양액을 20~30분에 걸쳐서 중력을 이용해 주입한다.
① 주입이 완료된 경우 위관개방을 유지하기 위해 미온수를 30~60 cc 정도 주입하여 위관을 씻어준다.
② 음식물 온도는 체온보다 약간 높게 함(40 ℃) → 찬 음식은 불쾌감과 오한, 혈관을 수축시켜 소화액 분비 감소, 위경련 초래 가능
③ 위관영양 후 가능하면 주입 후 반좌위로 30분 이상 앉아 있게 하여 토하지 않도록 하고 소화를 촉진시켜 준다.
⑤ 위관의 위치를 확인하고 영양액 주입 전에 위관 내용물을 확인 후 버리지 않고 다시 중력에 의해 넣어준다.

74. 정답 | ③
부동환자의 배변 간호

• 환자가 엉덩이를 스스로 올릴 수 없는 부동환자의 경우는 간호조무사 쪽으로 등을 대고 옆으로 눕는 자세를 취하게 한 후 엉덩이에 대변기를 대준 후 반듯하게 눕힌다.
• 금기가 아니라면 침대머리를 30° 정도 올려주고, 침상

난간을 올려준다.
① 기저귀의 배설물이 보이지 않도록 안으로 말아 넣는다.
② 환자의 사생활 보호를 위해 병실 문을 닫고, 가림막을 치고 실시한다.
④ 변기를 교체한 후 침상 난간을 모두 올려준다.
⑤ 측위로 뉘었다가 변기를 대준 후 앙와위로 바꿔준다.

75. 정답 | ④
섭취량의 측정

• 섭취량: 경구로 섭취한 수분, 비경구로 투여된 수액, 혈액, 혈액성분, 위관영양액, 비위관 또는 공장루 튜브로 주입된 수분, 복막 주입액 등 신체내로 들어오는 모든 수분이 포함된다.
• 배설량: 신체에서 배설되는 수분을 말한다. 즉, 토, 소변, 설사 배액물(젖은 드레싱), 흉관 배액, 출혈, 소변

76. 정답 | ①
유치도뇨관 삽입환자의 간호

• 시간당 소변량을 측정하는 경우는 유치도뇨관(정체도 뇨관)을 삽입한다.
②, ③, ④, ⑤는 단순도뇨관 필요

77. 정답 | ⑤
고압증기멸균법

• 스테인레스 곡반: 고압증기멸균법
① 도뇨관 – E/O가스멸균법
② 주사기–고압증기멸균법
③ 우유병–자비소독법
④ 린넨류–고압증기멸균법

78. 정답 | ④
격리병동에서의 감염예방

• 격리병실 안에서 가운을 벗을 때는 깨끗한 면이 보이게 돌돌 말아서 버린다.
① 손을 씻을 때는 손끝이 팔꿈치보다 낮게 한다.

② 격리병실에서 사용하는 침요는 고무커버가 씌워진 것을 사용한다.

③ 격리병실에서 사용된 기구나, 쓰레기는 이중포장법을 이용해 처리한다. → 격리실 내의 격리 의료폐기물 박스에 처리한다.

⑤ 격리병실 안에(오염구역) 격리가운을 걸어두어야 할 때는 가운의 외면을(오염부위) 겉으로(밖) 나오게 한다.

79. 정답 | ②

욕창 간호

- 욕창호발 대상자: 무의식 환자, 마비환자, 몹시 마른 환자, 노인, 당뇨병 환자, 땀이 많은 환자 등

① 땀을 많이 흘리는 환자에게서 주로 발생한다.

③ 지속적인 압박으로 인한 혈액순환의 장애로 발생(부동자세)

④ 최소 2시간마다 자세 변경 실시

⑤ 매트리스가 딱딱한 침대를 사용하면 좋은 환자는 골절환자이다.

80. 정답 | ⑤

비말주의

: 호흡기 비말, 콧물, 기침 대화 시 전파우려가 있는 실병으로 유행성이하선염, 풍진, 독감, 폐렴과 같은 질병이 해당

① 공기주의: 비말핵이 먼 거리를 이동하여 전파되는 질병으로 폐결핵, 수두, 홍역과 같은 질병이 해당

② 보호격리(역격리): 감염에 민감한 사람을 위해 주위 환경을 무균적으로 유지하는 것. 환자의 저항력이 낮아서 다른 환자나 병원 직원으로부터 감염되는 것을 막기 위해 적용되는 격리 방법

③ 표준주의: 질병의 종류나 감염 질환의 유무에 관계없이 환자의 가족 및 방문객, 의료진을 보호하기 위해 환자에게 적용하는 것

④ 접촉주의: 접촉으로 인한 감염병의 전파 가능성이 높은 환자에게 적용되는 격리 방법

81. 정답 | ②

붕대 적용 방법

- 약간 관절을 구부린 상태의 정상 체위를 유지하도록 붕대를 감는다.

① 붕대를 감을 부위 중 말단 부위의 색깔, 감각, 온도, 부종을 관찰하기 위하여 말단 부위를 노출시키도록 한다.

③ 정맥귀환의 증진을 위하여 말단부로부터 체간을 향해 감는다.

④ 붕대의 시작이나 매듭이 상처부위에 가지 않도록 한다.

⑤ 젖은 드레싱이나 배액이 있는 상처부위는 느슨하게 감는다.

82. 정답 | ⑤

침상목욕

- 얼굴은 눈 → 코 → 볼 → 입 → 이마 → 턱 → 귀 → 목의 순서로 닦아준다.

① 하박에서 상박(말초 → 중추)으로 닦는다.

② 눈은 비루관의 감염방지를 위해 눈의 안쪽에서 바깥쪽으로 닦는다.

③ 얼굴 → 손·팔 → 가슴 → 복부 → 발·다리 → 등·둔부 → 음부 → 손톱·발톱 순서로 한다.

④ 장운동을 활발하게 하여 배변에 도움이 될 수 있도록 배꼽을 중심으로 시계 방향에 따라 마사지하듯 씻는다.

83. 정답 | ⑤

구강간호 용액

- 특별구강간호: 구강문제를 초래할 위험성이 높은 대상자 → 무의식 환자, 금식 환자, 비위관 삽입 환자, 산소요법 시행 환자, 마비환자 등 구강 건조와 감염예방 위해 과산화수소수를 장기간 사용 시 치아의 에나멜층을 손상시키므로 충분히 헹구어 낸다.
- 과산화수소:식염수=1:4로 희석하여 사용

84. 정답 | ③

회음부 간호

- 감염이 적은 치골(위, 앞, 질쪽)에서 감염이 많은 항문 쪽(아래, 뒤)으로 닦는다.
① 대상자의 프라이버시를 지키기 위해 최소한으로 노출한다.
② 배횡와위로 누워 무릎을 굽히고 회음부를 노출시킨다.
④ 미생물 전파방지를 위해 대음순 → 소음순 → 요도 순으로 소독한다.
⑤ 매번 닦을 때마다 새로운 솜으로 갈아준다.

85. 정답 | ①

요실금 환자의 간호

- 차, 커피, 콜라, 초콜렛 등의 카페인과 알코올 섭취를 제한한다.
② 증상이 심하거나 꼭 필요한 경우가 아니라면 기저귀 착용을 권장하지 않는다.
③ 케겔법이라 불리는 골반근육 강화운동으로 골반근을 강화시킨다.
④ 잠자기 2시간 전에는 수분섭취를 피하도록 한다.
⑤ 일정한 간격으로 변기를 대어 주거나 규칙적으로 소변을 보게 하는 것이 도움이 된다.

86. 정답 | ⑤

등척성 운동

; 관절운동은 없으면서 근육 수축만 있는 운동(역도, 벽 밀기, 석고붕대 시 운동)
- 근력강화운동으로 관절은 움직임이 없으므로 도움이 되지 않는다.
① 능동적 운동: 위축이나 경축을 예방하기 위해 스스로 근육을 수축하여 운동하는 것
② 수동적 운동: 스스로 움직일 수 없을 때 간호자나 기계에 의해 수동적으로 움직이는 운동, 정지 상태 운동 → 관절 경직 예방
③ 등압성 운동: 근육의 단축과 능동적인 운동(정상범위 운동, 수영, 걷기, 조깅 등)

④ 등장성운동(isotonic exercise)=등압성 운동: 근육의 수축과 이완으로 근육의 힘, 크기, 강도가 증가되는 운동 → 근 수축, 허약 방지(맨손체조, 아령운동, 팔 굽혀펴기 등)

87. 정답 | ④

수동적 관절범위운동

- 독립적으로 움직일 수 없을 때 간호자가 움직여 주는 것(관절 경직 예방)
① 능동적 운동 → 위축이나 경축을 예방하기 위해 스스로 근육을 수축하여 운동하는 것
②, ③, ⑤ 등장성 운동(=등압성 운동) → 근육의 수축과 이완으로 근육의 힘, 크기, 강도가 증가되는 운동

88. 정답 | ①

지팡이 보행 보조

- 편마비 환자가 지팡이로 계단을 내려갈 때 간호조무사는 환자의 마비된 쪽에 서고, 환자는 건강한 쪽 손을 지팡이를 잡고 선다.
- 지팡이 → 마비된 다리 → 건강한 다리 순서로 이동

89. 정답 | ④

낙상 예방

- 노인은 노화로 인해 시각·청각 등의 감각이 둔하고 공간 지각력, 운동감각이 떨어져 낙상사고에 취약
- 골다공증으로 인해 뼈 밀도가 약해 쉽게 골절될 수 있어 보행기나 지팡이 등의 보조기구가 필요
① 환자낙상예방을 위해 침대 난간을 늘 올려두도록 한다.
② 낙상예방을 위해 침대 높이를 낮게 하되 처치 시는 침대를 처치자의 허리높이로 올리도록 한다.
③ 이동바퀴는 안전사고예방을 위해 늘 잠금장치를 잠근다.
⑤ 실내 조명을 개선하여 낙상으로 인한 안전사고를 예방하도록 한다.

90. 정답 | ④

심스 체위

; 체위변경 시, 관장, 항문검사, 구강분비물 배액

① 복위 (엎드린 자세): 구강의 분비물의 배액 촉진, 등 근육의 휴식, 무의식 환자, 경추나 요추 장애환자는 금지

② 배횡와위: 복부검사, 질검사, 여자의 인공도뇨 시, 신체검진 시

③ 슬흉위: 산후운동, 자궁위치교정, 월경통 완화, 직장 경검사 시

⑤ 반좌위(파울러 체위): 호흡곤란, 배농관의 배액, 흉곽 수술 후, 심장수술 후

91. 정답 | ③

얼음주머니

• 직접 피부에 적용하면 너무 차가워 혈액순환이 안 되므로 수건으로 싸서 대준다.

• 주머니에 공기를 제거해야 얼음이 빨리 녹지 않고 피부에 밀착시킬 수 있다(⅓ 정도 채움).

① 개방상처나 순환장애, 감각장애가 의심되는 부위에는 적용을 피한다.

② 얼음은 주머니에 ⅓정도 채운 후 적용해야 효과적이다(호두알 크기).

④ 주머니에 공기를 제거해야 얼음이 빨리 녹지 않고 피부에 밀착시킬 수 있다.

⑤ 모가 나면 얼음조각이 주머니를 손상시켜 대상자에게 불편감을 주므로

92. 정답 | ④

수술 당일 환자 준비

• 속옷까지 벗고 수술가운만 입는다.

① 마취 중이나 수술 도중에 구토로 인해 위 내용물이 기도로 넘어가 폐합병증을 발생이나 질식 예방을 위해 금식한다.

② 귀중품 분실의 위험을 배제하기 위해 보호자에게 맡긴다.

③ 핀이나 장신구는 모두 제거한다.

⑤ 기도폐쇄 우려 때문에 제거하여 뚜껑 있는 불투명한 물컵에 잠기게 보관

93. 정답 | ②

수술 후 대상자별 간호

• 위절제술환자는 호흡기 합병증 예방이 중요하다. 심호흡과 기침을 유도하여 객담배출을 돕는다.

① 혈전정맥염환자는 조기이상과 다리 운동을 격려한다.

③ 편도선절제환자는 찬유동식과 연식을 제공한다. 수술 부위의 부종과 출혈을 예방하기 위해 얼음 칼라를 적용한다.

④ 금식환자가 갈증을 호소하면 거즈에 물을 적셔 입속에 물려주거나 작은 얼음조각을 입안에 넣어주면 갈증완화에 도움이 된다.

⑤ 무의식환자는 앙와위를 취하게 하고 머리를 옆으로 돌려 놓게 하여 기도 폐색을 예방한다.

94. 정답 | ④

조기이상

; 수술 후 24~48시간 이내에 일어나 걷는 것

• 적어도 2시간마다 체위변경 실시

• 금기 환자: 눈(안압 상승), 척수(척수신경 손상), 뇌(뇌압 상승) 수술환자, 출혈환자, 골절환자, 봉합이 불완전한 환자는 금기

95. 정답 | ⑤

요배양검사

• 요배양검사: 무균적(멸균뇨, 인공도뇨)으로 멸균시험관에 채취

• 요배양검사 목적: 원인균 파악과 적절한 항균제을 찾기 위해 실시

96. 정답 | ④

기도 폐색 방지

- 구강내의 분비물이 효율적으로 제거되지 않고 입안에 남아 있을 경우 기도로 넘어가 폐에 심각한 문제를 유발한다.

97. 정답 | ①

기관절개술 환자의 간호

- 기관절개관에 젖은 거즈를 덮어 가습(습도)과 먼지 흡착의 역할을 할 수 있고, 실내습도를 충분히 유지하여 기관 내 점막의 건조를 막는다.

98. 정답 | ⑤

입원환자의 침상정리

- 밑 침구를 더 단단히 만들기 위함, 구김으로 인한 욕창을 예방하기 위함
① 고무포는 어깨에서 무릎사이에 깐다. → 홑이불에 분비물이 젖는 것을 방지
② 크래들은 반홑이불과 윗홑이불 사이에 놓음 → 화상 환자를 위해 사용한다.
③ 베게잇의 터진 쪽을 출입구 반대쪽으로 향하게 놓는다.
④ 위홑이불은 솔기가 환자에게 닿지 않도록 위쪽으로 놓여지게 깐다.

99. 정답 | ④

치료적 의사소통

- 침묵: 환자에게 생각하고 말할 기회를 제공하기 위해 의도적으로 잠시 말을 중단한다.
①, ②, ③, ⑤는 비치료적 의사소통 방법

100. 정답 | ②

임종 간호

- 돕는 관계를 계속 유지하기 위해 환자의 말에 관심을 보이며 잘 경청한다.
① 환자의 요구에 최대한 응하지만 모두 들어줄 수 없다.
③ 임종을 앞둔 환자는 독방을 주어 개인성을 유지하되 혼자 있게 하지 않는다.
④ 주위의 소음을 줄이고, 분명한 발음과 조금 낮은 어조로 환자의 시야 내에서 소통하도록 하며 천천히 또박또박 말하도록 한다.
⑤ 호스피스란, 임종을 앞둔 사람과 그의 가족이 죽음을 자연스럽게 수용할 수 있도록 돌보는 과정을 말한다.

참고문헌

가혁 외. 『노인요양병원 진료지침서 (제4판)』. 군자출판사, 2021

강경아 외. 『아동청소년간호학 (제2판)』. 군자출판사, 2019

강지연 외. 『간호사를 위한 건강사정 (제2판)』. 군자출판사, 2019

공성숙 외. 『정신건강간호학 (제7판)』. 군자출판사, 2021

김계숙 외. 『여성건강간호와 비판적사고 (제2판)』. 군자출판사, 2015

김선옥. 『2019 간호조무사 실전 모의고사』. 군자출판사, 2018

김선옥. 『2019 간호조무사 핵심요약집』. 군자출판사, 2018

대한노인응급연구회. 『노인응급의학』. 군자출판사, 2019

대한산부인과학회. 『산부인과학 지침과 개요 (제5판)』. 군자출판사, 2021

대한약학회. 『병태생리학 (제5판)』. 군자출판사, 2013

대한재활의학회. 『재활의학』. 군자출판사, 2019

대한중풍순환신경학회. 『한의표준임상진료지침』. 군자출판사, 2021

박경희. 『그림으로 보는 상처관리 (제2판)』. 군자출판사, 2019

서울대병원 약제부. 『병원약학실무실습서 (제2판)』. 군자출판사, 2017

스마트에듀K 아카데미. 『2021 치과위생사 국가시험 핵심요약집』. 군자출판사, 2021

심정은 외. 『간호사 국가시험 파워 파이널 완성』. 군자출판사, 2021

연세대원주의과대학. 『응급구조와 응급처치 (제8판)』. 군자출판사, 2017

유봉규. 『약물치료 핸드북 (제2판)』. 군자출판사, 2020

이명숙 외. 『최신 핵심간호용어 (제5판)』. 군자출판사, 2010

이주열. 『공중보건학 (제3판))』. 군자출판사, 2016

장성옥 외. 『기본간호학 실습지침서 (제5판)』. 군자출판사, 2018

장성옥 외. 『기본간호학 이론서 (제5판)』. 군자출판사, 2018

정구보 외. 『백상호의 사람해부학』. 군자출판사, 2017

정연준 외. 『간호미생물과 감염관리』. 엘스비어코리아, 2017

최승훈. 『한의학 원론』. 군자출판사, 2020

한수인 외. 『2019 간호사 국가고시 핵심요약집』 시리즈 총9권. 군자출판사, 2017

한수인 외. 『POWER 2019 간호사 국가고시 보건의약관계법규』. 군자출판사, 2017

황성오 외. 『심폐소생술과 전문심장소생술 (제6판)』. 군자출판사, 2021